W9-DAG-046

Motivo de la cubierta de la edición ilustrada:
Locomotora «Mataró» de Stephenson para la línea Barcelona-Mataró, primer ferrocarril inaugurado en España (1848).

Motivo de la cubierta de la edición rústica:
Luis Álvarez, *Don Alfonso XIII y Doña María Cristina.* Palacio del Senado, Madrid. (Archivo SALMER.)

HISTORIA DE ESPAÑA

HISTORIA DE ESPAÑA

Dirigida por el profesor
Manuel Tuñón de Lara
Catedrático de la Universidad de Pau (Francia)

TOMO VIII

EL DIRECTOR:

Manuel Tuñón de Lara, doctor de Estado en Letras y catedrático de la Universidad de Pau (Francia). Director del Centro de Investigaciones Hispánicas de la misma y del Centro de documentación de Historia Contemporánea de España de las Universidades de Burdeos y Pau. Consultor de la Historia del desarrollo científico y cultura de la Humanidad de la UNESCO. Entre sus obras destacan: *La España del siglo XIX, La España del siglo XX, Historia y realidad del Poder, Medio siglo de cultura española, 1885-1936. El movimiento obrero en la historia de España, Metodología de la historia social, La Segunda República, Luchas obreras y campesinas en Andalucía.*

LOS AUTORES:

Gabriel Tortella Casares, catedrático en la Universidad de Alcalá de Henares y profesor asociado de Pittsburgh, Pensilvania (EE.UU.). Ha trabajado sobre Historia Económica de la España Contemporánea. Entre sus obras se encuentran: *Los orígenes del capitalismo en España, La Banca española en la Restauración* (2 vols.) y, en colaboración con otros autores, *Banks, Railroads, and Industry in Spain, 1829-1874.*

Casimiro Martí y Martí, profesor de la Facultad de Teología de Barcelona, ha publicado varios trabajos sobre la historia del movimiento obrero y sobre la historia de la Iglesia en España, en los siglos xix y xx: *Orígenes del anarquismo en Barcelona* (1959), «Datos para un estudio sobre la Iglesia en la sociedad española a partir de 1939» (*Pastoral Misionera*, 1972), *Iglesia y comunidad política* (obra colectiva, 1974) y *Barcelona a mitjan segle XIX: el moviment obrer durant el bienni progressista* (1976, 2 vols., en colaboración con Josep Benet). Actualmente sus investigaciones se centran sobre la España de la segunda mitad de siglo xix.

José María Jover Zamora, catedrático de Historia Contemporánea en la Universidad Complutense de Madrid. Principales obras publicadas: *1635. Historia de una polémica* (1949); *Política mediterránea y política atlántica en la España de Feijoo* (1956); *La guerra de la Independencia española en el marco de las guerras europeas de Liberación, 1808-1814* (1958); *Carlos V y los españoles* (1963); *1898: teoría y práctica de la redistribución colonial* (1979), etc., y una serie de trabajos recopilados en *Política, diplomacia y humanismo popular en la vida española del siglo XIX* (1976). Es director de la *Historia de España* fundada y dirigida hasta su muerte por don Ramón Menéndez Pidal. En octubre de 1978 ha sido elegido miembro numerario de la Real Academia de la Historia.

José Luis García Delgado, catedrático de Estructura Económica y Decano de la Facultad de Ciencias Económicas y Empresariales de la Universidad de Oviedo, ha sido secretario del consejo de redacción de la tercera época de *Anales de Economía* y es miembro fundador de la Revista *Investigaciones Económicas.* Entre sus títulos más recientes destacan: *Orígenes y desarrollo del capitalismo en España, Reformismo y crisis económica, La formación de la sociedad capitalista en España; 1914-1920,* así como los estudios dedicados a Constancio Bernaldo de Quirós y Pascual Carrión.

David Ruiz, profesor de Historia Contemporánea de la Universidad de Oviedo, es autor, entre otros, de los siguientes trabajos: *El movimiento obrero en Asturias. De la industrialización a la II República;* «Luddismo y burguesía en España (1821-1855)»; «Alejandro Pidal o el posibilismo católico de la Restauración. Posiciones doctrinales y práctica política»; *Asturias Contemporánea 1808-1936*; «La vieja nobleza y la industrialización»; «Introducción a octubre de 1934» y *La dictadura franquista 1939-1975.*

REVOLUCIÓN BURGUESA OLIGARQUÍA Y CONSTITUCIONALISMO

(1834-1923)

por

Gabriel Tortella Casares

Casimiro Martí y Martí

José María Jover Zamora

José Luis García Delgado

David Ruiz González

EDITORIAL LABOR, S.A.

Coordinación general de la obra:

Dra. M.ª Carmen García-Nieto París
Profesora adjunta de Historia de España,
Universidad Complutense de Madrid

2.ª edición, 14.ª reimpresión: 1993

Escoles Pies, 103 - 08017 Barcelona
Grupo Telepublicaciones
Depósito legal: Z. 2071-1993
ISBN 84-335-9428-1 (rústica, tomo VIII)
ISBN 84-335-9420-6 (rústica, obra completa)
ISBN 84-335-9439-7 (ilustrada, tomo VIII)
ISBN 84-335-9431-1 (ilustrada, obra completa)
Printed in Spain - Impreso en España
Fotocomposición: Tecfa - Almogàvers, 189 - 08018 Barcelona
Impreso en Venus Industrias Gráficas, S.L.
Carretera de Castellón, km. 4,800. Zaragoza

PRIMERA PARTE

LA ECONOMÍA ESPAÑOLA, 1830-1900

por

Gabriel Tortella Casares

Quiero agradecer a los amigos Pablo Martín Aceña y Leandro Prados de la Escosura el haber leído y comentado ciertas secciones de este trabajo. También quiero agradecer los servicios que me prestó el Departamento de Historia de la Universidad de Pittsburgh. La responsabilidad por opiniones o errores es exclusivamente mía.–G.T.C.

CAPÍTULO PRIMERO

La economía española en el marco de la cuenca mediterránea

Para quien contempla el panorama que ofrece la economía española en el siglo XIX, el primer fenómeno que llama la atención es el del relativo estancamiento. No quiere esto decir que la economía española no creciera durante ese período: la población aumentó de unos once millones a principios a unos diecinueve a fines del siglo; la producción de alimentos, de prendas de vestir, de viviendas, se desarrolló a lo largo de estos años al menos lo suficiente como para subvenir, aunque precariamente, a las necesidades de esta humanidad creciente; se construyó la mayor parte de la red ferroviaria; las ciudades crecieron mucho más deprisa que la población en conjunto; varias industrias, como la textil algodonera, la siderúrgica, la minera vieron su producción multiplicada; pero a pesar de estos progresos y de muchos otros que sería engorroso traer a colación, en comparación con las de muchos otros países europeos, la economía española se estancó visiblemente. Con ello se quiere decir que, si tuviéramos series fiables de renta nacional para España y para Europa en su conjunto en el período que consideramos, estas series nos mostrarían un desfase creciente entre la renta española y la europea, no solamente en términos per cápita, sino también en términos absolutos. Y es que, si bien el crecimiento de la población española durante esos años no tiene precedente en su historia (alrededor de un 75 % en cien años), comparado con el desarrollo demográfico del resto de Europa, el español es un crecimiento modesto: con las excepciones de Francia, Portugal e Irlanda (único que se despuebla) la mayor parte de los países europeos ven su población doblarse e incluso en algunos casos triplicarse. En el siglo XIX, la lentitud relativa del desarrollo demográfico es un índice de relativo estancamiento económico. Los estudios que se han hecho con indicadores aproximados muestran la realidad de este desfase relativo de España, que otras naciones como Italia, Rusia, Portugal e Irlanda tenían el dudoso honor de compartir [10]*.

Las causas de este atraso relativo han preocupado a historiadores y economistas, que se han interrogado sobre «la decadencia económica de España». Se han ofrecido explicaciones que van desde una misteriosa incapacidad del hispano para la empresa económica («prosaica» y «antiheroica» son adjetivos que se acostumbra aplicar en este contexto, contrastando con la poesía y el heroísmo que se atribuyen a las empresas religiosas y guerreras que, como compensación, se consideran especialidades del país) hasta la supuesta conjuración internacional contra España que se inicia en el siglo XVI, pasando por explicaciones geográficas, psicológicas, políticas y jurídicas. El problema que presentan estas explicaciones es que es muy difícil someterlas a constrastación empírica (lo que ocurre, por desgracia, con la mayor parte de los grandes temas y teorías históricos).

Si bien no tenemos aquí ni espacio ni tiempo para revisar esas hipótesis, ni nos es posible proponer una que sea empíricamente contrastable, sí podemos sugerir una interpretación que, sin ser original (hace ya muchos años que se terminaron las ideas originales: todo el pensamiento es compartido), presenta cierta novedad y a la vez trata de ganar en generalidad incorporando los casos de otros países. En otro lugar, enfrentado con el mismo problema, trataba yo de separar las posibles causas del relativo atraso económico de España en tres grandes apartados, causas físicas, causas sociales y causas históricas, suponiendo que los tres apartados tenían «una cierta medida de independencia» entre sí [95,4]. Hoy este supuesto me parece dudoso.

En realidad, el problema del atraso económico de España adquiere una dimensión distinta si ensanchamos nuestro horizonte geográfico y consideramos al país no como un ente aislado, sino como una zona más de la región mediterránea o, quizá más precisamente, como parte de la Europa meridional. Que España forma parte geográfica, cultural, e incluso lingüísticamente, de esta región de Europa no necesita discusión. Ahora bien, ¿quiere esto decir que también tenga en común rasgos económicos con el resto de la zona? Evidentemente sí, porque, frente a la Europa del Norte y frente al África del Norte la Europa meridional ofrece rasgos económicos distintivos: en concreto y a primera vista, una renta per cápita intermedia, es decir, significativamente más baja que la de la Europa septentrional y más alta que la del África mediterránea. Desde esta óptica, el problema español no parece tan exclusivo: el relativo atraso español es un problema compartido por Italia, Portugal, Yugoslavia, Grecia y el resto del mundo normediterráneo, aunque en dis-

*Los números entre corchetes remiten a la bibliografía. (N. del E.)

tintos grados. Parece por tanto indicado, para comprender el problema económico de España, tener en cuenta el de la región en su conjunto.[1]

Para los seguidores de Max Weber, el problema del atraso relativo de la región normediterránea presenta una solución sencilla: el triunfo de la ética protestante en el norte y el mantenimiento del monolitismo católico en el sur explican la diferencia en tasas de crecimiento en perjuicio del sur a partir del siglo XVII. Esta tesis weberiana ha tenido y aún disfruta un gran predicamento, sobre todo en los países de cultura y tradición protestantes. Debemos confesar que su fuerza es considerable: los razonamientos de tipo ético-psicológico aportados por Weber en su libro sobre *La ética protestante y el espíritu del capitalismo* son altamente coherentes; la evidencia histórica y económica aún resulta persuasiva. Es asombroso cómo coinciden los mapas religioso y económico de la Europa moderna y contemporánea. No son solo los países protestantes los que triunfan económicamente, sino que incluso en los países católicos los grupos minoritarios protestantes destacan por su prosperidad y su iniciativa empresarial. Caso típico es el de los hugonotes franceses.

Pese a todo ello, la teoría tiene puntos débiles. El mencionado con mayor frecuencia, notablemente por A. Fanfani y otros historiadores italianos, y católicos, es que, si el catolicismo es un freno al crecimiento económico, resulta difícil explicar la delantera que tomó Italia en particular, y la Europa del Sur en general durante la Baja Edad Media y principios de la Edad Moderna. Pero este argumento tampoco es muy convincente, porque el hecho de que sea a partir del siglo XVI cuando la Europa de la Contrarreforma queda económicamente rezagada parece indicar que, si no absoluto, el catolicismo fue un freno relativo que contrasta con la rienda suelta dada al capitalismo por la Reforma.

Más convincente que el caso italiano resulta el de la Bélgica contemporánea, país católico que lleva a cabo la revolución industrial muy poco después de Inglaterra y adelantándose a todos los países protestantes continentales. El caso de Bélgica es interesante porque permite la comparación con la vecina Holanda, campeón protestante y adelantado capitalista durante el siglo XVII hasta la mitad del XVIII, pero que se estanca a partir de entonces y se industrializa tardíamente como un país católico cualquiera. La precoz industrialización belga encaja muy mal en la teoría weberiana sobre las ventajas económicas del protestantismo.

En realidad, más que como argumento explicativo, el factor religioso debe verse como consecuencia de desarrollos económicos y sociales. Es un hecho que la Europa septentrional, reducto de atraso y barbarie en la Antigüedad, va equilibrándose y equiparándose a la Europa del Sur durante la Edad Media, para alzarse con clara superioridad política, cultural y económica durante la Edad Moderna. La explicación más satisfactoria a esta reversión de relaciones está en la dialéctica entre tecnología y condiciones naturales. El estado primitivo de las técnicas agrícolas de los pueblos germánicos en la Antigüedad explican su atraso y su deseo de ocupar y explotar tierras meridionales, más asequibles a la tecnología agraria predominante entonces, en especial el arado ligero o romano. La difusión durante la Edad Media de una tecnología agrícola más adecuada a las tierras húmedas y pesadas del norte, en particular el arado pesado tirado por bueyes y más tarde por caballos, permite el asentamiento de las tribus germánicas, la disminución del nomadismo y un proceso lento y gradual de desarrollo agrario, y más tarde comercial, en torno al mar del Norte y al Báltico. Una vez difundida la tecnología apropiada, la fertilidad de las tierras septentrionales, más ricas y mejor irrigadas, resultó ser mayor que la de las meridionales. Durante la Edad Moderna, por añadidura, se desarrollan en Holanda, para ser más tarde extendidas a Gran Bretaña, nuevas técnicas de cultivo adaptadas a las condiciones de la Europa septentrional que van a multiplicar la productividad y van a permitir el fenómeno que se conoce con el nombre de revolución agrícola, hoy generalmente reconocida como el preludio de la revolución industrial que se inicia en Inglaterra en el siglo XVIII. Entre estas nuevas técnicas se cuentan las rotaciones de cultivos, la supresión de los barbechos, la introducción de leguminosas y tubérculos, el *mixed farming* o combinación de agricultura intensiva y ganadería estabular, etcétera.

Entretanto, la agricultura mediterránea, que había experimentado un notable progreso durante la Edad Media gracias a la introducción por los musulmanes de mejoras en los sistemas de irrigación y nuevos cultivos adaptados a sus condiciones físicas, se estanca tecnológicamente durante la Edad Moderna, debido posiblemente a que los aumentos de población provocan una extensión en el cultivo de cereales en régimen de secano, con productividades marginales probablemente decrecientes. El cultivo sistemático de cereales con métodos primitivos pone de relieve los problemas físicos característicos de la región: suelos relativamente pobres y fácilmente erosionables, alta evaporación, lluvia escasa y de régimen invernal.[2] El resultado fue la prolongación de una agricultura de subsistencia y el estancamiento o la regresión económica.

Pero no es solo en el ámbito de la tecnología agrícola donde la Europa septentrional toma la delantera durante la Edad Moderna, sino también —y en esto sí que tiene influencia la Reforma protestante— en el régimen de propiedad de la tierra. La separación de la Iglesia de Roma implica en la Europa septentrional la abolición de los latifundios eclesiásticos y la secularización de estas propiedades. El proceso se inicia con la Disolución de los Monasterios en Inglaterra, pero procesos económicamente similares tienen lugar en los Países Bajos, en la Alemania del Norte, y en Suecia [27; 48; 88]. Estos procesos de «desamortización eclesiástica» van frecuentemente acompañados de una «desamortización civil» (recordemos que los episodios desamortizadores no tendrán lugar en la Europa católica o septentrional hasta muy a finales del siglo XVIII o en el XIX), como es en Inglaterra el proceso de los cercamientos o *enclosures*. Todo lo cual implica que en esta Europa septentrional el proceso de avance tecnológico agrario va acompañado de la disolución de los vínculos feudales; y que este proceso de cambio tiene lugar mientras la situación técnica y jurídica de la agricultura en la Europa mediterránea permanece estancada.

En el atraso relativo de la agricultura mediterránea tiene que verse una de las explicaciones fundamentales de la lentitud de su revolución industrial, y en este aspecto España no es ninguna excepción. Las descripciones de la agricultura española durante los siglos XVIII y XIX confirman este punto de vista: según Anes, en la España del siglo XVIII «la productividad en la agricultura era muy baja y venía a constituir un obstáculo que impedía el crecimiento económico» [2, 163].[3] Durante el XIX, como veremos, la producción de los principales cultivos aumentó, pero no mucho más rápidamente que la población o que la superficie sembrada, de modo que la acumulación en la agricultura no bastó probablemente para permitir que este sector cumpliera adecuadamente las funciones que ha desempeñado en el período de transición en la mayor parte de los países industrializados: constituir una fuente de capital para la industria, liberar una oferta creciente de mano de obra, y constituir un mercado profundo para los productos industriales.[4] Así, el estancamiento agrícola, estrechamente conectado con el anquilosamiento de las estructuras sociales y políticas, constituye la mayor diferencia entre la Europa mediterránea y la Europa del Norte.

En resumen, el atraso relativo de España en el siglo XIX hay que relacionarlo con el del resto de la cuenca mediterránea. Y este resulta ser la consecuencia de un complejo de factores físicos, sociales, políticos y tecnológicos que producen el estancamiento de la más importante actividad económica, la agricultura, fenómeno que se hace evidente sobre todo a partir del siglo XVII por contraste con la prosperidad relativa de la Europa septentrional.

NOTAS DEL CAPÍTULO PRIMERO

1. El enfoque geográfico-ecológico es uno de los mayores aciertos de la escuela francesa que se agrupa en torno a la revista *Annales*; la consideración de la región mediterránea como una unidad está en la base del método de su gran figura, Fernand Braudel.

2. Véase, por ejemplo, Branigan y Jarrett, capítulos III, IV y VII.

3. Véase también de G. Anes, *Las crisis agrarias* y «La agricultura española»; para un panorama general de los contrastes agrarios en la Europa moderna, De Maddalena en Cipolla, *Fontana*, vol. 2 y también Slicher van Bath.

4. Véase capítulo III más adelante.

Capítulo II

La población

En comparación con la de otros países europeos, la población española creció lentamente durante el siglo XIX: de unos 11,5 millones que tenía a principios de siglo, a finales alcanzó unos 18,6 millones. El cuadro 1 nos permite una comparación bastante detallada con el caso de otras naciones del continente.

El cuadro revela una interesante correlación entre crecimiento demográfico y modernización económica: en general, los países cuya po-

Cuadro 1

Crecimiento y otras variables demográficas en varios países europeos

Países	(1) Población (millones) 1800	(2) 1900	(3) Crecimiento: Aumento en %	(4) Tasa media anual en %	(5) Tasa de mortalidad en 1900 (por mil)	(6) Tasa de natalidad en 1900 (por mil)
1. Gran Bretaña	10,9	36,9	238,5	1,227	18	29
2. Holanda	2,2	5,1	131,8	0,844	18	32
3. Bélgica	3,0	6,7	123,3	0,807	19	29
4. Suecia	2,3	5,1	121,7	0,800	17	27
5. Alemania	24,5	50,6	106,5	0,728	22	36
6. Austria-Hungría	23,3	47,0	101,7	0,704	25[a]	35[a]
7. Italia	18,1	33,9	87,3	0,629	24	33
8. Portugal	3,1	5,4	74,2	0,557	20	30
9. ESPAÑA	11,5	18,6	61,7	0,482	29	34
10. Francia	26,9	40,7	51,3	0,408	22	21
11. Irlanda	5,0	4,5	–10,0	–0,105	20	23

[a] Austria solamente

Fuente: Calculado a partir de Armengaud en Cipolla, *Fontana*, vol. 3 y de Mitchell, *European Historical Statistics.*

Cuadro 2

La población española en el siglo xix

Año	Millones
1857	15,5
1860	15,6
1877	16,6
1887	17,6
1897	18,1
1900	18,6

Fuente: Censos.

blación crece en más del 100 % son aquellos cuya economía se industrializa, quizá con la excepción parcial de Austria-Hungría, caso clásico de economía dual que está situado justamente en la divisoria; y el evidentemente sesgado de Francia, cuyo lentísimo crecimiento demográfico enmascara un ritmo de progreso económico lento pero sostenido.

Ciñéndonos al caso español, la lentitud del crecimiento demográfico se explica por una tasa de mortalidad muy alta que, aunque acompañada de una natalidad también muy alta, resulta un crecimiento muy modesto. «Pese a haber disminuido notoriamente, la mortalidad española era, en 1850 como en 1900, más elevada que en las naciones vecinas.» [66, 132]. La mortalidad en España, pese a ser decreciente a lo largo del siglo, se mantiene claramente por encima de la europea occidental. Esta alta mortalidad se pone de manifiesto en la lentitud con que se alarga la expectativa de vida, es decir, la longevidad media por individuo nacido. La esperanza de vida al nacer, en España estaba por debajo de los treinta años a mediados de siglo, y por debajo de los treinta y cinco años en 1900: este nivel se había sobrepasado en los países escandinavos siglo y medio antes.

Entre los factores que explican esta alta mortalidad están los que pueden englobarse dentro de la frase «atraso económico»: deficientes condiciones sanitarias y médicas, baja productividad de la agricultura y la ganadería, escasez de vivienda, alto coste e insuficiente red de transporte, ignorancia generalizada con respecto a las causas y mecanismos de transmisión de enfermedades, etc. La acción combinada de estas causas generales pone periódicamente en funcionamiento los conocidos mecanismos malthusianos limitadores de la población: las hambres frecuentes debidas a las crisis de subsistencias, las epidemias recurrentes y las enfermedades endémicas.

Son bien conocidas y han sido estudiadas las crisis de subsistencias del siglo xix, especialmente las de 1857 y de 1867-1868. En estos casos es clara la coincidencia entre carestía de alimentos y mortalidad, tanto por lo que se refiere a la simultaneidad en el tiempo como a la incidencia geográfica. Así, los estudios de Nicolás Sánchez-Albornoz relativos a los precios de los cereales muestran que hay neta concordancia entre las provincias que en el año 1856-1857 experimentaron violentas alzas en los precios del trigo y aquellas en que el crecimiento vegetativo de la población (del cual la mortalidad es el componente más importante y variable a corto plazo) fue más bajo: de las trece provincias con mayores aumentos de precio, diez estaban también entre las trece con menor crecimiento vegetativo: estas son Cáceres, Badajoz, Segovia, Burgos, Toledo, Valladolid, Ávila, Salamanca, Córdoba y Zamora. La correlación es evidente. Algo parecido cabe decir sobre la crisis de 1867-1868, en que vuelven a coincidir las provincias de carestía con las de alta mortalidad [75; 76; 79].

Resulta clara, por tanto, la conexión entre escaseces y mortandades. Con todo, podemos preguntarnos: ¿qué es lo que causaba las carestías? A este respecto debemos distinguir entre las causas inmediatas (o coyunturales) y las causas más permanentes o de tipo estructural. Las causas inmediatas de las escaseces eran sin duda y primariamente las fluctuaciones en las condiciones climáticas: un año de lluvias excesivas o de heladas tardías, pero, sobre todo, de sequías, provocaba una mala cosecha cuya consecuencia eran el hambre y la mortandad. Ahora bien, las causas estructurales estaban más relacionadas con la organización social y el grado de desarrollo económico: el volumen de cosechas dependía tan estrechamente del clima porque la agricultura estaba técnicamente atrasada, los rendimientos eran bajos y cercanos al nivel de subsistencia; la red de transportes era insuficiente y lenta, por lo que cumplía mal su función de redistribuir alimentos desde las zonas excedentarias o desde los puertos de importación a las zonas con déficit alimenticio. Todo esto hacía que el sistema fuera más vulnerable a las malas condiciones climáticas que lo hubiera sido una agricultura más progresiva, mejor irrigada, de más altos rendimientos y mejor comercializada.

La segunda gran causa del alto nivel de mortalidad y de la frecuencia de mortandades catastróficas es la incidencia de epidemias. Estas epidemias están relacionadas con las crisis de subsistencias en más de un respecto. De un lado, las carestías, más que matar directamente de hambre a grandes números, sobre todo debilitaban a la población y aumentaban su susceptibilidad a la infección. De otro, las epidemias, por su relación con la falta de higiene (privada y pública), con la ignorancia y con la pobreza, son también características de las sociedades atrasadas. Los síntomas de este atraso se reflejaban en el alto nivel de mortalidad ordinaria. En palabras de Pérez Moreda,[1]

> El carácter más grave de la mortalidad del siglo XIX no fue tanto el alcanzado por las sucesivas crisis epidémicas o de subsistencias como el que exhiben los niveles ordinarios de la mortalidad general, más elevados aún, como ya sabemos, en las regiones del interior. En la determinación de esta mortalidad ordina-

ria hubieron de influir las crisis generales, el cólera sobre todo [...]; pero más aún su carácter arcaico estaría determinado por la presencia de agudas crestas locales de sobremortalidad originadas esporádicamente y de forma aislada por irrupciones de mortalidad epidémica, en especial sobre la población infantil.

Otro síntoma de este subdesarrollo letal era el alto nivel de mortalidad infantil debido a la falta o deficiencia de vacunas y el alto impacto de enfermedades infantiles (que afectaban también a los adultos, los cuales frecuentemente actuaban como transmisores) tales como la viruela, el sarampión, la tos ferina, las disenterías estivales, el tifus, la tuberculosis, el paludismo, etc.

Una de las grandes epidemias tradicionales, la peste negra, ya había desaparecido de Europa, por causas que no se conocen bien, desde mediados del siglo XVIII. Durante el XIX tienen mayor importancia la viruela, el cólera, el tifus [101], y la fiebre amarilla. En España, durante el siglo XIX, las dos enfermedades epidémicas más claramente detectadas son la fiebre amarilla, de características semitropicales, y que afectó sobre todo a Andalucía durante las tres primeras décadas de la centuria, y el cólera, que tuvo cuatro brotes epidémicos: en 1833-1835, en 1854-1855, en 1865-1866, y en 1885. Las provincias más seriamente afectadas por estos brotes fueron las orientales del interior de España, en general las zonas cercanas al Sistema Ibérico. Aunque aún poco estudiadas, estas epidemias de cólera parecen todas coincidir con graves crisis económicas o políticas: la primera, con el estallido de la primera guerra carlista; la segunda, con las carestías provocadas por la guerra de Crimea y el pronunciamiento de O'Donnell; la tercera, con la crisis económica de 1864-1868, preludio de la Gloriosa Revolución; y la cuarta, con la depresión de la agricultura conocida como «la crisis agrícola y pecuaria», y la extensión de la filoxera en los viñedos españoles.

Puede parecer sorprendente la correlación entre la difusión de esta enfermedad entérico-infecciosa, causada por la ingestión de bebidas o alimentos contaminados, y la coyuntura económico-política. Pero la relación es fácilmente explicable: parece, por ejemplo, que las marchas de los ejércitos durante la guerra carlista y el pronunciamiento de O'Donnell («la Vicalvarada») contribuyeron a extender el contagio de una epidemia que llevaba varios años haciendo estragos en Europa. Por añadidura, en épocas de hambre era mucho más difícil mantener las escasas medidas de cuarentena e higiene pública ordenadas por las autoridades para evitar la difusión del mal, a causa del aumento de vagabundos y mendigos, por la más frecuente ingestión de alimentos en mal estado, etcétera [66, 149-161].

Además de las enfermedades epidémicas hay que presumir la incidencia de las endémicas; y digo «presumir» precisamente porque su carácter endémico las hacía menos llamativas y de diagnóstico más frecuentemente equivocado, lo que a la larga había de entrañar una subestimación en las estadísticas. Característica de este tipo de enfermedades es la tuberculosis (popularmente «tisis», «hemoptisis», «consunción», etc.), enfermedad infecciosa que ataca con especial virulencia a las poblaciones mal alimentadas, hacinadas, débiles en general. Aún no sabemos lo suficiente acerca de la incidencia de esta enfermedad y otras infecciosas (viruela, sarampión, escarlatina, difteria, tifus) sobre la población española en el siglo XIX, pero no cabe duda que una parte de la alta mortalidad de esa centuria ha de serles atribuida. Ni cabe duda que la explicación última de su impacto está también en el subdesarrollo económico y los factores que conlleva, incluida la escasez y mala calidad de los servicios médicos. Entre las consecuencias de una deficiente política de higiene pública está la laxitud con que se llevaron a cabo las campañas de vacunación durante todo el siglo XIX. Como señala Pérez Moreda, «la vacunación antivariólica, que había sido emprendida con un cierto entusiasmo en los primeros años del siglo, cayó en desuso inmediatamente en los años de la guerra [de la Independencia] y su práctica masiva dejaría mucho que desear en el resto de la centuria». Tras una serie de intentos fallidos o incompletos (proyecto de código sanitario durante el Trienio Constitucional, fundación en 1871 del Instituto Nacional de Vacunación), la obligatoriedad de la vacuna no se decreta hasta 1902 [58, 106-107]. De este período data un claro descenso de la mortalidad infantil.

La consecuencia de esta acción combinada de hambres, epidemias periódicas y enfermedades endémicas es, por tanto, el mantenimiento de una alta mortalidad hasta muy avanzado el siglo XIX. Las estadísticas censales muestran que hasta pasada la última gran epidemia de cólera (1885) no comienza un descenso claro y sostenido de la tasa de mortalidad, de modo que para fines del siglo solo ha comenzado la transición hacia una mortalidad moderna, es decir, una tasa por debajo del 10 por 1000. En 1900, la tasa está todavía en un 29 por 1000, con una expectativa general de vida de 34,8 años, mucho más baja que la de la mayor parte de los países europeos occidentales en esa fecha (véase cuadro 1). Piénsese que por entonces las tasas de mortalidad en países como Portugal, Italia o Serbia, de características parecidas a las nuestras, eran de 20, 22 y 24 respectivamente. En toda Europa solo Rusia superaba a España, con una tasa del 31 por 1000 [63].

Si la mortalidad de la población española es alta en comparación con la de la mayor parte de los países de Europa occidental, la natalidad es relativamente moderada. El cuadro 1 parece indicar lo contrario; la natalidad española está entre las más altas en 1900. La diferencia entre natalidad y mortalidad, sin embargo, es, con la excepción de Francia e Irlanda, la más baja de los países del cuadro, lo cual nos revela que la relativamente elevada natalidad española se debe a lo retrasado de nuestra transición demográfica. O, para explicarlo con un ejemplo, cuando Alemania (Prusia), país de transición relativamente tardía, tenía una tasa de mortalidad en torno al 29 por 1000 (en 1866), su tasa de natalidad andaba por el 40 por 1000; algo parecido ocurre con Italia por esas mismas fechas; Rumania, con una mortalidad parecida a la española en 1900, tiene una natalidad del 42 por 1000; Inglaterra, que hacia 1840 tiene una natalidad del 32, presenta una mortalidad del 22 por 1000. La natalidad española, aparentemente alta en 1900, es baja en relación con la mortalidad, y baja también en relación con las natalidades de los países europeos en los inicios de sus etapas de transición hacia la modernidad demográfica.

Esta natalidad relativamente moderada a finales del siglo XIX parece haber sido el resultado de un descenso secular desde mediados de la centuria anterior, y vendría explicada por un descenso gradual de la fertilidad matrimonial. En otras palabras, desde mediados del siglo XVIII tiene lugar en España un proceso de reducción del número de hijos nacidos por matrimonio. Pese a los problemas que plantean los datos y su interpretación (el primer censo oficial no se elabora hasta 1857), parece claro, según Livi-Bacci, que «la transición sufrida por la población española entre el siglo XVIII y el XIX podría servir de apoyo a una teoría de que la fertilidad marital descendió debido a una extensión del control de la natalidad» [55, 181; 54].[2] Desde antes de Malthus, por lo tanto, parece iniciarse en España (y en otros países europeos) un proceso de control voluntario y artificial de la población. Como señala el mismo autor, hay indicios de que «el control voluntario de la fertilidad se practicaba en sociedades pre-malthusianas» [55, 174; 46], y el caso español le parece a Livi-Bacci un buen ejemplo en apoyo de esta afirmación.

Podemos ahora preguntarnos acerca de las posibles razones de estas prácticas de malthusianismo *avant-la-lettre*. La respuesta ha de ser altamente hipotética, pero parece lógico pensar que haya de darse en términos también malthusianos, es decir, utilizando el nivel de vida como variable explicativa: la pobreza del campo español, el bajo nivel de vida del campesinado —que a finales del siglo XIX seguía constituyendo las dos terceras partes de la población—, la superpoblación económica, en definitiva, me parecen las mejores explicaciones de esta limitación voluntaria del número de nacimientos.

A pesar de lo relativamente lento de su crecimiento demográfico, España tuvo un considerable saldo migratorio durante la segunda mitad del siglo XIX. Durante la primera mitad de la centuria los resabios de la antigua mentalidad mercantilista y poblacionista del despotismo ilustrado erigen barreras legales al éxodo que, por otra parte, no hubiera sido de consideración en ningún caso. La mentalidad cambia poco a poco y con ella van relajándose las trabas legales. Sin duda influyen en los legisladores, de un lado, la evidencia de que la correlación entre densidad de población y prosperidad económica es más bien negativa en las distintas regiones españolas, y de otro, el ejemplo de los países más adelantados, como Inglaterra o Prusia, de los que emana una fuerte corriente migratoria ya en estos años. También estimula la emigración la actitud cada vez más favorable al establecimiento de extranjeros por parte de las repúblicas latinoamericanas, especialmente Argentina.

Es difícil conocer con alguna exactitud las cifras de emigrantes españoles a lo largo del siglo XIX porque las primeras estadísticas no se compilan y publican hasta después de 1882, año en que se crea un departamento administrativo antecesor del Instituto Nacional de Emigración. Gracias a los trabajos de esta entidad sabemos que la emigración española entre 1882 y 1914 ascendió a un millón de personas aproximadamente. Por las cifras de la Dirección General de Inmigración argentina sabemos que fue esa la época de mayor afluencia de españoles a la República del Plata; de todos los emigrantes españoles a la Argentina entre 1857 y 1915, solo el 5 % emigraron antes de 1881. En realidad, las tres cuartas partes emigraron en los quince primeros años del siglo XX. Si se dieran las mismas proporciones en la emigración total española que las que se dieron en la emigración a la República del Plata, resultaría que de 1830 a 1900 habrían emigrado de España unas 300 000 personas, cifra representativa de un límite mínimo por dos razones: en primer lugar, porque de 1830 a 1880 hay una respetable corriente migratoria hacia Argelia que no se puede contabilizar por falta de los datos más elementales; y en segundo lugar, porque los datos del Instituto Nacional de Emigración están sesgados a la baja. Este sesgo se debe a que solamente incluyen el saldo neto de pasajeros por mar. Quedan así excluidos los emigrantes estacionales, mucho más frecuentes, incluso en el tráfico ultramarino, de lo que suele pensarse. Y se excluye también, lo que es aún mayor omisión, a los embarcados en Portugal o en Francia, así como los emigrados por tierra a otros países europeos.

Suponiendo que la cifra real de emigrados en el período 1830-1900 hubiera sido cercana al medio millón, y estimando el aumento total de la población en ese período en unos cinco millones, resulta que la emigración hubiera significado aproximadamente un 10 % del crecimiento de la población censada. ¿Cómo se compara este coeficiente de emigración con el de otros países europeos? El cuadro 3 nos ofrece algunas cifras de referencia. Para Gran Bretaña la proporción es mucho mayor que para España. La emigración total británica en el período 1830-1899 es veinticinco veces mayor que la que hemos estimado para España, es decir, de unos 12,2 millones; el crecimiento de la población censada fue de unos 18,6 millones. La emigración resulta así haber sido un 66 % aproximadamente del crecimiento de la población residente; incluso en los momentos álgidos de la emigración española (1882-1914) la proporción no pasó del 30 % [66, 189]. En el caso italiano, para el período 1870-1900,

Cuadro 3

EMIGRACIÓN Y POBLACIÓN CENSADA EN CINCO PAÍSES EUROPEOS (en millones)*

	(1) Reino Unido (1830-1900)	(2) Italia (1870-1900)	(3) Francia (1855-1900)	(4) Portugal (1870-1900)	(5) Suecia (1850-1900)
1. Crecimiento pobl. censada	18,6	5,7	2,1	1,1	1,7
2. Emigración bruta	12,2	5,4	0,24	0,6	0,9
3. Proporción (%)	65,5	95	11	54	54

* Puede haber pequeñas discrepancias por redondeo.

Fuente: Calculado a partir de MITCHELL, *European Historical Statistics*.

la proporción es aún mayor que la inglesa: durante ese período, con un crecimiento de la población italiana censada de algo menos de 5,7 millones, y una emigración registrada de unos 5,4 millones, la tasa de emigración resulta ser del 95 %. En el de Francia, con un aumento muy pequeño de la población censada entre 1855 y 1900, y una emigración también pequeña, la proporción viene a ser parecida a la calculada para el caso español, aunque en este último el margen de error es mucho mayor, ya que para el período 1830-1882 hemos hecho estimaciones muy groseras. Ahora bien, si para el caso español limitamos nuestros cálculos al período 1882-1900, para el que tenemos cifras estadísticas más exactas, la proporción resulta ser del 23 %. En conclusión de todos estos cálculos, la emigración española comienza su proceso de expansión precisamente a finales del siglo XIX, para alcanzar los máximos en los quince primeros años del presente siglo. Por tanto, tomando cifras comparativas para una considerable porción del siglo XIX, España aparece como un país de pulso migratorio relativamente bajo. Esta situación cambia si tomamos las cifras del siglo XX, aunque en ningún caso se acercan las cifras españolas a las inglesas, las portuguesas, las suecas, y mucho menos a las italianas.

La distribución geográfica de la población española se modificó durante el siglo XIX. La acción combinada de los movimientos migratorios internos y externos con las diferencias en las tasas de crecimiento vegetativo tuvo como efecto el que la población residente en ciertas regiones aumentase mucho más rápidamente que la residente en otras. El cuadro 4 y el mapa 1 ilustran estos movimientos. En general puede decirse que durante este período continuó un movimiento iniciado desde fines de la Edad Media: el del desplazamiento de la población española de norte a sur, y la tendencia de la población a concentrarse en la costa mediterránea y atlántica meridional (incluida Canarias) y a abandonar la meseta central. (En realidad, la tendencia de la población española a situarse en las costas meridionales y orientales es perfectamente racional desde un punto de vista económico; hay indicios de que así se concentraba la población hispánica en la Antigüedad; pero esta situación se vio interrumpida por los avatares de la Reconquista de los siglos XI al XIII y el impacto de la peste negra en el XIV; durante las Edades Moderna y Contemporánea tuvo lugar un proceso gradual de restauración del antiguo equilibrio.)

El cuadro 4 muestra que la proporción de población en la zona mediterránea y suratlántica pasó del 41 al 46 % durante el siglo XIX; la proporción de la zona noratlántica permaneció virtualmente constante (disminuyó en tres décimas de punto); fue la zona centro la que, pese al notable incremento de Extremadura, y al crecimiento de la provincia de Madrid, perdió peso dentro del total nacional. Las columnas 5 y 6 en el cuadro muestran las tasas de crecimiento en el período 1797-1900 por regiones; la columna 5 refleja el crecimiento porcentual absoluto, la 6 reduce ese crecimiento a tasas medias anuales. La tasa media española fue del 5,6 por 1000; en general, las de las regiones meridionales y medi-

Cuadro 4

DISTRIBUCIÓN REGIONAL DE LA POBLACIÓN ESPAÑOLA (en porcentajes) Y TASAS DE CRECIMIENTO. 1797-1900*

	(1) 1797	(2) 1860	(3) 1887	(4) 1900	(5) Crecimiento demográfico %	(6) Tasa media anual (por mil)
1. Andalucía	18,2	18,9	19,5	19,2	87,1	6,1
2. Baleares	1,8	1,7	1,8	1,7	66,8	5,0
3. Canarias	1,6	1,5	1,7	1,9	106,3	7,1
4. Cataluña	8,2	10,7	10,5	10,6	128,9	8,1
5. Murcia	3,6	3,8	4,1	4,4	113,1	7,4
6. Valencia	7,9	8,2	8,3	8,5	92,5	6,4
7. TOTAL MEDITERRÁNEO y SURATLÁNTICO	41,3	44,8	45,9	46,3		
8. Asturias	3,5	3,4	3,4	3,4	72,3	5,3
9. Galicia	10,9	11,5	10,8	10,6	73,3	5,4
10. Vasco-Navarra	4,8	4,7	4,6	4,9	80,4	5,7
11. TOTAL NORATLÁNTICO	19,2	19,6	18,8	18,9		
12. Aragón	6,3	5,7	5,2	4,9	39,0	3,2
13. Castilla la Nueva	11,2	9,6	10,1	10,3	64,4	4,8
14. Castilla la Vieja	12,0	10,4	9,8	9,6	42,1	3,4
15. Extremadura	4,1	4,6	4,7	4,7	105,6	7,0
16. León	5,9	5,4	5,5	5,3	58,6	4,5
17. TOTAL CENTRO	39,5	35,7	35,3	34,8		
18. ESPAÑA	100,0	100,0	100,0	100,0	77,6	5,6

* Puede haber pequeñas discrepancias por redondeo.

Fuente: Columnas 1-4: LIVI-BACCI, *Fertility and Nuptiality*
Columnas 5-6: Calculado a partir de *ibidem.*

Dinámica demográfica regional, 1797-1900 **I**

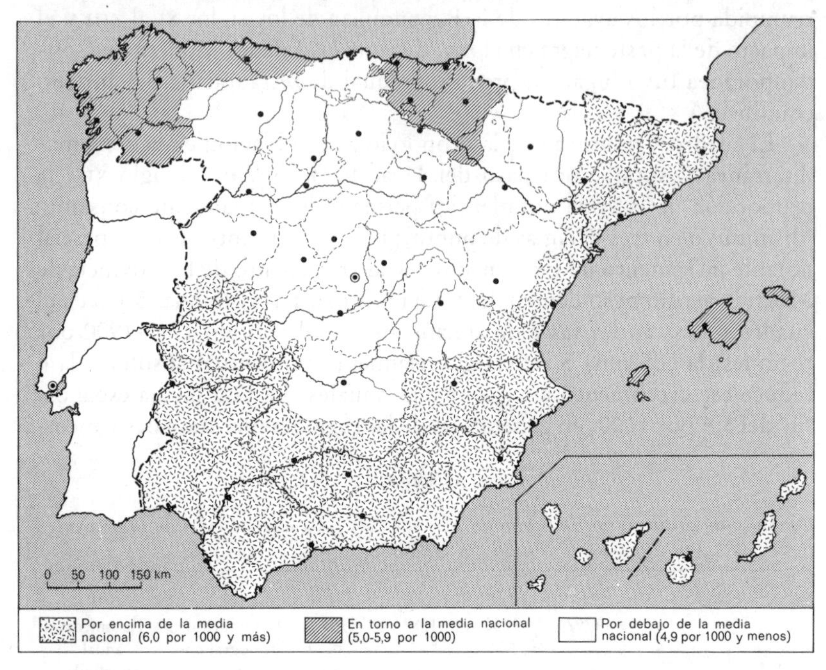

Fuente: Livi-Bacci, *Fertility and Nuptiality* (véase cuadro 4, col. 6).

terráneas fueron más altas, las de las centrales más bajas, y las de las regiones noratlánticas similares. El mapa refleja estas regularidades.

Paralelamente a estos movimientos de gradual modernización, real pero lentísima (caídas en las tasas de mortalidad y natalidad, redistribución de las poblaciones), tiene lugar otro movimiento migratorio, del campo a la ciudad. Pero, como el resto de las grandes tendencias demográficas y económicas que se inician en el siglo XIX, el desarrollo pleno del proceso de urbanización en España tendrá lugar en el siglo XX. Al finalizar el XIX España solo tenía dos ciudades (Madrid y Barcelona) de unos 500 000 habitantes. Por encima de esta cifra había entonces en Europa unas 25 ciudades, de las cuales siete superaban el millón. En 1900 la mayoría de la población española continuaba siendo rural, tanto ocupacional como demográficamente. El 51 % vivía en poblaciones de menos de 5000 habitantes y el 91 % en poblaciones por debajo de los 100 000 habitantes. Solo el 9 % de la población podía realmente considerarse habitante de una ciudad. Excepto Madrid, casi todas las ciudades de una cierta importancia estaban en la periferia: Valencia, Sevilla, Cádiz, Málaga, Vigo, La Coruña, Oviedo, Gijón, Santander, Bilbao [98, 557-558].

NOTAS DEL CAPÍTULO II

1. Tesis doctoral, Facultad de Filosofía y Letras, Universidad Complutense, 1977.
2. Traducción del autor.

Capítulo III

La agricultura y la desamortización

La agricultura fue durante el siglo XIX español la más importante de las actividades económicas, al menos desde un punto de vista cuantitativo. Esta afirmación puede constatarse simplemente recordando que en 1900 los dos tercios de la población activa española trabajaba en la agricultura. Sin duda más de la mitad de la renta nacional se generaba en este sector. También tenía el sector agrícola y ganadero un peso preponderante en el comercio de exportación, pese a la crisis del vino y al auge de la minería en las últimas décadas de la centuria. Por todas estas razones, todo lo que ocurriera en la agricultura había de ser de fundamental alcance en todo el país y su economía.

Los estudiosos actuales tienden a conceder mucha trascendencia al progreso económico del sector agrario como precursor de la revolución industrial; es decir, tienden a considerar que, al menos antes del siglo XX, la «revolución agraria» era un requisito indispensable para la «revolución industrial». En particular, se señala que el progreso de la agricultura, es decir, el aumento sostenido de su producción y de su productividad, contribuyen de tres maneras a la industrialización. En primer lugar, crean un excedente de productos alimenticios que permite dar de comer a las ciudades, cuyo crecimiento es consustancial con el proceso de industrialización. En segundo lugar, el progreso agrícola permite un aumento demográfico y un éxodo de la población campesina a la ciudad sin que disminuya, antes al contrario, la producción de alimentos. (Es decir, el campo engendra al proletariado industrial y lo alimenta.) Y en tercer lugar, constituye el mercado más extenso para la producción industrial que tiene su origen principalmente en las ciudades. Además de estas tres funciones esenciales, la agricultura contribuye, al menos en parte, al proceso de acumulación de capital, bien a partir de los beneficios obtenidos en la comercialización interior, bien mediante la exportación.

Examinemos brevemente si la agricultura española cumplió estos papeles durante el siglo XIX. En cuanto al primero, sabemos ya por el capítulo anterior que lo cumplió muy escasamente. La población española creció comparativamente poco y, como consecuencia, la urbanización y la emigración fueron débiles. Como veremos en las páginas que siguen, la producción de alimentos aumentó a lo largo del siglo, pero modestamente, apenas lo bastante para abastecer el lento progreso del sector urbano. Los precios agrícolas no descendieron como hubiera sido de esperar de haberse producido una fuerte expansión, y las importaciones de trigo fueron altas durante el último tercio del siglo. En cuanto a su función como mercado, es natural —dado lo que antecede— que tampoco aquí el papel de la agricultura fuera muy brillante. Si bien es cierto que aumentó el consumo de tejidos de algodón y lana catalanes, y que sobre la base de este mercado interior se desarrolló la industria textil, a la estacionaria agricultura le faltaba dinamismo para ser el soporte de una verdadera revolución industrial. Porque si como mercado de consumo no era demasiado lucida, como mercado para bienes de equipo la agricultura española era casi nula. Con una tecnología ancestral y escaso espíritu innovador (excepto en zonas muy concretas), permaneció aferrada al arado romano y al cultivo de año y vez. No hubo renovación ni mejora del utillaje agrícola, por no hablar del consumo de fertilizantes químicos. Así, la industria mecánica, que se desarrolló muy a finales del siglo, estaba encarada hacia el transporte, el armamento y la maquinaria textil, no hacia la agricultura. Y cuando las primeras fábricas de productos químicos industriales se aventuraron en la producción de fertilizantes, pronto descubrieron a su costa que la agricultura española no estaba para tantos adelantos [96]. Lo mismo puede decirse de la formación de capital. Dejando aparte ciertos sectores de producción comercializada (vino, naranjas, corcho), no parece que los beneficios agrícolas se invirtieran en la industria o en el comercio, ni siquiera en mejoras agrícolas. Los pocos datos que tenemos en este sentido [95, 106; 74, 51-58] muestran que entre los fundadores de bancos españoles abundaban mucho más los comerciantes y los industriales que los empresarios agrícolas.

El estancamiento agrario explica, al menos en parte, el retraso de la modernización económica del país. A su vez el estancamiento agrícola puede atribuirse a factores naturales y geográficos, por un lado (lo que Jovellanos llamaría «estorbos físicos»), y a factores sociales y culturales, por otro («estorbos morales y políticos»). Más adelante diremos algo sobre los factores geográficos. Sobre los culturales y sociales baste aquí señalar la desigual distribución de la tierra en España desde tiempo inmemorial, pero en particular como consecuencia de la colonización que tuvo lugar con la Reconquista, de la cual emergió un pequeño número de familias aristocráticas y entidades eclesiásticas como propietarios de grandes latifundios en la mitad sur de la Península. La consecuencia de esta distribución de la propiedad agraria fue la extrema pobreza de la mayor parte de los campesinos y la extrema riqueza y gran poder de los aristócratas latifundistas. No debe olvidarse, sin embargo, que aunque quizá el caso español fuera extremo en Europa, en casi todos los demás países del continente presentaba la propiedad de la tierra en la edad preindustrial características parecidas y que, de un modo u otro, en casi todos ellos tuvo lugar una reforma de la propiedad de la tierra que permitió la introducción de mejoras técnicas y la expansión de la producción. En España también tuvo lugar esta reforma, a la que se dio el nombre de *Desamortización.* De ella vamos a ocuparnos ahora.

1. LA DESAMORTIZACIÓN

Se ha discutido recientemente la importancia real de la desamortización. Para Simón Segura es «el gran fenómeno del siglo XIX». Para Artola no es así, en gran parte porque su importancia cuantitativa (el dinero que aportó al Estado), con todo y ser grande, lo fue menos de lo que en un momento se pensó [82, 60; 8, 149] (véase más adelante, capítulo IX). Sin embargo, el dinero que movió es solo un aspecto del proceso desamortizador; como veremos, la superficie desamortizada fue muy considerable, y eso también debe tenerse en cuenta.

Pero a mi juicio la importancia de la desamortización no se limita a una cuestión de pesetas o hectáreas; hay que recordar que fue una medida conectada con casi todas las esferas de la vida social y económica: agricultura, campesinado, Hacienda, inversión, clases sociales, derecho, estructura política... A este último respecto, se ha discutido también intensamente si la desamortización constituyó —o estuvo estrechamente relacionada con— una revolución burguesa. El problema es interesante, pero considerado con rigor resulta artificial o, mejor, nominalista: todo dependerá de la definición que demos al concepto «revolución burguesa». Aquí lo que nos va a interesar no son cuestiones de definición o clasificación, sino cosas conceptualmente más sencillas: cómo afectó la desamortización a la distribución de la riqueza y a la de la renta, cómo afectó a la producción y a la productividad de la agricultura, y cómo repercutió sobre la Hacienda.

En esencia la desamortización consistió en la incautación por el Estado (mediante compensación) de bienes raíces pertenecientes en su gran mayoría a la Iglesia y a los municipios. Estos bienes incautados —«nacionalizados»— fueron luego vendidos en pública subasta y constituyeron una fracción sustancial de los ingresos del presupuesto (véase capítulo IX).

Los problemas que la desamortización trató de resolver venían de antiguo. La existencia de una gran masa de bienes en poder de las manos muertas había ya aparecido a los pensadores del siglo XVIII (Olavide, Campomanes, Jovellanos, y otros) como uno de los mayores problemas sociales que contribuían al atraso de España. (Se llamaba «manos muertas», en la terminología de la época, a los propietarios de activos inalienables: el ejemplo característico lo constituyen los mayorazgos, pero la mayor parte de las propiedades eclesiásticas eran también inalienables. Al no poderse enajenar ni dividir estos bienes, su masa no podía disminuir, pero sí engrosarse.) Y se había comenzado a pensar en poner coto a la expansión de las «manos muertas» y en circulación algunos de los bienes de estas ya en tiempos de Carlos III. Como señala Tomás y Valiente [90, 31], en el siglo XVIII no se pensaba en la posibilidad de expropiar a la Iglesia, sino tan solo en la de limitar su capacidad de adquirir. La venta de bienes del clero, para los ilustrados del XVIII, no podía hacerse si no era mediante negociación con la Santa Sede. Otro era el caso de los bienes de propiedad o posesión de los municipios, que se consideraban bajo la potestad real. Con respecto a estos (propios, comunes y baldíos), ya durante el reinado de Carlos III se decretó que en ciertas zonas (Extremadura, Andalucía, La Mancha) debían los ayuntamientos hacer accesible el usufructo de las tierras municipales a los campesinos pobres de la correspondiente localidad. La medida, oportuna y bien intencionada, no surtió los efectos deseados y terminó por ser derogada, muy probablemente debido a la oposición de los intereses locales.

A finales del siglo XVIII y principios del XIX, en plena égida de Godoy, se hicieron las primeras apropiaciones de bienes de la Iglesia por el Estado español (como señala Tomás y Valiente, «por decisión unilateral» del Estado), seguidas de la venta de tales bienes y asignación del importe obtenido a la redención de los títulos de la Deuda pública. Son los tiempos de Godoy momentos de fuerte déficit en la Hacienda española, y ello determina que se recurra a los bienes municipales y eclesiales para remediar los apuros financieros del Estado. Según los cálculos de Herr, entre 1798 y 1808 se vendieron unos 1600 millones de reales, cifra muy alta que revela la magnitud de la operación emprendida en el reinado de Carlos IV [49, 82 n. 76].[1]

Hubo también un proceso de desamortización durante el reinado de José Bonaparte, a expensas sobre todo de los bienes del clero y de los aristócratas que se resistieron a la dominación francesa. La finalidad de esta operación parece haber sido más la de favorecer y comprometer a los «adictos» (afrancesados, como Javier de Burgos, Mariano Luis de Urquijo, o Juan Antonio Llorente, compradores todos ellos de bienes desamortizados) que la de allegar fondos para la Hacienda. La cuantía de las ventas de la desamortización bonapartista se ignora. También parece probable que la mayor parte de los bienes así adquiridos volvieran posteriormente a manos de los antiguos propietarios.

A partir de la guerra civil de Independencia se plantea ya la desamortización como una de las grandes cuestiones políticas que van a dividir a progresistas y conservadores durante el siglo XIX. Resulta interesante que aún hoy muchos historiadores tomen ante el tema una actitud partidista.

Las Cortes dieron un decreto general de desamortización (13 de septiembre de 1813) basado en una Memoria de José Canga Argüelles. El decreto proveía la nacionalización de una masa de bienes raíces que se formaría de los confiscados a los traidores (léase afrancesados) y a los jesuitas, más los de las órdenes militares, los de los conventos y monasterios suprimidos o destruidos durante la guerra, y parte del patrimonio de la Corona; más la mitad de los baldíos y realengos. Estos bienes se podrían comprar, parte en metálico y parte en títulos de la Deuda. El decreto no se aplicó porque lo impidió el golpe de Estado de Fernando VII en 1814 (si bien entró en vigor de nuevo con el Trienio), pero contenía ya los rasgos esenciales de las grandes medidas desamortizadoras del siglo XIX: subasta de los bienes nacionales, y admisión en pago de los títulos de la Deuda. Es decir: concepción de la desamortización como una medida fiscal, no como una reforma agraria; o, en otras palabras, como una medida destinada a restablecer el equilibrio de la Hacienda pública por medio de la restitución de las deudas públicas en lugar de una medida redistribuidora de la propiedad tendente a favorecer a los campesinos pobres. Como medida fiscal, la desamortización favorecía a la clase media y alta, a las que pertenecía la gran mayoría de los tenedores de Deuda pública, y no favorecía, o incluso perjudicaría, a los pobres en la medida en que estos habían venido beneficiándose de la utilización semifurtiva de tierras eclesiásticas y baldías.

La legislación sobre desamortización a partir de la muerte de Fernando VII es muy voluminosa. Durante el siglo XIX se publicaron varias gruesas recopilaciones legales (Manuales de desamortización) que atestiguan esta abundancia. Sin embargo, la normativa fundamental se circunscribe a unas cuantas leyes que pueden contarse con los dedos de una mano, y la mayor actividad desamortizadora, a unos momentos históricos bien delimitados.

La desamortización de los bienes de la Iglesia se llevó a cabo en dos etapas consecutivas: los bienes del clero regular (órdenes religiosas) fueron nacionalizados y su venta ordenada en 1836, por decreto de 19 de febrero emitido por el primer ministro Mendizábal en virtud del poder que en él habían delegado las Cortes unas semanas antes. Este decreto fue precedido y seguido de varios otros que lo preparaban, complementaban, o aclaraban. Pero lo importante no es tanto la legislación cuanto la política a que esta daba lugar. La desamortización de 1836 es pieza maestra del programa de Mendizábal para financiar la guerra contra el partido carlista, entonces en su apogeo (la guerra y el partido), para sanear la Hacienda, y para crear, en palabras del propio Mendizábal, «una copiosa familia de propietarios» materialmente interesada en el triunfo de la causa liberal (recordemos que esta idea había ya estado presente en la abortada desamortización de José Bonaparte y en la primera gran desamortización de la Historia, la de la Revolución francesa —la confiscación de los bienes de la Iglesia en los países protestantes en el siglo XVI puede verse como un antecedente de las desamortizaciones en los países católicos—. La venta de los bienes nacionalizados procedió activamente, aunque los avatares políticos y militares de la guerra tuvieran influencia en su ritmo. Durante el quinquenio que siguió al decreto de Mendizábal se vendió por valor aproximado de 1700 millones de reales (unos 430 millones de pesetas); por desgracia, otro dato que aquí nos interesaría, es decir, el número de hectáreas, nos es desconocido, e imposible de calcular a partir del valor en reales.

En 1841, siendo regente el general Espartero, se dio una nueva norma fundamental dentro de la legislación desamortizadora: la ley de 2 de septiembre de 1841, por la que se incluían dentro de los «bienes nacionales» (es decir, sujetos a expropiación) los del clero secular. Estos bienes eran, por supuesto, los de la Iglesia española, excluidas las órdenes monásticas, que ya habían sido afectadas por la política de Mendizábal. Hasta 1844 se procedió rápidamente a la venta, por tanto, del patrimonio que había sido de la Iglesia, tanto regular como secular. La vuelta del partido moderado al poder en 1844 hizo que las ventas quedaran prácticamente suspendidas hasta la Ley Madoz. El total de lo vendido

Cuadro 1

VALOR DE LOS BIENES DESAMORTIZADOS DURANTE EL SIGLO XIX
(en millones de reales)

Período	(1) Clero	(2) Beneficencia	(3) Ayuntamientos	(4) Otros	(5) Total
1798-1814	1 505		0	0	1 505
1836-1844	3 447	0	0	0	3 447
1855-1856	324	167	160	116	767
1858-1867	1 253	461	1 998	438	4 150
1868-1900	888[a]	327[a]	1 415[a]	309[a]	2 939
TOTAL (1836-1900)	5 912	955	3 573	863	11 303
GRAN TOTAL[b]	8 372		3 573	863	12 808

[a] La división de bienes vendidos entre Clero, Beneficencia, Ayuntamientos, y Otros es estimada con arreglo a los porcentajes del período anterior.

[b] No se incluye lo vendido durante el Trienio Liberal. Según Fontana, ascendió a 100 millones de reales.

Fuente: HERR, «El significado», p. 83, con pequeñas modificaciones. (FONTANA, *Cambio económico*, pp. 178-179, ofrece un cuadro no igual, pero similar).

de 1836 a 1844 ascendió a unos 3447 millones de reales (862 millones de pesetas) [82, 152], equivalente a unas tres quintas partes de los bienes de la Iglesia en 1836 (véase cuadro 1).

La llamada Ley Madoz, o de «desamortización general», de 1 de mayo de 1855, fue la que presidió la última y más importante etapa de esta gran operación liquidadora. Se hablaba de «desamortización general» porque se trataba ahora no ya solo de los bienes de la Iglesia, sino de todos los amortizados, es decir, de los pertenecientes al Estado y a los municipios también. Se trataba, en definitiva, de vender en pública subasta todos aquellos bienes raíces que no pertenecieran a individuos privados. Con retoques de detalle, interrupciones, y suspensiones ocasionales, la ley rigió durante toda la segunda mitad del siglo XIX y bajo su égida se enajenó prácticamente la totalidad de los bienes desamortizables y desamortizados. En realidad, el grueso de lo enajenable se había vendido antes de la Restauración; de los 11 300 millones de reales (2825 millones de pesetas aproximadamente en que se vendieron los «bienes nacionales» entre 1836 y fin de siglo, 4900 millones se vendieron entre 1855 y 1867. Hemos visto que entre 1836 y 1844 se habían vendido 3447 millones. Esto significa que al terminar el año 1867 se habían vendido las tres cuartas partes de los bienes nacionales (8300 millones). De los 3000 millones restantes, más de 2000 millones se vendieron antes de 1876. A partir de ese año las ventas fueron residuales, y no sobrepasaron los 75 millones ningún año.

¿Cómo afectó la desamortización a la estructura de la propiedad?

La opinión más extendida entre los estudiosos es que la desamortización acentuó la estructura latifundista de la propiedad agraria española. Esto es bastante difícil de contrastar empíricamente, porque nos faltan los datos que permitirían establecer el grado de latifundismo en España antes y después de la desamortización: comparar, por ejemplo, la distribución de la propiedad a finales del siglo XVIII con la misma variable a finales del siglo XIX. No tenemos la información necesaria ni sobre un período ni sobre el otro. A falta de pruebas objetivas, los historiadores han basado su opinión en el *mecanismo* por el que la desamortización se llevó a cabo. Los bienes desamortizados no se redistribuyeron con arreglo a ningún criterio de equidad (o apenas), sino con el fin de maximizar los ingresos y minimizar el tiempo de obtención. Los «bienes nacionales» se vendieron en pública subasta, al mejor postor. Esto implica, por tanto, que los compradores habían de ser gente de posibles para poder pujar y sobrepujar. Ello hace suponer, en consecuencia, que los campesinos pobres, los más necesitados de tierra, no la recibieron por medio de la desamortización. Este razonamiento parece inatacable, aunque la conclusión tampoco sea fácil de contrastar empíricamente, porque la documentación a nuestro alcance es poco explícita. Sin embargo, de ahí a suponer que la estructura resultante fuera más latinfundista que antes hay un paso considerable. Una cosa es decir que la tierra la compraron los ricos y otra es decir que solo la compraron unos pocos, tan pocos, en fin, como los anteriores propietarios. La tesis así enunciada parece difícil de sostener.

Los estudios realizados hasta ahora parecen apoyar la afirmación de que los compradores de tierras desamortizadas fueron, en general, gentes ricas o, al menos, de posición desahogada: aristócratas, clérigos, propietarios rurales, comerciantes y hombres de negocios; aunque esta conclusión tiene forzosamente que basarse en evidencia fragmentaria porque los documentos solo en ocasiones citan la profesión del comprador. En cuanto a cómo afectó la desamortización a la distribución de la propiedad, el trabajo más sólido sobre el tema es el de Herr, que, dado lo fragmentario de las fuentes, ha preferido trabajar con muestras locales a intentar abarcar ámbitos regionales o nacionales. El trabajo de Herr sobre la provincia de Salamanca y la de Jaén [49; 50] apoya plenamente su tesis de que la desamortización no introdujo una modificación fundamental en la estructura de la propiedad; o, en otras palabras, que la propiedad cambió de manos —en grandes líneas, de manos eclesiásticas y municipales a manos laicas y privadas— pero en general ni se concentró ni se dispersó significativamente. En aquellos pueblos donde predominaban los latifundistas y los propietarios absentistas, las tierras desamortizadas fueron a parar mayoritariamente a este tipo de propietarios; en los pueblos en donde la propiedad estaba poco concentrada se distribuyeron más uniformemente las tierras puestas en venta. Por supuesto, las tesis de Herr se basan en muestras relativamente pequeñas en el espacio y en el tiempo (pueblos de Salamanca y Jaén, 1798-1808); pero los resultados estadísticos resultan muy convincentes.

En un trabajo exponiendo su visión de conjunto [49], Herr reafirma su opinión de que el impacto más importante de la desamortización en España no fue el político ni aun el social, sino el económico. Para Herr lo más destacable de la desamortización fue que puso en cultivo grandes extensiones de tierras hasta entonces poco, mal, o nada explotadas. Y este aumento de la superficie cultivada era necesario para alimentar a una población en continuo crecimiento desde principios del siglo XVIII. La presión de la población había causado aumentos continuos en los precios de los alimentos y, por ende, en los de la tierra misma, lo cual hacía a esta cada vez más atractiva como medio para solucionar los agobios de la Hacienda pública. La desamortización resultaba así el tiro único que mataba a dos pájaros que más parecían amenazadoras aves de rapiña: la carestía de los alimentos y el déficit crónico de la Hacienda. La prueba de que la desamortización era más solución económica que medida política la encuentra Herr en que recurrieran a ella igualmente los conservadores y los liberales, tanto Carlos IV en 1798 como Mendizábal en 1836, o Madoz y los progresistas en 1855. Con el alza continua de los precios de la tierra, la desamortización resultó un gran negocio tanto para las clases acomodadas como para la aristocracia, cuyas tierras fueron desvinculadas pero no expropiadas. Quizá fuera la nobleza terrateniente la que más se beneficiara de la desamortización: a cambio de unos derechos señoriales que a menudo eran puramente simbólicos, ganó la plena propiedad de tierras que frecuentemente no le pertenecían *sensu stricto.* Y tuvo, además, ocasión de redondear en buenas condiciones sus propiedades (en la medida en que fue así se acentuaría el latifundismo; pero en la medida en que la Iglesia fue desposeída, se mitigaría).

Las víctimas de la desamortización fueron la Iglesia, los municipios, y los campesinos pobres y proletarios agrícolas. Los primeros, por razones obvias. Los segundos, porque muchos de ellos habían venido beneficiándose de la propiedad eclesiástica o comunal (ya fuera en forma de caridad, de aprovechamiento de pastos y montes, de buenos términos de arrendamiento, etc.). En ellos se ha visto el origen social de las rebeliones campesinas de signo carlista o anarquista que se repiten a lo largo del siglo, hipótesis muy verosímil.

2. LA AGRICULTURA

¿Cómo afectó a la agricultura esta operación gigantesca de compraventa de tierras? Que la afectó grandemente no puede dudarse. Al fin y al cabo, aunque muy provisionalmente, la extensión de lo vendido se estima [82, 282] en unos diez millones de hectáreas, el 20 % del territorio nacional; o el 40 % de la tierra cultivable. Herr estima su valor entre el 25 y el 33 % del valor total de la propiedad inmueble española. Aun suponiendo que no todo lo vendido fuera estrictamente cultivable, un cambio de propietario de las manos muertas a compradores privados de una proporción tan considerable de la tierra debe haber permitido una considerable expansión de los cultivos y del producto.

La explicación que se da más comúnmente de esta expansión es como sigue. Los propietarios institucionales: Iglesia, Estado, municipios, etc. no serían empresarios muy productivos, por razones que ya había señalado Jovellanos en su famoso *Informe sobre la Ley Agraria:* el propietario privado es más eficiente. Grandes extensiones de tierra en poder de la Iglesia o de la Corona yacían incultas por falta de capital o de iniciativa empresarial. El propietario privado, que considera su tierra como una inversión, procurando sacar de ella el mayor provecho posible, la explota más racionalmente y, por lo tanto, con mayor eficacia.

Pero este razonamiento solo resulta convincente en determinadas circunstancias. Si el propietario privado es un latifundista que compró por razones de prestigio, el cambio puede dejar intacto el régimen de cultivo. La misma o aun peor puede ser la situación si el comprador aspira simplemente a especular con un alza del precio de la tierra. Por último, la tierra recién comprada puede también quedarse sin cultivar, o serlo muy ineficazmente, si el nuevo propietario carece de capital o de conocimientos para efectuar los cambios o las mejoras que el nuevo régimen de cultivo requeriría.

Lo que ocurrió en realidad no nos es aún bien conocido, porque no tenemos ni siquiera buenas estimaciones de cómo evolucionó la producción de los principales cultivos durante la segunda mitad del siglo XIX.

Según Nadal, la desamortización y la legislación proteccionista en materia de cereales estimularon la extensión del cultivo de trigo en la meseta, y de la vid en el litoral. En sus palabras: «La desamortización civil fue responsable de las modificaciones más sustantivas experimentadas por el paisaje rural en el curso del siglo XIX» [64, 67]. Hubo una «fuerte expansión de la demanda» y «alza de los precios» (parece que en los años de 1850 y 1860) «seguida de grandes roturaciones —los famosos rompimientos de baldíos— que ampliaron muy considerablemente la superficie de las tierras de labor».

Esto es probablemente cierto. Vicens, en su *Manual* (en el cual colaboró Nadal) da una estimación de la superficie cultivada de los principales productos que aquí reproducimos en el cuadro 2. Hasta qué punto estas cifras son fiables es cuestión debatida. Provienen de un estudio premiado pero nunca publicado de Salvador Millet y Bel. En total reve-

Cuadro 2

SUPERFICIE CULTIVADA DE ALGUNOS PRODUCTOS (miles de hectáreas)

	1800	1860	1900
Trigo	2 900	5 100	3 700
Vid	400	1 200	1 450
Cereales	6 100	9 000	7 000
Olivar	?	859	1 360

Fuente: VICENS VIVES, *Manual*, pp. 578 ss.

Cuadro 3

PRODUCCIONES AGRÍCOLAS
(en millones de unidades)

Trigo (Qm)	18,3	29,6	25,7
Vid (Hl vino)	3,85	10,8	21,6
Cereales (Qm)	29,5	55,8	51,5
Olivar (Hl aceite)	0,7	1,4	2,1

Fuente: véase cuadro 2.

Cuadro 4

RENDIMIENTOS POR HECTÁREA

	1800	1860	1900
Trigo (Qm/Ha)	6,3	5,8	6,9
Vid (Hl/Ha)	9,6	9,0	14,9
Cereales (Qm/Ha)	4,8	6,2	7,4
Olivar (Hl/Ha)	?	1,6	1,5

Fuente: Calculado a partir de los cuadros 2 y 3.

Cuadro 5

CEREALES (EXCEPTO TRIGO): SUPERFICIE CULTIVADA, PRODUCCIÓN Y RENDIMIENTO

	1800	1860	1900
Superficie cultivada (miles Ha)	3 200	3 900	3 300
Producción (millones Qm)	11,2	26,2	25,8
Rendimiento (Qm/Ha)	3,5	6,7	7,8

Fuente: Calculado a partir de los cuadros 2 y 3.

larían una expansión de la superficie cultivada en todos los productos entre 1800 y 1860, con un considerable retroceso de la superficie triguera a fines de siglo. Fiables o no, las cifras son verosímiles, porque el trigo sufrió (no solo en España, en Europa entera) una crisis notable a partir de hacia 1875, debida a la competencia de los trigos americanos y rusos.

Vicens nos proporciona también una estimación de la producción de estos mismos cultivos para las mismas fechas y a partir de la misma fuente (cuadro 3). Estas cifras revelan una evolución paralela y esperada. Aumentos en todas las producciones a lo largo del siglo, pero disminuciones relativas en la segunda mitad en la producción de cereales, sin duda por parecidas razones de competencia exterior que determinaron la reducción en la superficie cultivada.

A partir de estos dos cuadros se puede obtener un tercero, de rendimientos por hectárea (cuadro 4), que vuelve a poner de relieve los fenómenos ya comentados: rápida expansión de la superficie cultivada durante los primeros sesenta años del siglo, con caída de los rendimientos tanto del trigo como de la vid. El aumento en el rendimiento de los cereales en su conjunto es sospechoso, tanto más cuanto que incluye el trigo, con su enorme peso relativo y su baja en el rendimiento: supone, por tanto, una gran alza en los rendimientos de los demás cereales, que se habrían casi doblado de 1800 a 1860 (véase cuadro 5). El que más que se doblara la producción de cereales, excluido el trigo, durante los 60 primeros años del siglo XIX parece muy sorprendente, sobre todo teniendo en cuenta lo lento del crecimiento de la población, de la cabaña ganadera y de las exportaciones. Esto arroja, por tanto, serias dudas sobre la fiabilidad de las cifras de Vicens-Millet.

Volviendo al trigo y a la vid, después de la expansión tendríamos un aumento en la productividad de ambos cultivos, en el caso del trigo por una disminución tanto en la producción como en la superficie, en el caso de la vid por un gran aumento de la producción y un aumento moderado en la superficie. Estas cifras son más verosímiles que las de «otros cereales». Es lógico suponer, en el caso del trigo, que la competencia extranjera en el último cuarto de siglo hiciera disminuir la superficie cultivada, sobre todo que dejara de plantarse trigo en las tierras de peor calidad; y que ello entrañara una disminución de la producción y un alza en los rendimientos. En cuanto a la vid, el auge de las exportaciones durante el último cuarto de siglo, debido en gran parte a la crisis filoxérica del viñedo francés, conllevó lógicamente una fuerte expansión (exactamente del 100 %, según estas cifras) de la producción. La razón para que aumentaran también radicalmente los rendimientos es menos clara, a menos que postulemos un gran adelanto técnico en el cultivo o, aún más improbable, en la enología (aquí las leyes de la producción son muy inflexibles si se quiere mantener la calidad).

Recaudación del Impuesto de Inmuebles, Cultivo y Ganadería (millones de pesetas) **II**

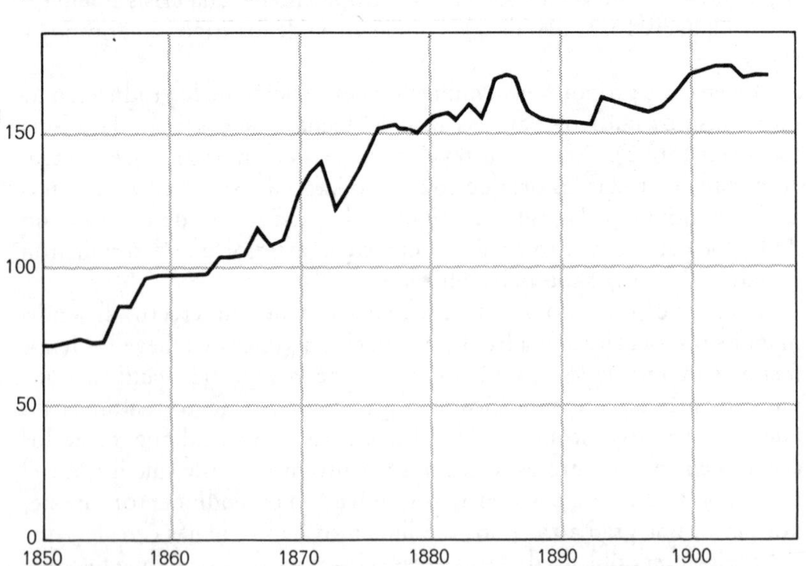

Fuente: *Estadística de los presupuestos*, 1891, pp. 86-87; 1909, p. 192, col. 5.

Las cifras plantean otros problemas: ¿fue 1860 el máximo de extensión cultivada cerealista y triguera? ¿Estuvo ese máximo situado antes o después? Parece lo más probable que estuviera situado después ya que, como sabemos, la desamortización procedió activamente hasta 1875; además, los efectos de la competencia exterior en materia de cereales empezaron a hacerse sentir hacia esas fechas.

Otra cuestión de importancia: ¿hasta qué punto han de atribuirse todos estos fenómenos agrarios a la desamortización? Vicens afirma que gran parte de la expansión de la superficie cultivada se debió no a la roturación de tierras desamortizadas, sino de tierras desvinculadas [98, 578]. Esto nos lleva a preguntarnos: ¿qué hubiera pasado sin la desamortización? ¿Hubiera dejado de extenderse la superficie cultivada? ¿Había alternativas a la desamortización? Es muy pronto para pretender seriamente responder a tales preguntas. Los estudios sobre el tema están todavía en su infancia. Pero yo me atrevo a sugerir que no había alternativa. En ausencia de desamortización la producción hubiera crecido aún más lentamente de lo que lo hizo, los precios se hubieran disparado al alza, y se hubiera creado una situación explosiva. La desamortización —fenómeno, repito, que se ha dado en la historia de todos los países industriales europeos— era inevitable; lo único que quizá hubiera podido variarse es el modo en que se llevó a cabo.

El gráfico II, que refleja la recaudación del impuesto de inmuebles, cultivos y ganadería para el período 1850-1906, nos brinda una confirmación de la hipótesis del crecimiento de la producción agrícola. Si bien no puede tomarse lo recaudado como índice de la producción, debido a las variaciones en las leyes y en la presión tributaria, y a la endémica ocultación (véase capítulo IX), sí es un índice aproximado de la capacidad tributaria a largo plazo. Además, ciertas fluctuaciones a corto plazo de la curva nos sugieren una medida de flexibilidad del impuesto a las fluctuaciones de la renta agraria: la caída de 1868, el largo bache de 1886 en adelante, lo lento del crecimiento a partir de 1875.

Los datos de la *Estadística de los presupuestos* revelan que las recaudaciones del principal impuesto sobre la producción agrícola aumentaron con máxima rapidez durante el cuarto de siglo escaso en que tuvo lugar el tramo más activo de la desamortización, esto es, de 1855 a 1877; durante esos años la recaudación casi se dobló, lo cual implica una tasa media anual de 3,1 %; a partir de entonces, concluido ya casi el proceso desamortizador, la recaudación crece mucho más despacio, a una tasa anual del 0,6 % entre 1877 y 1906. El cuadro 6 revela las fluctuaciones de esta tasa de crecimiento, que sugiere, por su coherencia con lo que sabemos acerca de los determinantes de la producción agraria, un fuerte aumento del producto agrícola durante el tercer cuarto del siglo XIX y una expansión mucho menor, casi equivalente al estancamiento, en el último cuarto. La razón principal de la expansión en el tercer cuarto del

Cuadro 6

RECAUDACIÓN DEL IMPUESTO DE INMUEBLES, CULTIVO Y GANADERÍA: TASAS DE CRECIMIENTO, 1850-1906

Períodos	Tasas Medias Anuales en %[a]
1851-1906	1,6
1855-1877	3,1
1877-1906	0,5
1851-1886	2,4
1886-1906	0,2
1886-1901	0,1
1901-1906	0,4

Calculado sobre medias trienales.

Fuente: Calculado a partir de la *Estad. presup.*, (1891), pp. 86-87 y (1909), pp. 192-193, columna 5.

siglo ya la hemos visto: el aumento de las tierras de cultivo por virtud de la desamortización. El casi estancamiento del final de siglo se debería a dos factores también ya vistos: el fin del proceso desamortizador, y la famosa «crisis agraria», atribuible esta última fundamentalmente a la competencia de los granos americanos y rusos y a la extensión en España de la plaga filoxérica.

Otros indicios pueden citarse en favor de la tesis de que la producción agrícola aumentó durante la mayor parte del siglo XIX (tesis que, como vemos, viene apoyada por una notable cantidad de evidencia circunstancial, pero hasta hoy indemostrable concluyentemente por falta de estadísticas). Gonzalo Anes señala que a principios del siglo la agricultura española era deficitaria en cereales, mientras que en la segunda mitad del siglo la situación se ha invertido y el país, con una población más numerosa, exporta en ocasiones partidas considerables de trigo: «el aumento de las exportaciones de productos alimenticios y el de la población permiten constatar el aumento de la producción nacional» [1, 259].

La prueba no es concluyente: se trata de un indicio más. En primer lugar, es concebible que aumentaran la población y las exportaciones sin aumentar la producción si al mismo tiempo descendía el consumo doméstico de cereales. Sin embargo, esto no es probable a causa del nivel de subsistencia de que se partía y de la escasa posibilidad de sustitución del trigo por otros alimentos básicos, dados los niveles culturales y económicos de la época. Todo parece apuntar, por tanto, hacia un aumento en la producción debido a aumentos en el empleo de los factores productivos, tierra y trabajo, más que a aumentos en la productividad de ninguno de estos factores: lo cual implica estancamiento tecnológico.

En segundo lugar, la posición neta exportadora de España no es clara. El análisis de Anes es correcto para el período que él estudia, es decir, hasta 1868; pero en el último tercio del siglo la situación cambió.

Importación y exportación de trigo (miles de t) **III**

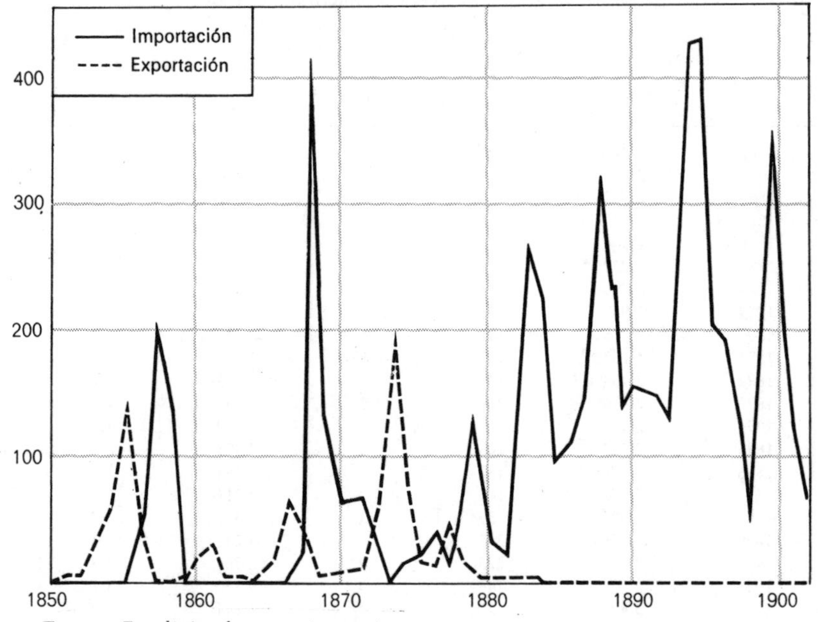

Fuente: *Estadística de comercio exterior.*

El gráfico III muestra la evolución del comercio exterior de trigo según las estadísticas oficiales. De él se desprende que, si bien España pudo andar cerca de la autosuficiencia de trigo a mediados del siglo XIX, la situación volvió a finales de siglo a un estado parecido al del principio, es decir, netamente deficitario: es precisamente hacia 1875 cuando las exportaciones, que nunca habían sido muy grandes, y habían tenido un carácter más bien coyuntural, se hacen insignificantes (situación que perdurará durante el siglo XX); en tanto que las importaciones, que habían sido coyunturales anteriormente (pero sustanciales en años de crisis como 1857 o 1868), se mantienen a nivel alto y creciente hasta fin de siglo.

Por supuesto, este crecimiento de las importaciones no implica un descenso de la producción, sino más bien un aumento del consumo. Aunque las cifras de producción de trigo son, como hemos visto, escasas y poco fiables para la mayor parte del siglo, los fondos del Archivo del Ministerio de Agricultura permiten reconstruir la serie para los últimos lustros. El cuadro 7 y el gráfico IV contienen una serie de producción obtenida a partir de esa fuente por Jesús Sanz y Santiago Zapata para los años 1882-1907.[2] Aparte de un bache considerable de 1884 a 1890, producto de la conocida crisis de esos años, la tendencia de la producción española de trigo a fines de siglo es claramente ascendente.

Cuadro 7

PRODUCCIÓN, COMERCIO EXTERIOR Y CONSUMO DE TRIGO
(en miles de t)

Año	(1) P	(2) M	(3) X	(4) C	(5) D
1882	2 220	276	3	2 493	11,1
1883	2 620	238	2	2 856	8,3
1884	2 752	99	0	2 851	3,5
1885	2 630	112	0	2 742	4,1
1886	2 364	150	1	2 513	6,0
1887	2 222[a]	314	1	2 535	12,4
1888	2 080	243	0	2 323	10,5
1889	1 930	145	0	2 075	7,0
1890	2 075	161	1	2 235	7,2
1891	1 962	155	1	2 116	7,3
1892	2 134	139	0	2 273	6,1
1893	2 414	419	0	2 833	14,8
1894	2 984	425	0	3 409	12,5
1895	2 202	203	0	2 405	8,4
1896	1 976	187	1	2 162	8,6
1897	2 577	142	0	2 719	5,2
1898	3 325	59	3	3 381	1,7
1899	2 659	373	0	3 032	12,3
1900	2 741	223	0	2 964	7,5
1901	3 726	144	0	3 870	3,7
1902	3 574	70	0	3 644	1,9
1903	3 510	91	0	3 601	2,5
1904	2 596	223	0	2 819	7,9
1905	2 597	885	0	3 482	25,4
1906	3 828	526	0	4 354	12,1
1907	2 613	117	0	2 730	4,3

[a] Interpolado linealmente.

Abreviaturas: P = Producción; M = Importación; X = Exportación; C = Consumo; D = Déficit.

Fuentes: Columna (1): J. SANZ; columnas (2) y (3): *Estad. Com. Ext.;* columnas (4) y (5): calculado (C = P + M − X; D = M (100)/C.).

Contrastando los gráficos III y IV parece claro, sin embargo, que esa tendencia ascendente de la producción se alcanza precisamente cuando los aranceles han logrado hacer caer la tendencia a importar, es decir, a partir de 1891 o quizá de 1895. Lo cual implica que, concluida la desamortización, y ante la competencia del trigo extranjero, los agricultores españoles sólo aumentaron su producción cuando los aranceles les garantizaron altos precios. La única manera de que España se autoabasteciera en un 90 % de trigo era encareciendo el precio de este alimento básico, lo cual deprimía el nivel de vida y encarecía los productos de exportación.

En resumen, una agricultura claramente dividida entre un sector relativamente moderno y exportador (vid, naranja, frutos secos) y un sector de subsistencia deficitario, el cerealícola. La política de protección a

Importación de trigo como porcentaje del consumo (arriba)
Producción y consumo de trigo (abajo) **IV**

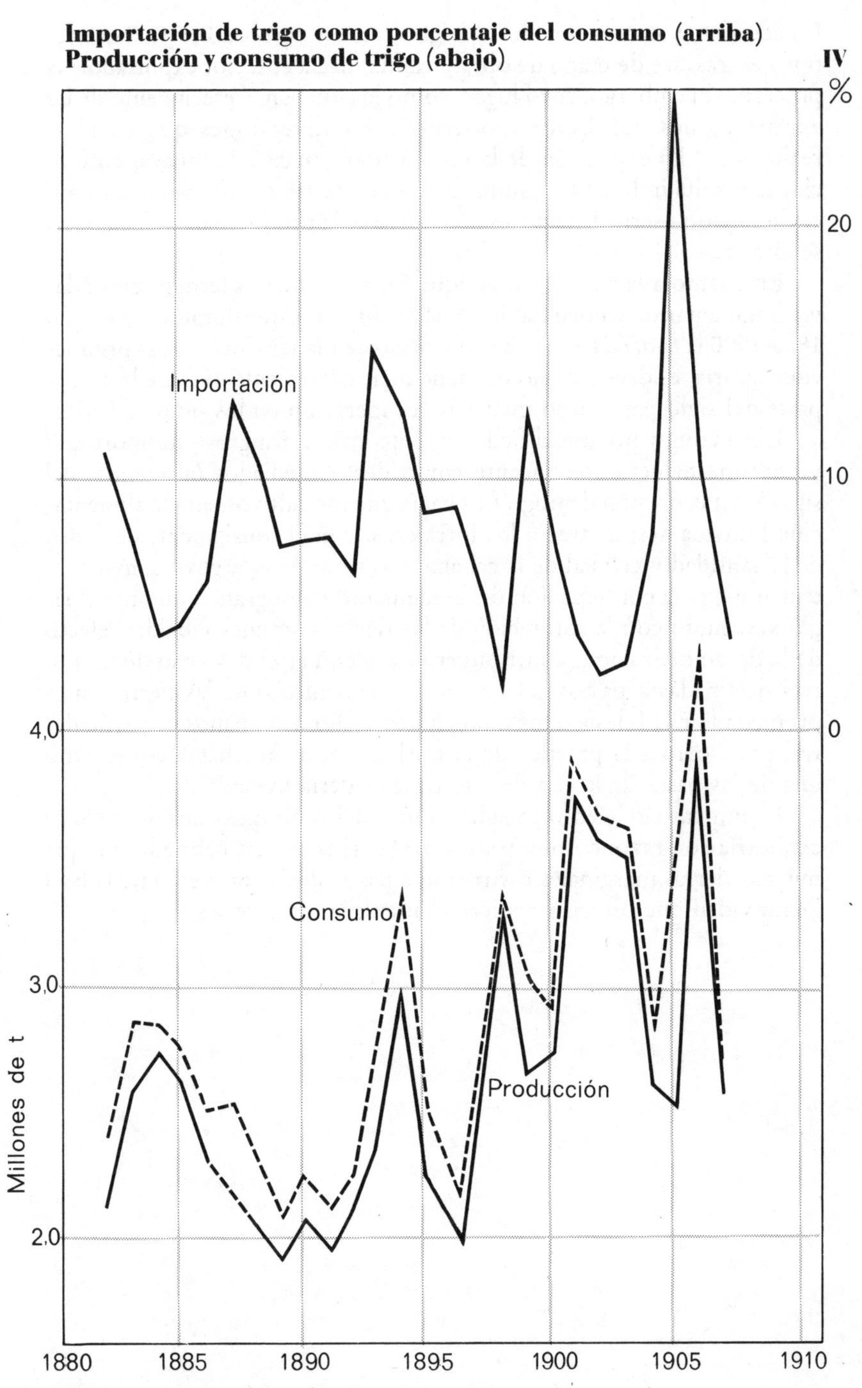

Fuente: J. Sanz, *Estadística de comercio exterior* (véase cuadro 7).

los cereales, y concretamente al trigo, durante casi todo el período, retrasó el trasvase de mano de obra y capital hacia el sector exportador: el proceso, sin embargo, tuvo lugar, como lo prueban el crecimiento de las exportaciones del sector moderno y las inversiones que en él se realizaron.[3] La expansión de la producción gracias a las nuevas roturaciones resulta indudable, aunque la inercia, la calidad pobre de la tierra, el clima y otra serie de factores hicieron que la productividad de la tierra se estancase.

En cuanto a la ganadería, aunque los datos que poseemos son todavía fragmentarios y poco fiables, puede afirmarse que durante el período 1830-1900 la cabaña ganadera evolucionó de manera inversa a la producción agraria, es decir, siguió una tendencia decreciente durante la mayor parte del siglo para luego iniciar la recuperación en los últimos años.

Las razones no son difíciles de encontrar. Ringrose ha mostrado ya de una manera convincente cómo desde mediados (al menos) del siglo XVIII la presión demográfica hacía que los cultivos para la alimentación humana desplazaran a los forrajeros, con el consiguiente descenso en la cantidad y calidad de la cabaña. Gonzalo Anes arguye convincentemente que la continuación del crecimiento demográfico durante el siglo XIX, junto con la roturación de las tierras comunes y baldías efecto de la desamortización, contribuyeron a acentuar el descenso de las tierras destinadas a pastos o forrajes. El cercamiento de las tierras antes propiedad de la Iglesia o los municipios, y ahora en manos de particulares, puso coto a la práctica de la trashumancia, que había constituido una de las bases de la cría de nuestra ganadería ovina.

El aumento del censo ganadero durante los últimos años del siglo se explicaría con razones muy parecidas: la crisis agraria habría hecho que muchas tierras marginales revirtieran a pastizales y forrajes, ante la baja lucratividad que ofrecían dedicadas al cultivo de cereales.

NOTAS DEL CAPÍTULO III

1. Sobre la venta de bienes municipales en Vascongadas a fines del XVIII y principios del XIX véase [33].

2. Parte de un trabajo en curso sobre la agricultura española que promete esclarecer muchos de los problemas aquí esbozados.

3. Véase [57] y el capítulo VI más adelante.

CAPÍTULO IV

La minería y la energía

1. LA MINERÍA

Durante la mayor parte del siglo XIX, la explotación del gran acervo mineral de España permaneció en estado semiletárgico, y contribuyó muy poco al desarrollo del país. En el último cuarto de siglo, sin embargo, las riquezas del subsuelo entraron en explotación y se convirtieron en el sector más dinámico de la economía nacional. Los factores que permitieron esta resurrección del subsuelo fueron en parte internos y en parte externos.

Si España tiene, en líneas generales, malas condiciones agrícolas, tiene como compensación buenos recursos mineros, y la calidad de esos recursos no reside sólo en la existencia de grandes reservas de mercurio, hierro, cobre, plomo, cinc, wolframio, etc., sino también (lo que era muy importante en el siglo XIX) en la cercanía de los yacimientos a los puertos, que hacía el transporte y, sobre todo, la exportación, posible. Este era el caso del hierro, especialmente el vizcaíno, el santanderino y el malagueño; el coste del transporte era decisivo, lo cual explica que fuesen los yacimientos costeros los que se explotaran mientras que los de tierra adentro apenas si fueron tocados, como es el caso de los yacimientos de hierro de León, Teruel y Guadalajara. Algo parecido puede decirse del cobre y las piritas onubenses, del plomo cartagenero y del cinc asturiano.

Las razones del estancamiento de la minería española hasta finales del siglo son varias. Del lado de la oferta, la falta de capital y de conocimientos técnicos obstaculizaban la producción a la escala adecuada. Del lado de la demanda, el subdesarrollo del país privaba a esta industria en potencia de los mercados que justificaran su desarrollo. Un factor que indudablemente también repercutió en la falta de explotación fue una legislación que, aunque deseosa de estimular el desarrollo, era excesivamente regalista. Este era el caso de la Ley de Minas de 1825, que establecía el principio del dominio eminente de la Corona sobre las minas, con lo cual colocaba a los concesionarios privados en una situación precaria [19]. A lo largo del siglo se fueron dando otras leyes de minas menos regalistas y más favorables a la iniciativa privada, como las de 1849 y 1859, pero al parecer fue la legislación y la política de la Revolución de 1868 la que desencadenó la fiebre minera del último cuarto de siglo.

El 29 de diciembre de 1868 se publicó una ley de bases sobre minas que simplificaba la adjudicación de concesiones y daba seguridad al concesionario en el disfrute de su situación. Diez meses más tarde, la ley de 19 de octubre de 1869 sobre libertad de creación de sociedades mercantiles e industriales incluía a las mineras entre las afectadas por la ley. No hay duda de que esta legislación, junto a otra serie de medidas complementarias, junto con la política general de los gobiernos revolucionarios, favoreció el auge minero. Tampoco hay duda de que, como afirman Vicens Vives, Nadal y N. Sánchez-Albornoz, las dificultades presupuestarias del momento contribuyeron a que se promulgara esta legislación y se arbitrara esta política. Pero no son estos los únicos factores: por un lado, dada la ideología liberal y librecambista de los revolucionarios de 1868, es lógico suponer que hubieran seguido una política minera del mismo corte aun en ausencia de problemas presupuestarios.[1] Por otro lado, están también los factores de demanda: las minas no solo entraron en explotación porque el Estado lo quería sino, lo que es más importante, porque había una creciente demanda internacional para los productos mineros, que no esperaba necesariamente a que se promulgara la legislación más favorable (aunque es de suponer que presionase en pro de un tratamiento más liberal). La *Tharsis Sulphur*, por ejemplo, se había fundado en 1866, para subrogarse en el lugar de otra compañía extranjera, la *Compagnie des Mines d'Huelva*, fundada once años antes; la demanda de cobre y, más tarde, de azufre, habían canalizado hacia España los intereses de empresarios extranjeros antes de la promulgación de las leyes liberales. Los casos del cinc o del plomo también muestran que la iniciativa nacional y el capital extranjero no esperaron a la legislación del 68 para iniciar su crecimiento.

Y es que las causas reales y profundas del estancamiento no eran tanto las legislativas cuanto las económicas que antes vimos: sin capital físico y humano, sin mercados donde vender, ¿cómo iba a desarrollarse la minería, por muchas leyes que se dieran? Y lo cierto es que los capitales y mercados que se necesitaban no los iba a tener el país en muchos años; porque la demanda de los minerales españoles presuponía una industria metalúrgica que no se podía improvisar; y el capital y la técnica que la explotación requería tampoco los había en España, ni era previsible hacia 1870 que los fuera a haber en mucho tiempo. La cuestión, por tanto, estaba muy clara: o se explotaban las minas con ayuda sustancial del capital extranjero y con vistas a la exportación, o permanecerían inactivas por mucho tiempo. De esta alternativa eran muy conscientes los hombres de «La Gloriosa» que pusieron en marcha esa legislación minera que ellos mismos, y Nadal recientemente, consideraban como una extensión al subsuelo del principio desamortizador [64, 87-121].

El caso más notable es el de la minería del hierro. El lento desarrollo de la siderurgia nacional constituía un escaso incentivo para la explotación a gran escala de los abundantes minerales ferrosos en España. El lento crecimiento de la siderurgia se considera en el apartado siguiente. El caso es que fue el desarrollo del acero inglés (y en menor medida, del alemán) el principal factor determinante del auge extraordinario de la minería del hierro en España. Y más concretamente fue la rápida expansión de la tecnología del acero, iniciada con el convertidor Bessemer, la que estimuló la demanda de hierro español. Los hechos son bien conocidos. El convertidor inventado por Henry Bessemer (una gigantesca retorta donde al hierro líquido se le inyectaba una corriente de aire para acelerar la combustión) permitía la fabricación en masa de acero de buena calidad a partir del lingote de hierro. Pero para que el acero Bessemer fuera de la calidad deseada, el lingote que utilizaba como materia prima debía estar libre de fósforo, lo cual implicaba que también debía estarlo el mineral a partir del cual se había obtenido el lingote. Ahora bien, el mineral no fosforoso es relativamente raro en la naturaleza. En Inglaterra lo había, sí, pero no en las cantidades que la creciente demanda de acero exigía. En Europa se conocían otros criaderos donde abundaba el mineral no fosforoso de alta ley, pero el mejor situado era el de la cuenca vizcaíno-santanderina, y sobre él se centraron los intereses de los siderúrgicos británicos. Los criaderos malagueños, cerca del mar, quedaban mucho más lejos; los suecos (Kiruna-Gallivare), aunque cercanos a Inglaterra, estaban mucho más apartados de la costa.

Si bien Bessemer patentó su convertidor en 1856, los problemas del hierro fosforoso y otros retrasaron su difusión hasta unos quince años más tarde. Por lo tanto, el interés de los siderúrgicos británicos en el mineral español se despertó cuando ya estaban en vigor la legislación y la política progresistas (aunque ya había habido pequeñas exportaciones a Inglaterra en los años anteriores a la Revolución de septiembre). En cuestión de unos pocos años a partir de 1871 se fundaron más de veinte compañías británicas dedicadas a la explotación de minas de hierro en España; entre ellas destacaban la Orconera Iron Ore Company, la Luchana Mining Company, la Parcocha Iron Ore and Railway Company, la Salvador Spanish Iron Company, y la Marbella Iron Company; las había también francesas, como la de Schneider o la Franco-Belge des Mines de Somorrostro, esta última, por supuesto, con participación belga. Junto con el capital extranjero, el capital español puso también manos a la obra en la explotación del mineral [34; 64, 115-121]. La compañía Ybarra, por ejemplo, tenía un 25 % de participación en la Orconera Iron Ore Company; aparte de esto, ella misma explotaba sus propias minas, como las de Saltacaballo. Lo mismo hacían las otras compañías siderúrgicas vizcaínas. Aparecieron también numerosas sociedades mineras españolas para beneficiar el hierro vizcaíno, santanderino y andaluz.

La explotación necesitaba una escala mínima considerable porque, aunque cercano al mar, el mineral había de ser extraído y transportado en grandes cantidades. Se construyeron ferrocarriles mineros, muelles de carga e instalaciones de lavado y concentrado. La Orconera, por ejemplo, construyó un ferrocarril para transportar el mineral desde sus minas hasta Baracaldo [21, 21]. Es evidente que sin el estímulo de la demanda y el capital exteriores hubiera sido imposible realizar estas obras de infraestructura.

Cuadro 1

Producción minera (1830-1904)
(medias quinquenales)

Quinquenios	(1) Hulla (miles t)	(2) Mercurio (t)[d]	(3) Mineral de hierro (miles t)	(4) Plomo en barras (miles t)
1830-1834	#	948,4	#	#
1835-1839	#	975,1	#	#
1840-1844	#	919,5	#	#
1845-1849	#	886,8	#	#
1850-1854	#	700,6	#	#
1855-1859	#	759,7	#	#
1860-1864	370,1[a]	835,9	198,4	65,5[a]
1865-1869	489,1	1 076,6	264,4	71,6
1870-1874	653,4	1 142,9	595,8	96,9
1875-1879	671,4	1 397,9	1 288,6	100,8
1880-1884	1 032,0	1 592,7	4 045,4	88,3
1885-1889	1 000,0	1 728,3	4 625,6	117,9[b]
1890-1894	1 226,0[c]	1 539,7	5 422,8	163,5[c]
1895-1899	2 116,5	1 458,5	7 258,4	164,8
1900-1904	2 637,3	1 028,8	8 155,4	173,8
Tasas de crecimiento 1860-1864/1900-1904	5,0	0,5	9,7	2,5

[a] Falta 1860
[b] 1885, 1886, 1887-1888 y 1888-1889
[c] 1889-1890, 1890-1891, 1891-1892, 1892-1893 y 1894
Faltan datos
[d] Las cifras son de julio a junio. Empiezan en 1830-1831 y terminan en 1904-1905.

Fuentes: Calculado a partir de: Columnas (1), (2) y (4): Nadal, *El fracaso;* columna (3): Mitchell, *European Hist. Stat.*

La guerra carlista (1872-1876) interfirió como puede suponerse con la marcha de los trabajos y la extracción, sobre todo en Vizcaya. Por otra parte, era de esperar un desfase entre el inicio de los trabajos y el comienzo de la producción. El cuadro 1 pone de manifiesto el crecimiento de la extracción de hierro durante estos años: entre el quinquenio 1870-1874 y el de 1880-1884 la producción pasó de algo menos de 0,6 a algo más de cuatro millones de t; un crecimiento medio anual del 21,1 % (el crecimiento entre 1860-1864 y 1870-1874 había sido del 11,6 %. El volumen producido se dobló a su vez de 1880-1884 a fin de siglo.

La mayor parte del mineral producido se exportaba: como media, un 90 % (véase cuadro 3) se embarcó camino a otros países. La mayor parte de este hierro se embarcaba por Bilbao, generalmente entre un 80 y un 90 % durante la década de 1880 y los primeros años de la de 1890.[2] La proporción de Vizcaya dentro de la producción durante esos años era, según los cálculos de Nadal sobre datos de la *Estadística Minera* [64, 116], algo más baja (hacia el 75 %), pero dadas las inexactitudes de las fuentes de la época[3] no puede deducirse nada de una discrepancia relativamente pequeña. La gran parte de lo exportado por Bilbao (unos dos tercios aproximadamente) salía con destino a Inglaterra. Del resto, la mayor parte iba hacia Alemania (en proporciones crecientes) y, en

Cuadro 2

EXPORTACIÓN DE MINERALES Y METALES, 1850-1904
(medias quinquenales)

Quinquenios	(1) Mineral de cobre (miles t)	(2) Mercurio (t)	(3) Mineral de hierro (miles t)	(4) Plomo en barras (miles t)
1850-1854	#	540,3	3,6	45,2
1855-1859	#	300,9	17,2	51,1
1860-1864	#	839,4	49,8	56,1
1865-1869	#	324,9[a]	72,5[a]	60,0
1870-1874	#	1 188,8	578,2	76,9
1875-1879	443,1	1 603,1	936,8	101,3
1880-1884	544,5	1 177,5	3 632,6	114,6
1885-1889	762,4	1 194,2	4 543,2	112,6
1890-1894	593,8	1 389,6	4 922,6	150,1
1895-1899	764,2	1 920,6	6 700,7	176,6
1900-1904	1 004,6	1 062,3	7 452,1	164,4
Tasas de crecimiento 1850-1854/1900-1904	3,3[b]	1,4	16,5	2,6

[a] Falta 1869. [b] 1875-1879/1900-1904 # Faltan datos

Fuente: Calculado a partir de *Estad. Com. Ext.*

Cuadro 3

EXPORTACIÓN DE MINERALES Y METALES COMO PORCENTAJE DE LA PRODUCCIÓN

Quinquenios	(1) Mercurio	(2) Mineral de hierro	(3) Plomo en barras
1850-1854	77,1	#	#
1855-1859	39,6	#	#
1860-1864	100,4	25,1	85,6
1865-1869	30,2	27,4	83,8
1870-1874	104,0	97,0	79,4
1875-1879	114,7	72,7	100,5
1880-1884	73,9	89,8	129,8
1885-1889	69,1	98,2	95,5
1890-1894	90,3	90,8	91,8
1895-1899	131,7	92,3	101,7
1900-1904	103,3	91,4	94,6
Medias	87,0	90,7	96,2

Faltan datos.

Fuente: Calculado a partir de los cuadros 1 y 2.

menores cantidades, a Francia y Bélgica. La parte del mineral de hierro español que salía con destino a Estados Unidos era pequeña y en su mayor parte procedía de Málaga. Es de señalar que a partir de 1885 aproximadamente, España comienza a exportar lingote de hierro con destino especialmente a Italia y Alemania.[4]

El rápido crecimiento de las exportaciones durante estas décadas convirtió a España, a finales del siglo XIX, en el mayor exportador de mineral de hierro en Europa, con una gran diferencia sobre el segundo exportador, Suecia, que en 1900 exportó una quinta parte del volumen español. Eso no quiere decir, ni mucho menos, que España fuera el primer productor de mineral (véase cuadro 4). Lo que llama la atención del caso español es la enorme desproporción entre producción y exportación. Decía un observador norteamericano en 1882:[5]

> Este país interesante y bien dotado, pero retrógrado, no hace ningún progreso notable en el desarrollo de su propia industria siderúrgica, aunque muestra energía bastante para exportar todos los años su precioso mineral de hierro para enriquecimiento de otros países. Ni aún gana España tanto como pudiera suponerse a primera vista de este saqueo de sus tesoros, porque el capital dedicado a extraer y exportar su mineral es principalmente inglés, francés, alemán y belga; los beneficios de la expoliación ni siquiera acrecen en proporción considerable a los españoles: se van con los minerales.

La cita, reproducida por su interés y por la sinceridad con que está escrita, requiere algún comentario. Presenta una visión unilateral emitida desde un país proteccionista por el secretario de una asociación profesional eminentemente proteccionista; pocos años más tarde, el mismo observador hará grandes elogios de la instalación de los primeros convertidores Bessemer en España, contradiciendo así el análisis pesimista que acabamos de ver. Como sabemos, además, una parte importante del «capital dedicado a extraer y exportar [el] mineral» era español. Aunque sin duda una fracción considerable de los beneficios se marchaba con el mineral, una parte no despreciable quedaba en el país.

Pero en esta cuestión de los efectos de la inversión extranjera el destino de los beneficios es uno de los aspectos a tener en cuenta, y sobre el que todavía sabemos poco. Más importante desde el punto de vista del país exportador es el efecto dinámico general que esa exportación tiene sobre la economía. La reinversión de los beneficios tendrá aquí, sin duda, un papel importante, pero habrá muchos más temas a tener en cuenta: concretamente, los efectos multiplicadores, las conexiones hacia adelante y hacia atrás, los impactos tecnológicos y dinámicos, etc.

Pues bien, la exportación masiva del mineral de hierro, con todos sus aspectos de «saqueo» y «expoliación», tuvo sobre la economía española, y sobre todo la vascongada, unos efectos dinamizadores extraordinarios. Todos los autores, incluso los más enérgicos denunciadores del capital extranjero, reconocen que el desarrollo de la siderurgia vizcaína fue posible gracias a «la capitalización que permitieron los fuertes beneficios obtenidos por la exportación del mineral a Inglaterra» [87, II, 174]. Cuando N. Sánchez-Albornoz nos dice que «las minas terminaron por convertirse en una suerte de enclaves extranjeros sólo ligados territorialmente a España, pero sin articulación con el resto de la economía», exceptúa expresamente el hierro, «algo posterior y de distintas consecuencias». Ahora bien, el hierro a finales de siglo venía a representar más del 60 % de la exportación de minerales, con lo cual el enclave, en la medida en que lo hubo, resultó tener dimensiones más modestas de lo que a primera vista pudiera pensarse. Por otra parte, incluso para productos con conexiones débiles con la economía española, como las piritas de cobre o el plomo, está aún por ver hasta qué punto constituían enclaves. Que ejercieron una demanda de mano de obra, que estimularon el desarrollo de una tecnología minera nacional, de una industria de bienes de equipo y de explosivos, que ocasionaron considerables inversiones en infraestructura, como la construcción de ferrocarriles y puertos, que vinieron a paliar el déficit en la balanza de pagos, todo esto es evidente: el impacto total está aún por determinar. Merece la pena añadir también que la época de máxima exportación de minerales coincide con la de máxima importación de capital (es decir, de 1870 en adelante) y también con el más claro impacto económico.

Pero volviendo a la minería del hierro, su efecto estimulante sobre la economía vascongada está fuera de toda duda: basta considerar el aumento de la población de Bilbao y de toda la región, el aumento en el empleo en la industria y el comercio, el desarrollo de las actividades industriales, la fundación de sociedades mercantiles, el crecimiento del sistema bancario vascongado, de los depósitos de ahorro, para darse cuenta del cambio que estaba teniendo lugar en la zona a rastras de la exportación de hierro. Este impacto de la minería sobre la economía vascongada, y en particular vizcaína, es conocido y admitido por todos los autores. Algunos trabajos recientes han puesto de relieve ciertos aspectos concretos: quizá el trabajo más notable sea el de Valerie Shaw, donde se llega a cuantificar el impacto multiplicador de la minería sobre el empleo total (de tres, que la autora considera muy alto) y se detalla el crecimiento industrial y comercial de la región de la ría del Nervión durante el último cuarto del siglo XIX [83].[6] Por supuesto, una cosa es hablar de la modernización económica de la zona y otra hacer un juicio favorable sobre todos sus aspectos: muchos de estos fueron desastrosos, desde el aumento de las tasas de mortalidad hasta la explotación de la mano de obra y la creciente disparidad en la distribución de la renta y la riqueza. Lamentablemente, faltan estudios serios acerca del impacto de la industrialización sobre la distribución y el nivel de vida, tanto en el País Vasco como en el resto de España.

Hay que subrayar que el caso del hierro es el más llamativo en casi todos los extremos: es el que revela un crecimiento más espectacular, y el que mayor peso cuantitativo tiene: si en el trienio 1899-1901 la exportación media anual de minerales ascendió a 162,0 millones de pesetas, la de mineral de hierro por sí sola se elevó a 100,2 millones, es decir, fue

Cuadro 4

PPRODUCCIÓN Y EXPORTACIÓN DE MINERAL DE HIERRO POR PAÍSES EN 1900 (miles de t)

Países	(1) Exportación	(2) Producción
España	7 823	8 676
Suecia	1 620	2 610
Francia	372	5 448
Noruega[a]	27	18
Reino Unido	0	14 253
Alemania	0	12 793
Luxemburgo	0	6 171
Rusia	0	6 001
Austria-Hungría	0	1 894

[a] El caso anómalo de Noruega, cuya producción está muy por debajo de la exportación, puede deberse bien a exportación de *stocks*, bien a error estadístico debido a que gran parte del mineral sueco se exportaba por puertos noruegos.

Fuente: MITCHELL, *Eur. Hist. Stat.*

casi el 62 %; con poca variación, esta había venido siendo la proporción desde 1875.

El plomo, sin embargo, no incluido en la estadística anterior, aventajó al hierro en valor acumulado exportado a lo largo del siglo; primero, porque su explotación y exportación a gran escala vienen de mucho más antiguo (véanse cuadros 1, 2, 3 y 4), y segundo, porque se exportaba ya beneficiado, en barras o en galápagos, y por lo tanto con mayor valor añadido. A diferencia del hierro, el plomo tiene un punto de fusión relativamente bajo, y su refino es bastante sencillo, tanto que se acostumbra realizarlo en instalaciones cercanas a la mina.

El plomo español, abundante en el sur (Granada, Almería, Murcia, Jaén y Córdoba, sobre todo) se explotó con métodos relativamente modernos desde 1830 aproximadamente. Se comenzó a extraer el mineral de la Sierra de Gádor, y más tarde el de otras sierras cercanas (Almagrera, de Cartagena), que forman entre todas una cadena montañosa paralela y cercana al mar a lo largo de las provincias de Granada, Almería y Murcia. Durante los decenios centrales del siglo XIX, la minería del plomo estuvo en manos españolas y locales esencialmente. A mediados de siglo empezó a interesarse por la actividad del capital extranjero. Como dice Nadal, «los primitivos explotadores españoles, habían sido incapaces de la inversión necesaria al laboreo racional de los pilares, facilitando de este modo la intrusión extranjera». A los explotadores españoles, que todavía extraían el agua de las minas a brazo, les resultaba ineconómica la explotación de las minas. Los yacimientos de Jaén, abandonados por Gaspar Remisa por ruinosos, fueron adquiridos por una compañía francesa y otra inglesa, «las cuales, después de instalar sendas máquinas de vapor para los desagües y hacer otras mejoras, reanudaron la explotación con excelentes rendimientos [64, 102-103]. Durante la segunda parte del siglo, ingleses y franceses coparon la explotación del plomo de Córdoba y Jaén. Este influjo de capital y tecnología extranjeros, junto con la extensión de la red ferroviaria y el agotamiento de las venas de las sierras de Gádor, Almagrera y de Cartagena, hicieron que el plomo de tierra adentro fuera gradualmente superando en producción al costero.

El caso del plomo ilustra los problemas de la explotación doméstica. El propio Nadal, tan crítico de la «intrusión» de compañías foráneas, señala lo escaso de los efectos multiplicadores de la minería del plomo en manos de los pequeños explotadores locales, «especuladores y no [...] verdaderos empresarios». Algo parecido ocurría cuando los capitalistas domésticos arrendaban del Estado los criaderos de Arrayanes: saqueo del yacimiento con el menor gasto posible, y defraudación en las cuentas [64, 100-102].[7] La rapacidad o el desinterés por los efectos sociales de la minería no eran monopolio de los extranjeros: unos y otros trataban de maximizar su beneficio. La diferencia estaba en el horizonte de planeación, los conocimientos técnicos, el capital movilizado y el conocimiento del mercado. Y en esto eran casi siempre los extranjeros los que tenían ventaja y podían explotar racionalmente y a mayor escala.

Algo parecido se desprende del estudio de la minería del cobre. El conocimiento de la gran cuenca cuprífera del suroeste de la Península se remonta a los albores de la Historia y al fabuloso reino de Tartessos. Los criaderos se extienden en una franja paralela a la costa, al norte de Huelva, entre el Guadalquivir y el Guadiana. Los yacimientos más importantes están entre los ríos Tinto y Odiel. Los yacimientos más conocidos en España son los de Riotinto y Tharsis; al otro lado del Guadiana, en Portugal, está el de São Domingo. Durante gran parte del siglo XIX las minas de Riotinto fueron explotadas de manera ineficiente (y en ocasiones fraudulenta) por concesionarios, con poco beneficio para el Estado; las de Tharsis permanecieron abandonadas hasta que una compañía francesa, la Compagnie des Mines de Cuivre d'Huelva comenzó a explotarlas, para obtener cobre, en 1855. Pero la demanda poderosa y el capital estaban en Inglaterra. Más que el cobre, las piritas de Huelva ofrecían la materia prima para la obtención de sosa cáustica y de ácido sulfúrico, en gran demanda por parte de la industria química británica; y fue un consorcio de industriales químicos quien en 1866 formó la Tharsis Sulphur and Copper Company, que se subrogó a la Compagnie des Mines mediante un «arreglo amistoso» [20, 105].

La compañía británica procedió inmediatamente a hacer las obras necesarias para comenzar la explotación a gran escala: obras de terraplenado para la extracción a cielo abierto, la construcción de un ferrocarril hasta la bahía de Huelva, y la de un muelle moderno para el embarque del mineral. La empresa refinaba parte del mineral para obtener cobre *in situ*, y exportaba parte sin manipular, en forma de piritas, para la industria química inglesa. La producción se mantuvo a niveles muy altos durante el resto del siglo.

El caso de Riotinto, más tardío, es parecido. Las minas, cuya riqueza era conocida, habían resultado una decepción como fuentes de ingresos para el Estado; tampoco habían realizado su potencial económico. Decidido a obtener un rendimiento tangible, y presionado por las deudas, el gobierno decidió desamortizar Riotinto en 1870. Pese a la calidad del criadero, el precio que el gobierno español pedía y la inversión de capital que una explotación adecuada exigía hicieron que se tardara en encontrar comprador. Este apareció por fin en 1873 en forma de un consorcio internacional encabezado por un banquero londinense (escocés de origen), con participación de un banco alemán, e incluso algún dinero español. La compañía resultante quedó capitalizada en seis millones de libras esterlinas (unos 150 millones de pesetas: el capital del Banco de España entonces era una tercera parte de esa cifra), de las que cerca de las dos terceras partes se destinaban al pago en diez anualidades del precio convenido: unos 95 millones de pesetas. Del resto, la mayor parte se destinaba a inversiones infraestructurales, y una parte pequeña pero sustanciosa a recompensar a los socios fundadores. Varios años pasaron en la construcción del ferrocarril minero Riotinto-Huelva y de los muelles, así como en la preparación de la mina para la explotación. Pero cuando comenzó esta, la compañía de Riotinto resultó un éxito aún mayor que Tharsis en volumen producido, en volumen exportado, y en beneficios. Estas dos compañías fueron las mayores, pero no las únicas, en la explotación de las piritas cobrizas.

Si en la explotación del cobre, del hierro y del plomo las circunstancias hacían inevitable la intervención del capital extranjero, en el caso del mercurio no es así. La obtención del mercurio a partir del cinabrio es un procedimiento sencillo que no requiere ni tecnología compleja ni grandes inversiones de capital ni, por supuesto, exportación del mineral (que la localización de las minas tan lejos del mar habría hecho antieconómica); lo mismo puede decirse de la extracción. Y sin embargo, la mayor parte de los beneficios de la comercialización del mercurio español fueron a parar a manos de los Rothschild durante el siglo XIX.

Las minas de mercurio de Almadén, las más ricas del mundo, se conocen desde tiempo inmemorial, se explotan al menos desde los tiempos de Roma y, propiedad del Estado desde el siglo XV, se han utilizado por este con frecuencia como prenda para garantizar empréstitos. Esta es la razón que permitió a los Rothschild beneficiarse de su comercialización. Como dice Carande [17, 421],

> los príncipes impecuniosos, de buen o de mal grado, proporcionan a los grandes mercaderes, que les abren créditos, numerosas ocasiones de enriquecimiento; más aún que con las cuotas crecidas de intereses [...], gracias a las situaciones privilegiadas que abren cauces de legalidad a prácticas comerciales incompatibles con las premisas del justo precio e incubadoras de auténticos monopolios.

Carande se refiere aquí al caso de Almadén en el siglo XVI, en que los Fugger trataron de aprovechar la morosidad de los Austrias para monopolizar el mercurio mundial; pero lo mismo volvió a ocurrir en el XIX, cuando los Rothschild intentaron un golpe parecido aprovechando la impecuniosa situación de los gobiernos españoles, tanto isabelinos como revolucionarios.

El mercurio se ha empleado en metalurgia y química con gran intensidad sobre todo a partir del siglo XVI, en que se descubre el método de amalgama para beneficio de la plata y en que Paracelso recomienda sus virtudes curativas [53, 118]. También se utilizaba en la fabricación de espejos. Con la revolución industrial sus usos se multiplicaron, desde la fotografía y la electricidad hasta la manufactura de instrumentos y de explosivos; desde entonces su mercado ha estado en Londres, y hacia allí se encamina el 88 % de la producción española que se exportó durante el siglo XIX, por término medio.

El papel de los Rothschild durante las épocas en que, de manera más o menos oficial, ostentaron el arrendamiento de la venta del azogue de Almadén (que fue casi todo el período comprendido en este estudio) fue el de agentes de venta del mercurio español, bien adquiriéndolo en subastas (amañadas), bien vendiéndolo en Londres por cuenta del Estado español. De ambas maneras se llevaban los Rothschild la parte del león en los beneficios, y especialmente a partir de 1868 en que, como consecuencia de un empréstito, el gobierno español aceptó vincular las ventas de mercurio a la devolución del dinero y conceder a los banqueros la exclusiva de estas ventas. Con ello los Rothschild controlaron, al menos durante unos años, la mayor parte de la oferta mundial de mercurio, ya que eran propietarios de la mina italiana de Idria, y podían influir sobre la producción norteamericana. Los precios subieron al principio, y también los beneficios pero a la larga el monopolio no se mantuvo. Si se analizan independientemente, las operaciones de venta no parecen haber sido ruinosas, ni mucho menos, para el Estado español, que vino a recibir por término medio más del 80 % del producto de las ventas [30, 138; 31, 332]. Sin embargo, hay aquí un par de problemas. El primero, es posible que el importe de las ventas se calculase de tal manera que los Rothschild se embolsaran una parte muy alta como «gastos», en lugar de como participación; pero esta hipótesis no cuadra con las cifras publicadas por el Estado. El segundo problema, mucho más real, era el interés usurario, superior al 200 %, pagado en el préstamo original; teniendo este factor en cuenta, la operación sí fue francamente desigual.[8] Pese a ello, el gobierno español renovó su relación con la casa Rothschild durante los primeros decenios del siglo XX, mejorando los términos de la distribución de beneficios, con lo que la participación del Estado osciló en torno al 90 % de las ventas. En resumen, resulta evidente que, a diferencia del caso de los otros metales, en el del mercurio el capital extranjero no desempeñó ningún papel esencial, y hubiera sido perfectamente posible pasarse sin él. La comercialización del mercurio se hubiera hecho ventajosamente por agentes del gobierno español. En este caso fueron los problemas presupuestarios del gobierno los que permitieron a los Rothschild entrar en el saneado negocio de las ventas de mercurio.

También fue explotado durante el siglo XIX el cinc. El mayor criadero de este metal se encuentra en Reocín, Santander, y fue (y sigue siéndolo) explotado por la Real Compañía Asturiana de Minas, de capital belga, que exportaba la mayor parte del mineral para ser beneficiado en Bélgica. También exportaron mineral de cinc los mineros de Cartagena que extraían blendas en los mismos yacimientos de galena.

Tratemos ahora de resumir en unas palabras la contribución de la minería a la economía española del siglo XIX. Del lado positivo, la minería contribuyó a equilibrar la balanza de pagos, atrayendo flujos de capital y exportando por valor de hasta una tercera parte del total de las exportaciones en la balanza. Se le ha reprochado a la minería el haber sido un enclave de las economías extranjeras casi sin repercusiones en la española. Algo sin duda hubo de eso: este papel parece característico de la minería en algunos países subdesarrollados. Sin embargo, hay razones para suponer que este carácter de enclave de la minería en España no fue tan total como puede haberlo sido en otros casos. Si bien gran parte de los beneficios se exportó, otra parte se reinvirtió, característicamente en siderurgia; la minería del hierro fue el motor de la modernización económica del País Vasco. Aunque es verdad que las compañías extranjeras (e incluso las españolas) emplearon inicialmente técnicos y alto personal foráneos, a la larga la tendencia fue a emplear una proporción creciente de nacionales: la ingeniería de minas fue probablemente uno de los campos donde la ciencia y la técnica españolas rayaron a mayor altura en el siglo XIX. En cuanto a las conexiones hacia atrás, el aislamiento de la minería no es del todo claro. Una actividad de tal envergadura daba empleo a muchos miles de personas y creaba una demanda de servicios y bienes muy variados, desde bancarios y comerciales hasta vivienda y alimentación, pasando por transporte, obras públicas y maquinaria. Un ejemplo bastará: en 1872 se creaba en Bilbao la primera compañía para la fabricación de dinamita con destino principalmente a las necesidades de la minería; el capital, casi todo el personal directivo, la mayor parte de las materias primas, venían de fuera. Al cabo de unos años, el número de compañías fabricantes de explosivos industriales se había multiplicado y el capital español tomaba parte creciente en el sector. Esta nueva industria creó una demanda de ácido sulfúrico, ácido nítrico y otros productos químicos que, por razones de economía, empezaron a producirse domésticamente en proporciones crecientes. A su vez, como subproducto, la industria comenzó a producir superfosfatos y otros fertilizantes químicos. Más adelante esta industria se agruparía en un trust, que recibiría el monopolio oficial de la fabricación de explosivos en España; unos pocos años más tarde, la totalidad prácticamente de esta industria de explosivos y productos químicos estaba en manos españolas. Lo importante aquí no es la nacionalidad de los propietarios de las acciones, sin embargo, sino el estímulo que la demanda minera ejerció sobre la industria química [96]. Hay que suponer que algo parecido ocurrió con respecto a otras industrias, especialmente la metalúrgica, las de la construcción y las de transporte. El tema queda abierto a la investigación.

Del lado negativo está fundamentalmente la cuestión del precio que el país percibió por la explotación de sus recursos mineros. Los recursos mineros tienen como propiedad la de no ser reproducibles: los depósitos a la larga se agotan, a menudo para siempre (aunque frecuentemente los progresos de la técnica hacen económica la explotación de minerales de baja ley y permiten la recuperación de viejos yacimientos). Por eso parece más justificado hablar de «expoliación» y de «saqueo» al hacer referencia a la exportación de minerales, como hacía el secretario de la asociación de industriales siderúrgicos norteamericanos.[9] Pero la verdadera cuestión está en el precio que se recibe por ese mineral: de un lado, por tanto, interesa la cuestión de la relación de intercambio; de otro, la de los beneficios de las compañías. Muy poco sabemos todavía sobre la relación real de intercambio de España (la relación entre los precios a que vendía y los precios a que compraba en el mercado internacional) con el extranjero durante este período. Nicolás Sánchez-Albornoz ha puesto de relieve que los precios de los minerales descendieron en el mercado internacional durante el último cuarto del siglo XIX [77, 140]; sin embargo, lo cierto es que la tendencia *general* de los precios durante ese período fue descendiente: lo que nos interesa aquí es el precio *relativo* de los minerales, no el absoluto; está, además, el enojoso problema de las «valoraciones» de las estadísticas del comercio exterior, que exageran las bajas en los precios de exportación [91]; y está por último el hecho de que hacia 1895 se invirtió la tendencia, esto es, los precios de los minerales (y el índice general) comenzaron de nuevo a subir. La cuestión, por tanto, no está resuelta, y pide a gritos una investigación sistemática.

En cuanto a los beneficios de las compañías, no hay duda que fueron muy altos y que gran parte se reexportó. También parece claro que pagaron escasos impuestos. La cuestión, sin embargo, también merece estudio.

En conclusión, por tanto, aunque es indudable la contribución decisiva de la minería al desarrollo español de finales del siglo, la cuestión de los costes y beneficios que se derivaron del modo en que se explotaron los recursos mineros debe ser objeto de mucho más estudio del que hasta ahora se ha llevado a cabo, para que los historiadores puedan pronunciarse con un mínimo de seguridad.

2. LA ENERGÍA

Se ha escrito que «la revolución industrial puede ser considerada como el proceso por el cual se organiza la explotación a gran escala de nuevas fuentes de energía por medio de convertidores no animales» [22, 51]. Es decir, el paso de la energía animal a la mecánica. La sustitución de animales y hombres por energía hidráulica y, sobre todo, por carbón, es el gran rasgo distintivo de la primera revolución industrial. En España, durante el siglo XIX, esta transición se inicia, pero no se completa.

Durante la primera mitad del siglo XIX las fuentes de energía utilizadas en España siguen siendo las tradicionales: mayoritariamente humana y animal; marginalmente hidráulica y aérea (molinos de agua y viento, veleros); como principal combustible doméstico, la leña.

El consumo de carbón creció durante la segunda mitad del siglo XIX, como puede observarse en el cuadro 5. Los factores determinantes fueron seguramente la extensión de la red ferroviaria, la de navegación a vapor y el desarrollo industrial. Puede también observarse que el consumo se nutría a partes casi iguales de la producción doméstica y la importación.

España tiene yacimientos de carbón en varias zonas, las más importantes de las cuales son la norte, en Asturias y León, y la sur, en las provincias de Ciudad Real y Córdoba. Estas son las zonas productoras de *hulla.* El *lignito* abunda en Cataluña. El problema del carbón español, sin embargo, es grave, ya que, en comparación con las grandes cuencas carboníferas europeas, es escaso, caro y malo. Las reservas de carbón son relativamente escasas; la calidad de la hulla, muy impura y frágil, hace que sea muy inferior a la inglesa, la alemana, la belga o aun la francesa; y la irregularidad y delgadez de las capas hacen que la explotación no se adapte a la mecanización y requiera altos costes de infraestructura. Por todas estas razones yo me inclinaría a decir que el carbón español ha sido un obstáculo al crecimiento económico del país, ya que su extracción ha sido el caso clásico de industria no competitiva que ha sobrevivido gracias a la protección, recargando los costes de todas las actividades consumidoras, que son nada menos que todas las que integran ese proceso que se llama primera revolución industrial. La protección al carbón español fue haciéndose un lastre cada vez más pesado al modernizarse la estructura industrial del país y aumentar su consumo, de un lado, y de otro al desarrollarse la tecnología de extracción y trans-

Cuadro 5

CONSUMO, PRODUCCIÓN E IMPORTACIÓN DE CARBÓN
(medias quinquenales)

Quinquenio	(1) Consumo (miles t)	(2) Producción %	(3) Importación %
1861-1865	841	46	54
1866-1870	1 155	45	55
1871-1875	1 156	57	43
1876-1880	1 530	45	54
1881-1885	2 283	46	54
1886-1890	2 607	41	59
1891-1895	3 181	43	57
1896-1900	4 062	56	44

Fuente: Calculado a partir de NADAL, *El fracaso,* pp. 144-145.

porte, que abarataba la hulla en los mercados internacionales, lo cual encarecía la española comparativamente. En la medida en que se protegía el carbón español la economía dejaba de aprovechar la oportunidad que la baja de precios brindaba.

Otras industrias energéticas que se desarrollaron durante el siglo XIX fueron la del gas, que, destilado de la hulla, se utilizó durante la mayor parte del siglo para el alumbrado público y el consumo doméstico (gas ciudad). El primer centro urbano que lo utilizó fue Barcelona, donde había varias fábricas a mediados del siglo XIX. Al menos una docena de fábricas había en España en la segunda mitad del siglo, localizadas en los centros de consumo, es decir, las mayores ciudades.

También la industria eléctrica española se inició en Barcelona, donde en 1875 la firma Dalmau y Xifré instalaba la primera central eléctrica, que distribuía energía a varios establecimientos industriales; quince años más tarde se fundaba en Madrid la Compañía Madrileña de Electricidad, y poco después fueron apareciendo otras, como la Sevillana de Electricidad, la Eléctrica de San Sebastián, la Eléctrica del Nervión, etc. Pero estos eran los comienzos: la industria eléctrica española (y la mundial) es un fenómeno del siglo XX.

NOTAS DEL CAPÍTULO IV

1. Como dice Tamames, seguidor de la tradición proteccionista hasta en el vocabulario, este era «el momento de máxima exaltación librecambista» [87, II. 124].
2. AISA.
3. Sobre los problemas de las estadísticas mineras oficiales en España, véase [32] y [28].
4. AISA.
5. James M. Swank, secretario de la AISA, en el informe anual de esa asociación. Traducción del autor.
6. Sobre la banca y el ahorro véase [89] y [92]. Sobre la explotación de mano de obra [44]; en general [64].
7. Estevan Senís señala también el declinar de las minas de Cartagena durante el último cuarto del siglo XIX y el «excesivo individualismo» de las empresas.
8. Si en el cuadro de Zarraluqui que Nadal reproduce [64, 114] descontamos los 4,5 millones de libras esterlinas pagadas por anualidades del préstamo, resulta que los Rothschild habrían cobrado un 15 % de las ventas, más gastos, que fueron otro 4 %: un buen beneficio, pero no leonino. Hay que advertir que el cuadro contiene algunas incoherencias internas, y con su fuente, la *Estadística de los Presupuestos.*
9. Véase más arriba, n. 5.

Capítulo V

La industria

Parece haber acuerdo entre los historiadores económicos en que el siglo XIX fue el siglo del fracaso de la industrialización en España. Con esta expresión que Nadal ha popularizado se significa algo más que el puro retraso de España con respecto a Europa septentrional: se significa el fracaso de una serie de intentos públicos y privados para encauzar a la sociedad española por el camino de la modernización, camino que en el siglo XIX pasaba ineluctablemente a través de un proceso de industrialización.

A pesar de estos intentos, sobre los que más adelante haremos unos comentarios, la economía española permaneció esencialmente agraria en el sentido de que la mayor parte de la población continuó viviendo en comunidades rurales y ganándose la vida en ocupaciones agrícolas. Otros indicadores del nivel de industrialización, como el de Bairoch, confirman esta impresión. Junto con Rusia e Italia, España durante el siglo XIX formó un grupo de rezagados frente a los países de la Europa noroccidental y Estados Unidos [10].

En contraste con esta relativa inercia social, hay en el siglo XIX español un número elevado de esfuerzos en pro de la modernización del país. Por una parte tenemos los esfuerzos privados de la clase empresarial catalana por crear una base industrial en el principado [97]. Por otra parte están los repetidos intentos progresistas por sentar las bases políticas y legislativas de una sociedad moderna, es decir, industrializada y tecnificada. Los casos más notables en este sentido se encuentran en las labores legislativas del «bienio progresista» (1854-1856) y de los gobiernos y las Cortes de la revolución de septiembre [62; 95, 295-307]. Ninguno de estos intentos fue totalmente estéril. Ya hemos visto que el siglo XIX no fue en España de absoluto estancamiento: Cataluña, y en especial Barcelona, desarrollaron una notable industria; el país llevó a cabo la desamortización y la construcción de la red ferroviaria; se reformó la educación, el sistema monetario y bancario, los impuestos; se instituyó definitivamente el presupuesto; se echaron las bases de la industria siderúrgica, etc. Pero en total la tan cacareada revolución industrial no tuvo lugar.

Los sectores que protagonizaron la primera revolución industrial, la inglesa, fueron el textil algodonero y el siderúrgico. Durante el siglo XIX español, estas fueron también las industrias que sufrieron más honda transformación, aunque no puede decirse de ellas que protagonizaran un cambio revolucionario. En parte, esto se debe a que les faltó el apoyo de los personajes secundarios del drama, que tan crucial papel tuvieron en Inglaterra: una agricultura próspera y comercializada, una red de transporte eficaz, y la transformación concomitante de una miríada de otras actividades industriales, como la química, la metalúrgica, la cerámica, las industrias mecánicas, la construcción naval, y otras industrias de consumo, y, quizá lo más importante, la creación de una red eficaz de intermediación financiera a escala nacional.

Pero no debemos insistir demasiado en la comparación con Inglaterra; lo que es de destacar aquí es que son las industrias algodonera, primero, y siderúrgica, más tarde, las que, aquí como allí, tuvieron un lugar destacado.

1. LA INDUSTRIA ALGODONERA

En el caso del algodón, ni España ni Inglaterra parecen haber tenido, al menos inicialmente, ninguna ventaja natural, ya que la principal materia prima tiene que importarse de otras latitudes (España puede producir algodón, pero escasamente competitivo); y el hecho es que en ambos países se importaron tejidos de algodón en grandes cantidades antes de que la industria doméstica comenzara a sustituir importaciones. Lo cual significa, por supuesto, que el mercado doméstico existía antes del desarrollo de la industria doméstica. En el caso inglés pudiera haber parecido lógico que la industrialización se hubiera llevado a cabo en el sector lanero, el de mayor tradición y tamaño a principios del siglo XVIII. No entremos aquí en las razones por las que se tecnificó antes el algodón inglés; el caso es que, una vez inventadas las hiladoras y los telares automáticos, Inglaterra tenía al menos dos grandes ventajas: carbón abundante para alimentar las máquinas de vapor que movían las fábricas, y una demanda profunda y creciente debida a la riqueza doméstica, al rápido crecimiento demográfico y a la activa exportación. A esto habría que añadir una mano de obra abundante, un nivel educativo relativamente alto, y todas las economías externas que conlleva el adelanto relativo de la Inglaterra de entonces.

En el caso español faltan casi todos estos ingredientes. En particular, las dos grandes ventajas inglesas brillan por su ausencia. La escasez y mala calidad del carbón español, y aún más del catalán, son bien conocidas. Para colmo, Cataluña está muy alejada de los centros productores de hulla, sean estos Puertollano, Mieres o Newcastle, lo cual recargaba fuertemente los costes de transporte. La condición de la demanda tampoco era favorable. La industria textil algodonera había nacido en Cataluña contando en parte con la demanda colonial; pero esta desaparece desde principios del siglo. La demanda doméstica era relativamente abundante por ser España uno de los países más populosos de Europa por esas fechas, pero el estancamiento demográfico y la pobreza, unidos a las dificultades del transporte, detraían de esta ventaja. Y sin embargo, la industria algodonera creció y se desarrolló durante el siglo XIX.

Las razones de esta aparente paradoja hemos de verlas en el adelanto relativo de Cataluña y en la protección arancelaria. Aunque carente de buen carbón, el crecimiento económico del Principado desde mediados del siglo XVIII, su vinculación al mercado americano, su relativa vitalidad demográfica, su intensa actividad comercial, favorecieron la acumulación de capital, el acceso a los mercados, la oferta de mano de obra y la iniciativa empresarial suficientes para el nacimiento de un núcleo textil algodonero. Durante el siglo XIX, pese a la pérdida de gran parte del mercado ultramarino y al problema cada vez más acuciante de la falta de carbón, la industria, atrincherada tras una respetable barrera arancelaria, creció en base al abastecimiento del mercado doméstico y, solo en las últimas décadas del siglo, al del mercado antillano.

Al igual que otras industrias algodoneras de la Europa continental, la española, que casi equivale a decir la catalana, fue siempre a rastras de la inglesa: su tecnología estuvo más atrasada, la dimensión media de sus fábricas estuvo por debajo, sus precios fueron más altos. Inglaterra mantuvo durante casi todo el siglo la ventaja del innovador, beneficiándose de economías de escala de todo tipo: redes comerciales, liderazgo tecnológico, escala adecuada de producción, mano de obra y personal técnico y empresarial de alta calidad, etc. Esto le permitió mantener su superioridad competitiva, ante la cual las industrias continentales tenían básicamente dos alternativas para subsistir: o tratar de competir con la industria inglesa, especializándose en unos pocos productos donde tuvieran ventaja comparativa, como hicieron las industrias belga y suiza; o recurrir a la protección arancelaria, como hicieron la francesa y la española.

Ello no quiere decir, por supuesto, que nuestra industria se estancara tecnológicamente. En primer lugar, en Cataluña se creó la máquina «bergadana» de hilar, versión catalana de la «jenny», la famosa hiladora manual inglesa. A principios de siglo empezaron a importarse modelos de la «mula» de Crompton, hiladora movida por rueda hidráulica o máquina de vapor. Después de la larga interrupción causada por las guerras y el estancamiento de Fernando VII, en la década de 1830 comienza en Barcelona la aplicación del vapor al proceso de hilado. Es el famoso episodio de la fábrica «El Vapor» de los hermanos Bonaplata, instalada en 1832 e incendiada tres años más tarde en una revuelta en la que también ardieron conventos. Tras la guerra carlista prosigue la mecanización de la industria. En la década de 1840 comienzan a introducirse las llamadas «selfactinas», nombre que se da a las «self-acting machines» de invención inglesa, que son máquinas de hilar casi totalmente automatizadas. El proceso se ve entorpecido, entre otros factores, por la resistencia obrera a la sustitución de hombres por máquinas. Izard relata el caso notable de ciertos fabricantes barceloneses que en 1854 se vieron obligados a utilizar las selfactinas como máquinas manuales por orden del gobernador, que esperaba así acallar las protestas de los obreros. Pese a estos episodios de antimaquinismo, tanto los estudios de Nadal [64, 196 tabla 1] como los de Izard [51, 43 cuadro 1] muestran un proceso intenso de mecanización en el período 1830-1855 en la hilatura; es

Cuadro 1

IMPORTACIONES DE ALGODÓN EN RAMA POR EL PUERTO DE BARCELONA
(medias quinquenales)

Quinquenio	Toneladas
1814-1818[a]	1 038
1819-1823[b]	2 005
1824-1828[c]	2 246
1829-1833[d]	3 902
1834-1838	3.906
1839-1843	5 636
1844-1848	9 517
1849-1853	14 663
1854-1858	18 114
1859-1863	17 861
1864-1868	16 102
1869-1873	23 832
1874-1878	32 116
1879-1883	40 732
1884-1888	42 735
1889-1893	54 446
1894-1898	64 315
1899-1903	75 548
1904-1908	81 149
1909-1913	79 721

[a] Media 1816-1817-1818.
[b] Media 1819-1820.
[c] Falta la cifra de 1828.
[d] Cifra de 1831.

Fuente: NADAL, *El fracaso,* pp. 207-208 y Apéndice 7.

Cuadro 2

TASAS DE CRECIMIENTO DE LA IMPORTACIÓN DE ALGODÓN POR BARCELONA
(tasas porcentuales medias anuales)

Período	Tasa
1814-1823/1904-1913	4,5
1834-1838/1854-1858	8,0
1869-1873/1904-1908	3,6

Fuente: Calculado a partir del cuadro 1

decir, si a principios de ese período prácticamente todo el hilado se hacía en máquinas manuales, al final todo se hacía en máquinas movidas mecánicamente. A pesar de todo, sin embargo, el nivel técnico de esta industria renovada se mantiene por debajo del inglés, aunque la diferencia entre unos establecimientos y otros dentro de la propia Cataluña sea, por supuesto, considerable.

El período desde finales del reinado de Fernando VII hasta 1855 es el de mayor crecimiento de la industria textil algodonera, según revela el indicador más comúnmente aceptado, es decir, las cifras de importación de algodón bruto (véase cuadro 1 y gráfico V). El cuadro 2 muestra un aumento medio anual de las cifras de importación de algodón en rama del 8 %, explicable en parte por lo bajo de las cifras iniciales, que muestran la repercusión de la guerra carlista. Esta cifra alta, aunque un tanto inflada por razón de lo anormalmente bajo de la base, resulta menos impresionante si se la compara con períodos de crecimiento similares en otros países: así, en Inglaterra, durante la primera etapa de la revolución industrial (1773-1799), las importaciones de algodón crecieron a una media anual del 9,2 %. En Japón la producción de hilados creció a una tasa media anual del 13,7 % de 1889 a 1914.[1] Aunque durante el siglo XIX en su totalidad la industria algodonera catalana creció más rápidamente que la británica durante ese mismo período [64, 207-208], el tamaño relativo de ambas industrias (medido por las importaciones de algodón en rama) hace dudar del peso significativo de tal comparación: la industria catalana no pasó, en el mejor momento, de representar una décima parte de lo que representaba la inglesa.

La industria algodonera española tenía, además del combustible, dos graves problemas de comercialización en su contra que ni la inglesa ni la japonesa tuvieron: en primer lugar, el mercado español, aunque grande, no era, como sabemos, ni profundo ni dinámico; en segundo lugar, la industria no tuvo acceso a los mercados exteriores salvo en casos excepcionales, por ser sus precios demasiado altos.

Ahora bien, una ojeada al gráfico V y al cuadro 2, que revela una tasa media del 4,5 % desde principios del siglo XIX a principios del XX, sugiere un respetable crecimiento, pese a los obstáculos antes mencionados.

Importación de algodón en rama por la Aduana de Barcelona (medias quinquenales, miles de t) V

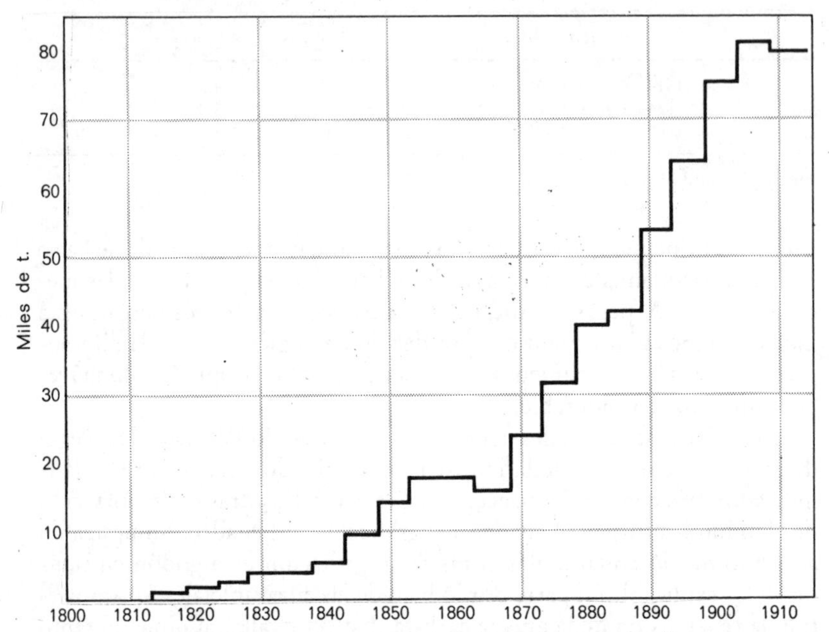

Fuente: NADAL, *El fracaso*, pp. 207-208 y Apéndice 7 (véase cuadro 1).

¿No puede verse aquí una cierta contradicción con lo dicho acerca de las limitaciones de la industria? No; tal contradicción no existe, y la explicación está en el doble papel sustitutivo de la industria algodonera española. Por una parte, como en el resto de Europa, el algodón creció a expensas de otras industrias textiles, como la de la lana y la del lino. Esto explica en parte las impresionantes tasas de crecimiento que hemos visto: las cifras iniciales son bajísimas porque la demanda se surte de otras industrias. Por otra parte, la industria algodonera catalana sustituyó las importaciones de tejidos (casi todos ingleses) gracias a la protección arancelaria y a la cada vez más eficaz represión del contrabando. Durante las primeras décadas del siglo XIX el contrabando de tejidos de algodón francés a través de los Pirineos, e inglés a través de Gibraltar (y posiblemente de Portugal), añadido a las importaciones legales, quizá satisfaciera el 80 % de la demanda española.[2] A mediados de siglo, las importaciones ilegales de tejidos se estimaban, según Izard, en un 20 % de la producción nacional, mientras que la importación legal era una cifra en torno al 5 %.[3] En total podemos estimar que en unos 25 años (de 1830 a 1855 aproximadamente) la industria algodonera catalana había pasado de servir un 20 a servir un 75 % de la demanda nacional.

Nada tiene de extraño el fuerte crecimiento que reflejan las cifras de esos años.

El proceso se interrumpió hacia 1855 por una serie de razones: en primer lugar, la política progresista de 1854-1856 abrió campos nuevos a la inversión (bancos, ferrocarriles, tierras desamortizadas), que por unos años se apartó de la industria algodonera en la propia Barcelona (quizá interviniera en este retraimiento la percepción de signos de saturación en el mercado); en segundo lugar, una serie de factores tales como la depresión de 1857-1858, el «hambre del algodón» (1861-1865) causada por la guerra de Secesión en Estados Unidos, y la depresión de 1864-1868 afectaron a la industria por el lado de la oferta y por el de la demanda. A partir de 1868 aproximadamente tiene lugar un proceso de recuperación que dura unos quince años. Es de notar que el arancel Figuerola de 1869 no parece haber sido obstáculo para esta recuperación, pese a las oscuras profecías de los industriales.

Sin embargo, las tasas de crecimiento no son ya las de antes: gran parte de la expansión de los años setenta no hace sino abastecer a la demanda insatisfecha de la década anterior. La saturación viene pronto, ligada a la múltiple crisis de 1882-1884, que afectó gravemente a la estructura económica de Cataluña, y en particular a su sistema bancario, y que dio lugar a un manifiesto o Memoria en defensa de los intereses morales y materiales de Cataluña, el llamado *Memorial de greuges*, dirigido al rey. La solución para la industria algodonera solo podía venir por la vía legislativa.

A partir de esos años la industria algodonera recibió una nueva ayuda con la Ley de Relaciones Comerciales con las Antillas, de 1882, que, en conjunción con el arancel de 1891, estableció el librecambio para las exportaciones españolas a Cuba y Puerto Rico, y el proteccionismo para las importaciones. Al amparo de esta nueva ortopedia, la producción de textiles algodoneros vuelve a crecer rápidamente en los últimos años del siglo, y una proporción creciente de esta producción se encamina hacia las Antillas, mercado que absorbe un 17 % de la producción española durante los años de la guerra de Cuba. La pérdida de las Antillas no entrañó, sin embargo, el fin de las exportaciones. Una serie de causas hizo que estas se mantuvieran o descendieran muy suavemente hasta principios de la primera guerra mundial: la depreciación de la peseta, la inercia en las relaciones comerciales con las ex colonias (contactos ya establecidos, conocimiento del mercado) y una vigorosa campaña exportadora hacia otros países latinoamericanos y hacia el Mediterráneo oriental [47]. La producción, sin embargo, no podía mantenerse y se estancó durante la primera década del siglo xx. En la medida en que las cifras impositivas reflejan la realidad, el cuadro 3 traduciría este declinar de la industria algodonera dentro del cuadro industrial español.

¿Qué reflexiones pueden hacerse a la vista de esta evolución de la

Cuadro 3

PROPORCIÓN CORRESPONDIENTE A LA INDUSTRIA TEXTIL ALGODONERA DENTRO DE LA CUOTA DE «FABRICACIÓN» DE LA CONTRIBUCIÓN INDUSTRIAL Y DE COMERCIO

Año	Porcentaje
1857	11,4
1863	10,6
1878-1879	9,5

Fuentes: 1857 y 1863: IZARD, *Industrialización y obrerismo,* p. 63. 1878-1879: Calculado a partir de la *Reseña geográfica y estadística.*

más antigua de las industrias españolas modernas? La cuestión se debatió ya largamente durante el siglo XIX y la discusión continúa entre los historiadores económicos hoy día. Como a toda industria protegida, a la textil algodonera se le reprochó el haber crecido a costa del consumidor español, lo cual es imposible negar. Gracias a la protección, los industriales algodoneros podían vender su producto a precios más altos que los de la competencia: los consumidores, evidentemente, salían perjudicados. También se veían perjudicados los contribuyentes en general, porque los altos aranceles recaudaban menos (a causa del contrabando y de la menor importación) de lo que hubiera recaudado una tarifa con fines más fiscales que protectores. Por añadidura, como han señalado varios historiadores, y entre ellos recientemente Nicolás Sánchez-Albornoz [77], el proteccionismo de los algodoneros les impulsó a hacer causa común con el sector cerealista, reforzando así el bloque proteccionista hasta hacerlo invencible (fenómeno que tuvo lugar a escala europea).

A cambio de todo esto, ¿qué ofrecía la industria algodonera? Por un lado, y en esto tampoco parece poder haber mucha discrepancia, aliviaba el hipotético déficit en la balanza comercial en la medida en que —y es indudable que lo hizo— sustituyó importaciones. (Sin olvidar, por supuesto, que importaba materia prima, combustibles, y maquinaria.) Por otro lado, la industria algodonera constituyó la columna vertebral de la industrialización en Cataluña, la única región que sufriera un proceso de modernización durante el siglo XIX. Hasta qué punto compensaban al resto de España, y de Cataluña, estas contribuciones de la industria algodonera es algo que, hoy por hoy, no se puede establecer con un mínimo de certidumbre. No parece imposible en un futuro próximo, sin embargo, tratar de estimar hasta qué punto compensaba la sustitución de importaciones el alto precio de los textiles. La cuestión de los beneficios derivados a escala nacional de contar con una ciudad y una región mucho más modernizadas que el resto del país es, en cambio, complejísima. Por un lado, hay que convenir con Sánchez-Albornoz en que, quizá en gran parte por el carácter de la industria algodonera (materia prima importada, industria de consumo), los efectos de arrastre de la industria algodonera sobre el resto del país fueron mínimos. Así fue a escala nacional sin duda; pero, por otro lado, es innegable que la industria algodonera estimuló el desarrollo de otras, como la química y la mecánica, fue la base del crecimiento de Barcelona, y absorbió un considerable flujo migratorio de trabajadores murcianos y andaluces. En su pasivo hay que apuntar, sin embargo, que por ser una industria protegida y con posibilidades de expansión muy limitadas a partir de mediados de siglo, muy posiblemente sea responsable de la crisis larvada de la economía barcelonesa durante los últimos decenios del siglo XIX y principios del XX, que se manifiesta en la decadencia del sistema bancario, bajos beneficios, bajos salarios, paro, y una situación endémica de tensión y violencia social.[4]

La cuestión, sin embargo, no debe plantearse como si hubiera podido elegirse entre la existencia y la inexistencia de la industria algodonera, sino más bien entre una industria protegida y otra sin protección arancelaria. Los propagandistas de los fabricantes pretendían hacer equivaler el librecambio con la desaparición de la industria, pero esta proposición es de muy dudosa validez. Como escribía por entonces uno de los grandes historiadores económicos del siglo XIX:

> ¿Quién garantizará que la industria favorecida [por el arancel] será capaz después de un tiempo de renunciar a la protección? No el interesado, ciertamente. Nunca lo garantizó ni lo garantizará al país. Al contrario, dirá a los que han tenido la ligereza de hacer su capricho «que la acción del Gobierno le ha dado [...] un «interés creado», que el golpe será fatal para la industria, que los obreros se verán despedidos y en la indigencia, que el capital se perderá [...] Es bajo, cruel, deshonesto, inducirnos a crear estas industrias y luego abandonarnos [...] Somos creación del Estado en su sabiduría, no seamos víctimas de su capricho [...] [72, 387].[5]

Con estas palabras rebatía Thorold Rogers la teoría de la «protección a las industrias infantiles» expuesta por J. Stuart Mill. Incluso en Inglaterra se cocían habas proteccionistas. Pero para un observador desapasionado no resulta convincente el alarmismo profesional de los portavoces de la industria protegida. Dadas las economías de escala internas y externas alcanzadas en la Barcelona de mediados de siglo, y el nivel de desarrollo de las fuerzas productivas (capital físico, calidad y cantidad de mano de obra, niveles técnicos y empresariales), lo más probable es que el sector algodonero hubiera sabido adaptarse a la competencia, transformándose sin duda en una industria muy distinta de la que creció al amparo del arancel, seguramente más eficiente, seguramente con menor tasa de beneficios, y sin duda mucho mejor adaptada a la división internacional de trabajo.

2. LA INDUSTRIA SIDERÚRGICA

Es un lugar común en la teoría de la localización económica que la industria siderúrgica debe situarse preferentemente cerca de las fuentes de coque y no de las de mineral de hierro. He aquí el problema clave en la historia de la siderurgia española; porque España lo que ha producido competitivamente es mineral de hierro, no coque. Por lo tanto, para localizarse competitivamente, la siderurgia española hubiera tenido que situarse fuera de España: en Cardiff, en Newcastle, en Essen, o en Pittsburgh; ni en Bilbao, ni en Avilés, ni en Málaga, ni en Sagunto. Y en cierto sentido esto es lo que en realidad hizo.

La razón del imperativo geográfico es simple: coque y mineral de hierro son sus principales materias primas, que consume en grandes cantidades. Ellas dictarán su localización. Ahora bien, de las dos el coque es la más barata en volumen y en peso y, por tanto, la más cara de transportar. Además, es la que se consume en mayor cantidad: lo lógico será instalarse lo más cerca del combustible que se pueda. Todo ello implica que el hecho de tener España abundantes yacimientos de hierro no significa que fuera lógico que se convirtiera en una gran potencia siderúrgica. Para ello necesitaba dos cosas fundamentalmente: buen combustible barato y una demanda vigorosa. Ambas cosas faltaban, y por eso resulta natural que la siderurgia española se desarrollara tan dificultosamente.

Que el tener ricos yacimientos de hierro no presupone necesariamente el desarrollo de una gran siderurgia lo ilustra el caso del otro gran exportador europeo de mineral férrico, Suecia, cuyo despegue económico estuvo basado en la agricultura, la explotación forestal, las industrias ligeras y la exportación de mineral de hierro, pero no en la siderurgia.

Aclaremos, siquiera sea elementalmente, unas ideas en cuanto a las técnicas siderúrgicas. Al igual que la fabricación textil tiene dos procesos básicos, el hilado y el tejido, el último de los cuales va seguido de una serie de procesos de terminado, la industria siderúrgica tiene también dos procesos fundamentales, el beneficio y el afino, seguido este de la compleja industria de transformados metálicos. El beneficio consiste en obtener o destilar el metal a partir del mineral. Este es un proceso químico a altas temperaturas (por encima de los 1535 °C, que es la temperatura de fusión del hierro), en que se mezclan mineral y carbón en un horno; la función del carbón en el proceso es doble: de combustible y de reductor. El resultado de este proceso químico es el lingote de arrabio, aún impuro por su alto contenido de carbono y otros cuerpos, que lo hacen duro y frágil.

Este carbono y otras impurezas se reducen en el proceso de afino, en que se recalienta el lingote y por medios mecánicos se reducen los elementos extraños en la proporción deseada. Una reducción del carbono por debajo del 0,2 % produce un hierro casi puro o *forjado* (o dulce); una proporción de carbono entre el 0,2 y el 1,5 % produce *acero;* entre el 1,5 y el 4,5 % de carbono nos da el hierro *colado,* el más barato y duro, pero frágil y de baja ductibilidad y maleabilidad. El forjado es blando, dúctil y maleable. El acero, elástico y duro, es lo más deseable, pero la dificultad está en dar con la proporción de hierro y carbono adecuada. El arte de fabricar acero fue por mucho tiempo similar al de hacer arroz o producir buen vino: se trataba de encontrar el «punto». Los hornos de pudelar, que aplican al arrabio líquido corrientes de aire caliente para acelerar la combustión de impurezas, y terminan la reducción mediante martilleo y laminado, fueron el sistema más común para producir acero de calidad media hasta fines del siglo XIX. El acero de alta calidad se producía por el método de crisol. El sistema Bessemer primero, el Siemens-Martin y el Thomas-Gilchrist después, vinieron a revolucionar el afino del acero. En pocas palabras, eran métodos que permitían fabricar acero en cantidades masivas y con la precisión necesaria para producir un metal de buena calidad.

La metalurgia del hierro, por tanto, consume enormes cantidades de combustible tanto en el beneficio como en el afino. Pero mientras en este proceso, mecánico, lo único que importa del carbón es su energía calórica para elevar la temperatura de los hornos, en el beneficio hace falta, además, que el carbón sea muy puro, para no afectar al proceso químico de reducción. Esta es la razón por la cual el carbón vegetal se utilizó en la Europa continental hasta muy avanzado el siglo XIX: la hulla contiene demasiadas impurezas. En Inglaterra, deforestada desde el siglo XVII, se descubrió en el XVIII el proceso de coquefícación, esencialmente una calcinación que reduce las impurezas de la hulla. Pero no toda la hulla es igualmente coqueficable: aquí radica la superioridad de los yacimientos ingleses, belgas y alemanes. La hulla española no produce buen coque.

El problema de localización de la siderurgia española queda perfectamente ilustrado por la sucesión de instalaciones en todos los confines geográficos de la Península que fueron siendo eliminados uno tras otro por falta de competitividad. Casi todas estas instalaciones, que veremos brevemente, se enfrentaban con el problema de la lejanía y carestía del carbón. La localización que terminó por triunfar, la de Vizcaya, era, paradójicamente, la más racional. Paradójicamente, porque en Vizcaya lo abundante es tambien el mineral, no el combustible. Sin embargo, la abundancia de mineral de hierro aproximaba a Vizcaya a las fuentes de combustible, porque las exportaciones de mineral a Inglaterra abarataban el transporte de coque británico en los buques que hacían la travesía para embarcar el mineral vasco.

La primera etapa de la moderna siderurgia española es andaluza; los primeros altos hornos se sitúan en Málaga. La región malagueña abundaba en recursos minerales y contaba especialmente con yacimientos ferrosos en los distritos de Ojén y Marbella. La empresa La Constancia se había constituido en 1826 con la finalidad de explotar estos yacimientos, pero una serie de dificultades técnicas retrasaron la entrada en funcionamiento de sus dos factorías, La Concepción y La Constancia. Las decisiones sobre el tipo de hornos a emplear y las técnicas a seguir se tomaron tras una larga inquisición en busca del método de fundición adecuado al mineral magnético de la región. Se terminó por adoptar los procedimientos ingleses, es decir, los más modernos y, sin duda, también los más caros. Madoz nos dice que los talleres de La Constancia estaban a cargo de «trabajadores ingleses de todas clases». El espíritu que animó y financió la empresa era Manuel Agustín de Heredia, exportador de aceite y vino, enriquecido con la explotación de grafito [65][6] miembro de la Cámara de Comercio y promotor del Banco de Málaga.

En Sevilla eran conocidos desde tiempo atrás los criaderos ferrosos de Cazalla de la Sierra, y para explotarlos se había creado la sociedad El Pedroso, que también entró en producción durante estos años. La coyuntura era favorable porque la primera guerra carlista iba a poner fuera de juego temporalmente las ferrerías vizcaínas. Al calor de las circunstancias se fundó una segunda compañía siderúrgica en Málaga, la empresa El Ángel.

El handicap andaluz, sin embargo, era grave. Dado el coste del carbón mineral, la mayor parte del combustible consumido por estos establecimientos era carbón vegetal que, aunque no exento de ciertas ventajas como vimos, resultaba de precio muy alto en un país deforestado como España. La hegemonía andaluza empezó a declinar visiblemente a partir de 1860.

Vino después la etapa de lo que pudiéramos llamar «localización racional» de la industria, es decir, el predominio de la siderurgia asturiana, situada en la vecindad de las cuencas carboníferas de Mieres y Langreo. La siderurgia asturiana estaba constituida fundamentalmente por dos fábricas, la de Mieres y la de Felguera. La fábrica de Mieres, instalada en 1848, estuvo siempre en manos de compañías extranjeras: creada por una sociedad inglesa, fue comprada en 1852 por la Compagnie Minière et Métallurgique des Asturies, con un capital de cuatro millones de francos, pero pese a la inyección de dinero y a sus planes optimistas, hubo de ser disuelta en 1868. La factoría fue adquirida en 1870 por otro banquero francés con negocios en España, Numa Guilhou. La fábrica de la Felguera perteneció a una sociedad comanditaria, la Sociedad Pedro Duro y Compañía. Estas dos fábricas utilizaban como combustible el carbón mineral asturiano, lo cual les significaba notables economías frente a las empresas andaluzas, que utilizaban carbón vegetal o hulla asturiana, inglesa, o cordobesa, todas ellas con fuerte recargo de transporte.

Sin embargo, la zona que terminó convirtiéndose en el símbolo de la siderurgia en España fue Vizcaya; y la siderurgia vizcaína se desarrolló en torno a la exportación de mineral de hierro y, en menor medida, de lingote. La existencia de abundante hierro en la provincia de Vizcaya es conocida al menos desde la Edad Media. Sin embargo, los problemas de transporte y de combustible mantuvieron a la siderurgia vizcaína en una situación de subdesarrollo hasta mediados del siglo XIX. La primera sociedad anónima organizada para explotar el mineral vizcaíno con métodos modernos nació en 1841 en Begoña, con el nombre de Santa Ana de Bolueta. Era el resultado de la iniciativa de un grupo de financieros bilbaínos que reunió un capital de 200 000 pesetas. En 1848 construyó esta compañía un alto horno en Bolueta que entró en producción al año siguiente. En 1860 inauguró dos hornos más.

Otra compañía siderúrgica que creció durante estos años fue la de la familia Ybarra, que comenzó en 1827 explotando una simple ferrería. La compañía prosperó y fue incluyendo socios ajenos a la familia; pero era todavía una empresa familiar cuando, en 1854, inauguró una nueva fábrica en Baracaldo. En 1860 la empresa familiar participó en un 60 % en el capital de una comanditaria con el nombre de Ybarra y Compañía, capital que ascendía a 1,5 millones de pesetas.

La producción de hierro vizcaíno se multiplicó por cinco entre 1856 y 1871, aunque siempre dentro de unas proporciones muy modestas. La siderurgia vizcaína no iniciaría su etapa de crecimiento sostenido hasta la época de la Restauración. Este crecimiento sostenido se debió principalmente a la producción de unas cuantas grandes empresas, la primera de las cuales fue la de La Fábrica de San Francisco situada en el Desierto (Sestao), y cuyo promotor era Francisco de las Rivas (ennoblecido con el marquesado de Mudela). La Fábrica del Desierto empezó a funcionar en 1879. En 1882 la comanditaria Ybarra y Compañía se convirtió en la anónima Altos Hornos y Fábricas de Hierro y Acero, con un capital de 12,5 millones de pesetas. La Altos Hornos y Fábricas combinaba capital y dirección catalanes y vascos, como ya había hecho su antecesora, la comanditaria Ybarra. En ese mismo año de 1882 se fundaba otra anónima, La Vizcaya, también con un capital de 12,5 millones. Recordemos que gran parte del capital aportado en la constitución de estas compañías provenía de la exportación de mineral de hierro, que durante esos años estaba alcanzando grandes proporciones. En 1888 se funda la otra gran compañía siderúrgica, la Sociedad Anónima Iberia. Estas tres grandes empresas (Altos Hornos y Fábricas, La Vizcaya, y la Iberia) se fusionaron en 1902, formando la sociedad Altos Hornos de Vizcaya.

Durante las últimas décadas del siglo la población de la siderurgia española, dentro de la cual la vizcaína adquirió un creciente peso relativo, aumentó rápidamente y se modernizó de manera notable. A mediados de la década de 1880 se introdujo el procedimiento Bessemer y poco

Cuadro 4

PRODUCCIÓN SIDERÚRGICA ESPAÑOLA
(miles de t, medias quinquenales)

Quinquenios	(1) Hierro Lingote	(2) Hierro Colado	(3) Lingote Acero
1860-1864[a]	78	44,7	0
1865-1869	82[d]	41,7	0
1870-1874	?	49,0	0
1875-1879	?	52,8	0
1880-1884	129,4	116,9	0
1885-1889	?	169,2[b]	46,0
1890-1894	271,6	174,1[c]	89,0
1895-1899	281,6	274,5	105,6
1900-1904	299,2	341,0	167,2

[a] Falta 1860.
[b] Los datos son para 1885, 1886, 1887-1888 y 1888-1889.
[c] Los datos son para 1889-1890, 1890-1891, 1891-1892, 1892-1893, y 1894.
[d] 1865 y 1866 solamente.

Fuente: Cálculos del autor a partir de:
Columna (1): MITCHELL, *European Hist. Stat.*
Columna (2): NADAL, *El fracaso.*
Columna (3): SVENNILSON, *Growth and Stagnation.*

Cuadro 5

PRODUCCIÓN DE LINGOTE EN VARIOS PAÍSES, 1900
(miles de t)

	(1) Hierro	(2) Acero
Reino Unido	9 104	4 980
Alemania	7 550	6 461
Rusia	2 937	2 216
Francia	2 714	1 516
Austria-Hungría	1 456	1 170
Bélgica	1 019	655
Suecia	526	300
Luxemburgo	971	185
España	295	122
Italia	24	116

Fuente: MITCHELL, *European Historical Statistics.*

después los primeros hornos Martin-Siemens, con lo cual comenzó a desarrollarse la producción de acero. El cuadro 4 refleja, en medias quinquenales, el crecimiento de las principales producciones siderúrgicas. Este rápido crecimiento (del 5,2 % en la producción de hierro colado para el período 1860-1864/1900-1904; del 7,8 % para el período

1875-1879/1900-1904), sin embargo, no fue suficiente para dar a la siderurgia española un lugar relevante dentro del panorama europeo, como puede verse en el cuadro 5. En 1900, la producción española de lingote de hierro y lingote de acero eran un treintaavo y un cuarentaavo de las respectivas producciones inglesas. A su vez, la producción inglesa de acero había sido superada por la alemana.

Tanto Nadal como el autor de estas líneas han sugerido que una razón que puede contribuir a explicar el relativo retraso de la siderurgia española está en la exención arancelaria que se dio a la importación de material ferroviario por la Ley de Ferrocarriles de 1855 [64, 158 ss.; 95, 51 y 237]. Indudablemente, si se hubiera obligado a los constructores de los ferrocarriles españoles a consumir hierros nacionales durante los años de 1885 a 1864, que fueron aquellos en que a mayor velocidad se construyó, el aumento de la demanda que esta medida hubiera significado habría sido un estímulo para la siderurgia nacional. Lo que no está tan claro es que los fabricantes hubieran podido hacer frente a esa demanda y, de haber podido hacerle frente, a qué precios. Tampoco está nada claro que los constructores hubieran aceptado los términos de las concesiones de haberse estipulado que todo, o la mayor parte, del hierro utilizado hubiera tenido que haber sido producido en España. Es decir, para que la construcción del ferrocarril hubiera podido hacerse con hierros españoles, el proceso habría tenido que ser completamente diferente de como fue. En primer lugar, todo el plan de construcción ferroviaria habría tenido que ser aplazado para dar tiempo a la construcción de fábricas que vinieran a aumentar muy sustancialmente la capacidad de la industria. En segundo lugar, el cálculo de costes hubiera tenido que ser modificado drásticamente, revisándose hacia arriba. Todo ello, a su vez, al variar profundamente los datos económicos, hubiera afectado a las aportaciones de capital: habría requerido una gran inversión en la siderurgia y, con toda seguridad, fuentes alternativas de inversión en el ferrocarril, ya que parte (quizá la mayor) del capital extranjero se hubiera retraído ante la obligatoriedad de utilizar hierros domésticos. ¿Estaba ese capital disponible en España? Parece muy dudoso que hubiera podido movilizarse a corto plazo. De ser así, la construcción ferroviaria hubiera procedido a otro ritmo, mucho más lento. Es muy posible que esta radical modificación del plan de construcción ferroviaria hubiera beneficiado a la economía en su conjunto (yo mismo lo he sugerido en más de una ocasión); sin embargo, la complejidad de los cambios que hubiera entrañado y la dificultad de reconstruir un modelo contrafactual de lo que hubiera ocurrido dictan un máximo de precaución en las afirmaciones.

También Broder ha puesto en duda la eficacia de la protección arancelaria como ayuda a la producción siderúrgica. Citando los trabajos de Fogel y Fishlow sobre los ferrocarriles en Estados Unidos, Broder arguye que la agricultura es el sector de más peso entre los que demandan productos a la siderurgia y que es ahí donde hemos de ver la clave de la lentitud en el crecimiento de la siderurgia española.[7] El argumento es de peso. También vale la pena reiterar que no solo eran de demanda los problemas de la siderurgia española sino, como vimos al comenzar esta sección, también de oferta. Con un mercado muy limitado y con serios problemas para abastecerse de carbón, la siderurgia española forzosamente tenía que mantenerse dentro de dimensiones muy modestas.

3. OTRAS INDUSTRIAS

Fascinados, quizá excesivamente, por el caso inglés, por el algodón y la siderurgia, los historiadores de la economía española en el siglo XIX prestamos de ordinario poca atención a otras industrias que quizá, como sugiere el cuadro 6, tuvieran más importancia de la que se les viene dando. Entre estas industrias sin duda la que más entidad cuantitativa tenía era la tradicionalísima de molinería, de la que sabemos poco quizá porque sabemos demasiado: escasos adelantos técnicos y, en definitiva, una industria auxiliar de la agricultura. Sin embargo, la industria harinera, por su tamaño considerable y su amplísimo mercado, merecería un estudio más detallado y general que los realizados hasta ahora. Lo mismo ocurre con otras industrias de consumo, como la aceitera, la del

Cuadro 6

LA INDUSTRIA FABRIL EN 1857 Y 1878-1879

Contribución Industrial y de Comercio: cuotas por fabricación pagadas por las diversas ramas industriales (en porcentaje)

	1857	1878-1879
1. Molinos y fábricas de moler	} 43,8	26,7
2. Alimentación		8,6
3. Textil algodonera	10,6	9,5
4. Otras textiles	11,5	19,4
5. Vinos, licores y aguardientes	6,8	6,0
6. Loza, cristal, vidrio, yeso y cal	6,4	5,2
7. Metalurgia	5,9	6,2
8. Curtidos	3,3	4,7
9. Jabón y cola	2,5	3,2
10. Papel	2,1	2,4
11. Química	0,7	2,6
12. Otras	6,5	5,5
13. TOTAL (miles de pesetas)	2 556	3 616

Fuente: 1857: IZARD, *Industrialización*, pp. 63-64.
1878-1879: *Reseña Geográfica, Estadística y Minera.*

calzado, la de cerámica y vidrio y, sobre todo, la industria del vino y otros alcoholes. Muchas de estas poco estudiadas industrias de consumo, como las del aceite y el vino en especial, se localizan sobre todo en Andalucía. Si bien el fiasco de la industria pesada andaluza puede recordar lo que Fígaro le augura a Cherubino en la ópera de Mozart:

> Ed invece del fandango
> una marcia per il fango,

quizá el desarrollo de las industrias alimenticias y la minería compensasen la desindustrialización del sur en materia de siderurgia. Es en esta dirección, desde luego, hacia donde deben encaminarse los estudios sobre la industrialización de Andalucía [16].

La industria vitivinícola estaba repartida, en el siglo XIX como en el XX, por casi toda la geografía peninsular, aunque algunas zonas, por las condiciones de sus productos, se especializaban en el comercio interregional y en la exportación. Las dos grandes zonas exportadoras eran Andalucía y Cataluña. La especialidad de esta había sido la exportación de licores y aguardientes a América; durante el siglo XIX exportó también grandes cantidades de vino a Francia para el *coupage*, la mezcla de vinos de alta gradación, frecuentemente extranjeros, con los suaves franceses para lograr la combinación de cuerpo y aroma deseados. Los vinos andaluces, de Málaga y Jerez principalmente, se exportaban hacia Inglaterra sobre todo. Como ocurrió en tantas otras industrias, el capital extranjero vino a instalarse en España para organizar la exportación al país de origen: lo atestiguan nombres como Terry, Garvey, Sandeman, Byass, Osborne, o Domecq (este último es apellido francés; los demás son británicos. La familia Domecq, gascona, había exportado vinos franceses a Inglaterra, hasta que vino a refugiarse en España durante la Revolución francesa).

El más grave avatar de la industria vitivinícola fue la plaga de filoxera que azotó los viñedos europeos durante el último tercio del siglo XIX; la plaga afectó a Francia antes que a España, lo cual produjo un decenio de prosperidad para los exportadores españoles (hacia 1875-1885); pero en el decenio siguiente le tocó el turno a España, y la crisis fue terrible en algunas regiones, como en Málaga. Las exportaciones cayeron aparatosamente. La crisis filoxérica sin duda contribuyó poderosamente al triunfo del proteccionismo a ultranza a finales de siglo.

Otra industria de importancia en el siglo XIX fue la corchera. Localizada sobre todo en Gerona, la corchera es en su mayor parte auxiliar de la vinícola, y utiliza como materia prima la corteza del alcornoque, árbol muy abundante en la cuenca mediterránea. Es de observar que la caída de las exportaciones de corcho en el quinquenio 1875-1879 (véase cap. VI, cuadro 4, cols. 2 y 3) coincide con la crisis de la filoxera francesa. La fabricación de tapones de botella dio lugar durante el siglo XIX a una industria y a un cultivo forestal muy prósperos. La industria, dirigida tanto al mercado doméstico como a la exportación, se localizaba en San Feliu de Guíxols, Palamós y Palafrugell y, además de los domésticos, atrajo capitales y personal extranjeros, y produjo un flujo de exportación muy notable.

Otra industria que merecería un estudio más detenido es la del gas, de la que sabemos que había iluminado las calles de Barcelona desde 1826 [97, 66], y queé contaba al menos una docena de fábricas a mediados de siglo, localizadas en los centros de consumo, es decir, en las grandes ciudades.

Además de la industria algodonera había en España dos industrias textiles en las que el país hubiera debido tener cierta ventaja comparativa, porque en ambas producía domésticamente la materia prima: la lanera y la sedera. La industria lanera había tenido dos centros en la Península tradicionalmente: Castilla la Vieja y Cataluña. Estos dos centros conservan su preeminencia relativa durante el siglo XIX, aunque Cataluña toma claramente la delantera. Castilla la Vieja (los centros de las provincias de Zamora, Salamanca, Segovia y Ávila, notablemente Béjar) tiene la ventaja comparativa de ser una zona ganadera y productora de lana, tradicionalmente de primera calidad (la casi legendaria *merina*). Su desventaja notable es el aislamiento económico; la distancia de los grandes centros de consumo (con la excepción de Madrid), y el estancamiento económico y demográfico de la región desde la Edad Moderna. Ello produce una industria artesanal, productora de géneros de calidad, en cantidades limitadas, dirigidas a mercados limítrofes: las sayas, los paños, las mantas y frazadas. En Cataluña, por el contrario, aunque en gran parte dependiente de la lana castellana, la modernización de la industria algodonera estimula la de la lanera: como en Inglaterra y Francia, la maquinaria diseñada para el algodón se adapta con relativa facilidad a la lana; las redes de distribución, los métodos de trabajo, los mercados, el personal obrero y técnico, se emplean casi indistintamente en ambas industrias. Sabadell y Tarrasa, junto con Barcelona, son los principales centros de la industria lanera.

A lo largo del siglo Cataluña se va convirtiendo en el centro indiscutible de la industria lanera, produciendo géneros para confección al estilo inglés o alemán, y utilizando materia prima castellana, sajona, australiana y, a fin de siglo, argentina. Con todo, la industria lanera sigue siendo claramente la segundona de la algodonera. Sus exportaciones, aunque aumentan al amparo de la Ley de Relaciones Comerciales de 1882, siempre son una fracción pequeña de las de textiles de algodón.

También la industria sedera, muy tradicional en Valencia y Murcia, tiende a concentrarse en Barcelona durante el siglo XIX. Nos es conocida, gracias a los recientes trabajos de Martínez Santos, la decadencia de la industria valenciana, pese a la buena calidad de las moreras del litoral mediterráneo. Es difícil saber si la extensión del naranjo a expensas de la morera fue causa o consecuencia de este declinar. La capacidad de atracción por parte de Cataluña de industrias textiles fuera de las zonas productoras de materia prima, ilustra claramente la fuerza de las economías externas: la Cataluña fabril y textil compensaba con su puerto, su mano de obra, su organización, etc., el alejamiento de las materias primas. Merced a ello era posible que la mano de obra murciana acudiera a Barcelona a hilar y tejer seda murciana.

La industria química es durante casi todo el siglo una industria derivada, es decir, una industria que abastece a otras industrias. En primer lugar, a la textil; pero también a la cerámica, a las industrias de perfumería y, y finalmente, a la industria minera. En otros países la agricultura es ya en el XIX un gran consumidor de productos químicos: no así en España. Durante el XIX la agricultura apenas consume productos industriales: he aquí el gran problema; o, mejor, he aquí la solución al gran problema del fracaso de la industrialización española en la pasada centuria.

La producción de los ácidos sulfúrico y nítrico, de potasa y de sosa, está sobre todo en función de la obtención de colorantes y lejías para la industria textil: por eso volvemos a encontrar a esta industria localizada principalmente en Barcelona; la compañía de mayor tamaño y tradición es la Sociedad Anónima Cros.

Sin embargo, con la expansión de la minería se desarrolló en España una nueva rama de la industria química: la de explosivos; en concreto, dinamita y, más tarde, gomas explosivas. La Sociedad Española de la Dinamita, con patente Nobel y capital mayoritariamente francés, británico y belga, se estableció en Galdácano, cerca de Bilbao, en 1872, y sus ventas pronto crecieron a gran velocidad (tasa media anual del 14,6 % de 1877 a 1897. Véase cuadro 7). Los principales clientes de la Sociedad eran las grandes compañías mineras: Riotinto, Tharsis, Asturiana de Minas, Orconera, etc. Pronto se encontró la Sociedad con competidores

Cuadro 7

SOCIEDAD ESPAÑOLA DE LA DINAMITA: VENTAS DE DINAMITA EN ESPAÑA
(t, medias quinquenales)

Quinquenio	Ventas
1875-1879	150
1880-1884	720
1885-1889	1 010
1890-1894	1 413
1895-1899	1 225

Fuente: Calculado a partir de TORTELLA, *La Sociedad Española de la Dinamita.*

en Asturias, Vizcaya y Cataluña, casi todos ellos con financiación total o parcialmente extranjera. La competencia encarnizada de las décadas de 1880 y 1890 dio paso, sin embargo, a un acuerdo de cártel que pronto recibió sanción oficial al crearse el Monopolio de Explosivos en el verano de 1897, que el cártel arrendó por veinte años. Lo interesante aquí, sin embargo, son los impactos en cadena del desarrollo de esta industria auxiliar. Hacia 1882 comenzó la Sociedad de la Dinamita a producir los ácidos nítrico y sulfúrico que consumía; poco después comenzó a aprovechar sus subproductos para manufacturar superfosfatos, negocio que creció muy lentamente por falta de demanda. El personal técnico extranjero comenzó a ser sustituido por el nativo, y durante los primeros lustros del siglo XX el capital pasó a manos españolas [96].

Otras industrias inician tímidamente su camino en la España del XIX. En Cataluña, pese al malhadado episodio de la fábrica El Vapor (planta integral que producía y reparaba maquinaria textil, además de hilados y tejidos), continúan las iniciativas empresariales y una serie de talleres metalúrgicos y mecánicos, durante la primera mitad del siglo XIX, producen maquinaria textil, máquinas herramientas e incluso el primer barco de vapor construido en España: el «Delfín», fabricado en los talleres Nuevo Vulcano de la Barceloneta. Los otros dos establecimientos metalúrgicos de una cierta entidad eran la Compañía Barcelonesa de Fundición y Construcción de Máquinas, y la Sociedad de Navegación e Industria. Tras estas compañías hay nombres muy familiares en la economía barcelonesa de mediados de siglo: los Bonaplata, los Tous, los Güell, los Girona. (La familia Girona tendrá representantes en el Banco de Barcelona, en el Banco de Castilla, en el Banco Hispano Colonial, en la Compañía Transatlántica y en la Sociedad Altos Hornos y Fábricas, por lo menos.)

Varias sociedades mecánicas y metalúrgicas se fusionaron en 1855 para formar la Maquinista Terrestre y Marítima, que a partir de entonces fue la más importante en el ramo. Pero Barcelona tuvo otra serie de ellas, como la Material para Ferrocarriles y Construcciones, productoras de maquinaria textil, máquinas herramientas y material de transporte: máquinas de vapor, turbinas, locomotoras. El problema de la metalurgia barcelonesa era la distancia de los grandes centros siderúrgicos; sus ventajas, las economías externas de una ciudad industrial como Barcelona. Mejor situadas en cuanto al aprovisionamiento de hierros y aceros estaban las industrias mecánicas y metalúrgicas vascongadas, que comenzaron a aparecer a finales de siglo; la Vasco-Belga, la Basconia, la Sociedad Anónima Echeverría y la compañía Euskalduna.

Muchas de estas empresas producían también material de transporte marítimo. Hasta 1870 aproximadamente, los astilleros barceloneses y vizcaínos habían producido veleros de madera para la flota pesquera y comercial. La revolución del vapor en la navegación marítima requirió una reconversión de la industria de la construcción naval, que se inició principalmente en la región vizcaína, favorecida por el desarrollo de la minería y de la siderurgia vizcaínas, y por la política estatal de protección a la industria naval, que se inició con la Ley de Construcción de la Escuadra de 1887. Así nació la sociedad Astilleros de Nervión en 1888. Pero en esta industria, como en casi todas las demás menos las de consumo, los desarrollos de fines del siglo XIX no son sino un preludio.

NOTAS DEL CAPÍTULO V

1. Cifras calculadas a partir de Deane, *British Economic Growth*, tabla 42, y de Lockwood, *Economic Development of Japan*, cuadro 7, p. 113.

2. Cálculos basados en Prados [69].

3. [52, 148-151] sobre el contrabando. En cuanto a la importación legal, las cifras oficiales reproducidas en *Estad. Presup.* muestran que los tejidos de algodón importados legalmente no alcanzaban a ser el 3 % del algodón en rama importado, que la industria convertía en tejidos con una pequeña pérdida de peso.

4. Sobre la decadencia de la banca catalana se ha escrito mucho; quizá lo más reciente y completo sean las secciones correspondientes en Tedde [89]. Para otras repercusiones de la crisis textil [64, 215-217], que relaciona la crisis agraria y algodonera de los ochenta con el movimiento independentista de Cuba.

5. Traducción del autor. He podido utilizar este libro gracias a la amabilidad del Prof. Leandro Prados.

6. Para más detalles sobre los avatares de la siderurgia española, la mejor exposición es [64, 155-187].

7. En su comunicación al I Coloquio de Historia Económica de España, Barcelona, mayo, 1972.

CAPÍTULO VI

El sector exterior

1. LA BALANZA COMERCIAL

Para un país en vías de desarrollo, el comercio exterior es pieza esencial de su sistema económico. A través de sus intercambios con el exterior, el país podrá ir abasteciéndose de aquellos productos que su industria no produce, en especial de los bienes de equipo y de la tecnología necesarios para la renovación y mejora de su estructura productiva. Estas importaciones se financian normalmente con préstamos (importación de capital) y con exportaciones de bienes de tipo primario que el país subdesarrollado produce competitivamente. El país subdesarrollado será competitivo en bienes de tipo primario porque la producción de estos bienes no requiere técnicas complejas, porque el país tiene condiciones físicas comparativamente favorables para su producción (caso bien claro es el de los productos mineros, o el de ciertos productos agrícolas), y porque en este país la mano de obra no cualificada es abundante y barata. Pero, además, el sector exterior frecuentemente servirá al país para suplir la insuficiencia de la demanda interna como estimulante de una industria incipiente. Dada la baja capacidad adquisitiva de la mayor parte de su población, la poca posibilidad de absorción de los mercados interiores puede ser un poderoso freno a la industrialización del país. La probabilidad de que el mercado internacional pueda absorber una parte importante de la producción de una industria incipiente, puede resultar un factor decisivo en la modernización de esta industria y contribuir a la de toda la economía. Estas consideraciones acentúan el interés que tiene el estudio del sector exterior en los países en vías de desarrollo.

Por otra parte, las estadísticas de comercio exterior suelen ser de las primeras que se contabilizan en todas las naciones, y esta contabilización se hace con bastante exactitud y minuciosidad (aunque no sin algunos problemas, como vamos a ver inmediatamente para el caso español). Ello permite seguir la evolución de este sector con mayor precisión que la de otras magnitudes de igual o aún mayor importancia (consumo, inversión, renta nacional, etc.) y, a través de esta observación, deducir la evolución de la economía del país en su conjunto.

Las estadísticas oficiales del comercio exterior español se publican anualmente desde 1850. Su interpretación plantea algunos problemas. Por un lado, la composición y continuidad de algunas partidas importantes dejan algo que desear; hay partidas que aparecen o desaparecen en determinados años, evidentemente porque se agregan a, o se disgregan de, otras: ello dificulta considerablemente el análisis. En otros casos, ciertas partidas (como la titulada «máquinas y piezas sueltas», por ejemplo) dejan dudas, por lo amplio de su título, en cuanto a su exacta composición. (Este es notablemente el caso con la partida «material para ferrocarriles y obras públicas», que llegó a incluir en ocasiones *champagne* francés y ropas de encaje.) Está, además, la cuestión de la ocultación, del contrabando, que en algunas partidas es importante. Y está, sobre todo, la cuestión de las valoraciones, esto es, los precios oficiales que se asignaban a las mercancías. Estos valores oficiales estaban a menudo sesgados de tal manera que exageraban el valor de las importaciones y disminuían el de las exportaciones. Todas estas cuestiones hacen

Cuadro 1

Comercio exterior total (exportaciones más importaciones)*
(medias quinquenales. Millones de Pesetas)

Quinquenio	(1) Millones de pesetas	(2) Tasa media anual de crecimiento
1850-1854	352 155	11,5
1855-1859	606 902	4,6
1860-1864	759 097	–0,9
1865-1869	724 218	7,3
1870-1874	1 029 686	0,3
1875-1879	1 045 928	6,8
1880-1884	1 455 463	0,3
1885-1889	1 474 020	2,3
1890-1894	1 654 410	2,0
1895-1899	1 822 572	0,1
1900-1904	1 832 536	2,1
1905-1909	2 034 733	2,1
1910-1914	2 260 576	

* Incluye comercio con Canarias, Filipinas, Puerto Rico, Cuba, Ceuta y Melilla. Este comercio colonial representaba el 11,9 % del total en 1891, el 27,3 % en 1897 y el 0,45 % en 1900.

Fuente: Calculado a partir de las cifras de la *Estadística del Comercio Exterior* reproducidas en la *Estadística de los presupuestos.*

que deban manejarse las cifras del comercio exterior español con bastante precaución, en espera de una depuración sistemática.

De los estudios realizados hasta ahora se deduce, por ejemplo, que los valores de la *balanza comercial* (exportaciones menos importaciones) que se obtienen a partir de las cifras oficiales son totalmente inexactos, por cuanto los errores de sobreestimación en las importaciones se suman a los de infraestimación en las exportaciones. Por tanto, desconocemos totalmente si se saldaba con déficit o con superávit esta balanza, lo cual representa una grave limitación en nuestro conocimiento. (Sin embargo, como más adelante veremos, hay razones poderosas para pensar que predominaron los déficits.) En cambio, sabemos que resultan mucho más de fiar las cifras de *comercio exterior total* (exportaciones más importaciones), por cuanto en este caso los errores se compensan [91].

Es esta serie de comercio exterior total la que ofrecemos a continuación en el cuadro 1, reducida a medias quinquenales, y en el gráfico 1 en cifras anuales y medias quinquenales. Puede observarse que, según estas cifras, el comercio exterior español se desarrolló de manera bastante notable desde 1850 hasta 1914. En total, el crecimiento medio anual resultó ser del 3,1 %, cifra superior a la de Inglaterra, Francia, Portugal o Italia durante esa misma época. El cuadro 2 ofrece una comparación de las tasas medias anuales para estos países, tomando como bases de comparación las cifras quinquenales inicial y terminal.

Para el Reino Unido y para España he calculado también las tasas para períodos más cortos, lo que permite observar que el crecimiento del comercio fue mucho más rápido en ambos países antes de 1875 que

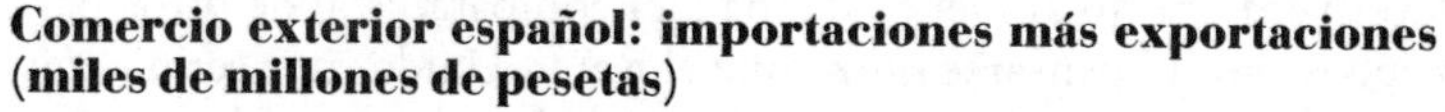

Comercio exterior español: importaciones más exportaciones (miles de millones de pesetas) **VI**

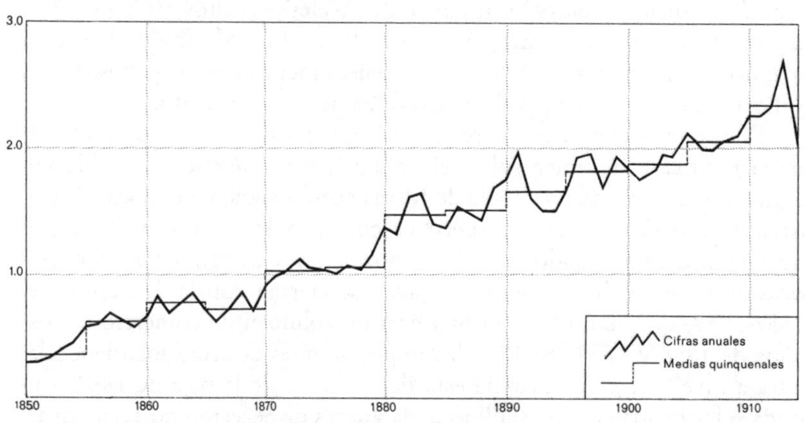

Fuente: *Estadística del comercio exterior* (véase cuadro 1).

Cuadro 2

COMERCIO EXTERIOR TOTAL EN VARIOS PAÍSES: TASAS DE CRECIMIENTO MEDIAS ANUALES

(1) País	(2) Período	(3) Tasa media %
España	1850-1854/1910-1914	3,1
España	1850-1854/1870-1874	5,5
España	1870-1874/1910-1914	2,0
Reino Unido	1850-1854/1910-1914	3,0
Reino Unido	1850-1854/1870-1874	5,4
Reino Unido	1870-1874/1910-1914	1,8
Francia	1850-1854/1910-1914	3,0
Italia	1861-1865/1910-1914	2,8
Portugal	1865-1869/1910-1914	2,0

Fuente: Calculado a partir de MITCHELL, *European Historial Statistics.* Las cifras de Mitchell para España son las de la *Estadística del Comercio Exterior.*

después. Esto no tiene nada de extrañar en vista de la bien conocida depresión comercial europea del último cuarto de siglo XIX, debida en buena parte a la reacción proteccionista de las naciones europeas ante la baja general de precios causada por el aumento sensible de la capacidad productiva en los países industrializados y por las exportaciones de cereales, rusas y americanas sobre todo. Ello quizá también explique, al menos en parte, las tasas más bajas correspondientes a Portugal e Italia, países para los que no se dispone de cifras relativas a los primeros años del período que estamos considerando, que son precisamente los de mayor crecimiento.

Lo que resulta indiscutiblemente del cuadro 2 es que el comercio exterior español creció al menos de manera comparable al de otros países europeos. Podrá pensarse quizá que el Reino Unido, por ser un país más desarrollado y partir, por tanto, de niveles más altos, es lógico que tuviera tasas de crecimiento más bajas. Pero el hecho de que las tasas menores sean precisamente las de los países menos desarrollados, Italia y Portugal, arroja dudas sobre la validez de tal argumento.

El examen del gráfico VI revela las repercusiones de la coyuntura y de la política económica sobre el volumen de comercio, todo ello en torno a una curva de tendencia de forma aproximadamente lineal. En la década de 1850 se observa el fuerte crecimiento de los años de la guerra de Crimea, relacionado con las exportaciones de trigo que con esa ocasión tuvieron lugar; pero esos años se cierran con la depresión de 1857-1859, que se traduce en una baja de volumen de comercio en los años de 1858 y 1859 (en 1857 las importaciones de trigo mantienen la cifra a nivel alto). A pesar de esta depresión y de la baja de 1862, sin duda relacionada con el estallido de la guerra de Secesión norteamericana y la caída en las importaciones de algodón que implicó, el decenio de

1855 a 1864 fue de franca expansión, favorecida por la intensidad con que se trabajó en el tendido de las redes ferroviarias y las importaciones a que esto dio lugar, directa (importaciones de material ferroviario) e indirectamente (alza de la demanda de importaciones por la expansión del crédito, el empleo, etc.).

Los años 1865-1869 fueron de honda depresión, que se refleja claramente en las cifras de comercio exterior, con la única interrupción (aparente) de 1868, año en que las importaciones de cereales por déficit de la cosecha volvieron, como en 1857, a inflar el volumen del comercio. La combinación de la crisis ferroviaria y bancaria con las malas cosechas de 1867 y 1868 produjeron exactamente los efectos opuestos a los que había producido la euforia ferroviaria del decenio anterior. De los trece quinquenios en que hemos dividido nuestra serie, este es el único en que el comercio exterior experimentó una disminución con respecto al precedente.

El período que siguió a la proclamación del arancel de 1868, en cambio, volvió a ser de gran expansión comercial, que se vio interrumpida por la guerra carlista, el levantamiento cantonal, y posiblemente por la actitud moderadamente proteccionista de los primeros gobiernos de la Restauración. Pero a partir de 1878, gracias sin duda al fin de las guerras civiles en la Península y en Cuba, y a la extensión de la plaga filoxérica en Francia, el comercio experimentó otra brusca expansión, aumentando en más del 50 % en los cinco años que van de 1878 a 1883.

La crisis de 1884 cambió de nuevo la tendencia. La baja en los precios de los productos agrícolas en el mercado mundial no podía dejar de afectar a un país como España, que concentraba en este tipo de productos la mayor parte de su exportación. A esto vino a añadirse un caso particular: la crisis de la filoxera, que devastó los viñedos peninsulares por esas fechas y perjudicó consiguientemente a las exportaciones españolas de vino. Pese a la filoxera, que afectaría a la producción de vino hasta bien entrado el siglo xx, los años de 1889 a 1891 fueron de decidida recuperación, seguidos en 1892 y 1893 por una violenta caída (del 17 % en un solo año, 1892) que resulta inevitable atribuir al arancel proteccionista de 1891, en vigor a partir de febrero de 1892. La guerra de Cuba, que comenzó en 1895, fue un nuevo estímulo al comercio exterior, al menos por dos razones: por una parte, la expansión del crédito interior que la guerra trajo consigo tuvo que estimular la importación; por otra, la exportación se vio poderosamente favorecida por dos elementos primordiales: el primero de ellos, la rápida depreciación de la peseta en el mercado internacional (consecuencia, a su vez, de un complejo haz de factores que analizamos en el capítulo VIII) que abarató los productos españoles para los poseedores de divisas; y el segundo, el abastecimiento del ejército expedicionario de Cuba; este abastecimiento entrañaba una exportación a la colonia que quedaba registrado en las cifras del comercio exterior debido al sistema arancelario español, que consideraba a los territorios coloniales como países extranjeros.

El volumen de comercio exterior se estanca a partir de 1898 y hasta 1905. No es de extrañar la fuerte caída en el año del «desastre», ni la recuperación parcial titubeante de los años que siguieron. La contracción monetaria y presupuestaria de la famosa estabilización de Villaverde y sus sucesores en los años que siguieron a la pérdida de las colonias, sin duda explica esta atonía, de la que no se saldrá hasta que, a partir de 1905, una política monetaria más expansiva estimule la demanda interna y las importaciones hagan aumentar las cifras de comercio total. Y es que son las importaciones las que causan la expansión de 1905, frenada de nuevo, en parte, por razón del nuevo arancel de 1906 y, en parte, por la crisis mundial de 1907. Los años siguientes son de fuerte recuperación, hasta la caída de 1914, por la razón obvia del comienzo de la guerra mundial.

La sencillez con la que se explican estas oscilaciones de la coyuntura hace aumentar nuestra confianza en la fiabilidad de las cifras oficiales de comercio exterior total. Por otra parte, las altas tasas de crecimiento revelan un grado de desarrollo y comercialización que me parecen mayores de lo que, por dos tipos de razones, hubiéramos esperado. La primera razón es el elevado proteccionismo que caracteriza a la política económica española. Parece, sin embargo, que la indudable incidencia de los aranceles sobre el volumen de comercio tiene lugar más a corto

Cuadro 3 (I)

COMERCIO DE IMPORTACIÓN, POR PRODUCTOS Y QUINQUENIOS: MEDIAS ANUALES, MILES DE PESETAS*

	(1)	(2)	(3)	(4)	(5)	(6)	(7)
		Bacalao		Azúcar		Carbón mineral	
Quinquenio	Total Pts.	Pts.	%	Pts.	%	Pts.	%
1850-1854	183 065	6 863	3,7	24 822	13,6	4 200	2,3
1855-1859	332 470	12 912	3,9	31 876	9,6	6 058	1,8
1860-1864	453 532	13 224	2,9	35 153	7,8	8 476	1,9
1865-1869	430 143	12 621	2,9	30 970	7,2	9 745	2,3
1870-1874	544 319	16 854	3,1	29 475	5,4	17 567	3,2
1875-1879	561 673	16 601	3,0	25 224	4,5	18 981	3,4
1880-1884	770 458	23 413	3,0	26 912	3,5	23 843	3,1
1885-1889	803 699	27 918	3,5	31 541	3,9	29 653	3,7
1890-1894	876 517	26 391	3,0	31 144	3,6	48 915	5,6
1895-1899	885 292	24 897	2,8	11 585	1,3	50 986	5,6
1900-1904	956 548	30 110	3,1	118	0,0	72 444	7,6
1905-1909	1 952 298	33 706	3,2	25	0,0	71 994	6,8
1910-1914	1 168 447	38 732	3,3	18	0,0	74 948	6,4

*Puede haber pequeñas discrepancias por redondeo.
Fuente: Calculado a partir de la *Estadística del Comercio Exterior* y la *Estadística de los presupuestos.*

Cuadro 3 (y II)

(8) Trigo	(9)	(10) Máquinas y piezas	(11)	(12) Ganados	(13)	(14) Algodón en rama	(15)	(16) Hierros y aceros	(17)
Pts.	%	Pts.	%	Pts.	%	Pts.	%	Pts.	%
0	0,0	3 498	1,9	4 022	2,2	#	#	2 646	1,4
23 264	7,0	7 513	2,3	4 600	1,4	#	#	4 041	1,2
1	0,0	7 642	1,7	5 797	1,3	#	#	9 712	2,1
44 258	10,3	4 007	0,9	3 226	0,7	#	#	6 656	1,5
11 104	2,0	6 952	1,3	2 708	0,4	#	#	12 232	2,2
14 353	2,6	13 408	2,4	4 274	0,8	68 840	12,3	13 443	2,4
34 664	4,5	28 724	3,7	9 458	1,2	78 758	10,2	23 277	3,0
37 030	4,6	23 632	2,9	17 072	2,1	66 864	8,3	19 682	2,4
47 070	5,4	33 562	3,8	8 271	0,9	79 747	9,1	24 628	2,8
40 566	4,6	29 426	3,3	22 966	2,6	80 239	9,1	19 685	2,2
34 780	3,6	61 887	6,5	29 701	3,1	97 342	10,2	30 164	3,2
76 978	7,3	60 366	5,7	36 977	3,5	124 857	11,9	27 946	2,7
40 700	3,5	88 698	7,6	27 055	2,3	125 607[a]	10,7	39 539	3,4

[a] Media 1910-3.
Faltan datos.

que a largo plazo: el comercio exterior español tuvo un crecimiento superior al del librecambista Reino Unido. La segunda razón es la escasa comercialización del sistema productivo español y lo fragmentado de sus mercados interiores [75; 77; 78]. Este considerable crecimiento del comercio exterior es indicio, si no concluyente sí poderoso, de importantes transformaciones, en el sentido de la modernización, de la economía española del período.

Algo parecido nos revelan las medias quinquenales de importación y exportación por productos (cuadros 3 y 4). Pese a que España tenía características propias de un país subdesarrollado, como la de que sus exportaciones se concentraran en unos pocos productos primarios, su estructura productiva daba muestras de una cierta flexibilidad, rasgo propio de una economía con algún grado de madurez. Al fin y al cabo, el rasgo fundamental que caracteriza a los países llamados atrasados es su incapacidad de superar las contrariedades impuestas por las condiciones del mercado o por los desastres naturales o humanos. La caída de un precio en el mercado internacional, una sequía o la devastación de una guerra reducen a la miseria o a la muerte a una generación entera en un país «atrasado», mientras que la capacidad de un país «adelantado» para superar estas circunstancias es mucho mayor. El ejemplo de la recuperación de Alemania (y de Europa entera) tras la segunda guerra mundial es clásico.

Así, si bien la exportación conjunta de minerales y vino llegó a representar un 64 % (cerca de los dos tercios) de la exportación total en 1880-1884 —años excepcionales en que coincidieron los altos volúmenes de exportación de hierro y cobre a Inglaterra, por el desarrollo del

Cuadro 4 (I)

COMERCIO DE EXPORTACIÓN, POR PRODUCTOS Y QUINQUENIOS: MEDIAS ANUALES, MILES DE PESETAS*

	(1)	(2)	(3)	(4)	(5)	(6)	(7)	(8)	(9)
		Corcho		Minerales		Naranjas		Plomo barras	
Quinquenios	Total Pts.	Pts.	%	Pts.	%	Pts.	%	Pts.	%
1850-1854	169 090	4 708	2,8	53	0,0	815	0,5	15 138	9,0
1855-1859	274 432	7 266	2,6	2 896	1,1	2 680	1,0	22 335	8,1
1860-1864	305 565	8 383	2,7	8 244	2,7	4 125	1,3	26 563	8,7
1865-1869	294 075	8 862	3,0	5 034	1,7	4 873	1,7	24 230	8,2
1870-1874	485 367	13 662	2,8	35 712	7,4	7 010	1,4	40 033	8,2
1875-1879	484 255	11 730	2,4	53 737	11,1	9 616	2,0	52 869	10,9
1880-1884	485 005	13 398	2,8	93 964[a]	19,4	18 954	3,9	47 518	9,8
1885-1889	670 321	18 428	2,7	94 859[b]	14,2	16 899	2,5	37 639	5,6
1890-1894	777 893	24 084	3,1	83 834	10,8	16 645	2,1	56 201	7,2
1895-1899	937 280	30 754	3,3	120 805	12,9	42 338	4,5	51 326	5,5
1900-1904	875 988	40 615	4,6	165 779	18,9	51 581	5,9	66 491	7,6
1905-1909	982 335	42 130	4,3	169 392	17,2	57 691	5,9	77 341	7,9
1910-1914	1 092 129	47 868	4,4	148 095	13,6	61 179	5,6	72 768	6,7

* Puede haber pequeñas discrepancias por redondeo.
[a] Media 1880-1882
[b] Cifra de 1889. Faltan las correspondientes a los años 1883-1888.

Fuente: Calculado a partir de la *Estadística del Comercio Exterior* y la *Estadística de los presupuestos.*

Cuadro 4 (y II)

(10)	(11)	(12)	(13)	(14)	(15)	(16)	(17)	(18)	(19)	(20)	(21
Pasas		Ganados		Text. algodón		Calzado		Vino común		Lana	
Pts.	%	Pts.	%	Pts.	%	Pts.	%	Pts.	%	Pts.	%
8 558	5,1	1 116	0,1	370[c]	0,2	1 059	0,6	#	#	8 623	5,1
14 900	5,4	3 441	1,3	698	0,2	2 701	1,0	#	#	7 901	2,9
13 531	4,4	4 585	1,5	844[d]	0,3	2 681	0,9	#	#	7 933	2,6
12 194	4,1	7 419	2,5	#	#	3 446	1,2	#	#	5 392	1,8
27 534	5,7	11 380	2,3	#	#	8 688	1,8	#	#	7 943[g]	1,6
25 594	5,3	11 747	2,4	#	#	7 655	1,6	68 828[f]	14,2	5 865[h]	1,2
21 522	4,4	15 608	3,2	#	#	8 670	1,8	214 671	44,3	7 745	1,6
19 929	3,0	18 661	2,8	20 496[e]	3,1	12 764	1,9	261 564	39,0	13 196	2,0
19 481	2,5	14 001	1,8	37 602	4,8	23 176	3,0	161 919	20,8	9 420	1,2
16 333	1,7	25 108	2,7	47 119	5,0	19 948	2,1	114 544	12,2	15 640	1,7
20 619	2,4	25 152	2,9	31 829	3,6	17 089	2,0	60 377	6,9	13 362	1,5
17 805	1,8	24 304	2,5	53 527	5,4	10 123	1,0	40 330	4,1	18 561	1,9
11 643	1,1	18 251	1,7	49 307	4,5	8 080	0,7	78 956[i]	7,2	19 278	1,8

[c] Media 1850, 1852-1854. Falta 1851.
[d] Media 1860-1861. Faltan los años 1862-1887.
[e] Media 1888-1889. Ver nota *d*.
[f] Media 1876-1879.
[g] Media 1870-1873.
[h] Media 1876-1879.
[i] Media 1910-1913.
Faltan datos.

sistema Bessemer y de las industrias química y metalúrgica, con la extraordinaria exportación de vino a Francia por la expansión de la filoxera en ese país antes que en el nuestro—, en vísperas de la primera guerra mundial esa proporción había descendido al 20 % (una quinta parte) del total exportado. (Debe quedar claro aquí, además, que la partida «Minerales» de nuestra estadística agrupa numerosos productos, algunos de ellos, como las minas del hierro, cobre, plomo y cinc, de gran importancia, y que en las estadísticas modernas vienen siempre desglosados.) Esta contracción relativa se había visto compensada por fuertes alzas en la exportación de otras mercancías tales como el corcho, las naranjas, los tejidos de algodón, la ganadería, y otros frutos, como los limones, las almendras y las uvas frescas, mientras que muchas exportaciones tradicionales mantenían sus posiciones, como la lana bruta, el plomo en barras, el aceite de oliva, el arroz, el azogue, los vinos generosos y espumosos, y los textiles de lana. También es de señalar que algunos de los productos cuya exportación aumentó tanto o más rápidamente que la exportación total son productos terminados o, al menos, de alto valor añadido, como los textiles, el calzado (cuya exportación decae al comenzar el siglo XX), los vinos espumosos y generosos, o el plomo en barras.

En definitiva, la economía española a finales del siglo XIX da muestra de una notable capacidad para superar la crisis de la filoxera (años 1885-1905 aproximadamente) y de diversificar su producción exportable. Algo parecido ocurre con el estancamiento de otras exportaciones tradicionales, como las pasas o la lana, sustituidas por el hierro, el cobre, el cinc, las naranjas o los tejidos de algodón. La impresión, por tanto, es de una economía no exenta de dinamismo. Aunque traicionando una estructura productiva aún muy primaria, las exportaciones españolas en la segunda mitad del siglo XIX revelan ya un grado de complejidad y flexibilidad muy superior al de los países subdesarrollados actuales, que concentran más de los dos tercios de su exportación en dos o tres productos primarios.

Las importaciones muestran algo parecido. Por un lado, parecen algo menos concentradas que las exportaciones, pero la discrepancia no es demasiado significativa: es natural que un país de tamaño medio tenga un abanico de importaciones más variado que el de exportaciones. Por otra parte, las importaciones de bienes de consumo parecen haber permanecido relativamente estacionarias, o incluso haber descendido (notable estabilidad del bacalao, descenso hasta la casi anulación del azúcar, oscilaciones erráticas del trigo), mientras que las importaciones de materias primas industriales (algodón en rama), combustibles (carbón) y equipo (máquinas y piezas sueltas, hierros y aceros) aumentaron relativamente. Las importaciones conjuntas de carbón, hierros y aceros, y maquinaria pasaron de ser el 5,6 % en 1850-1854 a ser el 17,4 en el quinquenio anterior a la guerra mundial, lo que implica que se triplicó el peso relativo de combustibles y equipo industrial. Todos estos son indicios de modernización, acordes con lo que vimos del lado de la exportación.

En resumen, con todas sus limitaciones y provisionalidad, los datos del comercio exterior indican que la economía española no permaneció estancada durante la segunda mitad del siglo XIX. En relación con los países más adelantados de Europa, como el Reino Unido, Bélgica, Suiza, Alemania, el nuestro sin duda perdió posiciones, y en este sentido resultó más subdesarrollado a finales que a principios de siglo. Sin embargo, aunque lentamente, España se adentró, al menos a partir de 1850, en un proceso de modernización, gradual sin duda, pero innegable.[1]

El saldo de la balanza comercial que se desprende de las estadísticas no es digno de mucho crédito; parece muy probable, sin embargo, que la tónica a largo plazo fuera el déficit comercial crónico, aunque no en la cuantía y con la regularidad que sugieren los datos de la Dirección General de Aduanas. Esto es natural en un país de las características de la España de hace un siglo. El crecimiento del comercio exterior total y las composiciones relativas de la importación y de la exportación revelan una economía relativamente atrasada pero en vías de desarrollo: no es raro, en casos así, que las importaciones superen regularmente a las exportaciones.

Hemos hablado del déficit crónico de la balanza comercial. Este parece ser un problema endémico de las relaciones de España con el exterior. ¿Cómo se financió entonces el déficit? Evidentemente, el turismo (esto es, la exportación de servicios turísticos) no cumplía el papel fundamental que tiene a partir de 1959. Otros «invisibles», como seguros, o transporte marítimo, tampoco tenían importancia, y en caso de tener alguna sería más bien del lado del déficit. El invisible que pudiera tener algún peso, aunque ciertamente no comparable con el que tuvo durante la década de 1960, sería la remesa de los emigrantes. En el capítulo de población hemos visto que la emigración española, sobre todo a partir de 1880, no era en absoluto desdeñable, y es bien sabido que parte del dinero ganado por los emigrantes era remesado hacia España. No todos los «indianos» que volvieron serían, sin duda, grandes potentados al estilo zarzuelero, y probablemente esos potentados, que los hubo, no representaron la fracción más importante dentro del total remesado. Pero resulta indiscutible que la exportación de trabajo y de iniciativas («capital humano») que la emigración conllevó tuvo su contrapartida monetaria.

¿Bastaría con las remesas de los emigrantes para saldar el déficit comercial? Sin saber a cuánto ascendía este, la respuesta quizá se antoje aventurada. Pero no lo es tanto: indudablemente, no bastaba con las remesas. Parece bien claro que la mayor parte del déficit se saldaba con importaciones de capital, flujo al que, para que sea neto, habría que restarle los pagos al extranjero por intereses, dividendos y repatriaciones de capital. En sentido inverso habría que contar las (exiguas) exportaciones de capital español casi exclusivamente hacia Cuba y Argentina, contrarrestadas por las percepciones de intereses, dividendos y repatriaciones. Estas últimas repatriaciones sin duda tuvieron importancia durante y en los años que siguieron a la guerra de independencia de Cuba y Filipinas.

La cuestión de cómo se saldaba el déficit comercial nos lleva, por tanto, a otra de gran interés: la de la importación de capital.

2. LA IMPORTACIÓN DE CAPITAL

El tema de la inversión extranjera es de los que actualmente se debaten con intensidad y pasión, no solo por lo que respecta a la historia económica española, sino como parte de las teorías que explican fenómenos tales como el imperialismo, el subdesarrollo, la distribución internacional de la renta, etc. Intentar siquiera fuese la más breve síntesis de la ingente bibliografía (y complejas disputas) sobre el tema sería imposible en este ensayo.

Baste aquí decir que la inversión extranjera tiene muy diferentes aspectos. En el apartado anterior la hemos considerado desde uno de ellos, es decir, como el flujo de créditos del exterior que permite equilibrar una balanza comercial y de servicios deficitaria. En teoría, estos créditos pueden ser en préstamos a corto plazo sin más trascendencia; este será el caso cuando los déficits en la balanza comercial y de servicios no sean crónicos, sino esporádicos: los créditos recibidos en los años de déficit se saldarán con los concedidos en los años de superávit. Ahora bien, si el déficit es crónico, esos déficits no se podrán saldar tan fácilmente; de un modo u otro habrá que convertir los créditos a corto en créditos a largo plazo. O, en otras palabras, el país habrá de enajenar partes de su patrimonio para saldar sus deudas, igual que un particular entrampado. Y así pasarán a manos de los acreedores extranjeros títulos de Deuda pública, acciones y obligaciones de compañías, fábricas, minas, terrenos, edificios, concesiones, etc.

Que esta enajenación patrimonial sea buena o mala depende de muchos factores, como en el caso de un préstamo privado, pero se comprende que provoque reacciones hostiles de tipo emocional. Si una persona arrienda a un extraño la casa donde habita y habitaron sus padres, por ejemplo, es lógico que puedan producirse en él y su familia reacciones de repulsa; lo cual no excluye, por otra parte, que pueda estar realizando un buen negocio con ese arriendo. Es con una óptica económica, y no nacionalista o emocional, como los historiadores económicos hemos de enjuiciar el papel de la inversión extranjera.

Es natural que un país en vías de crecimiento, en la etapa de transición de una economía de antiguo régimen a otra moderna, se vea obligado a contraer deudas considerables y pedir préstamos al extranjero. Los bajos niveles de renta, de ahorro, de tecnología, de capital humano, harán que todas estas cosas deban importarse del exterior. En casos excepcionales estas importaciones podrán comprarse en su totalidad con productos del propio país (es el caso de los países productores de petróleo actualmente), pero lo más frecuente será que por su limitada capacidad productiva el país atrasado solo pueda financiar parte de sus importaciones, debiendo endeudarse por el resto en espera de que, modernizada su capacidad productiva, pueda generar un excedente que le permita saldar deudas. Estos préstamos no resultarán gratuitos: el país tendrá que pagarlos. Y el precio de los préstamos dependerá de varias circunstancias, las principales de las cuales serán la situación del mercado internacional de capitales y la capacidad negociadora del país en el momento del préstamo. Esta, a su vez, dependerá de la posición deudora o acreedora del país, de su puntualidad en los pagos y de la estimación general que merezca su porvenir económico.

La capacidad negociadora de España no fue buena durante el siglo XIX. En primer lugar, porque arrastró una posición deudora con el exterior desde finales del siglo XVIII; en segundo lugar, porque su puntualidad en los pagos dejó mucho que desear, y en ocasiones no infrecuentes incumplió sus compromisos (véase más adelante, capítulo IX); en tercer lugar, por los déficits crónicos de su balanza comercial y de su Hacienda; y en cuarto lugar, por la inestabilidad de su sistema político y lo atrasado de su estructura social. Por todas estas razones, los que invertían en España, ya fueran extranjeros, ya fueran nacionales, exigían altos intereses y fuertes garantías para prestar sus caudales, y cuanto peor era la capacidad negociadora de España tanto mayores eran las exigencias de los prestamistas.

El de los préstamos exteriores y ventas a súbditos extranjeros es un tema de difícil cuantificación por lo muy heterogéneo de las operaciones y lo muy disperso de las fuentes. Por todo ello, las estimaciones son, y no tienen más remedio que serlo, vagas y poco aproximadas. En último término, como derivada de las convenciones políticas, la división entre inversión nacional y extranjera tiene su claro componente de artificialidad: con frecuencia se contabiliza como inversión extranjera la simple repartición de capitales; o, en el caso frecuente en que una frontera divide en dos una región natural, se contabiliza como extranjera la inversión realizada por un habitante de un pueblo vecino pero del otro lado de la raya, y como doméstica la realizada por un habitante de otras regiones lejanas aunque enclavadas en el mismo territorio nacional.

Pese a todas estas consideraciones, es evidente que España durante el siglo XIX se endeudó en medida muy considerable con el extranjero, como revela el cuadro 5. Este cuadro nos muestra, como indica su encabezamiento, el flujo de capitales privados hacia España por decenios, no el stock de inversión extranjera en España en un momento dado. Lo primero que salta a la vista es la fluctuación en los volúmenes de capital importado, con alzas en los períodos 1861-1870, 1881-1890, y 1901-1913, y bajas en los otros. (El hecho de que el período terminal sea de 13 años hace que en realidad la cifra correspondiente no sea estrictamente comparable con las otras; pero un sencillo cálculo nos permite estimar la tasa decenal en 567,4 millones.) Lo que este cuadro no nos dice es qué pagos por dividendos y amortizaciones tuvieron lugar en contrapartida de estos préstamos, ni tampoco, como hemos visto, cuál era la cifra total acumulada de capital extranjero invertido en el país.

Cuadro 5

FLUJO DE CAPITALES EXTRANJEROS A ESPAÑA (EXCLUIDA LA DEUDA PÚBLICA): TOTALES DECENALES Y SU DISTRIBUCIÓN POR PAÍSES*

Período	(1) TOTAL (10^6 Fcos. corrientes)	(2) Francia %	(3) Bélgica %	(4) Reino Unido %	(5) Alemania %	(6) Otros %
1851-1860	328,9	94,7	3,4	1,0	0,0	0,9
1861-1870	609,9	88,7	10,0	1,4	0,0	0,0
1871-1880	488,1	44,5	8,9	43,7	2,9	0,0
1881-1890	718,0	60,8	6,2	31,6	0,0	1,4
1891-1900	382,7	42,0	18,1	18,9	19,8	1,1
1901-1913	737,6	53,9	19,5	20,5	6,1	0,0
TOTAL ACUMULADO	3 265,	63,2	11,4	20,7	4,1	0,5

* Puede haber pequeñas discrepancias por redondeo

Fuente: Calculado a partir de BRODER, «Les investissements étrangers en Espagne.»

Cuadro 6

DEUDA PÚBLICA EXTERIOR ESPAÑOLA: CANTIDADES EFECTIVAS SUSCRITAS POR PERÍODOS

Período	Millones de francos
1768-1815	53,3
1820-1823	128,4
1823-1850	293,0
1851-1891	1 226,8
TOTAL ACUMULADO	1 701,5

Fuente: BRODER, «Les investissements étrangers en Espagne.»

En principio, podemos obtener la cifra de capital acumulado bruto a partir de las cifras del cuadro 5 y del cuadro 6. Otros autores han calculado las cifras de inversión acumulada para ciertos momentos. Así, Sardá estima que en 1881 las inversiones extranjeras en España ascendían a 4200 millones de pesetas, de los que 2000 millones eran inversión privada y 2200 millones eran Deuda pública en poder de extranjeros. Estas cifras de Sardá, calculadas de manera muy impresionista, no se parecen mucho a las de Broder, reflejadas en los cuadros 5 y 6. Acumulando las cifras del 5 hasta 1880 tendríamos unos 1400 millones de francos de inversión privada, prácticamente equivalentes a otros tantos millones de pesetas. Los márgenes de error que tendríamos que admitir para dar por compatibles la cifra de Broder y la de Sardá son muy amplios, por encima del 27 %. La cifra de Broder parece más fidedigna, por estar basada en un cálculo directo y por ser mucho más reciente.

En cuanto a la Deuda pública, el cuadro 6 da la estimación de Broder por períodos. Este cuadro nos muestra también que las estimaciones de Sardá son más altas, ya que su cifra para 1881 está unos 500 millones por encima de la de Broder para diez años más tarde. Del cuadro se desprende también que el ritmo con que evolucionó la Deuda pública fue distinto del que siguió la deuda privada (esto ya lo había señalado Sardá) [6, 202; 80, 274]. La deuda privada apareció más tardíamente, pero a partir de 1850 fue mucho más cuantiosa que la primera. Esto no debe sorprendernos, dado lo que sabemos sobre la historia económica de España en el siglo XIX; en realidad, es durante la segunda mitad de la centuria cuando el país inicia una etapa de modesto, pero sostenido, desenvolvimiento económico basado en la puesta en explotación de los recursos del suelo y del subsuelo. Es natural que sea entonces cuando se recurra a la importación de capital privado y de tecnología extranjeros, dados los bajos niveles de ahorro y de cultura domésticos.

¿Qué relación había entre importación de capital y comercio exterior? Ya vimos *a priori* que debía haberla y bastante estrecha. El cuadro 7 muestra que la importación de capital total durante el período 1850-1891 fue de unos 3371,7 millones de francos (hasta esa fecha la peseta y el franco fueron prácticamente equivalentes). Durante ese mismo período el comercio exterior español acumulado (importaciones más exportaciones) fue de unos 37 237,5 millones de pesetas, lo cual significa que la inversión extranjera vino a ser aproximadamente un 9 % del comercio exterior español; si calculamos la misma proporción con respecto a la importación acumulada nos da el 16,5 %. Si calculamos el déficit comercial acumulado durante ese período, resulta ser de unos 3556,1 millones de pesetas, cifra muy parecida a la de importación de capital acumulada. Algo similar resulta para el período 1891-1913, como se muestra en el cuadro 7.

En total, del cuadro 7 resulta un interesante paralelismo entre el

Cuadro 7

INVERSIÓN EXTRANJERA Y COMERCIO EXTERIOR
(en millones de pesetas)*

	(1)	(2)	(3)	(4)	(5)	(6)
	Inversión Extranjera			Comercio Exterior		
Período	Deuda Pública	Deuda Privada	Total	Importación	Total	Déficit
1850-1890	1 226,8	2 144,9	3 371,7	20 396,8	37 237,5	3 556,1
1891-1913	0,0	1 352,3[a]	1 352,3	22 646,9	44 217,3	1 076,5

* Puede haber pequeñas discrepancias por redondeo.
[a] La cifra original de 1120,3 millones de francos se ha multiplicado por un factor medio de depreciación de 1,20709 para convertir los francos a pesetas. Este factor medio de depreciación se ha calculado a partir del cuadro III en TORTELLA *et al.*, «Las balanzas».

Fuente: Calculado a partir de los cuadros 1, 3, 4, 5 y 6.

déficit exterior calculado a partir de las cifras oficiales españolas y el flujo de inversión extranjera calculado por Broder a partir de fuentes francesas o españolas privadas. Lo interesante de tal paralelismo o semejanza radica en que, obtenidas por procedimientos muy dispares, ambas cifras, al coincidir esencialmente, se refuerzan la una a la otra. Teniendo en cuenta que es de esperar un margen de error amplio (un 10 % no debe sorprendernos) en las estadísticas históricas —margen que sabemos aún mayor en las estimaciones del déficit comercial—, y sabiendo que el flujo de capital calculado por Broder es, como él mismo admite, aproximado porque, entre otras cosas, no incluye intereses, dividendos ni repatriaciones de capital, las coincidencias entre las cifras de las columnas 3 y 6 del cuadro resultan alentadoras. Tomando estas cifras como base, y haciendo estimaciones sobre los invisibles, y las salidas de España de capitales, intereses y dividendos, se podría llegar a estimar, siquiera fuese de manera muy grosera, los lineamientos de la balanza de pagos española durante esos períodos, no en dimensiones anuales, sino decenales.

Los principales sectores en que se distribuyó el capital extranjero fueron los siguientes. Hasta 1850 predominó totalmente la inversión en empréstitos públicos. De 1850 a 1890 es ya más importante la inversión en el sector privado, pero de esta, la inversión en ferrocarril representa las dos terceras partes: el resto es casi todo en minería. Y de 1891 a 1913 la inversión exterior en Deuda del Estado español es nula; la inversión en ferrocarril desciende mucho (pasa a ser una quinta parte del total), desciende también relativamente la inversión minera y aumenta, en cambio, la inversión en banca, agua, electricidad, obras públicas en general, e industria, sobre todo química. Evidentemente, a medida que se desarrollaba el país, cambiaba la distribución de la inversión extranjera, que se adaptaba a las posibilidades existentes y a su vez las estimulaba.

¿Qué podemos decir acerca de los efectos de la inversión extranjera en España durante el siglo XIX? En primer lugar, que tuvo una respetable importancia cuantitativa. A partir de los cuadros 5 y 7 se puede estimar a cuánto ascendió la inversión exterior acumulada hasta fines de siglo: el total fue de unos 3848,0 millones de pesetas,[2] cifra que excede en más de un tercio el importe de todos los bienes nacionales desamortizados y vendidos entre 1836 y 1900 (véase capítulo III). Si, para facilitar la comparación con el cuadro del capítulo IX, tomamos la cifra de inversión extranjera acumulada de 1850 a 1890, veremos que ascendió a cerca de un 15 % de los ingresos presupuestarios acumulados durante el mismo período, y que su cuantía equivalió a lo recaudado por el Monopolio de Tabacos, y excedió en un 10 % lo recaudado por Aduanas.

Esta simple constatación es la más importante y firme que podemos hacer con los datos a nuestra disposición. Otras cuestiones más apasionantes deben quedar sin respuesta, al menos por el momento. ¿Fue buena o mala la inversión extranjera? Esta es la pregunta más elemental, pero más difícil de contestar. Para empezar a responder hay que hacerse otra pregunta: ¿qué alternativas había? Estas alternativas estarán comprendidas entre los siguientes extremos: de un lado, la situación que se hubiera dado de no haber habido inversión extranjera; de otro lado, la situación que se hubiera dado de haberse recibido esos préstamos en condiciones óptimas. Examinemos ambos extremos de la manera más breve posible. Un momento de reflexión es suficiente para darse cuenta de que, en ausencia de inversión extranjera, la situación económica española hubiera sido peor de lo que fue. La inversión extranjera financió parte de los déficits presupuestarios y comerciales, es decir, los gastos del Estado y el alto nivel de importaciones. Sin ella, la formación de capital hubiera sido menor: obras públicas, ferrocarriles, industrias y minas hubieran estado mucho menos desarrollados. Ahora bien, aunque comparando con lo que hubiera ocurrido en su ausencia es indudable que la inversión extranjera tuvo un impacto positivo sobre la economía española, moviéndonos hacia el extremo superior de nuestra alternativa podemos preguntarnos qué hubiera ocurrido si esta inversión se hubiera dado en mejores condiciones, es decir, a precios menores y, sobre todo, a cambio de menos poder y privilegios. No cabe duda que por los préstamos extranjeros se pagaron precios altos, tanto en términos de intereses y dividendos, relativamente sencillos de cuantificar, cuanto en términos de influencia y prerrogativas, de cuantificación casi imposible. Es obvio que si, en lugar de como préstamos, esos 3848 millones se hubieran recibido como donaciones incondicionales, la economía española, en igualdad de las demás circunstancias, hubiera sido más próspera de lo que fue.

Estos términos de comparación revelan la dificultad de responder a una pregunta aparentemente tan simple como la de si fue buena o mala la inversión extranjera. Si tomamos el extremo superior llegaremos a la conclusión de que fue mala; si el inferior, de que fue buena. Evidentemente, la comparación debe hacerse con una alternativa menos extrema, una alternativa realista y, si queremos una respuesta precisa, cuantificable. El caso de los ferrocarriles nos ofrece un ejemplo sencillo y apropiado para ilustrar estas dificultades. ¿Fue perjudicial para la economía española la inversión extranjera en ferrocarriles? En términos absolutos, no; los ferrocarriles españoles hubieran sido más cortos y más caros sin ella. Ahora bien, en términos de comparación con una alternativa *realista* (que se hubiera construido a un ritmo más adecuado a la evolución de la demanda de servicios ferroviarios) puede decirse que sí fue perjudicial el modo en que los grandes empresarios franceses (con el asentimiento de los políticos españoles) organizaron la construcción de acuerdo con sus propios planes y según su propia conveniencia. En el momento de distribuir responsabilidades, sin embargo, pasamos a otro plano diferente, porque no es lógico esperar de unos empresarios franceses que se preocupen por los intereses de la economía española en mayor medida que los representantes políticos de la nación. La conclusión, en este tema y en el de la inversión extranjera en general, por tanto, es difícil; a falta de mejor información, cada uno es dueño de formar la opinión que quiera. Pero no debemos olvidar que nos movemos en el terreno pantanoso de las conjeturas.

NOTAS DEL CAPÍTULO VI

1. Este proceso de cambio lo detectó a través del comercio exterior con Inglaterra Nadal Farreras [68]. Acerca de otros casos de desarrollo lento [73].

2. El cálculo es como sigue: la cifra acumulada hasta 1890 la tomamos del cuadro 7, considerando los francos como equivalentes a pesetas, lo cual es muy aproximadamente correcto hasta esa fecha. A esta cifra (3371,7 millones de pesetas) tenemos que sumarle lo invertido en la década de 1890, que son 382,7 millones de francos. Calculando la tasa media de depreciación de la peseta para la década (a partir del cuadro III en [91]) en 1,24448, nos resulta la inversión en francos equivalente a unos 476,3 millones de pesetas; 3371,7+476,3 = 3848,0.

Capítulo VII

El transporte

El coste del transporte es uno de los grandes obstáculos de la modernización económica, por aquello que escribió Adam Smith de que «la división del trabajo está limitada por la extensión del mercado»; para que haya división del trabajo, producción a gran escala y progreso técnico hace falta que haya mercados extensos; lo cual implica grandes aglomeraciones urbanas y medios de transporte baratos y rápidos. La historia muestra el papel crucial que ha tenido el transporte en el desarrollo económico: la navegación mediterránea y las calzadas romanas en el mundo antiguo y bajomedieval, la navegación transatlántica, transoceánica y fluvial en la Edad Moderna, la construcción de carreteras y de canales en la Inglaterra del siglo XVIII, carreteras, canales, ferrocarriles y navegación a vapor en las revoluciones industriales del siglo XIX. En cuanto al siglo XX, resulta ocioso hablar de la importancia económica del transporte en nuestros días.

Sobre el obstáculo que la falta de condiciones de transporte ha significado en la historia económica de España hay también acuerdo general. La península Ibérica es maciza, abrupta y montañosa, con una alta meseta central separada de la periferia por fallas o cadenas montañosas. El país es generalmente árido; los ríos son, o cortos y pendientes, o irregulares de caudal y poco profundos de cauce. Todo esto dificulta el transporte interior, terrestre o fluvial, y ha fragmentado la Península históricamente en una serie de mercados aislados. Esta configuración geográfica explica también el hecho de que a partir del siglo XVII hayan sido las franjas costeras atlántica y mediterránea las zonas de mayor desarrollo económico, mientras que el interior se estancaba económica y demográficamente.

1. EL TRANSPORTE TERRESTRE

La medida en que el problema del transporte incidía en el retraso económico es imposible de estimar cuantitativamente, pero parece fuera de toda duda que incidió de manera considerable. El problema estuvo siempre en la conciencia de los contemporáneos, lo que se manifiesta en los repetitivos y fallidos intentos de construir vías fluviales de navegación durante los siglos XVIII y XIX. Tras los esfuerzos de los Borbones por mejorar la red de carreteras en el XVIII, la guerra de Independencia tuvo, en este como en otros campos, efectos destructivos desastrosos. Lo mismo puede decirse de la guerra carlista. Durante el siglo XIX, a partir sobre todo de 1840, se llevó a cabo un sustancial programa de construcción de carreteras, que probablemente contribuyó a abaratar el coste y el tiempo de transporte, aunque no lo bastante como para colocarnos a nivel de otros países europeos. Al terminar el siglo, España contaba con unos 40 000 km de carreteras, de los que unos 15 000 eran de primero o segundo orden. Hacia 1840 la extensión total de la red de carreteras española había sido de unos 9000 km. Los progresos, aunque insuficientes, fueron considerables.

Pero lo más trascendental en el transporte terrestre fue la construcción de la red ferroviaria. Con la excepción de unos cuantos tramos cortos (Barcelona-Mataró, Madrid-Aranjuez, Langreo-Gijón), la red ferroviaria no comenzó a construirse hasta después de promulgada la Ley General de Ferrocarriles de 1855. Desde finales del reinado de Fernando VII hasta la proclamación de la Ley de Ferrocarriles hubo una serie de proyectos y planes abortados de ferrocarriles cortos para unir zonas productoras de artículos de exportación con la costa, planes que contaron con escasa cooperación del gobierno (cuando no con abierta oposición). Durante la década de 1840 comenzó a ponerse en movimiento la maquinaria burocrática, que en 1844 produjo la famosa Real Orden disponiendo que el ancho de vía de los ferrocarriles españoles fuese 15 cm mayor que el europeo. El error técnico en que se basó tal medida todavía lo está pagando la economía española.

Al amparo —o al desamparo— de la Real Orden de 1844 se construyeron los ferrocarriles mencionados, en medio de una orgía de especulación que produjo pocos resultados tangibles en el ramo del transporte, aunque tuvo en cambio hondas repercusiones políticas, porque parece haber sido una de las razones que causaron el pronunciamiento de O'Donnell y la llegada al poder de los progresistas en 1854. Bajo la égida de este partido se promulgó la Ley de Ferrocarriles.

¿Por qué se tardó tanto en comenzar la construcción del ferrocarril en un país que tanto lo necesitaba? La respuesta es que se combinaron el círculo vicioso del subdesarrollo con la inepcia y la inercia gubernamentales. El atraso económico y social hacía que el capital, el nivel técnico y la iniciativa empresarial fueran insuficientes; la falta de visión gubernamental, en lugar de suplir la insuficiencia, la aumentaba.

Las cosas cambiaron con la llegada al poder de los progresistas, que eran un partido en favor del desarrollo económico y de la importación de capital. Los progresistas consideraban que el ferrocarril era una parte esencial en la modernización de la economía española, y para lograr la construcción de la red estaban dispuestos a volcar todos los recursos necesarios, nacionales o importados. Por eso la ley facilitaba la formación de sociedades anónimas ferroviarias, preveía el pago de subvenciones, garantizaba contra una serie de riesgos y desgravaba la importación de material de transporte. Y por eso se complementó la Ley de Ferrocarriles con dos leyes más (de Bancos de Emisión y de Sociedades de Crédito) que permitieron la rápida formación de un sistema bancario que financió la construcción de la red ferroviaria en su primera fase (1856-1866). En el decenio que siguió a estas leyes entraron en funcionamiento unos 4500 km de vía, con un promedio anual de construcción, por tanto, de unos 450 km, nunca más alcanzado. En 1866 había en funcionamiento unos 5000 km; en 1900 (véase cuadro 1), 13 200 km, de los cuales unos 2200 eran de vía estrecha; lo cual significa que el ritmo anual de construcción durante el último tercio del siglo fue de unos 240 kilómetros, poco más de la mitad.

Las causas de este rápido ritmo son: en primer lugar, el decidido apoyo estatal ya descrito; en segundo lugar, el influjo masivo del capital, tecnología e iniciativa extranjeros, sobre todo franceses; en tercer lugar, la también considerable aportación de capital e iniciativa nacionales, sobre todo en Vascongadas, Cataluña y Valencia. Durante estos años se crearon una veintena de compañías ferroviarias, las más importantes de las cuales eran predominantemente francesas, como la Madrid-

Cuadro 1

Longitud de la red ferroviaria

Año	Km
1850	28
1855	477
1860	1 918
1865	4 826
1870	5 478
1875	6 124
1880	7 478
1885	8 931
1890	10 021
1895	11 314
1900	13 168

Fuente: Vicens, *Manual*, p. 616.

Ferrocarriles abiertos al tráfico hasta el 31 de diciembre de 1870 (clasificados por época de construcción) **VII**

Zaragoza-Alicante, el Ferrocarril del Norte, o el Sevilla-Jerez-Cádiz, pero entre las cuales se contaban otras predominantemente españolas y de bastante entidad, como la Barcelona-Zaragoza, Barcelona-Tarragona-Francia, Tudela-Bilbao o Tarragona-Valencia-Almansa. Las subvenciones y garantías estatales, las perspectivas de grandes beneficios en la explotación, y la total certeza de grandes beneficios en la construcción espoleaban a los constructores. A la velocidad de construcción se sacrificaron muchas cosas; cuando las grandes líneas troncales empezaron a estar terminadas a partir de 1864 se comprobó que las esperanzas de beneficios en la explotación quedaban defraudadas: los ingresos no bastaban para cubrir los gastos. Comienza entonces un decenio dramático para los ferrocarriles, la economía y la política españoles. Como sucedería en la década de 1930, en la de 1860 coincidieron en España las repercusiones de una crisis internacional con las de una depresión interna para engendrar una sacudida política y social de primera magnitud. El fracaso de los ferrocarriles ocasionó la quiebra del sistema bancario; la escasez de algodón debida a la guerra de Secesión en Estados Unidos provocó un alza de los precios que paralizó a la industria algodonera; la caída de los precios del algodón debida al final de esa guerra provocó un pánico bancario y comercial en Europa entera que repercutió en Espa-

Ferrocarriles abiertos al público hasta el 31 de diciembre de 1870 (clasificados por compañías que los explotaban) **VIII**

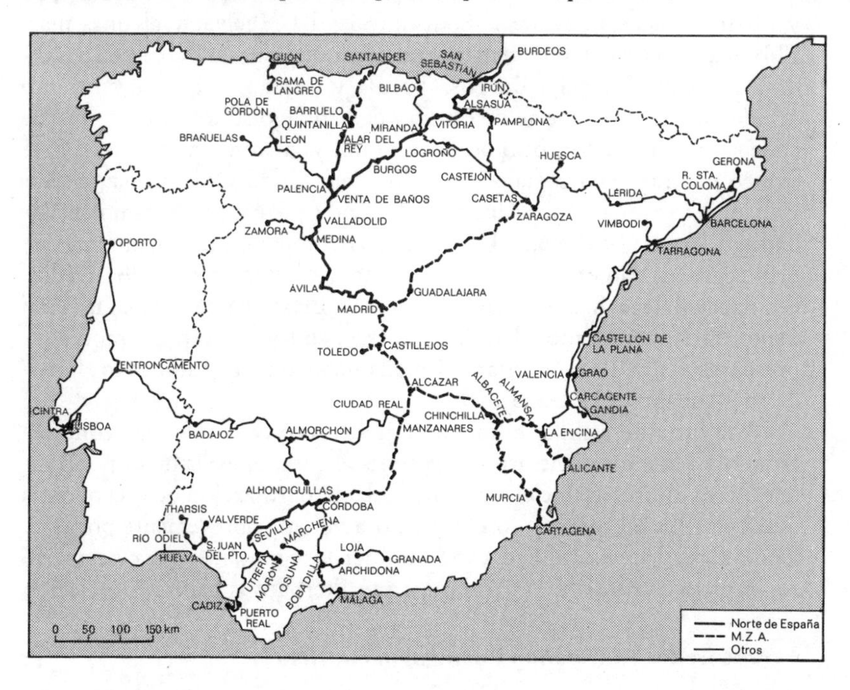

ña; a agravar la situación también contribuyó una sucesión de déficits presupuestarios; y las malas cosechas de 1867-1868 terminaron de dar la puntilla a una economía herida de gravedad. Las consecuencias políticas son bien conocidas.

La construcción ferroviaria, virtualmente en suspenso durante el decenio crítico, se reanudó a lo largo del último cuarto de siglo bajo el signo de la concentración. De la crisis emergieron pocas compañías. Las dos grandes, Norte y MZA, aunque también habían pasado apuros, eran claramente las más fuertes, y gracias a un acuerdo tácito de no competir excesivamente fueron redondeando sus sistemas con la adquisición de compañías menores y completando sus redes con nueva construcción. La red fundamental estaba ya construida desde la primera etapa; quizá lo más notable de este período sea la conexión de Galicia y Asturias con la red nacional, el ferrocarril costero Bilbao-San Sebastian, la línea Madrid-Cáceres-Portugal, y la línea Huelva-Sevilla. Nótese que casi toda esta nueva construcción conecta zonas mineras con el resto del país: puede afirmarse con confianza que gran parte de esta actividad renovada tiene que ver con el auge de la minería.

Al terminar el siglo, MZA y Norte controlaban cada una de ellas un tercio del tendido ferroviario total: el sistema de MZA comprendía el litoral Mediterráneo desde Francia a Cartagena; los dos ramales originales de Madrid a Alicante y Zaragoza; las líneas Madrid-Córdoba-Sevilla y Madrid-Cáceres-Sevilla; la conexión Sevilla-Huelva, y algunas más. El Norte tenía un gran tronco central desde Vigo hasta Barcelona pasando por León, Palencia, Burgos, Tudela y Zaragoza (que en su tramo occidental era una especie de camino de Santiago sobre carriles, ya que conectaba Galicia con Burgos, Pamplona, y la frontera francesa). Este tronco central tenía ramales a La Coruña, Gijón-Oviedo, Santander, Bilbao, Tarragona y, por supuesto, Madrid (que conectaba también Valladolid, Ávila y Segovia). Las otras dos compañías independientes de una cierta entidad eran la de los Ferrocarriles Andaluces (Sevilla-Cádiz-Granada-Málaga) y la de Madrid-Cáceres. Estas cuatro compañías eran mayoritariamente propiedad de franceses; en total el capital francés representaba en 1911 el 60 % aproximadamente del invertido en los ferrocarriles españoles [15, 275].

A la hora de estimar el impacto de los ferrocarriles en la economía española debemos plantearnos una serie de cuestiones: la más importante es: ¿era indispensable el ferrocarril a la modernización de la economía española? En mi opinión lo era, y ahora veremos brevemente por qué. Dada su indispensabilidad cabe también preguntarse: ¿era necesario construirlo como se hizo? Y si no, ¿qué alternativas había? En relación

Ferrocarriles en España y Portugal hacia 1890 **IX**

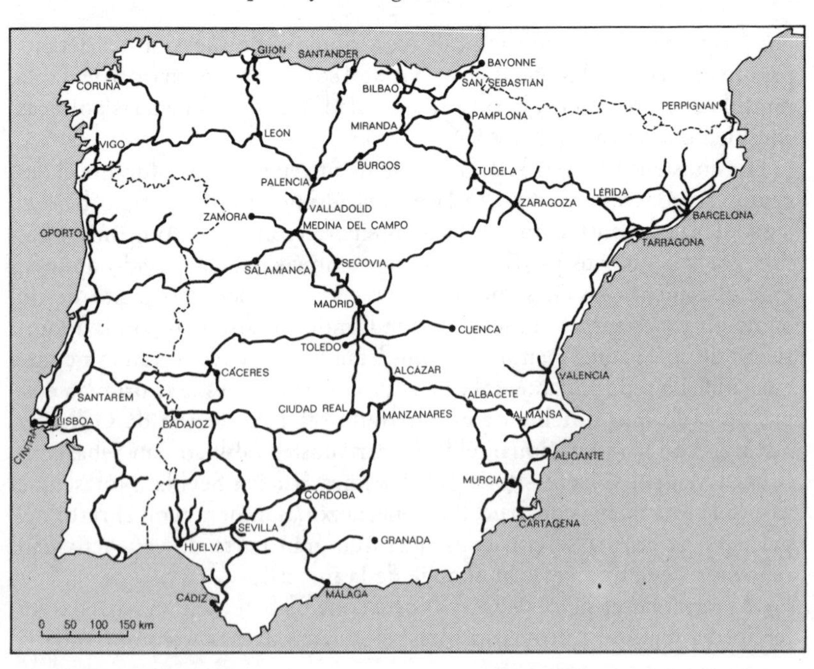

con las alternativas pueden plantearse las cuestiones del *ritmo* al que se construyó; el modo *cómo se financió;* y las *características físicas* de la red: longitud, estructura, infraestructura, etc. Veamos estas cuestiones brevemente una por una.

Primero consideraremos el «axioma de indispensabilidad», puesto en el candelero por el trabajo de Robert Fogel. Hasta hace unos quince años se daba por hecho que la construcción de la red ferroviaria había sido indispensable para la modernización económica de los países adelantados, incluidos los Estados Unidos. La obra de Fogel trató, por medios econométricos, de demostrar que, en ausencia del ferrocarril, el crecimiento de Estados Unidos no se hubiera visto *grandemente* afectado. Esta tesis tuvo fuertes repercusiones y por un período se pensó que podría generalizarse a casi todos los demás países, especialmente en vista de que estudios paralelos del caso inglés parecían conducir a conclusiones parecidas. Sin embargo, trabajos más recientes [24; 39] han mostrado que en países como México y Alemania los ferrocarriles sí fueron indispensables (o tuvieron una contribución decisiva). Por supuesto, todas estas conclusiones no son contradictorias. En Estados Unidos e Inglaterra las condiciones del transporte fluvial eran tan buenas que la ventaja representada por el ferrocarril puede considerarse pequeña. En el caso de Alemania y México las condiciones físicas (y políticas) eran muy distintas y, especialmente en el caso de México, es difícil ver qué posible alternativa hubiera podido crearse para sustituir al sistema ferroviario. Aunque no tenemos estudios equivalentes para España[1] es bien claro que tampoco aquí había alternativa posible al ferrocarril para el transporte rápido y relativamente barato de pasajeros y mercancías. Un país con las características físicas de España no hubiera podido modernizarse en el siglo XIX sin una red ferroviaria que paliase sus pésimas condiciones de circulación. Sin un ferrocarril que abasteciese de alimentos y materias primas a las ciudades, y transportase los productos industriales de unos centros urbanos a otros, y de estos a las comunidades rurales hubiera sido imposible no ya la industrialización sino un mínimo crecimiento de la agricultura.

Ahora bien, que el ferrocarril fuera indispensable no quiere decir que hubiera que pagar por él cualquier precio ni que hubiera de construirse de cualquier manera. A mi modo de ver, la red ferroviaria española se empezó a construir demasiado tarde y después (1856-1866) se construyó con excesiva precipitación. Las consecuencias de esta precipitación fueron una planeación deficiente y una concentración excesiva de capital en este sector a expensas de los demás, en concreto de la industria, con la que el ferrocarril competía con ventaja para la captación de fondos prestables. Es cierto que el ferrocarril atrajo hacia España mucho capital extranjero que de otro modo no hubiera acudido; y que, en la medida en que esto es así, no hubo competencia entre un sector y otro.

Pero hay fuertes indicios de que el apoyo estatal y la fascinación de la novedad tecnológica atrajeron hacia el camino de hierro fondos que en otras circunstancias hubieran gravitado hacia la industria: el tipo de interés (precio del capital y del dinero) se elevó constantemente durante esos años a pesar de las entradas de capital y de la expansión monetaria (véase capítulo IX); el sistema bancario de una ciudad eminentemente industrial como Barcelona tenía su cartera mucho más comprometida con las compañías ferroviarias que con las industriales; hay testimonios variados de empresarios industriales que denuncian durante esos años la escasez de capital y su alto precio; en el mismo sentido se pronuncian muchos comentaristas y observadores contemporáneos; y aun se conocen varios casos industriales algodoneros que incluso antes del «hambre del algodón» dejan de invertir en sus fábricas y lo hacen en compañías ferroviarias. Evidencia toda ella circunstancial, es cierto; pero unánime en señalar este efecto de arrastre del ferrocarril a expensas de la industria, y no contrarrestada con ejemplos opuestos. No se trata, por tanto, de que en estos años se plantease una alternativa entre ferrocarril e industria: ambos sectores son complementarios. Se trata, sin embargo, de que, en su deseo de recuperar el tiempo perdido, el gobierno español intervino en el mercado de capitales de tal manera que primó excesivamente la inversión ferroviaria a expensas de la industrial. Factor que, aunado a otros claramente exógenos que antes enumeramos al hablar de la crisis de 1864-1868, contribuyó a deprimir la demanda de transporte ferroviario; de modo que la excesiva precipitación en construir los ferrocarriles, al sacrificar el normal desarrollo de la industria, resultó contraproducente [64, 38 y 46; 95, cap. V].

Si el ritmo de construcción y el modo de financiación dejaron mucho que desear, otro tanto puede decirse de las características técnicas de la red. Ya hemos comentado el error garrafal del ancho de vía, que contribuyó a aislar la economía española de la europea: un Pirineo suplementario. También ha sido objeto de crítica la estructura radial de la red, quizá no la más adecuada en un país cuya población y cuya industria han tendido desde la Edad Moderna a localizarse en la periferia. Más lógico hubiera sido, al parecer, construir una red periférica y un número menor de conexiones con Madrid (que tenía tres líneas hacia el sur donde una hubiera bastado). Otros defectos graves del planteamiento pueden señalarse, como el hecho de que la línea Madrid-Barcelona estuviera dividida en dos tramos pertenecientes a compañías distintas, lo cual durante muchos años exigió transbordo en Zaragoza; lo mismo ocurría con los puertos andaluces. La construcción de la infraestructura parece que también dejó mucho que desear, aunque lo mismo puede decirse en el caso de otros países; en el caso inglés, al menos, se han documentado errores de trazado, múltiples anchos de vía, deficiente construcción, etc.

2. EL TRANSPORTE MARÍTIMO

Este tipo de transporte sufrió también un profundo proceso de modernización durante el siglo XIX, basado en la mejora de los puertos, el desarrollo de la navegación a vela y, sobre todo, la introducción del vapor.

El período 1830-1860 es el del crecimiento de la marina a vela catalana, que domina tanto las rutas transatlánticas como las de cabotaje.

A partir de 1860 aparece un competidor, a la larga invencible: el buque de vapor. Sin embargo, como es bien sabido, la competencia con el vapor estimuló un prolongado canto del cisne de la navegación a vela que duró casi hasta finales del siglo: es la era de los *clippers*, de elegante diseño y asombrosa velocidad. La marina catalana permanece apegada a la navegación a vela durante demasiado tiempo: el tonelaje de los buques a vela atracando en el puerto de Barcelona aumentó al mismo ritmo que el de los barcos de vapor hasta casi el término de la centuria. Como dice Vicens, «quizá se trate de un anacronismo catalán y explique el futuro de la marina vasca» [98, 519]. Resulta tentador relacionar este «anacronismo» con los problemas de la banca y la industria catalanas durante este período. Pero no todo era navegación a vela. El santanderino Antonio López y López (ennoblecido con el marquesado de Comillas), establecido en Barcelona, funda allí en 1881 la Compañía Transatlántica, que mantiene una línea regular de vapores con Cuba, Filipinas y otros puertos, americanos la mayor parte.

Los navieros vascongados de mucho menor envergadura a mediados de siglo, y, por tanto, con menos intereses creados en favor de la vela, adoptan rápidamente el vapor, adquiriendo buques de fabricación inglesa. Es el período de crecimiento de las grandes navieras vizcaínas, como Ybarra y Compañía, y Sota y Aznar.

Paralelamente se desarrollan los trabajos de mejora y ampliación de puertos, entre los que destacan, naturalmente, Bilbao y Barcelona, cuya importancia eclipsa la de otros puertos como Santander y Cádiz.

NOTAS DEL CAPÍTULO VII

1. Esperamos de un momento a otro un estudio importante sobre la Historia de los ferrocarriles españoles elaborada por el Servicio de Estudios del Banco de España. La amabilidad de algunos de los colaboradores en este trabajo, R. Anes y P. Tedde, colegas y amigos, me ha permitido leer parte de sus originales, lo que me fue muy útil al redactar este capítulo. Demasiado tarde para modificar lo aquí escrito, pero prometedor de una monografía que responda a algunas de las preguntas aquí planteadas, me llega el trabajo de Antonio Gómez Mendoza, «The Transport Bottleneck to Spanish Economic Growth in the Nineteenth Century», leído en St. Antony's College, Oxford University, febrero, 1978.

Capítulo VIII

Los sistemas monetario y bancario

En correspondencia con el resto de la economía, el sector bancario, monetario y financiero también evolucionó hacia la modernidad durante el siglo XIX. Aunque examinado con más detenimiento en el capítulo siguiente, el tema de las finanzas estatales nos interesa por su imbricación en los mercados de dinero y de capital. Las finanzas estatales fueron objeto de un proceso de reforma y modernización profundas durante el período que nos ocupa. Los primeros esfuerzos por ordenar el sistema de gastos e ingresos estatales en un presupuesto se remontan al reinado de Fernando VII; también se elaboraron algunos presupuestos durante la cuarta década del siglo; pero la práctica de elaboración y publicación anual del presupuesto quedó definitivamente consagrada con la llamada Reforma Mon-Santillán de 1845. Este paso importantísimo en la ordenación de las actividades económicas y financieras del Estado no fue, sin embargo, bastante para lograr un equilibrio entre los gastos y los ingresos del gobierno; la consecuencia de este desequilibrio, que se perpetuó hasta entrado el siglo XX, fue una constante posición deudora del Estado, o, lo que es lo mismo, un crecimiento constante de la Deuda pública, crecimiento que vino acompañado por un frecuente descuido, impuntualidad e incluso repudio en los pagos, con el consiguiente deterioro del crédito público. La consecuencia de este creciente endeudamiento del Estado y esta degradación de su posición crediticia no podía ser sino un encarecimiento en los precios del dinero y del capital en los mercados españoles, como en efecto sucedió. Los altos tipos de interés y el déficit crónico en el presupuesto, junto con otras anomalías en los mercados monetario y financiero tenían forzosamente que repercutir en ámbitos muy diversos de la economía, desde la balanza de pagos hasta el desarrollo de la industria, pasando por la oferta monetaria, la estructura del sistema bancario y la formación de capital.

Tengamos en cuenta que de lo dicho hasta ahora se desprende que en la economía española, durante la segunda mitad del XIX, hubo tres grandes y prioritarios demandantes de capital: el Estado, la desamortización y los ferrocarriles. (El primero y el segundo se yuxtaponen en gran parte, el primero y el tercero en pequeña parte). El problema que se plantea al historiador, por tanto, es el siguiente: aun teniendo en cuenta que se importó una considerable cantidad de capital extranjero (no podía ser de otra manera, dadas las circunstancias), y dado el bajo nivel de ahorro generado por una economía pobre como lo era la española, ¿no quedarían los sectores restantes, con menos capacidad de negociación en el mercado, como la industria manufacturera, la pequeña y media propiedad agrícola, la educación, varias ramas del transporte y del comercio, privados de un capital que les era vital en las primeras etapas del crecimiento? Los indicios de que fue así son numerosos.

Examinemos ahora cuál fue el papel del sistema bancario y monetario dentro de la economía española del siglo XIX. Hemos visto que la transición es la nota predominante. ¿Cómo se manifiesta? En primer lugar, con la modernización del sistema monetario, proceso que se lleva a cabo en varios planos. Por un lado hay una serie de reformas que imponen la moneda decimal y unifican el sistema. Durante el primer tercio del siglo XIX coexistían en España varios sistemas monetarios de distintas épocas y regiones, ninguno de ellos decimal, junto con abundante moneda extranjera y ultramarina; la mezcolanza de piezas y la confusión de sistemas causaban incertidumbre y dificultaban las transacciones [80, 5-33]. Los primeros intentos de reforma se materializaron en las leyes de 1848 y 1864, que dieron pasos bien intencionados pero insuficientes hacia la modernización del sistema monetario. La ley de 1848 implantaba un sistema bimetalista con el *real* como unidad básica. Una serie de problemas impidió que la ley alcanzara sus objetivos: entre estos problemas los más importantes son, en primer lugar, que el gobierno no llegó a efectuar la drástica reacuñación que la implantación del nuevo sistema requería y, en segundo lugar, que el precio del oro comenzó a descender en los mercados internacionales a partir de 1850, lo cual hizo que la plata tendiera a desaparecer de la circulación y el oro quedase como patrón *de facto* en España. En un intento de resolver estos problemas, la reforma de 1864 implantó el *escudo*, o medio duro, dividido en diez reales, como unidad monetaria, y trató de adaptar las equivalencias oficiales de oro y plata a los precios de mercado. La importancia de estas medidas estribó más en la plasmación de una idea de sistematización que en ningún logro concreto. Su interés está en que trataban de sustituir un sistema dinerario de pleno contenido, heterogéneo y abigarrado, como herencia que era de un pasado azaroso y premoderno, por un sistema único, simple y homogéneo, que había de facilitar inmensamente las transacciones. Esto se logró gradualmente tras la reforma de 1868, cuyas dos principales novedades son la instauración de una nueva unidad monetaria, la *peseta,* que ha llegado hasta nuestros días, y la creación de un sistema de patrón bimetálico oro-plata, que no duró ni quince años.

Poco comentario requiere la entronización de la peseta como unidad oficial, como no sea el señalar que, de origen catalán (etimológicamente podría traducirse por «piececita») que se remonta probablemente al siglo XVII, debió su éxito no al hecho de ser también catalán el ministro de hacienda que firmó su implantación (Laureano Figuerola) sino a que, de las monedas que por entonces circulaban por el ámbito nacional, era aquella que por su valor más se aproximaba al franco, que era la unidad básica de la Unión Monetaria Latina, acuerdo monetario internacional al que Figuerola y sus colegas en el ministerio progresista del momento querían que España se adhiriese. La peseta de cuatro reales (de 25 céntimos cada uno) no se impuso, naturalmente, de la noche a la mañana, pero su uso fue generalizándose durante las últimas décadas del siglo gracias a las acuñaciones que se llevaron a cabo con arreglo a la nueva ley y a otro fenómeno importante de transición monetaria del que hablaremos dentro de un momento: la creciente circulación del billete de banco, que, emitido exclusivamente por el Banco de España a partir de 1874, contribuyó poderosamente a la difusión de la nueva unidad de cuenta.

Si la peseta como unidad monetaria resultó ser bastante duradera, el sistema bimetalista que la ley de 1868 creó vino a ser muy efímero. La principal virtud del bimetalismo es que, al utilizar dos metales (generalmente oro y plata) como base, permite una mayor expansión de la oferta monetaria; pero su gran inconveniente estriba en que para que ambos metales se acepten indistintamente se requiere una paridad oficial a la que el Estado convierte un metal en otro; pero si esta paridad no coincide con el precio de mercado, los particulares encontrarán lucrativo comprar en el mercado de metal que está barato y vendérselo al Estado a la paridad oficial; o, a la inversa, retirar de la circulación las monedas del metal caro y venderlas en el mercado —fundidas o no— a mayor precio que el oficial. Se conoce este fenómeno en economía como la «ley de Gresham»: la moneda mala desplaza a la buena. Así había ocurrido en Europa a partir de 1850, en que la puesta en explotación de nuevas minas de oro hizo descender el valor de este metal, con lo que la plata desapareció de la circulación. Con objeto de mantenerla en circulación se creó la Unión Monetaria Latina; pero con tan mala fortuna que pocos años más tarde, hacia 1870, la tendencia se invirtió por el descubrimiento de nuevas minas de plata en Estados Unidos y por el abandono del patrón plata o del bimetálico por algunos países, Alemania entre ellos. El resultado fue que en los países bimetalistas ahora era la plata la que volvió a circular y el oro el que tendía a desaparecer. Ante esta situación los países bimetalistas podían hacer tres cosas: la primera, adoptar una actitud pasiva, con lo cual sería cuestión de tiempo el que la plata desplazase al oro y se contratase con un sistema monometalista plata *de facto;* la segunda sería desmonetizar la plata, es decir adoptar el patrón oro; y la tercera sería tratar de mantener el patrón bimetálico cambiando frecuentemente la paridad oro plata para mantenerla cercana al precio de mercado. Esta última solución parece la más lógica si se quiere realmente mantener el bimetalismo, pero tiene un grave inconveniente: la intensa especulación a que darían lugar los sucesivos cambios de paridad, con la peligrosa secuela de alicientes a la corrupción de funcionarios y miembros del gobierno. De hecho, los países de la Unión Monetaria Latina y la mayor parte de los demás bimetalistas terminaron por abandonar la plata y adoptar el patrón oro *de iure* o *de facto.* Pero España, y esto es lo que nos interesa aquí, adoptó la primera solución, la pasiva, con lo cual se encontró, durante la década de 1880, con un patrón plata *de facto.* En un país donde hacia 1865 la base del sistema monetario la constituía el oro, veinte años más tarde el metal amarillo había dejado de circular.

La importancia de la desaparición del oro de la circulación en España trasciende la puramente anecdótica, por dos razones principalmente. La primera porque el abandono del metal amarillo por parte de España tiene lugar cuando la mayor parte de los países adelantados, con los cuales efectúa casi todo su comercio, están adoptando el patrón oro, lo cual contribuye a aislar al país económicamente. La segunda, porque la baja persistente del valor de la plata en el mercado hace que el valor real de la moneda circulante sea mucho menor que el de su cuño (en 1886, la plata contenida en una moneda de peseta tenía un valor real de 75 céntimos), lo cual quiere decir que la plata actúa como moneda fiduciaria, esencialmente con las mismas características que la moneda fraccionaria o que el billete de banco. Por consiguiente, dado que el acuñar moneda (de plata) resultaba provechoso, no había límites automáticos a la cantidad de dinero en circulación, ya que el bajo precio de la plata se debía a su gran abundancia. En esto se diferenciaba, a partir de 1870, del oro, que tenía altos precios por su escasez, lo cual limitaba la posibilidad de extender indefinidamente la oferta monetaria en aquellos países que practicaban el patrón oro. El patrón plata español, por tanto, era de hecho un patrón fiduciario, idéntico en esencia a los que rigen hoy en todos los países del mundo, en que la oferta monetaria no está sujeta a ningún límite salvo el que los gobiernos imponen discrecionalmente. Ello permitió que la política monetaria y el nivel de precios español se apartaran algo de los del resto de Europa occidental, aunque la autoridad monetaria española hizo repetidos esfuerzos por mantener normativamente una disciplina parecida a la que el patrón oro establecía de modo más automático.

Al tiempo que la plata sustituía al oro, dos nuevos componentes de la oferta monetaria pasaban de representar una proporción insignificante hacia 1830 y muy pequeña en 1850, a significar más de la mitad de la oferta monetaria al terminar el siglo; estos nuevos componentes, que hoy suponen conjuntamente la totalidad de esta importante variable macroeconómica, son el billete de banco y las cuentas corrientes. La circulación de billetes pasó de una cantidad muy pequeña (aunque indeterminada) en 1830 a unos 30 millones de pesetas en 1850 y a unos 1600 millones a fines de siglo. En cuanto a las cuentas corrientes, los totales son difíciles (imposibles) de establecer, porque nos falta información de varios bancos; pero baste indicar que las del Banco de España evolucionaron, entre 1850 y 1900, de 25 a 700 millones aproximadamente.

Junto con estas modificaciones en la composición de la oferta monetaria tuvo lugar un gran crecimiento en su volumen total, que quizá se triplicó entre 1850 y 1900. La desaparición del oro se vio mucho más que compensada por el crecimiento de los otros componentes.

Paralelamente a la transición monetaria tuvo lugar una transición en la banca, que consistió esencialmente en el paso, a partir de un estado embrionario, a uno relativamente diversificado aunque muy lejos aún, por cierto, de lo que pudiéramos llamar madurez. Tomando en cuenta nada más los bancos incorporados en forma de sociedad anónima (los banqueros privados son de muy difícil rastreo y censo), el censo bancario pasó de contar un solo elemento (el San Fernando) en 1830 a incorporar unos tres o cuatro bancos a mediados de siglo, hasta registrar unos cincuenta hacia 1900, sin contar las 58 sucursales del Banco de España que había en esta última fecha.

Nuestro período se inicia con la fundación del Banco Español de San Fernando en 1829. El San Fernando era un banco oficial de emisión y descuento, que vino a reemplazar a su antecesor, el Banco Nacional de San Carlos, creado en 1782 y prácticamente quebrado desde principios de siglo por haber sido encargado de la administración de la Deuda pública, los tristemente célebres *Vales reales*, que el gobierno nunca pagó. En cierta manera la fundación del San Fernando fue una solución a la larga crisis de los vales reales, ya que estuvo basada en un «arreglo» entre el Estado y los accionistas del San Carlos por el cual estos renunciaban a sus créditos contra aquel a cambio de acciones del nuevo banco; ello implicaba que los accionistas se contentaran con recibir un real por cada ocho que se les debía; pero en la situación desesperada en la que se encontraban desde hacía nada menos que treinta años, no les quedaba más remedio que aceptar.

Durante sus primeros quince años, el Banco de San Fernando emitió billetes en pequeñas cantidades y descontó letras, pero, sobre todo, prestó al gobierno. Con pocas variaciones, ese había de ser su papel durante el resto de su vida. En 1844 se fundaron dos sociedades bancarias más, el Banco de Isabel II (en Madrid) y el Banco de Barcelona. El

Isabel II inmediatamente se convirtió en rival del de San Fernando. La competencia entre ambos bancos hizo que la circulación fiduciaria se multiplicara y el crédito se abaratara en Madrid, pero al cabo de poco tiempo la crisis de 1847-1848 y la temeridad e inexperiencia de ambas instituciones, en especial del Isabel II, pusieron a los dos al borde de la quiebra. El gobierno no encontró más solución que la fusión de ambos, de la cual surgió el Nuevo Banco Español de San Fernando, que, abrumado por el pasivo del Isabel II (que había hecho grandes préstamos a compañías que resultaron insolventes), llegó a 1850 en situación de virtual suspensión de pagos, aunque a la larga logró recuperarse. La Ley de Bancos de Emisión de 1856 lo rebautizó con el nombre de Banco de España.

El Banco de Barcelona, con privilegio de emisión en la ciudad condal, capeó mucho mejor la crisis gracias a una política prudente y conservadora, que lo convirtió en el banco privado de más peso y prestigio durante todo el siglo. El tercer banco de emisión fundado antes de 1850, el de Cádiz, comenzó como sucursal del Isabel II y se independizó al fusionarse este con el San Fernando [95, cap. II].

El medio siglo a partir de 1850 puede subdividirse para nuestros propósitos en dos períodos de longitud casi idéntica, con el año 1874 como divisoria.

1. LOS AÑOS 1850-1874

El primer período es de grandes fluctuaciones. Comienza con una economía deprimida de resultas de la crisis de 1848 y a través de la expansión (no exenta de interrupciones) de 1854 a 1864, entra en un período azaroso e incierto que comprende la crisis de 1866, la Revolución de 1868, la guerra de Cuba, la proclamación y la abdicación de Amadeo I, la sublevación cantonal y la guerra carlista. Si el período es agitado desde los puntos de vista económico y político, también lo es desde el de la historia bancaria. En efecto, en el corto espacio de esos veinticinco años el sistema bancario experimentó una fuerte expansión (1855-1864), seguida de una fuerte crisis y contracción (1864-1870), para terminar en un proceso de reconversión a una nueva estructura cuyo paso más importante se da con la disolución de los bancos provinciales de emisión y la concesión del monopolio de emisión al Banco de España.

Examinemos brevemente las etapas más sobresalientes de esta agitada evolución. La crisis de 1848 había interrumpido el primer proceso de expansión bancaria en la España contemporánea. La legislación y la política antiexpansionistas que acompañaron a la depresión mantuvieron a la banca en un estado embrionario hasta 1855, aunque una cierta recuperación postcíclica y la intensa actividad mercantil provocada por la guerra de Crimea estimularon las presiones de los medios financieros en favor de una política más expansiva. Esta vino con la legislación progresista de 1855-1856, que abrió la mano en materia de empresas ferroviarias y bancarias, pero no en materia de sociedades industriales o mercantiles. Consecuencia de esta nueva política fue el gran crecimiento de empresas ferroviarias y bancarias. Dos tipos de bancos aparecieron siguiendo las directrices marcadas por la legislación: de un lado, bancos de emisión, a razón de uno por plaza, autorizados para emitir billetes con arreglo a unas normas de encaje metálico bastante estrictas y a practicar préstamos y descuentos casi exclusivamente. Por otro lado, las llamadas «sociedades de crédito», bancos de negocios de estructura inspirada en el «Crédit Mobilier» francés, sin capacidad para emitir billetes, pero con amplias facultades para participar en toda clase de negocios. Era prácticamente inevitable que este sistema bancario improvisado, en lugar de contribuir al desarrollo de la industria o de la agricultura, volcase su capacidad crediticia al servicio de las compañías ferroviarias, cuya estructura societaria, actividad intensa y, sobre todo, apoyo oficial, las hacían campo aparentemente muy atractivo para la inversión. El crecimiento del sistema bancario durante estos años es notable: el número de bancos de emisión pasó de tres a 20 y el de sociedades de crédito de cero a 35 durante los diez años que siguieron a la legislación progresista. Si contamos algunas otras sociedades bancarias que no encajan en estas categorías, más las dos sucursales entonces existentes del Banco de España, un sistema que apenas contaba con cinco o seis sociedades bancarias en 1855 (los Bancos emisores de Madrid —con el nombre de Banco de San Fernando, luego de España—, Barcelona y Cádiz, más algún que otro banco en Barcelona, Zaragoza y Valencia) alcanzaba los 60 establecimientos dos lustros más tarde. Pero tras este fulminante crecimiento se ocultaban profundos defectos estructurales, el más importante de los cuales era la falta de diversificación en los activos: la mayor parte de estos se concentraba en préstamos a las compañías ferroviarias y casi todo el resto se había invertido en Deuda pública. Cuando, hacia 1864, se descubrió que el tráfico ferroviario no bastaba para cubrir ni los gastos variables de la mayor parte de las compañías, que se vieron obligadas a suspender pagos, las consecuencias para la banca fueron las previsibles: muchos establecimientos también suspendieron pagos, y no pocos cerraron sus puertas definitivamente, dejando muchos millones en deudas impagadas. Siguió un pánico financiero y bursátil y, pocos años más tarde, la Revolución de 1868.

En el decenio que sigue a 1865 el número de bancos se redujo drásticamente. A principios de 1874 la cifra no estaba muy por encima de 15, de los cuales la mayoría eran bancos de emisión; las sociedades de crédito, que eran las que más se habían comprometido en sus préstamos a los ferrocarriles, desaparecieron tan rápidamente como habían llegado. Casi la única que sobrevivió estos avatares, aunque muy disminuida en su capital y actividad, fue el Crédito Mobiliario Español, la primera y mayor de las fundadas con arreglo a la ley de 1856. Entre 1870 y 1874 aparecieron nuevos bancos, no muchos, de aspiraciones más modestas, dedicados principalmente al crédito hipotecario, modalidad casi totalmente descuidada en años anteriores [95, caps. III, IV, VII y VIII].

La oferta monetaria durante este período se mantuvo claramente dentro del esquema de pleno contenido: oro y plata constituían aproximadamente el 90 % de la circulación. Pese al gran desarrollo del sector bancario, el dinero creado por este (billetes más cuentas corrientes) se mantuvo en proporciones pequeñas, aunque posiblemente creció a más velocidad que la moneda metálica. En total, la composición de la oferta monetaria queda reflejada de manera aproximativa en la siguiente tabla:

Cuadro 1

Composición aproximada de la oferta monetaria hacia 1865
(en millones de pesetas)

Billetes	100
Cuentas corrientes	60
Plata	250
Oro	1 100
OFERTA MONETARIA	1 510

Esta estimación, basada principalmente en los trabajos de Rafael Anes y en los míos propios [29], incluye el encaje bancario, que habría que deducir para poder hablar propiamente de dinero en circulación. El encaje bancario en 1865 era de unos 60 millones. Lo aproximado del cuadro se debe principalmente a lo incierto de la información que poseemos acerca de las actividades monetarias de las sociedades de crédito. Los bancos de emisión estaban obligados legalmente a publicar balances relativamente claros; las sociedades de crédito tenían más libertad, e hicieron uso de ella publicando pocas cuentas y confusas. De modo que no podemos estar seguros acerca de sus cuentas corrientes; y, aunque sabemos que, pese a la prohibición, algunas emitieron papel moneda, tampoco sabemos con exactitud cuántas lo hicieron ni en qué volumen.

2. LOS AÑOS 1874-1900

La segunda etapa, aunque no exenta de fluctuaciones, no presenta altibajos tan bruscos como la que acabamos de comentar; durante ella los sistemas monetario y bancario adquirirán algunos de sus rasgos más duraderos. Quizás el acontecimiento más trascendental de este lapso tenga lugar a su comienzo: la investidura en el Banco de España del monopolio de emisión de billetes para todo el ámbito nacional. La razón de esta investidura tuvo muy poco que ver con consideraciones de política monetaria, aunque probablemente, dadas las peculiares características del sistema monetario español, la medida era inevitable a plazo medio: un sistema de patrón fiduciario necesita un mínimo de centralización en la creación de dinero. Dice Adam Smith, en el capítulo X de *La riqueza de las naciones*, que la concesión de privilegios por la corona inglesa rara vez se hizo para favorecer el interés público, sino más bien para «extraer dinero» al beneficiario del privilegio; esta máxima se transpone perfectamente al «Gobierno provisional de la República española» a principios de 1874[1] que, desesperadamente falto de medios, concedió el monopolio de emisión al Banco de España para obtener de este un préstamo a fondo perdido por la entonces fabulosa suma de 125 millones de pesetas. Además del monopolio, el Banco fue autorizado a emitir billetes por encima del duplo de lo que había podido emitir hasta entonces, tope que nunca había alcanzado ni de lejos. A partir de este importante jalón en su historia, el Banco utilizó a fondo el privilegio de emisión, al tiempo que prestaba generosamente al Tesoro. Con esto el Banco, en esencia, lo que hacía era, en frase que ha hecho fortuna, «monetizar la Deuda pública». El Banco prestaba al gobierno, y el público, al aceptar los billetes, prestaba al Banco.

Así resultó que el volumen de billetes en circulación —parte cada vez más importante de la oferta monetaria— vino a depender mucho más de los problemas presupuestarios del Estado que de las directrices de una determinada política monetaria. El volumen de billetes en circulación aumentó muy rápidamente durante el último cuarto de siglo, a una tasa del 11 % anual, que implica que el volumen se doblase cada seis años y medio. A esta velocidad pronto se alcanzó el tope de emisión, pero el gobierno fue aumentando este a medida que se necesitaba.

En el momento de recibir el Banco de España el monopolio de emisión había en el país unos quince bancos de emisión en funcionamiento (alguno, sin embargo, solo funcionaba de manera nominal). La mayor parte de estos fueron anexionados voluntariamente al Banco de España, que los convirtió en sucursales, y abrió algunas otras. Así, el Banco, que no había tenido más que dos sucursales (en Alicante y Valencia) durante el período anterior, se encontró a finales de 1874 con unas 17; y continuó su política de expansión hasta alcanzar 58 a fines de siglo. Esta política de expansión no dejó de plantear problemas de competencia y rivalidad en varias plazas, sobre todo en aquellas donde había tradición bancaria, como Barcelona y Bilbao. Pero el Banco de España contó con el apoyo firme del gobierno cualquiera que fuese el partido en el poder, y estos problemas nunca le afectaron seriamente.

En diciembre de 1872 se había fundado el Banco Hipotecario bajo auspicios oficiales y por motivos muy similares a los que propiciaron el otorgamiento del monopolio de emisión al Banco de España. El Banco Hipotecario pronto disfrutó de su monopolio propio de emisión, no de billetes, sino de obligaciones hipotecarias. Hay motivos sobrados para suponer que el Banco Hipotecario, al menos durante su primer cuarto de siglo, hizo más honor a su origen que a su nombre, es decir, prestó más al Estado que a los particulares, de modo que contribuyó a complementar la labor de banquero del Estado que llevaba a cabo el Banco de España: este prestaba al Estado preferentemente a corto plazo, con fondos recaudados mediante la emisión de billetes; el Hipotecario prestaba a largo plazo con fondos que procuraba mediante la emisión de obligaciones hipotecarias. El Banco Hipotecario es el primer integrante de un grupo que durante el siglo XX se hará numeroso: los institutos de crédito oficial.

Este período se inicia con una situación de desmantelamiento general en la banca privada, que se completa con la absorción por el Banco de España de la mayor parte de los emisores. Esto dejó reducida la banca privada a un puñado de instituciones cuyo abolengo y envergadura les habían permitido resistir tantos embates y conservar el optimismo suficiente para rechazar las ofertas del nuevo monopolista; los más importantes de estos supervivientes fueron los bancos de Barcelona, Bilbao y Santander, más el ya mencionado Crédito Mobiliario. De modo que este último cuarto de siglo fue un período de reconstrucción, mucho más gradual que el crecimiento de los años 1855-1864, del sistema bancario. Además de la relativa lentitud en el desarrollo, fueron notas distintivas del proceso el predominio de la banca mixta, la importancia mucho menor de los negocios ferroviarios, el eclipse de la banca andaluza, la especialización de Madrid en el crédito oficial, el inicio de la decadencia de la banca catalana y el auge poderoso de la banca vasconavarra.

La división legal de los bancos entre los de emisión y los de negocios, o sociedades de crédito, tiene una clara justificación doctrinal. Los bancos emisores obtenían la mayor parte de sus recursos ajenos en forma de pasivo exigible a corto plazo (billetes y cuentas corrientes) y, por lo tanto, se especializaban en operaciones a corto plazo también (préstamos y descuentos). Las sociedades de crédito obtenían sus recursos a largo plazo (capital y obligaciones) y podían comprometer una parte sustancial de sus activos en créditos a largo plazo también (promoción de empresas, suscripciones, préstamos renovables). Pero en la práctica la división no tuvo éxito, mayormente porque las sociedades de crédito hicieron mal uso de sus prerrogativas. Entretanto, algunos bancos de emisión, como los de Santander y Bilbao, comenzaron a simultanear sus actividades comerciales con la obtención de fondos a largo y su empleo en la promoción y el crédito a empresas. Esta modalidad continuó practicándose durante el último cuarto del siglo sobre todo en el País Vasco, con éxito creciente por el Banco de Bilbao y más tarde también por el Banco del Comercio. No cabe duda que el gran auge económico de Bilbao, debido en gran parte pero no exclusivamente a la exportación y a la metalurgia del hierro, creó una demanda para este nuevo tipo de banca, que durante estos mismos años triunfaba inequívocamente en el país europeo de más rápido y profundo desarrollo industrial, Alemania.

En Cataluña, por contraste, sea porque una más larga tradición bancaria y comercial obstruyó el impulso innovador de sus banqueros, sea porque por razones sociológicas o estructurales la industria allí predominante, la textil, no demandara ese tipo de servicios bancarios, la banca mixta no prosperó; pero tampoco prosperó la especializada, porque a partir de 1884 aproximadamente la mayor parte de las instituciones bancarias catalanas, tanto comerciales como de negocios, iniciaron un largo proceso de contracción que terminó con la desaparición de casi todas y culminó, unos treinta años más tarde, en la sonada quiebra del octogenario Banco de Barcelona.

En cuanto al sistema monetario, lo más sobresaliente en estos años son los fenómenos que antes estudiamos: expansión considerable de la oferta monetaria en su conjunto (si bien es verdad que en los países adelantados el crecimiento de esta magnitud fue mucho mayor); y cambio radical en su composición, con la desaparición del oro y el predominio absoluto de la moneda fiduciaria, de plata y billetes, con una presencia creciente de las cuentas corrientes.

Cuadro 2

Stock monetario y oferta monetaria en 1900 (millones de pesetas)

Billetes		1 600
Cuentas corrientes		960
Plata		1 300
Oro		395
STOCK MONETARIO		4 255
(Encaje oro	395)	
(Encaje plata y billetes	610)	
ENCAJE		—1 005
OFERTA MONETARIA		3 250

El cuadro 2, cuya fuente es esencialmente la misma que la del anterior (incluyendo también el trabajo de Pedro Tedde) [4; 89; 94], no requiere mucha explicación. Comparado con el cuadro 1 revela numéricamente los fenómenos monetarios que venimos comentando.

3. CONCLUSIONES

Para concluir, recapitulemos las afirmaciones de más trascendencia contenidas en este trabajo.

1. Desde el punto de vista monetario y bancario, el siglo XIX es un período de transición incompleta. Una medida del relativo atraso del sistema bancario al finalizar el siglo nos la da la abrumadora importancia relativa que conservaba el Banco de España. Basta un dato: sus cuentas corrientes eran el 70 % del total bancario. En sistemas más evolucionados, el banco central tiene mucho menos peso relativo. El sector privado iba aún a experimentar cambios y sobre todo adiciones importantes. El Crédito Mobiliario se convertiría al comenzar el siglo XX en el Banco Español de Crédito; se fundarían también por esas mismas fechas el Banco Hispano Americano y el Banco de Vizcaya. Más tarde aparecerían el Urquijo y el Central. Tanto la banca privada como la oficial sufrirían aún profundas alteraciones.

2. En esta época se consagra, precozmente, el patrón fiduciario en España. El patrón oro, abandonado entre 1873 y 1883, no se vuelve a recuperar jamás, pese a repetidos intentos. Este factor, junto con el déficit crónico de la balanza comercial, hace que la peseta esté sujeta a devaluaciones periódicas en los momentos en que una crisis de confianza (política, militar o de cualquier otro tipo) corta el flujo de capital extranjero que financiaba el déficit en los pagos exteriores corrientes: ejemplos clásicos son las depreciaciones durante la guerra de Cuba y en los últimos años de la dictadura de Primo de Rivera.

La implantación del patrón fiduciario no fue una política deliberada sino más bien, como dicen los franceses, un *pis aller:* lo prueban los continuos esfuerzos por retornar al patrón oro. La consecuencia fue que en ningún momento se utilizó la política monetaria como estímulo al desarrollo. En lugar de devaluar para fomentar las exportaciones, las crisis de depreciación iban inevitablemente seguidas de drásticas políticas de austeridad de efectos netamente depresivos. Pero esto ya es entrar en el siglo XX. En todo caso, esta precocidad en la implantación del patrón fiduciario, por a regañadientes que fuese, da un carácter marcadamente original a la historia monetaria española en el contexto de la Europa occidental.

3. La evolución del sector bancario revela la búsqueda de una estructura adecuada para la financiación del crecimiento, de utilización de la banca como instrumento de desarrollo, de acuerdo con lo teorizado por Schumpeter, Gerschenkron o Cameron [15; 41; 81]. En la etapa primera hay una consciente imitación de Francia en lo relativo a sociedades de crédito, que fracasan por razones análogas a las del fracaso del Crédit Mobilier francés: temeridad, inexperiencia y una peligrosa desproporción entre inversiones y activos líquidos. En la segunda etapa,

junto con la exclusividad del monopolio de emisión otorgada al Banco de España, hay mayor discrecionalidad en la organización de la banca privada, y profundas alteraciones en su estructura organizativa y geográfica.

Uno de los fenómenos de este período más debatidos posteriormente es el de la decadencia de la banca catalana. Las causas, sin duda complejas, pueden resumirse con la siguiente frase: las desventajas de ser adelantado. Del lado de la oferta de crédito, los éxitos admirables de la fórmula del Banco de Barcelona durante tantos años, dieron sin duda a los banqueros catalanes (que es casi tanto como decir barceloneses) un apego a las prácticas establecidas que les impidió darse cuenta de que había llegado el momento de cambiar. (Y cuando lo hicieron, ya en el siglo XX, demostraron una lamentable impericia en las nuevas prácticas.) Del lado de la demanda, la industria con mayor arraigo en Cataluña, la textil, es tradicionalmente una industria que recurre poco a la financiación exterior. Este es el caso de la inglesa y de la francesa, y lo es también de la catalana. En Cataluña la industria textil dio el tono, y difundió la aversión a una estrecha dependencia entre industria y banca. Tallada describe expresivamente esta actitud del industrial catalán, para quien pedir un préstamo era un trago humillante [86]. Cuando nació la demanda para una banca mixta fue la banca no catalana la que tenía experiencia y la que compitió con éxito con la catalana en su propio territorio.

En el País Vasco, por el contrario, la banca nació con una inclinación por las actividades de tipo mixto, de ayuda y compenetración con la gran empresa. Apoyada en el rápido desarrollo económico de la región y en la formidable capacidad de ahorro de los ciudadanos, la banca vasca se estableció firmemente durante el último cuarto del XIX e incluso comenzó a extender sus actividades y sucursales fuera de la zona.

Para terminar señalemos que el caso español durante el siglo XIX, y durante el actual, parece ajustarse bastante a las hipótesis de Gerschenkron acerca del papel de los bancos en países relativamente atrasados, sustituyendo a los mecanismos de mercado en la generación de fondos prestables y en la promoción de empresas industriales. En esto España encaja claramente dentro del mismo grupo que Alemania o Japón, donde los bancos han tenido una función tan crucial dentro del proceso de industrialización y modernización.

NOTAS DEL CAPÍTULO VIII

1. Es el gobierno del general Serrano, después del golpe de Estado de Pavía, con Echegaray como ministro de Hacienda.

CAPÍTULO IX

El papel del gobierno en la economía: la política fiscal, la política comercial y la política monetaria

De esta moderna propiedad privada surge el Estado moderno, el cual, adquirido gradualmente por los propietarios por medio de los impuestos, ha caído enteramente en sus manos a través de la Deuda pública; y cuya existencia ha venido a depender totalmente de las alzas y las bajas de los fondos del Estado en la Bolsa, y del crédito comercial que los poseedores de propiedad, los burgueses, le conceden.

KARL MARX Y FRIEDRICH ENGELS, *Die Deutsche Ideologie* (Berlín: Dietz Verlag, 1953), p. 61. Traducción G.T.C.

1. LA POLÍTICA FISCAL: EL PRESUPUESTO

El de la Hacienda en el siglo XIX es uno de los problemas clave de la economía española. En todos los países lo es, cierto, pero lo es tanto más en aquellos, como España, en que el desequilibrio entre ingresos y gastos hace que el papel del presupuesto en la economía no sea «neutral». Naturalmente, el concepto de neutralidad es muy discutible. Pero vayamos por partes.

Lo primero que salta a la vista al examinar los presupuestos del Estado español es un déficit crónico, esto es, que los gastos sean ordinaria-

Cuadro 1

DEUDA PÚBLICA, INGRESOS, GASTOS Y DÉFICIT PRESUPUESTARIOS, 1850-1907
(en millones de pesetas)*

Año	(1) Ingresos brutos	(2) Deuda pública	(3) Ingresos netos	(4) Gastos	(5) Saldo	(6) Déficit % Gasto
1850	318,2	0,0	318,2	320,5	− 2,3	0,7
1851	414,0	0,0	314,0	346,9	− 32,9	9,5
1852	335,3	0,0	335,3	344,4	− 9,1	2,6
1853	349,6	1,3	348,3	353,2	− 4,9	1,4
1854	361,7	12,4	349,3	360,3	− 11,0	3,1
1855	371,3	57,8	313,5	354,5	− 41,0	11,6
1856	450,6	65,0	385,6	448,8	− 63,2	14,1
1857	491,8	60,0	431,8	484,9	− 53,1	11,0
1858	464,3	14,7	449,6	490,5	− 40,9	8,3
1859	497,4	16,0	481,4	505,6	− 24,2	4,8
1860	577,1	33,1	544,0	594,4	− 50,4	8,5
1861	568,8	49,3	519,5	630,2	−110,7	17,6
1862**	527,2	0,0	527,2	649,8	−122,6	18,9
1863	577,0	27,4	549,6	657,2	−107,6	16,4
1864	877,3	361,9	515,4	684,4	−169,0	24,7
1865	601,4	26,2	575,2	694,5	−119,3	17,2
1866	574,8	0,0	574,8	640,2	− 65,4	10,2
1867	766,6	204,0	562,6	634,1	− 71,5	11,3
1868	746,2	258,4	487,8	639,3	−151,5	23,7
1869	594,7	155,1	439,6	644,6	−205,0	31,8
1870	682,7	237,1	445,6	670,5	−224,9	33,5
1871	522,1	72,9	449,2	574,5	−125,3	21,8
1872	487,7	20,7	467,0	501,3	− 34,3	6,8
1873	600,2	106,1	494,1	525,7	− 31,6	6,0
1874	687,8	80,6	607,2	610,7	− 3,5	0,6
1875	636,2	21,4	614,8	711,5	− 96,7	13,6
1876	1 165,4	493,3	672,1	640,6	+ 31,5	0,0
1877	884,9	168,1	716,8	728,3	− 11,5	1,6
1878	954,6	224,1	730,5	754,7	− 24,2	3,2
1879	706,3	0,8	705,5	791,0	− 85,5	10,8
1880	735,5	0,5	735,0	811,3	− 76,3	9,4
1881	1 081,0	308,9	772,1	784,1	− 12,0	1,5
1882	819,0	7,0	812,0	794,9	+ 17,1	0,0
1883	821,3	19,6	801,7	843,2	− 41,5	4,9
1884	815,3	14,2	801,1	842,7	− 41,6	4,9
1885	798,5	0,5	798,0	884,5	− 86,5	9,8
1886	866,4	2,1	864,3	888,6	− 24,3	2,7
1887	786,9	39,1	747,8	828,1	− 80,3	9,7
1888	730,6	33,0	697,6	833,0	−135,4	16,3
1889	746,3	10,0	736,3	821,9	− 85,6	10,4
1890	747,0	0,0	747,0	822,6	− 75,6	9,2
1891	745,0	0,0	745,0	820,8	− 75,8	9,2
1892	707,4	0,0	707,4	754,4	− 47,0	6,2
1893	736,1	0,0	736,1	707,2	+ 28,9	0,0
1894	727,7	0,0	727,7	773,0	− 45,3	5,9
1895	732,8	0,0	732,8	802,3	− 69,5	8,7
1896	793,0	30,6	762,4	806,3	− 43,9	5,4

Año	(1) Ingresos brutos	(2) Deuda pública	(3) Ingresos netos	(4) Gastos	(5) Saldo	(6) Déficit % Gasto
·1897	774,7	45,3	729,1	872,3	−143,2	16,4
1898	868,1	89,1	779,0	902,5	−123,5	13,7
1899***	928,5	28,3	900,2	862,6	+ 37,6	0,0
1900	914,3	16,6	897,7	856,5	+ 41,2	0,0
1901	959,1	0,0	959,1	930,7	+ 28,4	0,0
1902	957,9	0,0	957,9	905,1	+ 52,8	0,0
1903	978,4	0,0	978,4	974,0	+ 3,6	0,0
1904	979,5	0,0	979,5	949,1	+ 30,4	0,0
1905	975,9	0,0	975,9	937,9	+ 38,0	0,0
1906	1 038,2	0,0	1 038,2	968,5	+ 69,7	0,0
1907	1 026,9	0,0	1 026,9	982,4	+ 44,5	0,0

* Puede haber discrepancias en los decimales por redondeo.

** A partir de aquí, años julio a junio (1863 = julio 1863 - junio 1864, etc.). La cifra de 1862 es 2/3 de la que la *Estadística* ofrece para «1862 y seis primeros meses de 1863».

*** A partir de aquí se vuelve a los años naturales. El valor de 1899 (para el que la *Estadística* solo ofrece el segundo semestre) se ha obtenido dividiendo por 4 la suma de las cifras correspondientes a 1898-1899 y 1900, y sumando la resultante a la cifra del primer semestre de 1899-1900 (es decir, segundo semestre del año natural 1899).

Fuente: Calculado a partir de la *Estadística de los Presupuestos*, vols. de 1891 y 1909.

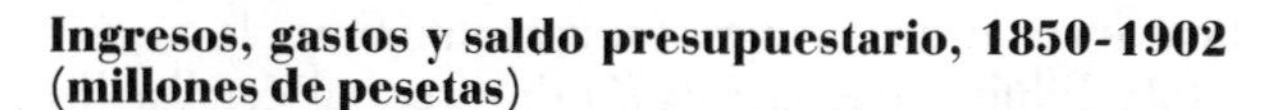

Ingresos, gastos y saldo presupuestario, 1850-1902 (millones de pesetas) X

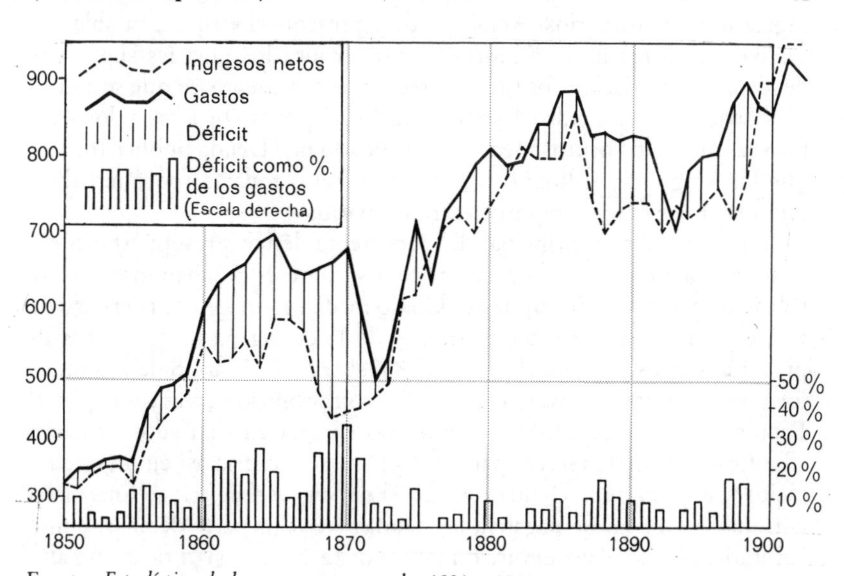

Fuente: *Estadística de los presupuestos*, vols. 1891 y 1909.

mente mayores que los ingresos. El gráfico X y el cuadro 1 muestran de manera palpable lo que se significa al hablar de «déficit crónico». Una inspección sumaria revela que durante la segunda mitad del siglo XIX solo hubo cuatro años en que el presupuesto se saldara con superávit (1876, 1882, 1893 y 1899).

Quizá convenga en este punto hacer un comentario metodológico acerca del cuadro, del gráfico y del déficit. En su libro sobre *La burguesía revolucionaria,* Miguel Artola ofrece un gráfico (p. 295) donde se recogen los gastos y los ingresos presupuestarios. Un cotejo de su gráfico con el mío (el 1) revela sorprendentes diferencias en la curva de ingresos. En el gráfico de Artola los ingresos superan a los gastos aproximadamente la mitad de los años que van de 1850 a 1880. Notable es el hecho de que estos superávits sean en especial altos en años tales como 1864, 1868 y 1869, que son generalmente reconocidos como de crisis presupuestarias. ¿Cómo se explican las discrepancias entre ambos gráficos, y los superávits del de Artola? Muy sencillo: los compiladores de las *Estadísticas de los presupuestos* practicaron una pequeña anomalía contable que disimulaba el persistente y embarazoso déficit. Este truco elemental consistía en incluir la Deuda pública dentro de los ingresos presupuestarios, bajo la rúbrica «recursos extraordinarios»; la Deuda pública, bien es sabido, se emite precisamente para cubrir el déficit, que es la diferencia entre gastos e ingresos ordinarios, es decir, ingresos habituales que no endeudan al Estado. Por lo tanto, para restaurar la verdad contable, debemos restar de los ingresos, como mínimo, la cuantía recaudada por Deuda pública, que la *Estadística* ofrece al detallar los ingresos extraordinarios. Artola no tuvo presente el «truco contable» de los compiladores de la *Estadística*; esto explica los grandes superávits de los años de crisis: estos fueron precisamente aquellos en que se emitió más deuda. En el cuadro 1 se recogen los ingresos «brutos» y los «netos», es decir, los brutos menos lo recaudado por Deuda pública (nótese que los «ingresos ordinarios» serían más bajos todavía, porque habría que restar los otros «ingresos extraordinarios»).[1]

La consecuencia principal del persistente déficit presupuestario era la acumulación de Deuda pública, cuyos intereses pesaban gravemente sobre los gastos del presupuesto. Como media, los pagos por servicio de la Deuda pública vinieron a ser más de la cuarta parte de los gastos presupuestarios durante el período 1850-1890 (el 27 %). Si le añadimos los pagos a clases pasivas, en total los compromisos contraídos por el Estado con sus acreedores en dinero o en servicios pasados venían a significar más de la tercera parte del gasto. Se incurría así en un círculo vicioso: el peso de la Deuda causaba el déficit; y el déficit se financiaba con nueva Deuda. Se pagaban las deudas viejas (o parte de ellas, como veremos) con deudas nuevas. En términos reales esto significaba un alto sacrificio para los contribuyentes, porque si bien parte de la Deuda se difería con nuevas Deudas, otra parte, más los intereses, salía de los bolsillos de los españoles, y no de los más prósperos por cierto. Para agravar aún más las cosas, los apuros del Estado para mantenerse solvente, y los repudios o bancarrotas parciales a los que de cuando en cuando recurría, eran bien conocidos de los prestamistas, que exigían altos intereses por sus préstamos, ponían condiciones muy duras y exigían fuertes garantías para resarcirse de los riesgos inherentes en prestar a un cliente de dudosa solvencia, y para lucrarse aprovechando la escasa capacidad de negociación de un gobierno en tales condiciones. Además de repercutir sobre los impuestos, el déficit permanente dañaba a los empresarios agrícolas e industriales, que difícilmente encontraban financiación en un mercado de capitales como el español, en donde el gran demandante era el Estado. Frente a un cliente de tal envergadura, las necesidades de la industria y de la agricultura parecían pequeñas a los prestamistas de la época. Banqueros y financieros negociaban en Deuda pública sin apenas prestar atención a la demanda insignificante de los sectores productivos. En una palabra, los déficits presupuestarios agravaban la escasez de capital que aquejaba a los agricultores y a la industria.

Cuadro 2

INGRESOS PRESUPUESTARIOS ACUMULADOS, 1850-1890
(en millones de pesetas)*

Ingresos por	(1) Mills. Pts.	(2) %
1. Contribución territorial	4 915	21,3
2. Contribución industrial y de comercio	930	4,0
3. Cédulas personales	110	0,5
4. Impuesto sobre sueldos y asignaciones	604	2,6
5. Impuesto de derechos reales	601	2,6
6. Timbre del Estado	1 149	5,0
7. Renta de Aduanas	3 064	13,3
8. Consumos más aguardientes, licores y alcoholes	1 965	8,5
9. Tarifas de viajeros y mercancías	170	0,7
10. Tabacos	3 339	14,5
11. Estanco de la sal	560	2,4
12. Loterías	1 921	8,3
13. Venta de bienes nacionales	1 292	5,6
14. Propiedades y derechos del Estado	331	1,4
15. Minas de Almadén, Arrayanes, Riotinto y otras	199	0,9
16. Redención del servicio militar	299	1,3
17. Casas de Moneda	119	0,5
18. Minas	52	0,2
19. Otros conceptos	1 439	5,9
20. Total	23 059	100,0

* Puede haber pequeñas discrepancias por redondeo.

Fuente: Calculado a partir de la *Estadística de los presupuestos*, vol. de 1891.

Examinadas someramente las consecuencias del déficit crónico, podemos preguntarnos por sus causas. Una de ellas ya la hemos visto: el déficit de un año se debe al de los anteriores. Otras causas relativas al gasto las veremos más adelante, aunque podemos ya decir que se refieren a la rigidez de ciertos otros gastos, como los militares y eclesiásticos. Pero veamos ahora cuáles eran los problemas del otro lado del balance, es decir, por qué se quedaban cortos los ingresos. Para ello basta con examinar el cuadro 2, que nos da la participación proporcional de los distintos impuestos y otros recursos dentro del total de ingresos para el período 1850-1890. Lo primero que sorprende es que la contribución de *inmuebles, cultivo y ganadería*, el principal impuesto sobre la agricultura (aunque también incluía la propiedad urbana), aportase poco más de la quinta parte de los ingresos; sorprende porque, en un país como era España en la segunda mitad del siglo XIX, la agricultura sin duda había de representar más de la mitad de la renta nacional, y quizá más de las tres cuartas partes. (En 1862, después de un largo proceso de industrialización, la agricultura aportaba no el 21, sino el 26 % de la renta nacional.) Es evidente, por tanto, que el sistema de impuestos era especialmente benigno con los terratenientes, los detentadores de la mayor parte de la riqueza del país. Esto no es ninguna novedad y era bien sabido entonces.

El impuesto de inmuebles, cultivo y ganadería, también llamado «contribución territorial», se creó con la reforma de 1845 reuniendo una serie de antiguas contribuciones sobre la tierra. Su dificultad primordial estribaba en conocer la riqueza imponible; a falta de este dato, se empezó a cobrar por repartimiento: se presupuestaba un ingreso global, y la cifra se repartía luego por provincias y por municipios. En julio de 1846 se creó una Dirección General de Estadística de la Riqueza cuya finalidad, naturalmente, era censar la riqueza agrícola mediante la confección de un catastro que sirviera para la adecuada recaudación del impuesto. Pero la tarea no era fácil (de «ardua» y «espinosa» la tilda el redactor de la *Estadística de los presupuestos*), no tanto por razones técnicas cuanto por la resistencia encarnizada de los propietarios, que ocultaban el valor de lo que tenían para evadir el impuesto. Se decidió, a poco de creada la Dirección General, que el procedimiento catastral (el más exacto) era demasiado caro y largo; se prefirió uno más barato y expeditivo, basado, casualmente, «en las relaciones que de [sus fincas] presentaban los contribuyentes» [90, 225]. Puede imaginarse la exactitud del «registro de fincas» así formado. Este sistema de «registro de fincas» o «amillaramiento» se completaba con las llamadas «cartillas de evaluación», que determinaban el producto líquido por hectárea en función de la clase de terreno y el tipo de cultivo. También en las cartillas abundaba el fraude. Como dice Martín Niño, la «Administración central no pudo luchar frente a los contribuyentes defraudadores, ayudados casi siempre por las autoridades municipales». He aquí una de las vertientes económicas del caciquismo.

Señalemos de paso que se consideró demasiado caro y largo el catastro, porque se pensó que llevaría veinte años a razón de 4,3 millones de pesetas al año. Teniendo en cuenta que el año en que menos se recaudó por ese impuesto (1852) se obtuvieron 74 millones de pesetas y, por otra parte, que se estimaba durante la época (moderadamente, como veremos) que se venía a ocultar aproximadamente el 50 % de la riqueza real, si gracias al catastro esta se hubiera sabido y hubiera tributado, no es mucho suponer que la recaudación hubiese aumentado en 37 millones anuales, el 50 % de la recaudación anual más baja. Júzguese si hubiera valido la pena emprender aceleradamente el catastro. En cuanto a la duración de veinte años, el catastro impositivo se inició finalmente en 1906 (sesenta años después de haber sido rechazado por demasiado caro y largo) y tardó no ya veinte, sino más de cincuenta años en concluirse; pero esto no fue por problemas técnicos, sino políticos y sociales [59, 457-469]. Añadamos que, sobre la base de la información catastral, en el siglo XX se pudo comprobar que la riqueza territorial resultaba ser más del doble de la anteriormente estimada.

Durante todo el período que nos ocupa hay una continua tensión entre los propietarios, que ponen en juego toda su influencia política para evitar que se conozcan sus tierras, y el Ministerio de Hacienda, que reitera en repetidas disposiciones lo que es y era obvio al observador más superficial: «que la contribución territorial, tal y como se había establecido, era muy inferior a las antiguas» [30, 225]. Lo prueba el hecho de que en las provincias donde cabía la comparación, la riqueza territorial en 1879, según el «registro de fincas», era equivalente a la reseñada en el Catastro del Marqués de la Ensenada, compilado unos ciento veinte años antes. Si esto hubiera sido cierto implicaría que no había habido mejora alguna en los métodos productivos durante todo ese tiempo, que no había aumentado en absoluto la producción y, por lo tanto, que había disminuido radicalmente la productividad del trabajo: todo lo cual es altamente inverosímil.

Las leyes se sucedían recomendando y tomando medidas para conocer mejor la riqueza imponible; pero su resultado era nulo. «Las cartillas de evaluación no han sido retocadas desde 1860, con grave perjuicio de los ramos de la agricultura que han sufrido depreciación en el último cuarto de siglo, y quizá con indebido provecho de los que han mejorado de valor», decía el preámbulo de una ley de 1885, tratando con primorosa delicadeza a aquellos que se beneficiaban de la inmovilidad administrativa.

La *Reseña Geográfica y Estadística* de 1888 (pp. 489-493) decía de los datos sobre la riqueza inmueble de la Dirección General de Contribuciones que eran «necesariamente incompletos». Según la *Reseña*, los datos de las siete provincias que habían sido bien estudiadas por el Instituto Geológico mostraban que se venía a ocultar el 46 % de la riqueza inmueble, cifra que consideraban altísima pero que, si le añadimos la ocultación parcial, es decir, la infravaluación de las tierras conocidas, seguramente se quedaba corta. En Alcalá de los Gazules (provincia de Cádiz) la ocultación llegaba al 78 %. Había casos curiosos de ocultación a la inversa, como el de Jerez de la Frontera, donde los prados y baldíos declarados eran cerca del doble de los que había en realidad. Para entender este curioso fenómeno hay que saber que en los viñedos jerezanos, en cambio, la ocultación era de tipo normal. La razón es obvia: los propietarios de viñedos hacían pasar sus tierras por baldíos para tributar mucho menos o no tributar.

La revista *La Agricultura Española*, de Valencia, señalaba el 15 de octubre de 1899 que la ocultación de tierras a efectos tributarios en Andalucía (la zona mejor catastrada) oscilaba entre el 28 % en Cádiz y por encima del 100 % en Córdoba (es decir, en Córdoba se ocultaba más de lo que se declaraba).

Las consecuencias de todas estas ocultaciones y resistencias por parte de los contribuyentes eran las que hemos visto: el bajo rendimiento del impuesto sobre la tierra, en beneficio de los propietarios y en perjuicio de todos los demás. El impuesto era además muy inflexible: entre 1850 y 1890 lo recaudado en su concepto aumentó en un 112 %, mientras que la recaudación general aumentó en un 134 %. Es decir, a pesar del enorme aumento de tierra en explotación gracias al proceso desamortizador, la contribución territorial fue de los impuestos de menor crecimiento, superado solo en su lentitud por el impuesto de minas, otro regalo a los propietarios, que creció en un 105 %.

No se piense, sin embargo, que esta ocultación sistemática beneficiaba a todos los propietarios por igual; muy al contrario. Eran los grandes, con influencias políticas en Madrid y en los ayuntamientos, con grandes extensiones difíciles de recorrer y medir, los que podían hacer los mayores fraudes. El pequeño propietario, con menos posibilidades de ocultación y de influencia, a menudo se veía agobiado por los impuestos ya que, al cobrarse por repartimiento, cuanto más evadían los grandes más tenían que pagar los pequeños. De modo que, aunque en total lo recaudado estaba muy por debajo de las posibilidades del sector agrícola en su conjunto, el clamor de muchos propietarios contra la excesiva presión fiscal no carecía de justificación.

Algo parecido puede decirse de la *contribución industrial y de comercio* que, recayendo, como su propio nombre indica, sobre las actividades comerciales e industriales, hubiera debido rendir al menos el doble de lo que rendía. Para la recaudación de este impuesto también se seguía el sistema del repartimiento, este por el método de agremiación de contribuyentes por localidades, atribución de una cuota por gremio, y repartimiento por el gremio de esa cuota entre los miembros. Ni que decir tiene que el sistema favorecía a los poderosos e influyentes y los problemas de desigual carga eran similares a los de la contribución territorial. Si difícil era estimar la riqueza imponible en bienes inmuebles, calcúlese la dificultad de conocer la base imponible en actividades tanto más arduas de rastrear, como el comercio o incluso la industria.

Estos eran los impuestos directos que proporcionaban una cuarta parte de la recaudación total. Prácticamente todo el resto de lo recaudado corría a cargo de los impuestos indirectos (el Ministerio de Hacienda incluía entre los directos muchos impuestos que, en realidad, son indirectos). Si los impuestos directos ya resultaban regresivos, los indirectos, por su propia naturaleza, lo eran (lo son) aún más. Regresivos son los impuestos de *cédula personal* (de hecho una capitación, que grava a todos por igual, pobres y ricos) e incluso el de *sueldos y asignaciones*, porque los asalariados, e incluso los funcionarios, no constituyen los grupos más prósperos de la población: rentas, dividendos y beneficios escapaban a este tributo. Estos dos impuestos no aportaban conjuntamente más que un 3 %. Algo más contribuían los impuestos de *derechos reales* y de *Timbre del Estado*, que son también indirectos aunque el primero puede resultar progresivo. Pero el gran recurso del presupuesto eran los impuestos sobre el consumo, que venían a aportar aproximadamente dos quintas partes del total. Se incluye aquí la *renta de Aduanas*, los odiados *consumos*, el impuesto de *aguardientes, licores y alcoholes* (desgajado del general de consumos en 1888), el impuesto sobre el *transporte*, y los productos de los monopolios o *estancos del tabaco y la sal*.

De los restantes ingresos, los más importantes son los de *Loterías*. A este respecto quizá convenga señalar el hecho sorprendente de que, según la *Estadística de los Presupuestos*, los ingresos provenientes de la *desamortización* durante esos cuarenta años fueron menores que los de Loterías. Hay varias explicaciones para este fenómeno aparentemente sorprendente. En primer lugar, no todos los bienes desamortizados están incluidos en esta estadística: se excluyó gran parte de los municipales (una fracción relativamente pequeña, sin embargo). En segundo lugar, ya sabemos que a partir de 1875 los ingresos de la desamortización empezaron a decaer rápidamente; por el contrario, los ingresos de loterías aumentaron durante esos años. En tercer lugar, los impagos en las compras de bienes de desamortización eran altos. Con todo, es notable el bajo volumen de ingresos por desamortización; se confirma la frecuente afirmación de que la desamortización como expediente fiscal no fue la panacea que se esperaba. Es un hecho sabido que el importe de los bienes desamortizados vendidos (al que había que restar los impagos para obtener la cifra efectivamente recaudada) entre 1855 y 1895 ascendió a unos 1964 millones, cifra sensiblemente igual a los ingresos por loterías entre 1850 y 1890. Otros ingresos de una cierta consideración provenían de las *propiedades y derechos del Estado*, de los pagos por *redención del servicio militar* y los provenientes de las *Casas de Moneda*.

En resumen: un sistema tributario que recaía con mucha más fuerza sobre los pobres que sobre los ricos y que carecía de la flexibilidad necesaria para cubrir el gasto público.

¿Cómo se repartían los gastos? Ya hemos visto que un tercio iba a *Deuda y Clases pasivas*. Otro tercio se empleaba en *gastos militares y de policía*, más *mantenimiento del clero*. A este respecto es interesante observar que el mantenimiento de la Iglesia le costó al Estado durante estos cuarenta años (en que los ingresos de la desamortización alcanzaron el máximo) más de lo que ingresó por la venta de bienes desamortizados. Parece, por tanto, que el «despojo» que implicó la desamortización fue algo relativo. Los *ministerios económicos* (Hacienda y Fomento) se llevaban un 27 %. Las tres cuartas partes del presupuesto de Fomento se empleaba en obras públicas, y el 14 % en instrucción. Más de la mitad del presupuesto de Hacienda se empleaba en la administración de Loterías y la fabricación de tabacos (para disminuir estos altos costes se arrendó el monopolio de tabacos en 1887). Entre los gastos restantes llama la atención el 1,5 % que se llevaba la *Real casa*. Puede quizá pensarse que la cantidad era relativamente pequeña. Es cierto que en los tiempos de Alfonso XII y María Cristina (¿o debemos decir de Cánovas y Sagasta?) los gastos estaban algo por debajo del nivel alcanzado en tiempos de Isabel II. Pero, con todo, la cifra acumulada no parece tan pequeña si tenemos en cuenta que supera en más de cuarenta millones

Cuadro 3

GASTOS PRESUPUESTARIOS ACUMULADOS, 1850-1890
(en millones de pesetas)*

Conceptos	(1) Mills. Pts.	(2) %
1. Deuda pública	7 034	27,3
2. Clases pasivas	1 697	6,6
3. Gracia y Justicia: obligaciones civiles	491	1,9
4. Gracia y Justicia: obligaciones eclesiásticas	1 471	5,7
5. Guerra	5 228	20,3
6. Marina	1 283	5,0
7. Gobernación	788	3,1
8. Fomento	2 308	9,0
9. Hacienda	4 622	18,0
10. Otros	426	1,7
11. Total	25 730	100,0

* Puede haber pequeñas discrepancias por redondeo.

Fuente: Véase cuadro 2.

Deuda Pública en circulación y pagos ejecutados por Deuda Pública, 1850-1902 **XI**

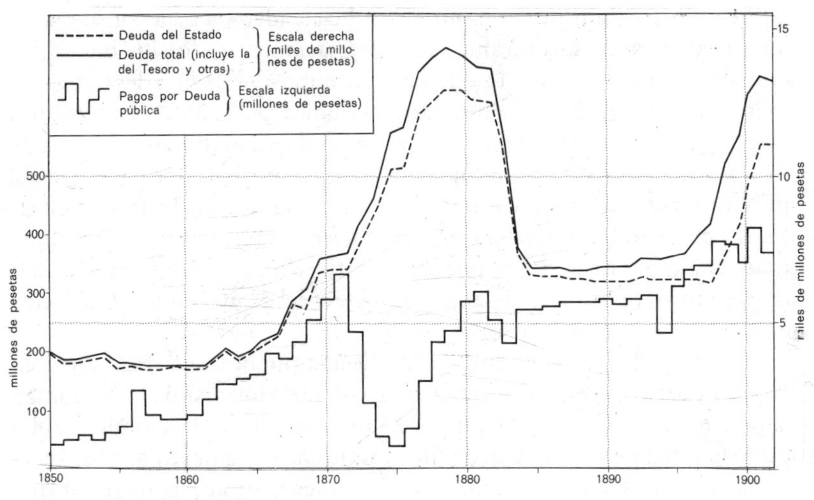

Fuentes: *Datos básicos,* II, p. 67/.
Estadística de los presupuestos, 1891, estado 91, col. 4; y 1909, estado 169, col. 4.

los gastos acumulados y conjuntos de los Ministerios de Estado y Ultramar más las cargas de Justicia, más los gastos de la Presidencia del Consejo y los de las Cortes.

Un problema más entre los que aquejaban a la administración presupuestaria durante esos años era el hecho de que se recaudaba muy por debajo, y se tendía a gastar más, de lo presupuestado. Es decir, el déficit real estaba casi invariablemente por encima del previsto. Con estos gastos inflexibles a la baja y estos ingresos inflexibles al alza, el déficit acumulado durante la segunda mitad del siglo XIX ascendió a unos 3 185 millones de pesetas según mis cálculos, lo que implica un déficit medio anual de unos 65 millones, aunque, como muestra el gráfico X, las fluctuaciones en torno a la media fueron muy considerables.

2. LA POLÍTICA FISCAL: LA DEUDA PÚBLICA

La consecuencia de que prácticamente todos los años, de manera regular, casi consuetudinaria, el Estado gastara unos 65 millones más de lo que ingresaba era un aumento continuo en el volumen de la Deuda pública: el endeudamiento del Estado. La evolución puede seguirse en el gráfico XI. Hemos visto los efectos más importantes de este enorme volumen de Deuda: la necesidad de dedicar a su atención una fracción muy alta del presupuesto de gastos que, con todo y ser muy cuantiosa y suponer un enorme sacrificio al país, no bastaba para cubrir los compromisos, con lo cual bajaba la cotización de los títulos y subía el tipo de interés. En palabras de un ministro de Hacienda, «la baja constante de los valores del Estado produce la depreciación de todos los bienes inmuebles; el alto interés del numerario, la imposibilidad de desarrollar la industria».[2] El interés del numerario perjudicaba a la industria porque a esta le resultaba excesivamente caro el capital que necesitaba. La baja de los valores del Estado depreciaba los bienes inmuebles porque la Deuda pública se admitía por su valor nominal en pago de los bienes nacionales. El precio que se pagaba por una Hacienda regresiva y mal administrada era alto: por un lado, una desamortización mal planeada y socialmente injusta; por otro, un encarecimiento del capital en un país donde este escaseaba notoriamente.

Los orígenes de la gran masa de Deuda pública que se arrastró en España durante todo el siglo XIX son bastante inmediatos: se remontan al reinado de Carlos IV y la guerra de Independencia. Las innumerables campañas del período causaron un enorme endeudamiento que los sucesivos gobiernos, empezando por Godoy, fueron incapaces de pagar (pese a la desamortización a que este recurrió). En realidad, la causa del desequilibrio presupuestario y el crecimiento de la Deuda estaba en la ruptura del equilibrio alcanzado durante el siglo XVIII, que permitía que el exceso de los gastos sobre los ingresos domésticos se compensase con las «remesas americanas», es decir, con el excedente de los impuestos pagados por las colonias sobre los gastos del gobierno en América. Los gastos militares del período 1793-1815 se combinaron con una disminución de los ingresos por las siguientes razones: una, empobrecimiento del país; dos, caos administrativo y disminución de la capacidad recaudatoria del Estado; y tres, quizá la más importante, interrupción de las remesas americanas, que ya nunca se restauraron íntegramente, y cuya última esperanza se desvanece tras la derrota final en Ayacucho (1824).

Los problemas presupuestarios y de la Deuda constituyen el telón de fondo de las feroces disensiones políticas del reinado de Fernando VII. A su muerte la Deuda exterior había crecido enormemente y pesaba como una losa sobre los gobiernos de la Regencia, a lo que se vinieron a añadir los gastos de la guerra carlista, que empobrecía la capacidad productiva del país y la capacidad recaudatoria del Estado, al tiempo que aumentaba los gastos y atentaba contra el crédito del gobierno ante los prestamistas nacionales y extranjeros. Este era uno de los legados de Fernando VII. Era natural que en esta situación el gobierno Mendizábal recurriera a la misma solución a la que había recurrido Godoy para resolver el problema de la Deuda y de los déficits: la desamortización eclesiástica. La principal diferencia entre el plan de Godoy y el de Mendizábal está en que este era a mucho mayor escala.

Durante el resto del siglo la tónica general de los problemas de la

Deuda y las soluciones dadas siguen con pocas variaciones las pautas marcadas durante el reinado de Fernando VII. Déficits continuos, enormes acumulaciones de Deuda, y «arreglos» o «conversiones» periódicos, consistentes esencialmente en repudios parciales, más o menos pactados con unos acreedores resignados frecuentemente, aprovechados en muchas ocasiones. En general, como ocurre ya bajo Fernando VII, puede hacerse una distinción entre la actitud de liberales y conservadores con respecto a la Deuda; estos últimos eran mucho más partidarios del repudio. Los liberales o progresistas, en cambio, orientados hacia una política de desarrollo y liberalismo económicos, consideraban necesaria la importación de capital y, por tanto, estaban más a favor de la responsabilidad fiscal. Su gran panacea era la desamortización que, además de restar poder a aristócratas y terratenientes (cosa que no hizo) y aumentar la superficie cultivada y, por ende, incrementar la producción y abaratar los alimentos, había de proporcionar los recursos para llenar el vacío que la falta de remesas americanas había dejado en el presupuesto.

Aunque en varias ocasiones resolviera problemas candentes, la desamortización a la larga distó mucho de solucionar las deficiencias estructurales del presupuesto. La Deuda creció continuamente, si bien con interrupciones debidas a los «arreglos», durante el siglo. Si hacia 1850 la Deuda estaba en torno a los 3900 millones, a principios del siglo XX sobrepasaba los 12 300 millones; en los primeros años de la Restauración había alcanzado niveles aún mayores. La historia de los arreglos de la Deuda es, como diría Luis María Pastor, uno de los primeros historiadores de la moderna Hacienda española, como para sacarle a uno los colores a la cara. Cameron tiene al respecto un párrafo memorable [15, 406]:[3]

> Las deudas viejas eran consolidadas, diferidas, reformadas y reactivadas, pero raramente pagadas. Los títulos dejaron de ser inversiones, siquiera especulativas, para convertirse en simples fichas de juego. En la década de 1840 la Bolsa de París cotizaba seis valores españoles diferentes; sus cotizaciones iban del máximo de 40 por 100 del valor nominal a un mínimo del 2,5 %. Un inversor despechado escribía en 1850: «La historia de los empréstitos españoles es una triste, continua y vergonzosa "historia de un TIMO". [Los compradores de títulos de un Estado respetable] no se esperan o se preparan para que los esquilen como si estuvieran en una casa de juego, jugando a las cartas, en las carreras o en la ruleta [...] Durante los últimos treinta años el crédito de España ha caído tan bajo que la simple expresión "valores españoles" es casi sinónima de los epítetos de la más oprobiosa naturaleza, que nos abstenemos de especificar».

Aparte de las laberínticas y fraudulentas manipulaciones anteriores a 1830, concienzudamente estudiadas y claramente expuestas por Fontana, las tres conversiones más importantes del siglo XIX son las de Bravo Murillo (1851), Camacho (1882) y Fernández Villaverde (1899-1900). No fueron las únicas, ni mucho menos. El mecanismo era esencialmente idéntico en todas ellas. Consistía en crear y emitir un nuevo tipo de Deuda —generalmente con un apelativo interesante como «consolidada», «amortizable» o «hipotecaria»— en medio de una campaña de relaciones públicas que daba la impresión de que de entonces en adelante se iban a cumplir puntualmente las obligaciones contraídas. Se ofrecía de inmediato a los tenedores de títulos antiguos el canje o «conversión» de esos títulos por los nuevos, con pérdida sin duda (en el capital, en el interés o en ambos) para los acreedores, pero con el aliciente de adquirir activos más seguros que los anteriores. Se negociaban con ellos los términos de modo que el gobierno se aligerase de una parte sustancial de la Deuda en condiciones aceptables a la mayoría de los tenedores. En estas negociaciones el gobierno siempre tenía la baza decisiva: prometer que los tenedores de los nuevos títulos serían mejor tratados que los de los antiguos (promesa que también se había hecho en la conversión anterior). Estas maniobras y estos chalaneos eran la obsesión de políticos y hombres de negocios en el período que nos ocupa: Torquemada, el usurero metido a banquero de las novelas de Galdós, habla en su lecho de muerte de «conversión» sin que se llegue a saber si se refiere a la de la Deuda o a la de su alma.

El famoso arreglo de Bravo Murillo, tras la reforma hacendística de Mon y Santillán y tras la suspensión de pagos debida a la crisis de 1848, fue una bancarrota mal camuflada, que consolidó en una «deuda del personal» los atrasos a los funcionarios públicos y en una «deuda del material» los impagos a los proveedores del gobierno, rebajando además unilateralmente intereses y principal de las deudas exterior e interior, sin por eso acelerar los pagos o las amortizaciones. La indignación de los acreedores ingleses fue tal que lograron que se cerrase la Bolsa de Londres a todos los valores españoles.

La Deuda se redujo ligeramente a partir de 1854, gracias a la política progresista basada en utilizar la desamortización para pagar a los tenedores; pero esta política fue abandonada por los gobiernos posteriores, moderados y unionistas, que prefirieron las aventuras militares al cumplimiento de los compromisos. Como protesta, la Bolsa de París imitó a la de Londres y prohibió los títulos españoles en 1861. A partir de entonces, y como consecuencia de su carácter acumulativo, la Deuda aumentó de manera exponencial; y también los pagos. La relación entre el crecimiento de la Deuda y la inestabilidad política del período 1864-1876 la he sugerido en otro lugar [95, cap. VII-VIII]. Baste señalar aquí la situación literalmente catastrófica que se deduce del gráfico XI, en que se puede apreciar que de 1871 a 1874 los pagos por atenciones de la Deuda se vienen abajo por total incapacidad del presupuesto de soportarlos. Estos desembolsos habían llegado a significar más de la mitad del presupuesto de gastos en 1870-1871, en un momento en que los ingresos disminuían (véase gráfico X). Para pagar la Deuda había que emitir más Deuda, pero ni esto era solución, porque la cotización estaba tan baja que para ingresar 15 pesetas había que endeudarse por 100 (sin contar los intereses). La suspensión de pagos era inevitable: en el ejercicio de 1870-1871 se presupuestaron 432 millones para el pago de la Deuda, pero solo se pagaron 327; y la tendencia continuó. En 1871-1872 se destinaron 331 y se pagaron 228; al año siguiente se destinaron 308 y se pagaron 109; al siguiente se asignaron 238 y se pagaron 55. Las asignaciones bajaban, pero los pagos bajaban mucho más: en 1874-1875, no se pagaron más que 40 millones; se habían asignado 89... Ante tal desastre los arbitrios, los remedios, los arreglos y las conversiones se sucedieron en cascada. En 1870 se había renovado el arriendo de las ventas de las minas de almadén a los Rothschild mediante un préstamo de unos 42 millones de pesetas. En 1872 se creaba el Banco Hipotecario a cambio de una serie de empréstitos, y se rebajaba unilateralmente el pago de intereses de la Deuda. En 1873 se arrendaban las minas de Riotinto por 94 millones. En 1874 se daba el monopolio de emisión de billetes al Banco de España a cambio de una donación de 125 millones. En 1876 el arreglo de Salaverría volvía a rebajar el interés que se pagaba a la Deuda pública; y en 1881-1882, la conversión de Camacho, mediante la emisión de una «deuda amortizable» al 4 % reducía drásticamente el interés y el principal a pagar. Desde esta perspectiva a largo plazo es como debe verse esta famosa conversión. Camacho, que había sido ministro de Hacienda con Sagasta en los años del Sexenio, seguramente había meditado en profundidad desde entonces sobre cómo resolver el aplastante problema de la Deuda.

La reforma o conversión de Camacho fue seguida de un período bastante apacible por lo que se refiere a la Deuda, en gran parte gracias a la transformación del sistema monetario, concretamente a la desmonetización del oro (véase capítulo VIII). Uno de los rasgos más destacados de la reforma fue que garantizó a los tenedores extranjeros que los intereses se pagarían en París o en Londres en francos o en libras. Estos son los años en que la peseta comienza su proceso de depreciación, que alcanzará su apogeo a fin de siglo: la garantía de pago en moneda extranjera, por tanto, añade un gran atractivo a esta Deuda exterior, que muchos españoles compran precisamente para protegerse de la depreciación. La conversión fue un éxito; pero el pago de los intereses en moneda extranjera entrañó una considerable exportación de oro que, unida al déficit comercial y a la exportación especulativa, terminaron con el stock áureo español hacia 1890. A partir de entonces la puntualidad en el pago de la Deuda exterior volvió a resultar problemática; si España hubiera tenido un superávit comercial o de invisibles, esto hubiera supuesto una entrada de oro que compensase la salida debida a la Deuda exterior; pero como no era así, el país tenía que seguir endeudándose (importando capital, privado o público) para seguir pagando su deuda.

Sin duda esta consideración contribuyó a la proclamación del Arancel de 1891, radicalmente proteccionista, en un intento de disminuir el déficit comercial.

La situación se agravó muy seriamente con el comienzo de la guerra de Independencia de Cuba en 1895, porque su financiación produjo un nuevo crecimiento de la Deuda, una gran alza de precios y una fuerte caída de la cotización exterior. El comprar los francos y las esterlinas necesarios para pagar la Deuda exterior resultaba cada vez más caro por la baja de la peseta (y contribuía a esa baja), mientras el déficit de la balanza comercial crecía por causa de la inflación. El desastroso fin de la guerra tuvo que ir acompañado por otra reforma del sistema de Hacienda: la «estabilización» de Villaverde cumplió este papel. Entre sus medidas estaba una nueva conversión de la Deuda y otro arreglo, consistente en un nuevo recorte en los derechos de los tenedores. El «affidavit» de López Puigcerver eliminó del pago en moneda extranjera a los tenedores españoles o domiciliados en España. La conversión de Villaverde recortó los intereses y los principales de las Deudas interiores.

Tras esta sucinta historia de las conversiones de la Deuda cabe preguntarse qué significado tiene esta serie de lamentables episodios. Concretamente, hay cuatro preguntas que el lector debe haberse hecho. En primer lugar: ¿por qué este completo desorden, esta grave irresponsabilidad? En segundo lugar: ¿por qué prestaban los tenedores a un deudor tan fraudulento? En tercer lugar: ¿a quién perjudicaba el sistema y a quién beneficiaba? Y en cuarto lugar: ¿era España el único país donde ocurría esto?

Las causas del desorden ya las hemos visto: el déficit persistente, los impuestos insuficientes, los gastos excesivos. Pero sin duda esto pudo, al menos teóricamente, haberse remediado: los impuestos pudieron haberse aumentado (a costa de terratenientes y hombres de negocios, sobre todo), los gastos disminuido (a costa del Ejército, de la Iglesia y de los funcionarios, incluida la familia real). Si no se hizo fue porque el sistema político no tenía interés en hacerlo: el coste de restaurar el crédito público era demasiado alto. Atentar contra el bienestar de las «fuerzas vivas» para arreglar la Deuda hubiera sido el suicidio político. Parece como si la clase dirigente española, acostumbrada desde la Edad Moderna a un Estado que gastaba más de lo que recaudaba, pero que restauraba el equilibrio con la explotación de las colonias americanas, perdidas estas, hubiera decidido continuar como antes, confiando en que de un modo u otro alguien financiaría el déficit; y parece como si solo la liquidación definitiva del imperio colonial hubiera producido la conmoción necesaria para que la clase política viera la necesidad de renunciar a la irresponsabilidad fiscal: la «estabilización de Villaverde» produjo la primera serie de superávits presupuestarios de la historia de España (el primer presupuesto conocido es de 1828).

Los tenedores de Deuda pública española pueden dividirse en dos grupos: los incautos y los expertos. Los incautos eran aquellos que compraban obligaciones españolas sin saber nada de las particularidades de la gestión de esta Deuda. Los expertos sabían lo que se traían entre manos, lo cual no era garantía de que ganaran, pero sí de que conocían con una cierta aproximación las reglas del juego. Los incautos, característicamente, eran pequeños inversores que adquirían los títulos a través de agentes o de bancos, y frecuentemente eran extranjeros. Los expertos eran banqueros o financieros profesionales, a menudo con buenos contactos o influencia política, que esperaban ganar con las alzas de los títulos, o con las conversiones. Frecuentemente prestaban directamente al gobierno para obtener de este ciertas concesiones que les interesaban. La obtención de estas concesiones era a menudo su objetivo principal, y el perder o ganar en la Deuda les era de importancia secundaria. Este era característicamente el caso de los Rothschild, de los Péreire, de Prost, de los Guilhou y de muchos otros en 1855, cuando se trataba de obtener del gobierno español concesiones bancarias y ferroviarias en buenas condiciones. Este fue repetidamente el caso de los Rothschild, que hicieron préstamos al gobierno español para obtener el arrendamiento de las minas de Almadén, para obtener subsidios a su compañía ferroviaria en España (la MZA), etc.; el caso del Banco de París y los Países Bajos para obtener la concesión del Banco Hipotecario; el caso del Banco de España para conseguir el monopolio de emisión; y el de tantos otros que adquirieron tierras a precios irrisorios mediante la compra de una Deuda depreciada que era aceptada a su valor nominal en pago de los bienes nacionales subastados. Porque, naturalmente, el mecanismo que mantenía este extrañísimo sistema de financiación presupuestaria en funcionamiento durante tanto tiempo era la gradual desmembración del patrimonio nacional (stock áureo incluido). Los símiles individuales son a menudo muy engañosos cuando se trata de temas sociales o colectivos, pero en este caso la imagen del individuo cuyas deudas y gastos excesivos le obligan a empeñar su patrimonio es muy apropiado. Como escribe Adam Smith, «las naciones, como los individuos privados, han empezado generalmente a tomar prestado sobre lo que pudiéramos llamar crédito personal [...]; y cuando este recurso les ha fallado han pasado a endeudarse por medio de mercedes o hipotecas de ciertos bienes».[4] El agotamiento del crédito español hacía que el Estado se viera obligado a entregar activos reales, concesiones o derechos (el Banco de España durante muchos años controló la recaudación de impuestos, y el Hipotecario, la renta de Aduanas en pago a sus préstamos), o a pagar precios exorbitantes por los créditos que recibía. Así, muchos prestamistas expertos, tanto españoles como extranjeros, sabían beneficiarse de esta debilidad crediticia a costa, en último término, del contribuyente español, coetáneo o venidero. Pero también podía ser que el prestamista experto se beneficiase a costa del incauto, a quien le vendía en condiciones y a precios normales títulos que, por su alto riesgo, había adquirido en condiciones excepcionales y a precios muy bajos: el incauto era luego el que corría con el riesgo del que no se le había advertido.

Y ya tenemos casi contestada nuestra pregunta acerca de los beneficiarios y los perjudicados del sistema. Beneficiarios eran no solo los prestamistas expertos sino, además, todos aquellos que gracias a este método de financiación del déficit podían pagar impuestos muy bajos en relación con su riqueza, o cobrar a costa del presupuesto sueldos o ingresos muy por encima de lo que justificaba su trabajo. Los perjudicados, además de los prestamistas incautos, eran los españoles en su conjunto, y en particular los contribuyentes pobres, así como los campesinos afectados por la desamortización.

Señalemos por último que España distaba de ser el único país con un grave problema presupuestario o de Deuda pública. Durante el siglo XIX parece como si estos problemas hubieran sido endémicos de la cuenca mediterránea. Egipto, Turquía, Grecia, Italia y Portugal, con variaciones de todas clases, se vieron envueltos en situaciones parecidas, si no peores. Lo mismo ocurría en América Latina. Y hubo casos en que los atrasos, las suspensiones y los repudios de la Deuda sirvieron de pretexto para una intervención extranjera: es el caso de México en 1862, o el de Egipto a partir de 1876.

3. LA POLÍTICA COMERCIAL

El arancel de Aduanas es un impuesto más, entre los que han sido considerados al tratar del presupuesto y del déficit. ¿Por qué ocuparse de él de nuevo? Por una razón muy sencilla: el arancel es un impuesto que grava una actividad muy importante, el comercio exterior, y al gravarlo lo modifica. En otros términos, el arancel, además de un impuesto, es un instrumento de política comercial. En los manuales de economía se distingue entre «arancel fiscal» y «arancel protector», y esta es precisamente la distinción que nos interesa aquí.

El *arancel fiscal* es aquel que se concibe como un impuesto, cuya finalidad es principalmente recaudatoria; y así eran en su origen los aranceles: un impuesto más, fácil de recaudar, similar a los derechos de puertas, a los peajes, o a los pontazgos. Con el desarrollo de los Estados nacionales, sin embargo, pronto se echó de ver que el arancel también puede servir para inhibir el comercio; como cualquier otro impuesto, puede deprimir la actividad sobre la que recae: basta fijarlo lo suficientemente alto para que se convierta en un *arancel protector*. Ahora bien, un arancel tan alto que desanime la actividad sobre la que recae equivale a una prohibición: un impuesto que gravara con un millón de pesetas cada paquete de cigarrillos importado sin duda acabaría con la importación de tabaco, al menos con la legal. Pero no recaudaría ni un céntimo. Por eso cuando se trata de proteger a toda costa una industria nacional de la competencia extranjera, o de impedir la exportación de un determinado producto, en lugar de al arancel se recurre a la prohibición pura y simple. Es más sencilla y el resultado es el mismo. A diferencia de la prohibición, el arancel se emplea como arma doble: no solo protege, sino que también recauda. Debe observarse, sin embargo, que, aunque cumple ambas misiones a un tiempo, lo hace de manera alternativa: cuanto más protege un arancel menos ingresos produce, y viceversa.[5]

Todo esto hay que tenerlo en cuenta a la hora de enjuiciar un arancel como instrumento de política económica. Durante el siglo XIX los gobiernos españoles se debatieron continuamente entre las dos alternativas. Por una parte, los apuros del presupuesto hacían muy deseable un arancel fiscal, relativamente bajo, que permitiese un alto volumen de comercio exterior y una alta renta de Aduanas. Por otra parte, la naciente industria española, y parte de la agricultura, pedían clamorosamente protección contra la competencia extranjera, lo cual requería un arancel protector, alto y con poca recaudación.

Durante el siglo XIX la querella entre librecambistas y proteccionistas fue seguramente la polémica económica que más preocupó a la opinión pública, tanto en España como en la mayor parte de los demás países europeos y americanos. En gran medida era la vertiente económica de la polémica entre liberales y conservadores, entre progreso e inmovilismo; pero no completamente. Porque con mucha frecuencia los industriales y hombres de empresa se situaban con los liberales en todo excepto en la cuestión del arancel; en tanto que los terratenientes a menudo eran librecambistas a pesar de su postura reaccionaria en cuestiones internas. En general, el arancel afecta de manera muy clara a cada diferente sector de la economía, y cada uno de ellos tiende a propugnar la política comercial que le conviene, independientemente de su ideología en todo lo demás. Es más: resulta interesante en ocasiones ver a un mismo individuo defender el librecambio para un producto y la protección para otro: característicamente, el fabricante de tejidos de algodón quiere protección para el tejido, pero libre importación de maquinaria y algodón en rama; el agricultor quiere protección para el grano, pero libre importación de abonos y maquinaria agrícola; el metalúrgico quiere protección para la maquinaria, pero libre importación de carbón y de alimentos, etc.

En general, conviene decirlo claramente, la postura proteccionista tiene difícil defensa teórica; el único argumento proteccionista convincente es el que justifica la protección como un instrumento provisional, de emergencia: el famoso argumento de List en favor de las industrias en su infancia, en tanto se desarrollen y sean capaces de competir. La protección como sistema permanente tiene dos graves defectos: en primer lugar, es injusto; en segundo lugar, es ineficiente. Es injusto porque, como señalaba Flores de Lemus, no se puede proteger a una industria sin perjudicar a otra, al consumidor, o a ambos. Y es ineficiente porque la actividad que necesita protección debe ser ineficiente: si no lo fuera, podría competir y no necesitaría protección. Por tanto, en la medida en que es injusto e ineficiente, el sistema protector es una rémora para el crecimiento de un país. Estos razonamientos son bien conocidos al menos desde Adam Smith, y serían innecesarios aquí si no fuera porque las posturas proteccionistas gozan en España (y en muchos otros países) de una popularidad entre los economistas y los historiadores que no tiene justificación ni en el plano teórico ni en el empírico.

España tiene una larga tradición de proteccionismo que se remonta al siglo XV, un proteccionismo, más que arancelario, prohibicionista y monopolista del tipo que desde Adam Smith se conoce con el nombre de *mercantilismo*. Desde mediados del siglo XVIII, sin embargo, se inicia una lenta evolución no tanto hacia el librecambio cuanto, más propiamente hablando, hacia el proteccionismo arancelario: es decir, se tiende a abandonar la política de prohibiciones y monopolios y se favorece una política de altos aranceles. Este es el sentido de las celebradas medidas comerciales de Carlos III; contra lo que afirma Vicens Vives, no son medidas «librecambistas», sino simplemente proteccionistas. Metafóricamente hablando, ensancharon los cauces y disminuyeron los diques que el gobierno ponía al comercio colonial; pero no dejaron que este fluyese libremente, ni mucho menos. Es bien sabido que estas medidas relativamente liberadoras fueron seguidas de un crecimiento notable del comercio colonial y de una indudable prosperidad a ambos lados del Atlántico [67, 243-322; 98, 520-521; 99, III, 479 ss.], crecimiento y prosperidad que se vieron interrumpidos por las guerras que comenzaron en la década de 1790, que para España no terminaron hasta 1824, con la independencia del continente hispanoamericano.

Durante el siglo XIX la política arancelaria española no es demasiado diferente de la del resto de los países de Europa occidental, aunque algo más proteccionista. Hay que tener en cuenta que ante el evidente predominio industrial de Inglaterra todas las naciones desarrollan un impulso de protección, intentando resguardar sus industrias incipientes de la mucho más adelantada manufactura inglesa. No está claro que esta política tuviera éxito. Los países decididamente proteccionistas, como Francia o España, se desarrollan mucho más lentamente que aquellos países que por su menor tamaño, abandonando cualquier pretensión de autosuficiencia, se deciden por el librecambio y se especializan en aquellas industrias para las que tienen una ventaja comparativa: Bélgica (metalurgia), Suiza (relojería). A Prusia la política arancelaria relativamente liberal que practica hasta finales del siglo le resulta un eficaz instrumento de unificación política y de crecimiento económico. En la propia Inglaterra, el libre comercio no triunfa definitivamente hasta 1846, en que la legislación protectora de los cereales (las famosas *corn laws*) es derogada, y el país acepta las implicaciones del librecambio, es decir, la división internacional del trabajo y el abandono de las pretensiones de autoabastecimiento agrícola. Vale la pena señalar que el comienzo del alza en el nivel de vida de la clase obrera inglesa coincide cronológicamente con el abandono del proteccionismo y la consecuente baja en el precio relativo de los alimentos.

El abandono por Inglaterra del proteccionismo agrario tuvo indudable repercusión en el resto de Europa, y propició un movimiento de opinión librecambista que alcanzó incluso a países tan protectores como Francia o España. En nuestro país este impulso se refleja en una baja muy paulatina de los derechos. Durante el reinado de Fernando VII tanto los gobiernos absolutistas como las Cortes del Trienio habían promulgado aranceles fuertemente proteccionistas y con un alto *derecho diferencial de bandera* (se llamaba así a la cláusula arancelaria que recargaba las mercancías importadas en buques extranjeros). Este derecho diferencial de bandera, de rancio abolengo mercantilista, había sido pieza clave en las llamadas «leyes de navegación» inglesas del siglo XVII. Las Cortes progresistas de 1841 sancionaron un arancel que, aunque claramente protector, lo era quizás algo menos que los anteriores. Sin embargo, conservaba todavía claros vestigios mercantilistas, ya que mantenía la prohibición de importar para 83 productos, entre los que se contaban algunos tan fundamentales como los tejidos de algodón, las manufacturas de hierro, la lana, el trigo y los demás cereales.

En 1849, en plena Década moderada, y en plena depresión tras la crisis de 1847-1848, se promulgó un nuevo arancel que suavizaba el proteccionismo anterior. El número de prohibiciones se redujo mucho (a 14), aunque prácticamente todos los artículos cuya prohibición se había levantado quedaban gravados muy fuertemente. Subsistían las prohibiciones de importar hilados y tejidos de algodón de los tipos producidos y más consumidos domésticamente, y subsistía el derecho diferencial de bandera, aunque rebajado. No hay duda de la influencia que el movimiento librecambista tuvo en la proclamación de este arancel relativamente moderado, tres años después de la derogación de las «leyes de cereales» en Inglaterra.

A mediados de siglo la polémica entre los partidarios del librecambio y los de la protección era intensa, y duró hasta principios del siglo XX. No vamos a entrar aquí en el fondo del debate, que hace las delicias de algunos historiadores, pero que tiene muy poco interés desde el punto de vista doctrinal, entre otras razones porque fue un pálido reflejo, con algunas irisaciones peculiares, de los debates en Inglaterra, Francia y Prusia. Poco o nada tenían que decir los librecambistas que no estuviera ya en Smith, Ricardo, o Say, mientras que los proteccionistas invocaban los argumentos de List adaptados al caso español. Si los alegatos librecambistas eran poco originales, los de los proteccionistas eran insostenibles, porque pretender que el arancel se justificaba como medida transitoria hasta que España pudiera competir con Inglaterra, era un razonamiento viciado por el hecho de que las industrias que crecen al amparo de un arancel encuentran en su propia existencia el argumento más fuerte contra la supresión del arancel: en particular era este el caso de la industria textil algodonera, citada una y otra vez por los proteccionistas como «fuente de riqueza y de empleo» que se «destruirían» si se la obligaba a competir con las industrias extranjeras.

Más interés que sus argumentos tiene la filiación sociológica de ambos bandos. Los proteccionistas se agrupaban en torno a la asociación barcelonesa de fabricantes de algodón, cuyos orígenes se remontan al siglo XVIII y cuyo nombre y estructura cambiaron frecuentemente durante el XIX. La asociación ha pervivido hasta hoy con el nombre de Fomento del Trabajo Nacional, con el que fue conocida durante el período de su mayor influencia. El Fomento trataba de ampliar su ámbito geográfica, económica y socialmente. En los planos económico y geográfico trataba de alcanzar rango nacional agitando más allá de la provincia de Barcelona, y buscando entendimiento con los cerealeros castellanos y otros sectores no competitivos. En el plano social trataba de atraerse a los obreros, en particular los del algodón, citando la amenaza del paro si se rebajaban los aranceles. Entre los más destacados defensores del proteccionismo se contaron Eudaldo Jaumandreu, Buenaventura Carlos Aribau, Juan Güell y Ferrer, Luis María Pastor, Andrés Borrego, y Pedro Bosch y Labrús.

El librecambista era un grupo menos compacto, socialmente más difuso, en que la teoría y la ideología desempeñaban un papel más importante, y los intereses económicos tenían menos peso que entre los proteccionistas, aunque contaba con el apoyo de los exportadores de vinos andaluces, de los comerciantes y mercaderes, de las compañías ferroviarias (que esperaban un aumento de tráfico si se rebajaban los aranceles) y el aliento amplio, pero amorfo y versátil, de las masas urbanas, para quienes el librecambio significaba pan barato. La principal organización librecambista era la Asociación para la Reforma de los Aranceles, domiciliada en Madrid y con corresponsales y organizaciones paralelas en otras ciudades. Entre los librecambistas figuraban «figuras de primera magnitud en la escena política nacional» [98, 685], como José Echegaray, Segismundo Moret, Emilio Castelar, Laureano Figuerola, Gumersindo Azcárate, Gabriel Rodríguez y Manuel Colmeiro.

La polémica continuó durante los veinte años en que (con algunas modificaciones) estuvo en vigor el arancel de 1849, y se agudizó cuando las Cortes, en 1869, debatieron y aprobaron el «Arancel Figuerola».

Este arancel ha sido repetidamente considerado como librecambista; tal calificación solo es correcta desde un punto de vista relativo. Es cierto que es el más librecambista que se ha dado en España; pero considerado en abstracto es, todo lo más, un compromiso entre los dos campos. El Arancel Figuerola, aunque menos elevado que sus predecesores o sus sucesores, era bastante alto. La mayor parte de sus tarifas estaba entre el 20 y el 35 %. En palabras de un contemporáneo, «no fue [...] un paso del proteccionismo al librecambio [...], sino la sustitución por derechos protectores moderados y por ponderadas disposiciones de un sistema de prohibiciones y de obstaculización del comercio» [45, 269]. Lo que más indignó a los proteccionistas fue que no contuviera prohibiciones y, sobre todo, la famosa «Base Quinta». La Base número 5 de la Ley de Bases Arancelarias, promulgada poco antes que el Arancel, preveía que las tarifas se rebajarían gradualmente a partir de julio de 1875, de modo que en 1881 no hubiera ninguna por encima del 15 % (se trataba de reducir el arancel a un puro papel fiscal). También escandalizó la supresión del derecho diferencial de bandera. Pero lo importante aquí es tener en cuenta que el liberalismo, real aunque relativo, del arancel dependía de que llegase a aplicarse la Base Quinta, lo que nunca sucedió. Casualmente, la restauración de Alfonso XII tuvo lugar seis meses antes de que la Base Quinta entrase en vigor, y uno de los primeros cuidados del ministro de Hacienda de la monarquía restaurada fue el suspender su aplicación.

Del Arancel Figuerola se han dicho cosas muy duras, no solo por los contemporáneos, sino tambien por historiadores y economistas actuales. Así, Tamames afirma que [87, 544]:

> El arancel de 1869, de haberse mantenido y observado en las décadas siguientes, habría impedido el desarrollo industrial de España y habría comportado la desaparición de buena parte de la industria ya establecida. Tan peligroso como el proteccionismo integral era este librecambismo extremista, del cual todos los países europeos, excepto Inglaterra, estaban ya de vuelta en 1869.

Por supuesto, ni puede hablarse aquí de «librecambismo extremista», ni los países europeos «estaban de vuelta» del librecambio en 1869, ni a Tamames le parece tan «peligroso» el proteccionismo integral, como demuestra dos páginas más adelante. Otro autor que también hace afirmaciones contrafactuales es Vicens [97, 108]:[6]

> Hoy no se puede ni discutir lo que hubiese pasado si los gobiernos de Madrid hubieran impuesto el librecambismo: el desastre absoluto.

Naturalmente, estas afirmaciones hipotéticas se ofrecen al lector sin ningún apoyo empírico. El caso de Vicens es tanto más curioso cuanto que dos páginas antes acaba de decir que, pese a las lamentaciones de los proteccionistas, «el que tenía razón era Figuerola [...] su obra hizo un gran bien a Cataluña. [...] Una nueva y poderosa corriente invadió los canales de la circulación económica catalana, como lo demuestran todas las curvas de la coyuntura [...]». Aparte de las protestas de los proteccionistas, la evidencia parece indicar que el Arancel Figuerola fue seguido de una modesta recuperación económica. Hasta qué punto puede atribuirse esta al Arancel es otra cuestión; pero lo que parece difícil de mantener es que hubiera «impedido el desarrollo industrial de España», o causado «el desastre absoluto».

Suspendida la aplicación de la Base Quinta, el librecambismo potencial del Arancel quedaba también en suspenso, y poco más tarde era suprimido con el arancel de 1877 que, si bien parecía una simple modificación del de 1869, introducía unos «recargos extraordinarios transitorios» que en efecto equivalían a un aumento en las tarifas. Estos recargos tenían fines más primordialmente fiscales que protectores, sin embargo.

Con la vuelta al poder de los liberales en 1881, se suavizó de nuevo la política comercial. En 1882 se repuso la Base Quinta y se rebajaron la mayor parte de los derechos. El mecanismo de la Base Quinta debería empezar a actuar en 1887, y en 1892 debieran haberse rebajado todas las tarifas hasta un máximo de 15 %. Pero tampoco esta vez llegó la famosa base a entrar en vigor, como veremos. En realidad, la política liberal tenía un elemento más, que era la política de tratados comerciales, los más importantes de los cuales fueron firmados con Francia en 1882 y con Inglaterra en 1886; hubo tratados similares con Suiza, Suecia, Noruega, Portugal y Alemania, pero el francés y el inglés eran los más importantes, por la sencilla razón de que el comercio con estos países venía a representar por entonces los dos tercios de las exportaciones españolas y más de la mitad de las importaciones. Estos tratados, concediendo la cláusula de «nación más favorecida», irritaron a los proteccionistas. Pero el factor decisivo para volver la opinión decididamente contra el librecambio fue uno que afectó a toda Europa durante el último cuarto de siglo: la llamada «crisis agrícola», es decir, la persistente caída en los precios de los productos alimenticios. El regreso al proteccionismo es un fenómeno europeo del período (con las únicas excepciones de Inglaterra, Holanda, Dinamarca y Finlandia) al que no es ajena España, y que en todas partes se debió a la activa participación de los agricultores en el bando proteccionista. También ocurrió así en España. El 31 de diciembre de 1891 se aprobaba un arancel que un contemporáneo calificó de «muralla china» [45, 333] y otro, de «arancel del hambre», por la subida que causó en los precios de los alimentos. En su exposición de motivos se decía de las nuevas tarifas que contenían «a un mismo tiempo los elementos de la protección que el desarrollo de la riqueza agrícola y de la industrial que nuestro país necesita», es decir, lo que en aquel tiempo dio en llamarse «protección integral» tanto a la industria como a

Renta de Aduanas, 1850-1902 (en millones de pesetas) **XII**

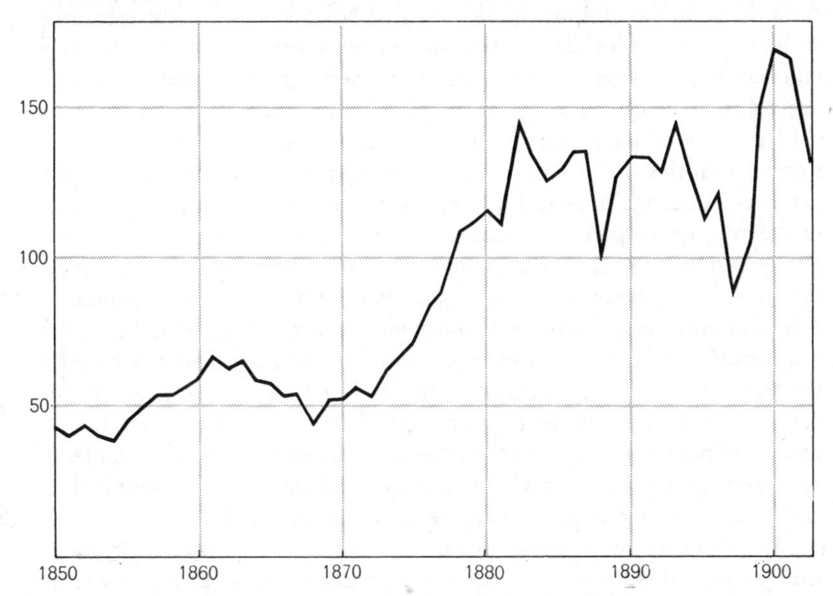

Fuente: *Estadística de los presupuestos* (se han calculado los valores para 1862 y 1899).

la agricultura. (Acerca de lo contradictorio de este concepto ha escrito páginas elocuentes Flores de Lemus.) Pero antes se había derogado definitivamente la Ley de Bases Arancelarias de 1869 (y con ella la denostada Base Quinta) y se habían denunciado la mayor parte de los tratados de Comercio. España entraba así en una etapa intensamente proteccionista que se confirmaría con la Ley de Bases Arancelarias de 1906, y que ha persistido hasta la actualidad.

«La economía española quedó al abrigo de una protección integral, que hizo posible el desarrollo de la industria y la expansión agrícola y ganadera», nos dice Tamames. ¿Es cierto eso? Quizá; pero está por demostrar. La evidencia *prima facie* no parece apoyarlo mucho. Ya vimos que los países más proteccionistas de Europa durante el siglo XIX no son los que se desarrollan más rápidamente, y España es un ejemplo en este sentido. Un razonamiento elemental confirma esta impresión: una industria que requiere protección es ineficiente; el protegerla implica un despilfarro de recursos. A la larga, salvo en los casos excepcionales de actividades con gran potencial, que al crecer ganan en eficiencia, el proteger actividades no competitivas tiene que ser una rémora para el crecimiento. Tomemos el ejemplo de la industria algodonera: sin arancel probablemente hubiera podido competir con la inglesa en ciertas calidades, como lo hicieron la belga y la suiza, a base de disminuir costes y beneficios, de aumentar la productividad especializándose y mecanizándose. Esto hubiera implicado riesgos y sacrificios para los fabricantes (y mejores precios y calidades para los consumidores); pero a estos, más cómodo y más beneficioso que invertir y arriesgar su capital en maquinaria e innovaciones les resultaba agitar políticamente y lograr de Madrid un arancel alto a cuya sombra enriquecerse sin gran esfuerzo ni riesgo, al abrigo de la competencia extranjera, pero renunciando a los mercados internacionales [47, 432]. Lo mismo ocurría con la agricultura: los nuevos propietarios salidos de la desamortización preferían cosechar y vender trigo caro, cultivado por métodos primitivos, en el mercado doméstico, que arriesgar sus capitales en aumentar la productividad, o buscar nuevos cultivos más adecuados a la geografía castellana. La «protección integral» se convertía así en un círculo vicioso: la carestía del trigo protegido encarecía la mano de obra industrial, lo cual encarecía el precio de los tejidos; la pobre agricultura española era un mercado mediocre para el algodón catalán, que no tenía estímulo para mecanizarse ni aumentar su productividad. Las consecuencias eran el bajo nivel de vida y la falta de competitividad de la economía española.

La evidencia que se desprende de los datos que poseemos no muestra que los períodos de proteccionismo arancelario fueran prósperos y los de librecambio (relativo) depresivos. Una cosa que sí parece clara es que los aranceles moderados producían mucha más recaudación fiscal (véase gráfico XII). La renta de Aduanas estaba en aparte determinada por la coyuntura, como muestran las caídas de los períodos 1862-1868, 1883-1888 y 1894-1898; pero el rápido aumento en la recaudación que se aprecia especialmente tras la promulgación del Arancel Figuerola resulta bien elocuente. También es notable el aumento de la década de 1850, tras el arancel de 1849, interrumpido por una fuerte caída en las importaciones debida a la guerra de Crimea. En la medida en que contribuía a equilibrar el presupuesto, el librecambismo favorecía el desarrollo económico. En cuanto a sus efectos directos, esto es, el fomento de una distribución racional de los recursos y una eliminación de las actividades antieconómicas, no tenemos aún elementos para pronunciarnos con seguridad. Lo que sí es seguro es que las afirmaciones tajantes como las que acabamos de ver en las páginas anteriores carecen de fundamento.

Para terminar, una observación que confirma la necesidad de cautela en estas materias. España fue, ya lo hemos comentado, uno de los países con más altos aranceles en la Europa del siglo XIX; sin embargo, al tratar del comercio exterior, vimos que el español creció más rápidamente durante la segunda mitad del siglo que los de todos los otros países con los que se hizo la comparación. ¿Cómo interpretar esta contradicción aparente? El tema requiere un estudio detenido, pero a primera vista pudiera pensarse que el impacto del arancel sobre el comercio exterior no era tan radical como sus enconados detractores o defensores pensaban. En relación con este punto hay que mencionar el hecho de que el arancel de Aduanas es un sistema muy complejo de tarifas que recaen sobre miles de artículos; medir el grado de proteccionismo de un arancel es empresa difícil: la resultante siempre será una cifra aproximada, nunca exacta. Sería interesante tratar de aplicar las modernas técnicas de estimación de la protección efectiva a los aranceles del siglo XIX. Quizá se descubriera que la protección efectiva no fue tan alta como unos y otros pensaban.

4. LA POLÍTICA MONETARIA

Nos queda, por último, hablar de la política monetaria o, quizá mejor, de su ausencia, porque durante el siglo XIX no puede hablarse de una verdadera política monetaria, sino más bien de una serie de medidas con poca conexión entre sí, relacionadas más bien con lo acontecido en otras esferas, especialmente en la fiscal [4; 5; 80; 93; 94; 95].

Desde el punto de vista de la política monetaria, nuestro período puede dividirse en dos etapas: antes y después de 1874. La divisoria es la concesión del monopolio de emisión al Banco de España. Como todas las divisorias, esta tiene mucho de arbitrario. Pero se trata con ella de separar el período en que predomina el dinero de pleno contenido de aquel en que predomina el dinero fiduciario.

La aparición del dinero fiduciario tiene lugar de una manera gradual durante nuestro período, es cierto, porque ya desde los Bancos de San Carlos y San Fernando se habían emitido billetes. Sin embargo, como ya vimos en el capítulo VIII, aún en 1865 (véase cuadro 1 del capítulo VIII) el dinero fiduciario no venía a representar más del 10 % del total de dinero en circulación. Ello a pesar de que la Ley de Bancos de Emisión de 1856 y el aumento del número de bancos en existencia que siguió permitieron una considerable expansión de la emisión de billetes. Lo cual hace suponer que durante la primera mitad del siglo prácticamente la totalidad de la oferta monetaria estaba compuesta por dinero de pleno contenido, esto es, por oro y plata.

La importancia de la distinción entre dinero de pleno contenido y dinero fiduciario es muy grande, por la razón sencilla de que el dinero de pleno contenido es de difícil control en cuanto a su volumen en circulación. El oro y la plata son escasos, y las dos únicas maneras de obtenerlos un país son, o bien extrayéndolos de las minas, o bien importándolos. Para lo primero hace falta que tales minas existan: en España estaban casi agotadas en el siglo XIX; para lo segundo, a la larga, hace falta tener una balanza de pagos favorable, es decir, o una balanza de pagos corrientes (de bienes y servicios) excedentaria, o una balanza de capital lo suficientemente favorable como para permitir la importación de metales preciosos.

La tendencia de la balanza comercial y de servicios española fue más bien, como sabemos, al déficit, por lo que, en ausencia de importación de capitales, el resultado era más bien la *extracción* al extranjero de metales preciosos. En un sistema monetario de pleno contenido la extracción de metales implica una tendencia a la deflación: al disminuir el dinero en circulación tienden a disminuir los precios, lo cual acostumbra deprimir la actividad económica (no todas las bajas de precios son causa o efecto de depresión, sin embargo, pese a lo que se lee en muchos manuales de historia económica), quizá más por la restricción del crédito que la escasez de dinero conlleva que por la baja de precios en sí. En pocas palabras, este fue el gran problema monetario de España durante la primera mitad del siglo. El sistema de pleno contenido aunado a una tendencia al déficit comercial estorbaban la expansión de la economía.

La situación cambió a partir de 1855 por dos razones fundamentalmente: en primer lugar, por la expansión de la circulación fiduciaria, limitada pero no despreciable, que ocurrió tras la Ley de Bancos de Emisión. En segundo lugar, por la entrada de capital que tuvo lugar durante el período de construcción ferroviaria acelerada [80, 141; 95, 104-106]. Estos dos fenómenos expansionaron la oferta monetaria y con ella aumentaron los precios, y sin duda también la actividad económica, por unos años. Sin embargo, resulta interesante observar (gráfico XIII)

Interés medio de los descuentos del Banco de Barcelona, 1850-1904 **XIII**

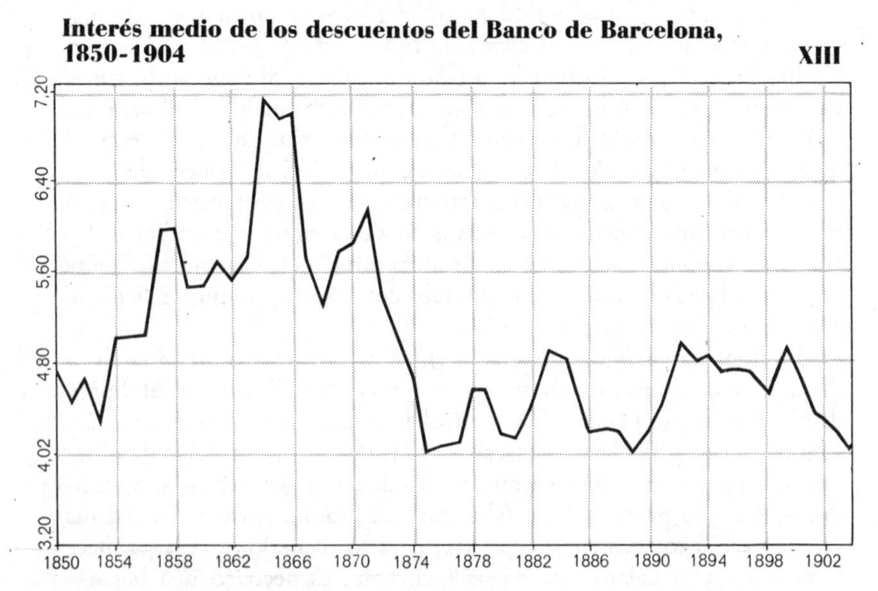

Fuente: Calculado a partir de las *Memorias* del Banco.

que también los tipos de interés a corto plazo subieron durante este período, lo cual indica que la expansión en la oferta monetaria no trajo consigo una expansión del crédito bastante para satisfacer la demanda.

La situación monetaria desde 1864 hasta 1874 es bastante caótica por razón de las crisis económica, bancaria, política y militar que tuvieron lugar durante esos años. La concesión del monopolio de emisión al Banco de España no terminó con el caos a corto plazo; pero sí fue la medida que permitió la drástica modificación en la composición de la oferta monetaria. Por una parte, la rápida expansión de los billetes y las cuentas corrientes popularizó el dinero bancario y más que compensó la desaparición de la moneda de oro. Por otra parte, la política pasiva frente al alza del precio del oro durante la década de 1870, junto con el abandono de la convertibilidad en oro de los billetes del Banco de España, en 1883, permitieron que el oro desapareciera de la circulación y que la plata se convirtiera en moneda fiduciaria. Por lo cual, en cuestión de unos veinte años, el sistema monetario español pasó de ser de pleno contenido a convertirse en uno de los pocos sistemas fiduciarios de Europa (véase capítulo VIII, *passim* y cuadro 2) precisamente cuando el patrón oro se estaba imponiendo en el mundo.

Sin embargo, a pesar de la adopción de un patrón fiduciario *de facto* y de que la oferta monetaria aumentó sustancialmente durante el último cuarto del siglo, los precios se mantuvieron relativamente estables, excepto durante el último quinquenio del siglo, es decir, durante la inflación de la guerra de Cuba. Las razones de esta relativa estabilidad son varias: en primer lugar, este es un período de baja de precios en el mercado internacional; como ya sabemos, la relación entre la economía española y la mundial se intensifica en el período, y es natural que los precios internacionales ejerzan un poderoso influjo sobre los nacionales; en segundo lugar, estos son años de crecimiento lento pero firme para la economía española, y este crecimiento entraña un aumento de la demanda de dinero y de crédito, que se equilibraron aproximadamente con sus ofertas como sugiere la relativa estabilidad de los tipos de interés; y en tercer lugar, pese a la imposición *de facto* de un sistema fiduciario, los sucesivos gobiernos se esforzaron en todo momento (excepto en los muy difíciles de la guerra de Cuba) por mantener una disciplina monetaria si no igual, tampoco radicalmente diferente a la que hubiera resultado con sistema de patrón oro: es decir, frenaron cuanto pudieron la expansión del volumen de billetes en circulación. Si no la frenaron más, probablemente fue porque, debido a las estrechas relaciones entre Banco y Tesoro, se utilizaba «la creación de dinero como medio para financiar las necesidades públicas, al no poder hacerlo por vía fiscal, dada la petrificación del sistema impositivo» [4, 211]. He aquí un claro ejemplo de cómo la política monetaria venía determinada por imperativos de orden fiscal.

Pese a la actitud vergonzante y apurada de los gobiernos con respecto al abandono del patrón oro, esta era la mejor alternativa posible (o la menos mala). Como hemos visto, la pervivencia del sistema de pleno contenido (bimetalista o monometalista oro) era un obstáculo al crecimiento. La oferta monetaria española creció lentamente durante el último cuarto de siglo comparada con la de otros países, como Estados Unidos, el Reino Unido o Francia [94, 465-469], pero el crecimiento hubiera sido aún menor de haberse mantenido la disciplina del patrón oro; y en un país subdesarrollado como España el patrón oro era un lujo muy caro. Es decir, era más lógico destinar el oro a importar alimentos, equipo y tecnología que utilizarlo como circulante: en un país pobre destinar el oro a circular es un despilfarro extravagante. Resulta más racional crear un circulante barato (papel, plata depreciada, cuentas bancarias) e invertir el oro en otros menesteres.

Resulta, para concluir, que de las distintas intervenciones del Estado en la economía, la política fiscal, la comercial y la monetaria, quizá fue esta última la mejor encaminada durante los años de la Restauración: lo cual resulta paradójico porque fue la que recibió menos atención, más baja prioridad, y de la que menos satisfechos estaban los políticos de entonces.

NOTAS DEL CAPÍTULO IX

1. El «truco contable» de la *Estadística de los presupuestos* ya ha sido advertido por Martin Niño, pp. 63-65, en 1972, e incluso desvelado por el propio González de la Peña, compilador de la *Estadística*, en el preámbulo, p. XIX; todo lo cual hace más sorprendentes los datos aportados por Artola.
2. Constantino Ardanaz, citado en [60, 52].
3. Traducción del autor.
4. A. Smith, *Wealth of Nations*, Book V, Ch. III (p. 863, ed. Modern Library). Traducción del autor.
5. Esto es cierto solo a partir del nivel de máxima recaudación. Para aranceles más bajos, naturalmente, recaudación y protección están positivamente correlacionados. Pero para esos niveles el efecto protector del arancel es insignificante.
6. Traducción del autor.

BIBLIOGRAFÍA

1. Anes Álvarez, Gonzalo, «La agricultura española desde comienzos del siglo xix hasta 1868: algunos problemas», en *Ensayos sobre la economía española.*

2. Anes Álvarez, Gonzalo, *El antiguo régimen. Los Borbones,* Historia de España Alfaguara, Madrid, 1976.

3. Anes Álvarez, Gonzalo, *Las crisis agrarias en la España moderna,* Madrid, 1970.

4. Anes Álvarez, Rafael, «El Banco de España (1874-1914): Un banco nacional», en Tortella y otros, *La Banca española en la Restauración,* tomo I, *Política y Finanzas.*

5. Anes Álvarez, Rafael, y Carlos Fernández Pulgar, «La creación de la peseta en la evolución del sistema monetario de 1847 a 1868», en *Ensayos sobre la economía española a mediados del siglo xix* realizados en el Servicio de Estudios del Banco de España.

6. Anes Álvarez, Rafael, «Las inversiones extranjeras en España de 1855 a 1880», en *Ensayos sobre la economía española a mediados del siglo xix, realizados en el Servicio de Estudios del Banco de España.*

7. Armengaud, André, «Population in Europe, 1700-1914», en Cipolla, Carlo M., ed. *The Industrial Revolution,* vol. 3 de *The Fontana Economic History of Europe.*

8. Artola, Miguel, *La burguesía revolucionaria (1808-1869),* Historia de España Alfaguara, Madrid, 1973.

9. Artola, Miguel y otros, *Los ferrocarriles en España, 1844-1943, I. El Estado y los ferrocarriles, II. Los ferrocarriles y la economía,* Madrid, Servicio de Estudios del Banco de España, 1978.

10. Bairoch, Paul, «Niveaux de developpement économique de 1810 à 1910», *Annales, ESC,* 1965, núm. 6, pp. 1091-1117.

11. Branigan, J. J. y H. R. Jarrett, *The Mediterranean Lands,* xiv+ 609 pp., The New Certificate Geography Series, Londres, 1969.

12. Braudel, Fernand, *La Mediterranée et le monde méditerranéen à l'époque de Philippe II,* París, 1949 (hay trad. esp.).

13. Broder, Albert, «Les investissements étrangers en Espagne au xixe siècle: méthodologie et quantification», *Révue d'histoire Économique et Sociale* (1976), pp. 29-62.

14. Cameron, Rondo E., *Banking in the Early Stages of Industrialization. A Study in Comparative Economic History,* con la colaboración de Olga Crisp, Hugh T. Patrizia y Richard Tilly, Nueva York, Oxford University Press, 1967, (hay trad. esp.).

15. Cameron, Rondo E., *France and the Economic D[illegible]ment of Eu-*

rope 1800-1914. Conquests of Peace and Seeds of War, XVIII + 586 pp., Princeton, New Jersey, Princeton University Press, 1961 (hay trad. esp.).

16. CASTEJÓN MONTIJANO, RAFAEL, *Génesis y desarrollo de una sociedad mercantil e industrial en Andalucía: La Casa Carbonell de Córdoba (1866-1918),* 342 pp., Publicaciones del Monte de Piedad de Ahorros de Córdoba, 1977.

17. CARANDE, RAMÓN, *Carlos V y sus banqueros,* II. *La Hacienda real de Castilla,* Madrid, 1949.

18. CARUS WILSON, E. [leanora] M., ed., *Essays in Economic History. Reprints edited for The Economic History Society,* 3 vols., Londres, 1954, 1962, 1962.

19. CHASTAGNARET, GÉRARD, «La legislation de 1825 et l'évolution des activités minières», Comunicación al I Coloquio de historia económica de España (Barcelona, marzo 1972).

20. CHECKLAND, S. G., *The Mines of Tharsis: Roman, French, and British Enterprise in Spain,* Londres, 1967.

21. CHILCOTE, RONALD H., *Spain's iron and steel industry,* Austin, Bureau of Business Research, University of Texas, 1968.

22. CIPOLLA, CARLO M., *The Economic History of World Population,* 5.ª ed., Harmondswork, Middlesex, England, 1970 (hay trad. esp.).

23. CIPOLLA, CARLO M., editor, *The Fontana Economic History of Europe,* vol. 3, *The Industrial Revolution,* Londres y Glasgow, 1973.

24. COATSWORTH, JOHN H., *Crecimiento contra desarrollo: El impacto económico de los ferrocarriles en el porfiriato,* 2 vols., trad. Julio Arteaga Hernández, Revisión del autor. Secretaría de Educación Pública, Dirección General de Divulgación, México, 1976.

25. DEANE, PHYLLIS, y W. A. COLE, *British Economic Growth, 1688-1959 Trends and Structure.* 2.ª ed., Cambridge University Press, 1969.

26. DE MADDALENA, ALDO, «Rural Europe, 1500-1750», en CIPOLLA, CARLO M., *The Sixteenth and Seventeenth Centuries. The Fontana Economic History of Europe,* vol. 2.

27. DE VRIES, JAN, *The Dutch Rural Economy in the Golden Age, 1500-1700,* New Haven, 1974.

28. DONEZAR DÍEZ DE ULZURRUN, JAVIER M., «La minería española en el período 1868-1875», *Hispania,* 131, 1975, pp. 585-660.

29. *Ensayos sobre la economía española a mediados del siglo XIX realizados en el Servicio de Estudios del Banco de España,* Madrid, autor, 1970.

30. *Estadística de los presupuestos generales del Estado y de los resultados que ha ofrecido su liquidación. Años 1850 a 1890-91,* Intervención General de la Administración de Estado, Madrid, Imprenta de la Fábrica Nacional del Timbre, 1891. Reeditada en facsímil con el título: *Cuentas del Estado español, 1850 a 1890-91* por el Instituto de Estudios Fiscales.

31. *Estadística de los presupuestos generales del Estado y de los resultados que ha ofrecido su liquidación. Años 1890-91 a 1907,* Intervención General de la Administración del Estado, Madrid, Imprenta de la Sucesora de M. Minuesa de los Ríos, 1909. Reeditado en facsímil con el título *Cuenta del Estado Español 1890-91 a 1907* por el Instituto de Estudios Fiscales.

32. ESTEVAN SENIS, MARÍA TERESA, «La minería cartagenera, 1840-1919. Aspectos económicos y sociales», *Hispania,* 101,1966, pp. 61-95.

33. FERNÁNDEZ DE PINEDO, EMILIANO, «La entrada de la tierra en el circuito comercial: la desamortización en Vascongadas. Planteamiento y primeros

resultados», en NADAL J. y G. TORTELLA (eds.), *Agricultura, comercio colonial y crecimiento económico.*

34. FLINN, M. W., «British Steel and Spanish Ore: 1871-1914», *Economic History Review*, 2d ser., VIII, 1955, núm. 1, pp. 84-90.

35. FOGEL, ROBERT WILLIAM, *Railroads and American Economic Growth: Essays in Econometric History*, Baltimore, Md., 1964 (hay traducción española).

36. FONTANA LÁZARO, JOSEP, *Cambio económico y actitudes políticas en la España del siglo XIX*, Barcelona, 1973.

37. FONTANA LÁZARO, JOSEP, *Hacienda y Estado en la crisis final del antiguo régimen español: 1823-1833*, Madrid, Instituto de Estudios Fiscales, Ministerio de Hacienda, 1973.

38. FONTANA LÁZARO, JOSEP, *La quiebra de la monarquía absoluta, 1814-1820 (La crisis del antiguo régimen en España)*,, Barcelona, 1971.

39. FREMDLING, RAINER, «Railroads and German Economic Growth: A Leading Sector Analysis with a Comparison to the United States and Great Britain», *JEH*, XXXVII, 3 sept. 1977, pp. 583-604.

40. FUENTES QUINTANA, ENRIQUE, «Los principios del reparto de la carga tributaria en España», *Revista de Derecho Financiero y de Hacienda Pública*, núm. 41, marzo, 1961.

41. GERSCHENKRON, ALEXANDER, *Economic Backwardness in Historical Perspective, A Book of Essays*, Nueva York, 1965 (hay trad. esp.).

42. GLASS, D.V. y D. E. C. EVERSLEY, EDS., *Population in History. Essays in Historical Demography*, Londres, 1974.

43. GLASS, DAVID V. y ROGER REVELLE, EDS., *Population and Social Change*, Londres, 1972 (hay trad. esp.).

44. GONZÁLEZ PORTILLA, MANUEL, «El desarrollo industrial de Vizcaya y la acumulación de capital en el último tercio del siglo XIX», *Anales de Economía*, octubre 1974, pp. 43-83.

45. GWINNER, ARTURO, «La política comercial de España en los últimos decenios» en Ministerio de Hacienda, *Textos olvidados*, presentación y selección de Fabián Estapé Rodríguez (Madrid: Instituto de Estudios Fiscales, 1973).

46. HAJNAL, J., «European Marriage Patterns in Perspective», in Glass + Eversley, *Population in History*, pp. 101-143.

47. HARRISON, R. JOSEPH, «Catalan Business and the Loss of Cuba, 1878-1914», *Economic History Review*, 2d. ser., vol. XXVII núm. 3 agosto 1974, pp. 431-441.

48. HECKSCHER, ELI, *An Economic History of Sweden*, trad. Göran Ohlin, Cambridge, Mass., Harvard University Press, 1954.

49. HERR, RICHARD, «El significado de la desamortización en España», *Moneda y Crédito*, núm. 131 diciembre, 1974, pp. 55-94.

50. HERR, RICHARD, «La vente des propiétés de mainmorte en Espagne, 1798-1808», *Annales ESC* 1974, pp. 215-228.

51. IZARD, MIGUEL, *Industrialización y obrerismo. Las Tres Clases del Vapor, 1869-1913*, Barcelona, 1973.

52. IZARD, MIGUEL, *La revolución industrial en España: expansión de la industria algodonera catalana, 1832-1861*, Multicopiado, Mérida, Venezuela, Universidad de los Andes, 1969.

53. KEARNEY, HUGH, *Science and Change, 1500-1700*, World University Library, Nueva York, Toronto, 1971.

54. LIVI BACCI, MASSIMO, «Fertility and Nuptiality Changes in Spain

from the Late 18th to the Early 20th Century», *Population Studies*, XXII 1968. Part 1, pp. 83-102; Part 2, pp. 211-234.

55. LIVI BACCI, MASSIMO, «Fertility and Population Growth in Spain in the Eighteenth and Nineteenth Centuries», *Daedalus*, XCVII, núm. 2 1968; reproducido en Glass + Revelle, *Population and Social Change.*

56. LOCKWOOD, WILLIAM W., *The Economic Development of Japan. Growth and Structural Change*, Expanded Edition; Princeton, New Jersey; Princeton University Press, 1968.

57. LÓPEZ GÓMEZ, ANTONIO, «Nuevos riegos en Valencia en el siglo XIX y comienzos del XX», en NADAL, JORDI, y GABRIEL TORTELLA (eds.), *Agricultura, Comercio Colonial.*

58. LÓPEZ PIÑERO, JOSÉ M., *Medicina y Sociedad en la España del siglo XIX*, Madrid, Sociedad de Estudios y Publicaciones, 1964.

59. MALEFAKIS, EDWARD, *Reforma agraria y revolución campesina en la España del siglo XX*, Trad. de Antonio Bosch, Alfredo Pastor y Juan Ramón Capella, Barcelona, 1971.

60. MARTÍN NIÑO, JESÚS, *La Hacienda española y la Revolución de 1868* (prólogo de Lucas Beltrán), Estudios de Hacienda Pública, Madrid, Instituto de Estudios Fiscales, 1972.

61. MARX, KARL y FRIEDRICH ENGELS, *Die Deutsche Ideologie*, Berlín, Dietz Verlag, 1953 (hay trad. esp.).

62. MATEO DEL PERAL, DIEGO, «Economía y Política durante el sexenio liberal. Catálogo de legislación (1868-1874)», en TORTELLA CASARES y otros, *La Banca española en la Restauración*, tomo II, *Datos para una historia económica.*

63. MITCHELL, B. R., *European Historical Statistics, 1750-1970*, Columbia University Press, 1975.

64. NADAL, JORDI, *El fracaso de la Revolución Industrial en España, 1814-1913, Barcelona, 1975.*

65. NADAL, JORDI, «Industrialización y desindustrialización del sureste español, 1817-1913», *Moneda y Crédito*, núm. 120 marzo, 1972, pp. 3-80.

66. NADAL, JORGE, *La población española (siglos XVI a XX)*, Barcelona, 4.ª edición.

67. NADAL, JORDI y GABRIEL TORTELLA (eds.), *Agricultura, comercio colonial y crecimiento económico en la España contemporánea.* Actas del Primer Coloquio de Historia Económica de España, Barcelona, 11-12 de mayo de 1972, Barcelona, 1974.

68. NADAL FARRERAS, JOAQUIM, *Comercio Exterior y Subdesarrollo. La política comercial española y su incidencia en las relaciones económicas hispano-británicas de 1772 a 1914*, Tesis doctoral, Barcelona, 1976.

69. PRADOS DE LA ESCOSURA, LEANDRO, «Anglo-Spanish Trade, 1714-1832», ponencia presentada en el «Workshop in International Economic History», St. Antony's College, Oxford University, primavera 1978.

70. *Reseña geográfica y estadística de España*, Madrid, imprenta de la Dirección General del Instituto Geográfico y Estadístico, 1888.

71. RINGROSE, DAVID R., *Transportation and economic stagnation in Spain, 1750-1850*, Durham, N. C.: Duke University Press, 1970 (hay traducción española).

72. ROGERS, JAMES E. THOROLD, *The Economic Interpretation of History*, Londres, T. Fisher Unwin, 1891.

73. RUDOLPH, RICHARD L., «The Pattern of Austrian Industrial Growth

from the Eighteenth to the Early Twentieth Century», *Austrian History Yearbook*, Volume XI, 1975, pp. 3-25.

74. SÁNCHEZ-ALBORNOZ, NICOLÁS, «Los bancos y las sociedades de crédito en provincias: 1856-1868», *Moneda y Crédito*, 104, marzo, 1968, pp. 39-68.

75. SÁNCHEZ-ALBORNOZ, NICOLÁS, *Las Crisis de subsistencias de España en el siglo XIX*, Instituto de Investigaciones Históricas, Rosario, 1963.

76. SÁNCHEZ-ALBORNOZ, NICOLÁS, «Crisis de subsistencias y recesión demográfica: España en 1868», *Anuario del Instituto de Investigaciones Históricas:* Universidad del Litoral, Facultad de Filosofía y Letras - Rosario, República Argentina, núm. 6, años 1962-1963, pp. 27-40, Santa Fe, 1964.

77. SÁNCHEZ-ALBORNOZ, NICOLÁS, *España hace un siglo: una economía dual.* Nuevo texto, revisado y ampliado, Madrid, 1977.

78. SÁNCHEZ-ALBORNOZ, NICOLÁS, *Los precios agrícolas durante la segunda mitad del siglo XIX*, volumen I, *Trigo y Cebada*, materiales para la historia económica de España, Madrid, Servicio de Estudios del Banco de España, 1975.

79. SÁNCHEZ-ALBORNOZ, NICOLÁS, «El trasfondo económico de la Revolución», *Revista de Occidente*, Año VI, 2.ª ep., núm. 67, pp. 19-63.

80. SARDÁ [DEXEUS], JUAN, *La Política Monetaria y las fluctuaciones de la Economía española en el siglo XIX*, Madrid: Instituto Sancho de Moncada, 1948.

81. SCHUMPETER, JOSEPH ALOIS, *The Theory of Economic Development. An Inquiry into Profits, Capital, Credit, Interest, and the Business Cycle*, Trad. Redvers Opie. A Galaxy Book. Nueva York: Oxford University Press, 1961 (hay trad. esp.).

82. SIMÓN SEGURA, FRANCISCO, *La desamortización española en el siglo XIX*, Madrid: Ministerio de Hacienda, Instituto de Estudios Fiscales, 1973.

83. SHAW, VALERIE J., «Exportaciones y despegue económico: el mineral de hierro de Vizcaya, la región de la ría de Bilbao y algunas de sus aplicaciones para España», *Moneda y Crédito*, 142, 1977, pp. 87ss.

84. SLICHER VAN BATH, B. H., *The agrarian history of Western Europe, 500-1850*, trad. Olive Ordish, Nueva York, 1963.

85. SMITH, ADAM, *An Inquiry into the Nature and Causes of the Wealth of Nations*, Nueva York, 1937.

86. TALLADA PAULI, JOSÉ M.ª, *Historia de las finanzas españolas en el siglo XIX*, Madrid, 1946.

87. TAMAMES, RAMÓN, *Estructura Económica de España*, 3 vols.; Madrid, 1975.

88. TAWNEY, RICHARD H., «The Rise of the Gentry, 1558-1640», *EHR*, XI (1941); reproducido en Carus-Wilson, *Essays in Economic History, I.*

89. TEDDE DE LORCA, PEDRO, «La Banca privada española durante la Restauración, 1874-1914», en TORTELLA CASARES, y otros, *La Banca española en la Restauración*, tomo I, *Política y Finanzas.*

90. TOMÁS Y VALIENTE, FRANCISCO, *El marco político de la Desamortización en España*, Barcelona, 1971.

91. TORTELLA CASARES, GABRIEL, PABLO MARTÍN ACEÑA, JESÚS SANZ FERNÁNDEZ Y SANTIAGO ZAPATA BLANCO, «Las balanzas del comercio exterior español: un experimento histórico estadístico, 1875-1913», en JOSÉ LUIS GARCÍA DELGADO y JULIO SEGURA, eds., *Ciencia social y Análisis económico. Estudios en homenaje a Valentín Andrés Álvarez*, Madrid (en prensa).

92. TORTELLA CASARES, GABRIEL, ed., *La Banca española en la Restauración*, tomo I, *Política y Finanzas;* tomo II, *Datos para una Historia económica*, por: RAFAEL ANES ÁLVAREZ, DIEGO MATEO DEL PERAL, PEDRO TEDDE DE

LORCA, y otros; edic. y revisión a cargo de PEDRO SCHWARTZ, Madrid, Servicio de Estudios del Banco de España, 1974.
93. TORTELLA CASARES, GABRIEL, «El Banco de España entre 1829-1929. La formación de un banco central», en *El Banco de España. Una historia económica*, Madrid, 1970.
94. TORTELLA CASARES, GABRIEL, «Las magnitudes monetarias y sus determinantes», en TORTELLA y otros, *La Banca española en la Restauración*, tomo I, *Política y Finanzas*.
95. TORTELLA CASARES, GABRIEL, *Los orígenes del capitalismo en España. Banco, Industria y Ferrocarriles en el siglo XIX*, Madrid, 1973.
96. TORTELLA CASARES, GABRIEL, «La Sociedad Española de la Dinamita» (inédito).
97. VICENS I VIVES, JAIME, *Manual de Historia económica de España*, con la colaboración de J. NADAL OLLER, Barcelona, 1959.
98. VICENS I VIVES, JAUME, y MONTSERRAT LLORENS, *Industrials i polítics del segle XIX*, Barcelona, 1961.
99. VILAR, PIERRE, *La Catalogne dans l'Espagne moderne. Recherche sur les fondements économiques des structures nationales*, 3 vols., París, 1962.
100. WEBER, MAX, *The Protestant ethic and the spirit of capitalism*, trad. Talcott Parsons, Nueva York, 1958.
101. ZINSSER, HANS, *Rats, Lice, and History*, Boston, 1935.

SEGUNDA PARTE

AFIANZAMIENTO Y DESPLIEGUE DEL SISTEMA LIBERAL

por

Casimiro Martí

Presentación

Desde el punto de vista de la historia política, en el período que transcurre entre 1834 y 1874, del Estatuto Real al final de la Primera República, tiene lugar un proceso que presenta una cierta unidad de conjunto. Las tendencias liberales, que habían gozado con anterioridad de unas breves etapas de existencia amenazada por múltiples factores contrarios, se consolidan en el poder, se configuran en su especificidad diferenciada (moderados, progresistas, demócratas, republicanos), y experimentan casi todas ellas un recambio generacional de los personajes más representativos.

Una mirada global sobre este período permite percibir otro aspecto de la mencionada coherencia del proceso político que lo caracteriza. Hay, dentro de los vaivenes, de los saltos y retrocesos que son moneda común en la historia, como una marcha inexorable de progresiva radicalización, que empieza con la tendencia moderada del gobierno que da a luz el Estatuto Real, se manifiesta en los breves y contados pasos por el poder de la tendencia progresista, y culmina en la victoria, aunque efímera, de la extrema izquierda liberal, el partido republicano.

Para presentar este período de consolidación del liberalismo burgués y de despliegue del mismo en el sentido de progresiva diferenciación de tendencias, que se configuran en el poder o en la oposición, la narración tomará por objeto, por una parte, la tipificación de las fuerzas vivas en la vida social, de las ideologías en vigor, y de las instituciones jurídico-políticas en que se encuadran y manifiestan las mencionadas fuerzas vivas o ideologías. Sólo después de esta caracterización, se podrá proceder a tomar el hilo cronológico de los acontecimientos que, en las esferas del poder y en las manifestaciones más destacadas de las fuerzas populares, marcan los hitos de la evolución histórica. Finalmente, convendrá subrayar los elementos estructurales que pesan en el desarrollo de los hechos.

Presentación

CAPÍTULO PRIMERO

Las fuerzas vivas

1. LA CORONA

Al iniciarse este período, la Corona se encuentra en el centro de un gran debate. En términos jurídicos, se plantea un problema dinástico: está o no en vigor la ley sálica (Felipe V, 10 de mayo de 1715), que impedía a la descendencia femenina acceder al trono por vía de sucesión, después de que las Cortes la derogaran el 25 de febrero de 1789, sin que Carlos IV promulgara este acuerdo, y de que Fernando VII ordenara publicar lo decidido por aquellas Cortes (29 de marzo de 1830), revocara gravemente enfermo lo ordenado en 1830 (18 de setiembre de 1832), y declarara finalmente nula esta revocación (31 de diciembre de 1832). En términos de realidad política, se plantea un problema de línea de gobierno: tiene que seguir vigente el absolutismo, o hay que dar paso a la experiencia de monarquía constitucional según los modelos vigentes en Europa después de la Revolución francesa, ya adoptados en España entre 1812 y 1814, y entre 1820 y 1823.

La Corona está representada, a la muerte de Fernando VII (1784-1833), por la reina gobernadora, María Cristina (1806-1878), sobrina de Fernando VII y su cuarta y última esposa, regente en la menor edad de Isabel II (1830-1904). María Cristina, al contraer matrimonio con Fernando VII en 1829, se había constituido en un signo de esperanza para los núcleos liberales. De la reina, cuya concesión de amnistía de 7 de octubre de 1832 había tenido amplio y favorable eco entre los liberales, escribía Larra en diciembre del mismo año con admiración no disimulada, que arrinconaba por una vez su acostumbrada causticidad: «Nuestra Reina, a quien tanto tenemos que agradecer, es quien nos inspira confianza: su protección decidida a todo lo bueno, un mes glorioso que puede contar más grandezas que tres siglos anteriores» [36, 82]. María Cristina patrocinó siempre la línea moderada y, como su hija Isabel, solo forzada por las circunstancias toleró el acceso de los progresistas al poder. Las circunstancias fueron, en efecto, las que se impusieron a María Cristina en el levantamiento de los sargentos en La Granja (12 de agosto de 1836), y en 1840 cuando, presentada por Espartero la exigencia de que anulase la ley de ayuntamientos promulgada por la reina el 15 de julio, eligió abdicar de la regencia (12 de octubre) y embarcarse para Marsella. Su abdicación, el matrimonio morganático contraído con Fernando Muñoz (1808?-1873) tres meses después del fallecimiento de Fernando VII, la intervención de aquel en negocios no del todo claros, sobre todo en materia de ferrocarriles, y su peso como reina madre sobre las decisiones de Isabel II, le acarrearon la antipatía creciente de los progresistas.

Isabel II (1830-1904), proclamada mayor de edad en 1843, contrajo en 1846, a los dieciséis años de edad, un matrimonio negociado por la corte con Francisco de Asís de Borbón (1822-1902), que desplazó así la candidatura de Montemolín, hijo de Carlos María Isidro, sobrino de Fernando VII y aspirante al trono. Al defender la candidatura de Montemolín, Balmes creía aportar una contribución decisiva a la pacificación del país, dividido por la lucha dinástica.

El matrimonio con Francisco de Asís, primo carnal de Isabel II, fue un acto contrario a la voluntad de la reina, cuya separación práctica respecto de su cónyuge corrió parejas con su vida privada propensa al escándalo.

Durante su cuarto de siglo de reinado, Isabel II siguió la línea política de su madre, María Cristina: monopolio del poder concedido a los moderados, y entrega del mando a los progresistas solo por la fuerza de los hechos.

La fuerza de los hechos se produjo en 1854, cuando el levantamiento de los generales Dulce y O'Donnell no pudo prosperar sin la intervención de los progresistas, y se instaló en el gobierno la coalición Espartero-O'Donnell; y en 1868, cuando los progresistas no buscaron ya disfrutar del poder concedido por la reina, sino que programaron y alcanzaron su caída, coaligados con otras fuerzas políticas.

Amadeo I de Saboya (1845-1890), traído después de arduas negociaciones para cubrir el trono de España, proclamó desde su primera intervención pública ante las Cortes (5 de abril de 1871), en su discurso de la Corona, que jamás trataría de «imponerse a la voluntad nacional representada en las Cortes». La complejidad de las circunstancias políticas que le tocó vivir (seis gabinetes ministeriales, tres elecciones generales a Cortes, en el espacio de dos años; la agitación republicana y alfonsina, la guerra carlista, los problemas de las colonias ultramarinas) le llevaron a la convicción de que el desempeño de su papel no podía dar como resultado una vida política con futuro. En el mensaje de abdicación (11 de febrero de 1873) confesó su pesar de no haberle sido posible procurar a España «todo el bien que mi leal corazón para ella apetecía».

Fuerza viva, en este círculo de la Corona, fue Carlos María Isidro de Borbón (Carlos V, 1788-1855). El profesor Seco Serrano ha calibrado y expuesto la endeblez del bagaje conceptual con que este personaje enfocaba los problemas de la vida política planteados a todas las naciones de la época. «Que haya santo temor de Dios, y con esto hay buenas costumbres, virtudes, paz, tranquilidad, alegría y todo», le repetía una y otra vez a Fernando VII en 1826, para quitar del ánimo de su hermano la idea de un cierto plan de reformas liberalizantes [39, 27-47]. Don Carlos fue una bandera levantada contra la revolución liberal, cuyas primeras experiencias habían tenido lugar en España durante los dos períodos en que estuvo vigente la Constitución de Cádiz: 1812-1814, y 1820-1823. Con el simplismo de sus ideas políticas, el pretendiente alimentó una larga guerra civil, entre 1833 y 1840, que depauperó el país y enconó divisiones ancestrales. Don Carlos María Isidro abdicó en su hijo, Carlos Luis (1818-1861), el 18 de mayo de 1845. Este tomó el nombre de Carlos VI y, al fracasar las gestiones de su matrimonio con Isabel II, apoyó la reanudación de la guerra civil en 1846, que tomó proporciones notables al entrar en liza Ramón Cabrera (1806-1877), hasta que fue sofocada en 1849. Después de otra tentativa de golpe militar en San Carlos de la Rápita (2 de abril de 1860), dirigida por el general Ortega, Carlos VI murió en circunstancias extrañas en 1861. La línea sucesoria la asumió Carlos María (1848-1909), hijo de un hermano de Carlos VI, Juan. Carlos María se declaró pretendiente carlista en 1866, y tomó el nombre de Carlos VII. Bajo su égida se desarrolló la guerra carlista de 1872 a 1876.

A pesar de las guerras dinásticas y de los motivos de descrédito a que dio origen el reinado de Isabel II, la monarquía como institución contó a través de esta época con un amplio apoyo popular y siguió ejerciendo entre el pueblo su fuerza de mito fascinante, cuyos ingredientes y puntos de sustentación, ideológicos y prácticos, sería interesante poder identificar con rigor, en su vigencia y en su proceso de crisis.

2. LOS PARTIDOS POLÍTICOS

En la primera experiencia liberal de las Cortes de Cádiz, se advirtió no solo la hostilidad entre «liberales» y «serviles», sino la aparición de una tendencia centrista, representada por los periódicos *El Neutral* y *La Abeja Española*. La rudimentaria división entre liberales y serviles persistió durante el trienio constitucional con la denominación de «moderados» y «exaltados», surgida a consecuencia de las posiciones adoptadas en el debate sobre la disolución del ejército (septiembre de 1820).

Durante la guerra carlista es cuando surgió el verdadero sistema de partidos. No cabe duda que Martínez de la Rosa (1787-1862), al propugnar el Estatuto Real (1834) como marco legal de la vida política, se propuso tender un puente a los seguidores de Don Carlos. El Estatuto Real representó un esfuerzo para atraer a los que rechazaban la Constitución de Cádiz, sin desatender por ello las exigencias de los liberales. Sin embargo, pronto se comprobó que el carlismo no se conformaba con una solución negociada, sino que se mantenía en su postura maximalista. De rechazo, las posturas liberales tendieron a exacerbarse y a definirse en sus rasgos diferenciales.

La expresión «partido político» no era grata a los liberales en los años que siguieron a la muerte de Fernando VII. Temían las divisiones que pudieran producirse en las propias filas, particularmente necesitadas de unidad en las circunstancias de la guerra carlista, y concebían, además, las Cortes como un cuerpo coherente que dictaba la política a un gobierno puramente ejecutivo, más que como un organismo representativo del mosaico de opiniones políticas vigentes en el país. Los diputados de esta época se creían atacados en su honor si en las votaciones se ponía en duda su independencia respecto de cualquier tendencia de grupo [19, 273-274].

Pero, además de la inclinación más o menos consentida de los diputados a buscar con la agrupación un triunfo de un determinado programa o interés político, surgió, al establecerse en mayo de 1836 el sufragio directo, la necesidad de crear comités electorales como centros de iniciativa en vistas a la presentación de candidatos y a las campañas electorales requeridas por el mencionado sistema de sufragio directo. La existencia de estos comités no estaba regulada por las leyes. El gobierno, en junio de 1839, aconsejó la tolerancia a las autoridades civiles de cada provincia. Esta situación se prolongó durante gran parte del reinado de Isabel II, y la acción de estos comités fue consentida mientras no trataron de organizarse a escala del Estado [2, I, 101].

La revolución de 1868 introdujo cambios profundos en el panorama de las fuerzas políticas. Por una parte, la libertad de asociación favoreció el desarrollo de los partidos, que se organizaron en todos los ámbitos de las circunscripciones electorales, y establecieron coaliciones entre ellos. Por otro lado, la puesta en vigor del sufragio universal, al dejar abandonado el sistema censitario, eliminó entre moderados y progresistas este factor de diferenciación. Finalmente, la opción planteada entre monarquía y república en las elecciones a Cortes Constituyentes de 1869 dio carta de naturaleza a una posibilidad que antes quedaba excluida de toda viabilidad práctica inmediata. Todo ello, junto con la desaparición de figuras como O'Donnell y Narváez, obligó a una remodelación de las fuerzas políticas, que aparecieron entre 1868 y 1874 en «una búsqueda inquieta de nuevas denominaciones» [27, I, 129].

2.1. EL CARLISMO

Ya antes de la muerte de Fernando VII el infante Don Carlos María Isidro era mirado como una garantía de continuidad de la línea absolutista y teocrática. La disputa dinástica entre el hermano del rey difunto y la hija del mismo representa en el fondo el enfrentamiento de la tradición y de la modernidad. En vano la escuela de Navarra ha querido presentar a Don Carlos María Isidro como defensor de una línea intermedia entre el «absolutismo» y el «liberalismo». El profesor Seco Serrano observa agudamente que el carlismo se va configurando en contraposición a la corriente liberal. Se inicia —dice— como negación de la revolución liberal, y su contenido doctrinal se perfila al ritmo de los fallos del liberalismo. Contra el centralismo a ultranza del sistema liberal, el carlismo aparece al final de la primera guerra (1833-1840) identificado con las reivindicaciones foralistas. Por este camino encontrará sintonías con los nacionalismos históricos impulsados por la oleada romántica. Contra el progresismo a ultranza, el carlismo aspira a la revitalización de las viejas herencias medievales que se entenderán como consustanciales con el ser de España. Contra el federalismo abstracto representado por Pi y Margall (1824-1901), el carlismo propugna la restauración foralista de aquellas entidades nacionales que se confederaron en tiempo de los Reyes Católicos. Contra la libertad religiosa, la integridad católica. Contra el desamparo del proletariado industrial, el recurso a los antiguos gremios [39, 9-10 y 139-140]. La inicial y, por decirlo así, congénita postura oscurantista del carlismo la ilustra Seco con un texto de la *Gaceta Oficial Carlista*, de 1836, de notable fuerza expresiva:

> Desde que la revolución, para poner en movimiento las masas populares y hacerlas el fatal instrumento de sus designios, afectó destruir la sencilla y virtuosa ignorancia de las gentes, ignorancia saludable que las hiciera vivir contentas sin ambicionar destinos de superior jerarquía, desencadenáronse cierto género de pasiones que hasta entonces tenía subyugadas. La presunción, la ambiciosa vanidad y el ridículo y pernicioso empeño de censurar las operaciones del gobierno, habrán influido no poco en preparar esta época terrible de conflagración universal. ¡Cuánto más conveniente hubiera sido continuar bajo del pretendido *oscurantismo* y dejarse el pueblo conducir por la voluntad de los reyes! [39, 50].

El arraigo popular del carlismo era confesado paladinamente por sus mismos adversarios. Joaquín Francisco Pacheco, ministro de Estado en agosto de 1854, a quien Pi y Margall alude como «el único hombre de talento de aquel gabinete», confiaba al embajador inglés en Madrid en septiembre de aquel mismo año que, según su opinión, la mitad de los votos del electorado serían para los carlistas si estuviera en vigor el sistema del sufragio universal [21, 94-95 y 109-110].

Las derrotas de 1839 y 1840, por una parte, y las bases de convivencia sentadas desde 1844 por los moderados, decididos a seguir «un criterio integrador en la guerra civil» [38, 10], por otra, sumieron al carlismo en un profundo letargo del que no levantó cabeza, propiamente, hasta la caída de Isabel II, cuando el país se planteó radicalmente su futura forma de gobierno, en una alternativa de monarquía o república que excitó el ánimo de las fuerzas católico-absolutistas.

La polémica religiosa a que dio lugar la revolución de 1868 contribuyó a reavivar la fuerza del carlismo, que consiguió 20 actas en las elecciones a Cortes Constituyentes de 1869: la totalidad de las de Vizcaya y Guipúzcoa, y todas menos una en Navarra. Estos resultados impulsaron al carlismo a salir de los feudos de las provincias norteñas. En las elecciones de 1871, establecieron con los republicanos y los moderados un pacto electoral que, en el caso de los republicanos, resultó «máximamente sorprendente»: «no se había producido nunca en nuestro país cuando faltaban enemigos exteriores que combatir y se adelantaba a modernas prácticas de táctica electoral muy depurada» [27, I, 102]. Martínez Cuadrado señala la necesidad de ulteriores explicaciones a este pacto entre carlistas y republicanos, y se limita a observar que esta alianza, «aparentemente monstruosa, ponía en contacto elementos de dinámica muy parecida, cuyo celo activista es muy fuerte y las creencias suficientemente dogmatizadas para entregarles algo más que un simple veto» [27, I, 105].

La impopularidad de la dinastía liberal de Saboya, y la inspiración laica de la política dominante contribuyen a que se extienda la irradiación del carlismo que con Nocedal, lucha en las elecciones de abril de 1872 en el frente electoral, y prepara, por otra parte, la contienda armada, que se declara después de las elecciones. La subida al poder de Ruiz Zorrilla, en junio de 1872, acentúa la política anticlerical y da alas a la reacción carlista en una guerra que no terminará hasta el tiempo de la Restauración.

En plena guerra civil, la inhibición carlista fue total en las elecciones de agosto de 1872, como también en las de mayo de 1873.

2.2. El Partido Moderado

Miraflores señala que sólo con posterioridad a 1845 se denominó «moderado» el partido que hasta entonces se calificaba de «monárquico constitucional» o «conservador» [30, II, 303-304].

La corriente moderada se caracterizó por la búsqueda del «justo medio» entre el absolutismo carlista y el ala extrema del liberalismo. Protagonista principal de esta política, en la etapa posterior a la muerte de Fernando VII, fue Martínez de la Rosa, padre del Estatuto Real de 1834. Carlos Seco subraya la voluntad de entendimiento con los vencidos de la guerra civil, que caracterizó a los moderados, frente a la actitud de ruptura preconizada por los progresistas [38, 10].

Por otra parte, los moderados se encontraban de acuerdo con los progresistas en considerar como definitiva la quiebra de la monarquía absoluta y de la sociedad estamental. Pero se diferenciaban de ellos en los caminos por los cuales creían que había que llegar a una sociedad liberal. Rechazaban el dogma progresista de la «soberanía nacional». A la hora de dar la primacía práctica al legislativo o al ejecutivo, se inclinaban a favor de este último. Tenían en alto aprecio el «orden», perturbado una y otra vez en nombre de la libertad. Consideraban al pueblo como menor de edad. Propugnaban la consolidación del Estado a través de un funcionamiento altamente centralizado de la administración. Proponían una política de reconciliación con la Iglesia sin negar la necesidad de una remodelación de su influencia social y, sobre todo, sin una vuelta atrás en el proceso desamortizador.

La ideología del moderantismo, observa Comellas, se caracteriza por presentarse como síntesis entre lo viejo y lo nuevo, como desengaño respecto de todo extremismo, como manifestación de la madurez —los «maduros», llamaban en Cataluña a los moderados [35, 12]— y sensatez que debía presidir todo criterio político, como búsqueda de la transacción o acuerdo entre las clases afortunadas. La ideología moderada acepta la religión como una necesidad social para la conservación de la moral pública, y la monarquía como una garantía del orden. Y mantiene, finalmente, una actitud defensiva ante el asalto a las clases afortunadas, o sea, ante «las ambiciosas pasiones» populares. Así, el sistema liberal, tal como lo presentan los moderados, se perfila como una especie de despotismo ilustrado ejercido por la clase dirigente [9, 130-132].

Comellas sigue señalando, por otra parte, la diversidad de extracción ideológica y política que se observa en los hombres más destacados de la línea moderada. Desengañados que militaron en las filas de los exaltados en el trienio constitucional, como Alcalá Galiano, Istúriz, Beltrán de Lis, o que emigraron de posiciones más avanzadas, como Donoso Cortés. Fernandinos reconvertidos, como Cea Bermúdez, el conde de Ofalia, Fernández de Córdoba o Pezuela. Y elementos del bando de Don Carlos que, después del fin de la primera guerra civil, pasaron a integrarse en la España oficial. Este grupo, sin grandes figuras, es particularmente numeroso y aseguró al moderantismo un fondo de apoyo popular [9, 144].

Tuñón, citando a Garrido, clasifica las tendencias que convivían bajo la denominación moderada: «La reserva ultrarreaccionaria, netamente antiliberal: Donoso Cortés, el general Pezuela (marqués de Viluma), Bravo Murillo; el centro, dispuesto a aplicar la constitución doctrinaria de 1845: Mon, Narváez, Martínez de la Rosa; la vanguardia, de apertura: Pacheco, Ríos Rosas, el general Serrano». Y señala una larga lista de grandes jefes militares que podía presentar la familia moderada: además de los ya mencionados, los hermanos de la Concha, O'Donnell, Ros de Olano, el duque de Ahumada [47, 56-57].

Particular mención merece la burguesía catalana, en su relación con el moderantismo. Aunque la investigación no haya dicho la última palabra al respecto, parece cierto que, necesitada de libertad contra las trabas gremiales sostenidas por el absolutismo, apoyó, ya en las postrimerías del reinado de Fernando VII, una salida liberal. Más tarde, se mostró partidaria de la gestión de Mendizábal. Pero, a partir de 1837, manifestó sus preferencias por la causa moderada: una vez conseguida la libertad ansiada para la industria y el comercio, la burguesía industrial reclamaba el orden necesario para proseguir sus negocios [46, 73-76, 80-81].

Carlos Seco ha insistido en el permanente estado de posible desbordamiento en que se encontraba estructuralmente el partido moderado, entre la derecha ultra y la izquierda progresista. La inestabilidad de la posición centrista fue la que inclinó fatalmente a los moderados a proveerse de un ejecutivo fuerte, cuyo exponente más destacado fue el general Narváez. «Lo que se había iniciado como generosa *apertura*, ideológica y política —dice Seco—, acabará transformándose en cerrado monopolio clasista, según pondrán de relieve los datos estadísticos en que se conjugan las leyes electorales de la era isabelina, rígidamente censitarias, con la cifra de electores, que oscilará en los úlimos años, liberalizada la legislación de la década, entre el 1 y el 4 % de la población del país» [37, 213].

La formación de la Unión Liberal de 1854, y su presencia en el poder entre 1858 y 1863 y fugazmente en 1865-1866, restó brillo propio y personalidades al partido moderado. En 1865, llegó a considerar la eventualidad de su retraimiento para manifestar su oposición al proyecto de ley electoral de O'Donnell, de 18 de julio de aquel año, que rebajaba las exigencias censitarias y ampliaba así, en principio, el cuerpo electoral.

Después de la revolución de 1868, los moderados dejaron de participar en las elecciones generales de 15-18 de enero de 1869, pero tomaron parte, en cambio, en las elecciones a Cortes de 8-11 de marzo de 1871, aliados a los republicanos y a los carlistas en una operación táctica de oposición que no les haría renegar de su propósito de restaurar la Constitución de 1845, e incluso a la misma reina Isabel II en el trono. La operación electoral benefició a los moderados: las 18 actas logradas (el 5 %) constituían una cota cuya consecución nadie podía prever de antemano. La implantación de los moderados, en estas elecciones, se realizó en las provincias gallegas, en Asturias, Burgos, Murcia y Granada.

En las elecciones de abril de 1872 no se repitió la coalición con republicanos y carlistas. El resultado fueron 14 actas conseguidas, que manifestaban un cierto retroceso respecto a 1871, pero mantenían inalterada la implantación geográfica. A partir de las elecciones de 24-27 de agosto de 1872, se presentará una candidatura alfonsina, en la que figura Cánovas del Castillo, y que ya había aparecido en las elecciones de 1871 (9 actas, el 3,3 %). Esta candidatura recoge, en parte, la herencia moderada. En estas elecciones de agosto de 1872, la tendencia alfonsina alcanzó nueve actas (el 2,4 %).

Con la abdicación de Amadeo I, la tendencia alfonsina cobra fuerza. Cánovas no acepta la dirección de la misma hasta muy avanzado el año 1873. En las elecciones de mayo de este año, el partido alfonsino se retrae, aunque se presentan diputados de esta tendencia, y obtienen 5 actas.

2.3. Los progresistas

En un principio, progresistas se denominaron los seguidores de Mendizábal, que definieron su política en 1836 como de «progreso racional y moderación», de «verdadero progreso». Eran, dice Janke, «los jacobinos de España», cuyos objetivos generales en la lucha política ya han quedado indicados al describir las orientaciones globales del partido moderado. Es el fracaso de la política de entendimiento con los carlistas propugnada por los moderados, lo que da alas al progresismo en su inicios [19, 124].

Su programa de robustecimiento de los poderes locales (ayuntamientos) y provinciales, y su decisión de establecer la Milicia Nacional, acercaba a los progresistas a los intereses populares, a las clases medias y artesanas de las ciudades, e incluso les granjeaba la simpatía inicial de los obreros industriales, que veían cómo el populismo de los gobiernos progresistas abría espacios de tolerancia para las organizaciones clasistas.

Desde 1840, Espartero fue la figura del partido progresista. Nombres sobresalientes fueron los de Pascual Madoz, Manuel Alonso Martínez, Francisco Luján, José Manuel Collado, Juan Sevillano, etc. En los treintra y cinco años que sumaron la regencia de María Cristina y el reinado de Isabel II, el poder político no lo desempeñaron los progresistas sino en muy cortos y contados períodos: 1835-1837, 1840-1843, y 1854-1856. Y, en este último caso, mediatizados por la presencia de fuerzas moderadas, representadas por el general O'Donnell. Los progresistas nunca fueron convocados espontáneamente por la Corona a las funciones de gobierno. En cada una de las tres ocasiones mencionadas, alcanzaron el poder a consecuencia de pronunciamientos o de levantamientos populares. Con el recurso a las fuerzas populares para conseguir los resortes del mando político, los progresistas no solo hacían ostentación de su capacidad de convocatoria, sino que reveleban su propio proyecto global: conseguir una articulación del país a partir de los núcleos democráticos municipales y provinciales. En este proyecto, el partido democrático tomó el relevo al progresista.

El juego de la Corona, al aceptar en las ocasiones indicadas la subida al poder de los progresistas, tenía por base la seguridad de que, con el gobierno progresista, las juntas populares serían oportunamente disueltas y sus individuos integrados en su mayor parte en ayuntamientos y diputaciones, y de que serían convocadas las Cortes, con lo cual se conseguía una vuelta al sistema constitucional, aunque el texto de la ley fundamental sufriera cambios más o menos considerables [3, 182]. La Corona conservaba, así, en último término, sus funciones decisivas, y con ellas podía en un plazo más o menos amplio restablecer a los moderados en el poder. De esta manera, por una parte, los progresistas no podían dejar de desalentar a los mismos que habían contribuido a encumbrarles en el poder. Y, por otra, colaboraban en el mantenimiento de los mecanismos de su futura eliminación.

El alejamiento sistemático del poder en que la Corona mantuvo a los progresistas provocó su retraimiento explícito del juego electoral desde el mes de agosto de 1863, y su participación como fuerza más poderosa en el pacto de Ostende (16 de agosto de 1866), establecido con elementos procedentes de otras dos formaciones políticas, la Unión Liberal y los demócratas. En esta coalición, una vez logrado el objetivo de derribar a la monarquía borbónica, «los progresistas se destacarán con mayor fuerza, capitaneando ideas y reformas más radicalmente innovadoras de la Constitución de 1869» [27, I, 74]. La implantación del progresismo en las elecciones de enero de dicho año tiene lugar en las zonas centrales y agrícolas, en las que reside el 82 % de la población española.

El asesinato de Prim, acaecido el 30 de diciembre de 1870, dejó al progresismo sin un jefe reconocido por todos, y dio lugar al enfrentamiento entre la fracción radical, dirigida por Ruiz Zorrilla, y la fracción conservadora de Sagasta. La crisis interna entre las dos tendencias, que se planteó ya en las eleciones de 9-11 de marzo de 1871, se hizo más patente en junio del mismo año, al dimitir los ministros radicales del gobierno, y tomó un carácter definitivo en el mes de octubre, con ocasión de ser elegido Sagasta como presidente de las Cortes, sin que se esperase la propuesta del jefe del gabinete, Ruiz Zorrilla. En dos manifiestos, del 12 y 15 de octubre de 1871, Sagasta y Ruiz Zorrilla, respectivamente, consagraron la ruptura. Los parlamentarios que suscribieron el manifiesto de Sagasta fueron 61, y Sagasta era el único personaje notable entre ellos. En cambio, el de Ruiz Zorrilla lo apoyaron 141 firmas, entre las que figuraban las de Moret, Montero Ríos, Martos, Becerra y Rivero.

El partido progresista desapareció como tal de la escena política en las elecciones de 3-6 de abril de 1872, y sus personalidades se incorporaron al Partido Radical de Ruiz Zorrilla y a la tendencia monárquico conservadora capitaneada por Sagasta.

2.4. Partido Radical

En las elecciones de abril de 1872 obtiene 42 escaños, y su implantación se verifica principalmente en las provincias en donde se manifestó con mayor fuerza la fracción más radical del progresismo de 1868: Madrid y Soria, regiones agrícolas del oeste, norte y levante. No, en cambio, en Extremadura, Andalucía y las provincias meridionales de la meseta. En las elecciones de agosto de 1872 obtuvo una victoria notable: 274 diputados, que representaban el 72 % del total. «Este giro a la izquierda sería el definitivo plano inclinado por el que la monarquía democrática consumiría el último período» [27, I, 170]. No solo los carlistas se habían retraído en las elecciones, sino también amplios sectores conservadores y alfonsinos, e incluso republicanos.

La mayoría radical se avino a la introducción de la República, al abdicar Amadeo I. En las elecciones de 10-13 de mayo de 1873, el Partido Radical, como tal, se inhibió. Los candidatos que se presentaron individualmente y lograron conquistar el escaño hicieron el papel de oposición, de importancia numérica reducida (20 diputados).

2.5. Tendencia conservadora democrática

Capitaneada por Sagasta, obtuvo la victoria en las elecciones de abril de 1872 (236 diputados), en que se produjo el escándalo de los dos millones de reales transferidos del Ministerio de Ultramar al de Gobernación, durante el período electoral. La implantación tuvo lugar en Sevilla, Málaga, Galicia, Extremadura y Levante. Sagasta se presentó a las elecciones de agosto de 1872 y fue derrotado. Su partido practicó mayoritariamente la inhibición, aunque representantes individuales obtuvieron 14 escaños (el 3,5 %). El retraimiento electoral fue practicado igualmente en las elecciones de mayo de 1873, de acuerdo con los alfonsinos. Con este acuerdo se consolidó la aproximación de fuerzas que aparecieron como dominantes durante la Restauración.

2.6. Tendencia monárquico democrática

La formó la coalición de tres fuerzas, los progresistas, los unionistas y una fracción de los demócratas, que triunfó en las elecciones de 15-18 de enero de 1869, y prosiguió en el primer gobierno formado bajo el reinado de Amadeo I. La coalición obtuvo 235 actas (el 61 %) en las elecciones de 8-11 de marzo de 1871, pero no prosperó posteriormente.

2.7. PARTIDO DEMÓCRATA REPUBLICANO

Se da como fundado en Madrid, el año 1849, fruto del desgajamiento de fracciones pertenecientes al ala izquierda del progresismo. En realidad, no hay que desvincularlo, tanto por su inspiración originaria como por su trayectoria concreta, de las manifestaciones juntistas que se produjeron sucesivamente entre 1835 y 1873. El intento de imponer un sistema de poder basado en la representación central elegida por las juntas locales, el federalismo por otra, y finalmente el cantonalismo, no son, según opinión de Elorza, «intentos de disgregación, sino por el contrario, ensayos frustrados de conseguir una articulación de las células democráticas municipales, respondiendo a la infraestructura económica y de comunicaciones deficiente» [45, 83].

Gracias a la lectura asidua de la prensa de la época, Elorza ha desvelado numerosas manifestaciones ideológicas de republicanismo en Madrid y Barcelona, en la década de los 1830, y de organizaciones políticas de este signo en los primeros años de la de los 1840. Elorza deja constancia de la tendencia interclasista del republicanismo inicial —a veces más propiamente democrático que republicano—; de su radicación en las sociedades secretas, tan mal conocidas todavía; de su participación en los movimientos juntistas, codo a codo con los progresistas; de la simpatía de que era objeto por parte de los dirigentes de la Sociedad de Protección Mutua de Tejedores de Algodón de Barcelona, que no se decidían a comprometer las asociaciones obreras en la lucha política; de la constitución formal del grupo republicano en Barcelona, el año 1840; de la alianza connatural de los demócratas de Madrid con los moderados para hacer frente a los abusos del poder progresista; de la persistencia del núcleo republicano catalán en una línea insurreccionista, contrapuesta a la táctica de alianza con los moderados propugnada por los demócratas de Madrid [45, 155 ss.].

Con estas simples indicaciones, ya se adivina el camino largo que queda por recorrer para llegar a detectar con unos mínimos de precisión la aparición de diferentes núcleos democráticos en distintas partes del país, y los matices que cada uno de ellos presenta, para ir deslindando las opciones básicas de estos núcleos de sus opciones coyunturales, y para poder precisar hasta qué punto y en qué medida la opción democrática llevaba aneja la opción republicana.

En Madrid, las disidencias dentro del partido progresista entre la vieja guardia encabezada por Espartero, y los jóvenes leones Ordax

Avecilla, Nicolás María Rivero, Miguel Aguilar, Aniceto Puig, José María Orense, Fernando Garrido, Sixto Cámara, da origen a un grupo que formula su propio programa, y lo hace público el 6 de abril de 1849. El programa lo firman los cuatro primeros políticos indicados, entonces diputados a Cortes, y se presenta como expresión del «Partido Progresista Demócrata». Además de dejar afirmados un conjunto de principios políticos propios de la democracia, dicho programa admite la «monarquía constitucional hereditaria, cuyo jefe legítimo es doña Isabel II», y «la religión católica como única religión del Estado». Estas declaraciones eran el precio que los nuevos demócratas, herederos del republicanismo de los tres lustros anteriores, debían pagar para poder permanecer en la legalidad: la monarquía y la confesionalidad del Estado eran aceptadas como punto de partida para futuros desarrollos de la idea democrática.

Este programa afirma, además, la ruptura con el neutralismo de las tesis liberales clásicas, al propugnar la intervención del Estado en la instrucción pública, en la asistencia social y en el sistema fiscal, con el objeto de paliar desigualdades. No sin motivo convergen, así, en el partido democrático fundado en Madrid los primeros brotes de socialismo fourierista, irradiado desde Cádiz por Joaquín Abreu desde 1834, y difundido hasta Madrid en 1847 y siguientes. El núcleo socialista de Barcelona, inspirado en Cabet, se manifiesta entre 1847 y 1850, y figurará asimismo en las filas del partido democrático.

La división entre ex progresistas y socialistas se hizo patente desde el principio, y tuvo sus manifestaciones más llamativas en la polémica entre Garrido (socialista) y Orense (individualista), en los años 1859 y 1860, que quedó momentáneamente zanjada con la «Declaración de los treinta» (noviembre de 1860), pero fue reavivada en la polémica entre Pi y Margall y Castelar el año 1864.

La participación en los prolegómenos y en el desarrollo de la revolución de 1868 introdujo tensiones en el seno del partido, y produjo enfrentamientos entre el sector democrático-monárquico y el republicano. La tensión quedó paliada en la *Carta a los electores demócratas*, de 31 de octubre de 1868. En ella se afirmaban sin vacilaciones los derechos del individuo, la autonomía del municipio y de la provincia, la soberanía de la nación y el sufragio universal, pero quedaba sin decidir la cuestión de la forma de gobierno, al reconocer que el ideal democrático requería para su despliegue «condiciones y circunstancias adecuadas que algunos no reconocen todavía en la sociedad española». Los principales personajes de la tendencia demócrata monárquica fueron Rivero, Becerra, Martos, Moret y Echegaray.

En la tendencia propiamente republicana, la fórmula federalista, que había tenido sus adalides teóricos y prácticos en el momento de los movimientos juntistas de los años 1830, y, en particular, contaba con la doctrina proudhoniana de Pi y Margall, adquirió volumen dentro del partido democrático a partir de 1867, y se incrementó considerablemente después de 1868, frente a la minoría exigua de unitaristas. Las tesis federalistas, que se impusieron en la reunión del partido de 18 de octubre de 1868, tuvieron un desarrollo brillante y progresivo en los meses siguientes. Desde 1869, el partido se organizó de forma que su misma estructura pudiera servir de modelo a un futuro Estado federal: de aquí los pactos suscritos de forma escalonada en todos los niveles del partido, hasta llegar al pacto nacional, el 30 de julio de 1869, firmado por delegados de cinco federaciones.

Las elecciones a Cortes de 15-18 de enero de 1869, con 85 escaños obtenidos por el partido republicano, pusieron de manifiesto la implantación del mismo en la periferia mediterránea, donde coincidían las grandes aglomeraciones urbanas y la máxima actividad comercial y mercantil. Mayorías republicanas tuvieron también Sevilla, Huesca, Lérida y Zaragoza. En las elecciones de 8-11 de marzo de 1871 para las primeras Cortes de la monarquía de Amadeo, los republicanos se aliaron con moderados y carlistas para votar por candidatos de cualquiera de las tres tendencias que contara con mayores posibilidades. El número de actas republicanas obtenidas fue de 52.

El partido perdió votos, comenta Martínez Cuadrado, pero ganó en profundidad y extensión. El sistema electoral perjudicó al partido republicano, que obtuvo el 50 % de las actas en las capitales de mayor población [27, I, 103, 113-115].

La fracción intransigente del partido republicano, encabezada por el general Juan Contreras, que se manifestó contraria a la coalición electoral con fuerzas monárquicas, que propugnó un acercamiento a los intereses y organizaciones de la clase obrera y abogó por la inhibición en las elecciones, fue derrotada en la III Asamblea del partido (febrero-abril de 1872), donde se consumó además la ruptura con los movimientos proletarios, a los que solo se ofrecían soluciones reformistas. En las elecciones a Cortes de 3-6 de abril de 1872, el partido estableció alianza con los radicales de Ruiz Zorrilla y con los carlistas. Los sectores populares que votaban republicano parece que se retrajeron, facilitando la victoria conservadora. Los republicanos lograron solo 52 actas. El abstencionismo siguió en las elecciones de agosto de 1872, aunque en ellas el partido republicano logró obtener 79 escaños.

Con la abdicación de Amadeo I, y la proclamación de la República, el partido mantiene su unidad frente a demócratas y radicales, bajo la égida de Pi y Margall y con la bandera del republicanismo federal. Pero después de la victoria en las elecciones de 13 de mayo de 1873, el republicanismo federal se divide en múltiples tendencias, producto de antiguas querellas entre benévolos e intransigentes. «Las Cortes serán incapaces de hacerse con la situación por el despliegue particularizador que las mismas doctrinas federalistas habían sembrado, y que estuvieron en el origen de la general insurrección cantonal» [27, I, 193].

2.8. La Unión Liberal

Aparece por primera vez como fuerza política en las elecciones a Cortes Constituyentes de septiembre y octubre de 1854, y representa aquella coalición entre progresistas y un sector del partido moderado que se propuso reflejar en la arena política el compromiso establecido entre Espartero y O'Donnell a finales de julio de 1854. El manifiesto electoral publicado por la Unión Liberal el 17 de septiembre de 1854 señala su origen circunstancial, y su continuidad por exigencias de intervención organizada en la vida política del Estado: «La unión que de un modo más o menos espontáneo y fortuito contrajeron desde luego esos partidos [moderado y progresista] para combatir, continuada después voluntariamente para organizar (que es lo que se llama *unión liberal*) no solo es un hecho consagrado por la misma revolución (...), sino por la razón, que aconseja su permanencia como único medio de afianzar la conquista por todos alcanzada» [2, II, 49].

Personalidades de extracción moderada eran Luis González Bravo, Ríos Rosas y el general Serrano, y de origen progresista el general Evaristo San Miguel, Joaquín María López, Calvo Asensio. O'Donnell fue su jefe indiscutible, y como tal fue llamado en 1858 para formar el gobierno de la Unión Liberal que se prolongó hasta 1863. Desplazadas del poder, con el único paréntesis de 1865-1866, participaron en la conspiración contra el trono de Isabel II, en la revolución de septiembre de 1868, junto con los progresistas y los demócratas, para desaparecer después de la revolución incorporadas en otros grupos políticos, como el de Sagasta o, finalmente, el alfonsino de Cánovas.

3. LAS CLASES MEDIAS

Jover Zamora emplea esta expresión para denominar el restringido sector de la población sobre el que se apoyó el sistema liberal en España durante la época isabelina. Un punto de referencia sociológico para su identificación lo encuentra en la línea trazada por la Constitución de 1845 para señalar a los económicamente aptos en orden al disfrute de los derechos políticos (400 rs. de contribución directa, o renta anual de 4800 rs., o 8000 rs. de sueldo anual). Descriptivamente, los caracteriza como aquellos que tienen «algo que perder», y por lo mismo están interesados en el mantenimiento del orden social vigente y de la tranquilidad pública. Los teóricos moderados —Jover cita a Pacheco y Campoamor— atribuían en exclusiva a estas clases la iniciativa política, porque poseían la propiedad, la inteligencia y la fuerza ordenada, y porque de esta manera comprendían, expresaban y representaban los intereses y las ideas comunes [20, 248-249].

Numéricamente, estas clases medias tenían una importancia muy restringida: el número de electores previsto por las leyes de 1858 y de 1865 eran, respectivamente, de 157 931 (el 1,02 % de la población española), y 418 271 (el 2,67 %). En cambio, el número de artesanos (55 093 varones y 114 558 hembras), de sirvientes (401 833 varones y 416 560 hembras), de jornaleros del campo (2 354 110) y de pobres de solemnidad (83 657 varones y 178 934 hembras) era infinitamente superior [20, 252].

Esta base frágil del sistema liberal obligó una y otra vez a los beneficiarios del mismo a recurrir a la fuerza militar para reprimir los movimientos de las masas populares, en busca de su propia revolución.

4. LA NOBLEZA

Acabar con el régimen de privilegios de los nobles fue, en principio, uno de los objetivos de la revolución liberal, que pretendía universalizar la condición de ciudadano. El golpe de gracia definitivo para el sistema feudal lo representa, para Bartolomé Clavero, el real decreto de 30 de agosto de 1836, que restablece la ley de desvinculación de 1820 (27 de septiembre y 11 de octubre). Con este real decreto, «quedan suprimidas las vinculaciones de toda especie y restituidos a la clase de absolutamente libres los bienes de cualquier naturaleza que las compongan». Este texto lo comenta así Clavero: «El dominio feudal de la tierra se ha transformado en propiedad capitalista de la misma» [8 bis, 382 y 422]. La Constitución de 1845 y la ley de reforma de 17 de julio de 1857 restablecieron para la nobleza privilegios similares a los que les reconocía el Estatuto Real de 1834: los grandes de España eran miembros natos del estamento de próceres y los títulos de Castilla eran elegibles para formar parte de dicho estamento. Pero quedó en pie el cambio fundamental sancionado por el mencionado real decreto de 30 de agosto de 1836, que restableció la abolición de las relaciones sociales feudales, y realizó en el terreno del ordenamiento jurídico la verdadera «revolución burguesa», por más que la jurisprudencia en torno a los privilegios feudales dio lugar a controversias que se prolongaron durante tres décadas [5, 115 ss.].

La abolición de las relaciones feudales en el ordenamiento jurídico aunque sometió la propiedad de la tierra a las leyes del mercado capitalista, no impidió que, a través de la desamortización, la nobleza señorial se integrase a la nueva aristocracia patrimonial. En 1854, entre los 53 mayores contribuyentes por propiedades rústicas, figuraban 43 títulos nobiliarios. En este sentido, como observa Jover Zamora, la alta aristocracia representa una fuerza económica de primer orden, que tiene su peso preponderante en la corte —donde ejerce su influencia en favor de los moderados—, en el Senado, y en la vida rural, sobre todo en la parte sur de la Península [20, 286 y 288]. Observa también Jover que la nobleza aporta un suplemento de respetabilidad a la clase superior, dado que el pueblo, si bien reflejará su rechazo ético de la burguesía de los negocios, reservará su respeto a la nobleza enriquecida por la desamortización y las especulaciones financieras [20, 291-292].

5. LA BURGUESÍA

La expresión tiene una gran fluidez de contornos. Hasta finales de 1869, no introduce *La Federación*, órgano de las sociedades obreras de Barcelona, este término para designar, no sin cierta connotación polémica, lo que con anterioridad se denominaban «clases medias» [25, 93]. La imprecisión del término queda patente si se tiene en cuenta el conjunto de cuestiones que muchas veces permanecen pendientes en su uso: a qué burguesía se alude, qué número de clases burguesas existen, qué relaciones mutuas mantienen las clases burguesas entre sí y con las otras clases, cómo pasan las clases burguesas a formar bloques de poder [48, 96-97].

Pero, pese al carácter escurridizo del concepto «burguesía», cuyo uso sólo podrá ganar en precisión sobre la base de estudios parcelarios acerca de la transformación de la agricultura [5, 18-21], de la revolución industrial y del cambio de relaciones de producción acarreado por las mismas, parece ya factible dejar sentadas ciertas conclusiones de carácter global.

Las bases del Antiguo Régimen quedan irrevocablemente demolidas después del período 1835-1837, como se ha dicho al tratar de la nobleza. Los mecanismos del Estado pasan a manos de la nueva burguesía terrateniente, que se propone como objetivo prioritario «asegurar las condiciones necesarias para la reproducción del sistema: mantener el orden (...) establecido y permitir la acumulación» [24 bis, 43]. En este modelo de sociedad, cuya consecución guía a las clases terratenientes, brillan por su ausencia los planteamientos industriales, tal como se verifican contemporáneamente en los países avanzados de Europa.

La acumulación de la propiedad territorial tiene lugar a expensas de los colonos y arrendatarios de las tierras, quienes entran en un rápido proceso de proletarización. La consiguiente abundancia de mano de obra campesina tiene una incidencia negativa en la aplicación de los progresos de la técnica a la agricultura. En efecto, por una parte la baratura de la mano de obra invitaba a los propietarios a recurrir a la fuerza humana de trabajo, y no a mejorar técnicas que, en aquellas condiciones, no aumentaban sustancialmente la rentabilidad de las explotaciones. Por otra parte, la difícil situación de los obreros agrícolas, acosados por el paro, constituía una considerable presión social en favor del mantenimiento de técnicas agrarias atrasadas, capaces de proporcionar un mayor volumen de empleo [24 bis, 46].

El estancamiento de la agricultura repercutió sobre la estrechez de la revolución industrial en España: según señala repetidamente Fontana, la ausencia de un mercado interior con una capacidad de consumo suficiente hizo imposible el arranque de la industria. Así, la industrialización fue escasa y fragmentaria, dependiente de las inversiones extranjeras [18, 49-53, 189 y 192].

En este contexto, el esfuerzo de la burguesía industrial, centrado geográficamente en Cataluña, aparece como corto de horizontes. La burguesía industrial catalana estuvo acaparada por los aspectos técnicos de la industrialización, preocupada por conseguir del Estado la protección arancelaria que la defendiera de la competencia de los productos industriales extranjeros. Y así se mostró incapaz de plantearse operativamente la tarea de una acción política que le permitiera acceder a los centros de poder, lejos de los cuales no era posible luchar con eficacia por un modelo de sociedad industrial, distinto del modelo de capitalismo agrario y mercantil que propugnaba la burguesía terrateniente.

6. EL PROLETARIADO AGRÍCOLA E INDUSTRIAL

El criterio de los teóricos del moderantismo excluía a la «clase inferior» de la vida política y la declaraba incapaz de expresar los «intereses democráticos» porque «carece de la propiedad, carece de la inteligencia, carece del amor al orden y de la necesidad evidente de este mismo» (Joaquín Francisco Pacheco, citado por Jover Zamora [20, 249]): «Quien gana afanosamente su sustento en un trabajo ímprobo y con el sudor de su rostro —seguía escribiendo Pacheco—, quien no puede disfrutar alguna vez del digno descanso que nos realza tanto a nuestros ojos y a los de la multitud, quien está reducido a un escaso jornal o a una existencia poco más feliz, semejante a una máquina, semejante a un ser esclavo y maldecido, ese no puede pretender la consideración ni la estima pública que, naturalmente recaen en el que le lleva una ventaja de tanto mérito».

Mientras se van acrecentando los trabajos de investigación sobre el proletariado industrial, hay que registrar la escasez de los estudios acerca de la formación y proceso del proletariado agrícola. Antonio Miguel Bernal, refiriéndose a Andalucía, señala que fue el proceso de concentración de la propiedad de la tierra, desencadenado por la resolución de los pleitos señoriales, el que dio origen al nuevo proletariado agrario. Efectivamente, a partir de 1837, dice, los pleitos que plantean los grandes arrendatarios y el proletariado campesino contra los señores poseedores de la tierra, se fueron fallando a favor del señor, mostrándose así la venalidad de la justicia. «Conoció entonces el campo andaluz —dice Bernal— la primera oleada de agitaciones campesinas con las consiguientes ocupaciones de tierras y quemas de cosechas.» La fundación de la guardia civil, en 1844, fue el recurso de los señores para restaurar el «orden» conculcado [5, 115].

El campesinado andaluz, al no ver satisfechas sus aspiraciones ni por la vía judicial, ni por medio de la acción directa, «establece una tácita alianza con los grupos políticos más radicalizados, confiando en la solución política del problema» [5, 117].

El proceso de concentración de la propiedad agraria experimentó un espectacular crecimiento en la década de los 1850: aparecieron «nuevos propietarios que hasta la fecha habían permanecido desligados de la tierra, procedentes de la industria o de la banca, que compraban tierras de los desaparecidos señoríos (...). Al señorío de la época pasada le sucedió un señoritismo de clase, y la vieja tutela jurisdiccional del señor del lugar se vio sustituida, en lo político, por un oneroso caciquismo. La lucha que, en un principio, se mantuvo por la tierra quedó transformada en verdadera lucha de clases por el enfrentamiento ineludible que con la burguesía habría de llevarse a cabo» [5, 119].

La esperanza que suscita la revolución de julio de 1854 alienta las luchas campesinas en Andalucía. La sublevación de Sevilla, que se extendió a Utrera, Arahal y otras poblaciones, «fue realmente un levantamiento tramado y orquestado por grupos políticos que contaban con un decidido apoyo popular». Se trata del partido democrático y, en particular, de su líder Sixto Cámara [5, 119-120].

A la vista de los hechos, Antonio Miguel Bernal establece la necesidad de revisar la calificación de espontaneísmo utópico, aplicada a las revueltas campesinas andaluzas, puesto que en realidad se presentaron una vez fracasadas las soluciones por vía judicial, y cuando se mostró inoperante la alianza con la burguesía progresista y aparecieron como vanas las esperanzas depositadas en los federales después de 1868. Quizá por esto, concluye Bernal, los campesinos andaluces «se reconocieron en el lenguaje empleado por la rama antipolítica y antiautoritaria de la Internacional» [5, 136].

El desarrollo de las fuerzas productivas industriales entre 1834 y 1874 ha sido expuesto en sus líneas generales dentro del apartado correspondiente a la economía. El cambio correlativo que se observa en las relaciones de producción dentro de la industria queda reflejado con gran riqueza de matices en un texto que firman los hiladores de Barcelona, el 26 de junio de 1856:

El obrero artesano, en general, comparte su trabajo con el maestro. Hay entre ellos relaciones de igualdad. Algunas veces son amigos. Su trabajo, tal vez de más difícil ejecución que el nuestro, tiene el aliciente de la variedad y el atractivo de la aprobación de los demás. Nuestro trabajo se verifica bajo opuestas condiciones. Metidos en cuadras donde impera una severa disciplina, parecemos un rebaño de esclavos sujetos a la vara del señor. Colocados junto a las máquinas, somos servidores de estas. Desde las cinco de la mañana hasta las siete y media de la tarde siempre hacemos lo mismo. Para nosotros, lejos de ser el fabricante nuestro igual, es el ojo vigilante y el espía de nuestras acciones. Nunca trabajamos bastante. Siempre descontento de nosotros, no podemos menos de ver en él nuestro tirano [4, II, 409].

El texto no solo relata en términos de notable precisión la nueva situación laboral propia del obrero industrial (horarios de trabajo, monotonía del trabajo, cadencias marcadas por las máquinas, etc.), sino que señala el nuevo tipo de relaciones de producción que aparecen gracias al mismo juego de las estructuras de la industria: relaciones de clases contrapuestas.

Desde la implantación del vapor en 1832 hasta la represión encarnizada de que son objeto las organizaciones obreras a partir de 1874, la lucha del proletariado industrial pasa por tres fases de progresiva radicalización. Empieza por presentar un carácter estrictamente reivindicativo, decidida y reflejamente ajeno a las contiendas políticas, aunque un análisis más profundo de los movimientos juntistas a partir de 1836 tal vez aportaría matices apreciables sobre el particular. De hecho, Juan Muns, el más destacado dirigente de la primera época del movimiento obrero en Cataluña, participó a finales del año 1842 en el levantamiento republicano de Olot, y fue objeto de una crítica severa por parte de sus compañeros dirigentes de Barcelona, Sugrañes y Vicheto: «Le habíamos escrito que no se metiera en nada, pero dolorosamente vemos que no ha creído nuestras sanas advertencias», comentaban en una carta de 13 de diciembre de 1842 [32, 362].

La experiencia reivindicativa de 1840-1843 y de 1854-1856 incluyó momentos de acción mancomunada entre patronos y obreros, en defensa de la producción nacional, amenazada por la introducción en el mercado español de productos textiles extranjeros. Una fuente obrera recuerda tanto la lucha codo con codo de proletarios y burgueses en 1843 —renovada en parte a principios de 1855, cuando representantes de las asociaciones obreras de Barcelona viajan a Madrid para oponerse, junto con los representantes de la Junta de Fábricas, al proyecto de ley arancelaria de Sánchez Silva y Corradí, de 15 de enero del mismo año— como, a finales de 1855, los motivos de su desengaño y de su recelo: «Recordamos aún los sucesos de aquel año [1843]. (...) La clase obrera está aleccionada por una dolorosa experiencia. La baja de los salarios fue el premio de sus sacrificios en favor de los capitalistas. (...) Las asociaciones (...) fueron vivamente perseguidas. (...) Se llegó al extremo de poner la clase toda fuera de la ley y sujetarla a los juzgados militares» [4, II, 320].

El desengaño de la clase obrera no fue, en realidad, total y definitivo, puesto que el 21 de marzo de 1869 los obreros volvieron a participar junto con los patronos en una campaña proteccionista de consumo y elevaron al gobierno la petición de que defendiera el trabajo nacional.

La experiencia de la lucha competitiva en todos los campos de la actividad económica, incluso en el del trabajo y los salarios, hizo descubrir a los obreros los límites del planteamiento liberal. No existía, de hecho, igualdad de condiciones entre patronos y obreros en esta competición: los primeros, gracias a las reservas económicas de que disponían, no estaban sujetos a la necesidad de concluir contratos laborales en un momento dado; en cambio, los segundos se veían apremiados por el hambre si no encontraban trabajo. Por otra parte, el criterio de la estricta competitividad no funcionó desde el momento en que las asociaciones obreras, único medio en manos del proletariado para adquirir fuerza en una lucha desigual, fueron perseguidas por las autoridades y suspendidas legalmente, mientras actuaban sin obstáculos las asociaciones patronales. Finalmente, los convenios colectivos firmados aparecieron con toda su falta de consistencia jurídica cuando, al suprimir las asociaciones obreras, el capricho de la autoridad los declaró nulos.

Así, los obreros, que habían querido mantener su actividad clasista en el terreno reivindicativo, percibieron la necesidad de politizar su lucha para asegurar legalmente su derecho de asociación y para dar la solidez del reconocimiento legal a los resultados de sus esfuerzos colectivos. El proceso que conduce a la conciencia política queda patente en un texto obrero de antología, perteneciente a un conflicto en el ramo de los hilados de Barcelona declarado en el mes de mayo de 1856 y llamado la «cuestión de la media hora»:

> Ellos [los fabricantes] son los que con sus exigencias han abierto nuestros ojos y nos han obligado a buscar la causa de nuestros males. Y de raciocinio en raciocinio hemos llegado a comprender que nuestros males cesarán cuando las Cortes se interesen por nuestra causa, y las Cortes estarán a favor nuestro y en favor de la justicia al mismo tiempo, cuando nosotros nombramos [sic] los diputados [4, II, 409].

La fuerza política que capitalizó la confianza obrera fue el partido democrático-republicano. La clase obrera catalana creyó poder ser interpretada y representada en sus intereses por el reformismo de la izquierda burguesa. Un paso más en el proceso de radicalización de la clase obrera industrial se produjo después de la revolución de 1868, cuando grupos de dirigentes obreros entraron en contacto con los hombres de la Primera Internacional. Entonces se llevó a cabo una crítica del reformismo burgués y se adoptaron análisis y prácticas que afirmaban el protagonismo exclusivo de la clase obrera en la lucha por su propia liberación. Las dos principales orientaciones vigentes en el interior de la Primera Internacional tuvieron sus representantes en nuestro país: el marxismo y el bakuninismo [4, II, 589].

7. LOS MILITARES

La presencia activa de los militares en la vida política del Estado español no es un hecho que surja con la guerra civil carlista. Tiene sus antecedentes próximos en la guerra de la Independencia, en el apoyo que de los militares recibió Fernando VII al volver del destierro en 1814, en las reiteradas tentativas de poner fin al poder absolutista entre 1814 y 1820, en el restablecimiento de la constitución de Cádiz que llevó a cabo Riego en 1820 (con tropas destinadas a reprimir los conflictos de las colonias suramericanas en su lucha independentista), en el fracasado intento de volver al absolutismo en 1822, en la invasión de las fuerzas francesas para poner fin al régimen constitucional en 1823, y, finalmente, en el apoyo que buscó y obtuvo Fernando VII para salvaguardar la sucesión de su hija Isabel II. Pero tiene también sus raíces más lejanas. «Suponer que la importancia social de los militares era una consecuencia de su intervención activa en los asuntos públicos después de 1808, es olvidar cómo había gobernado la antigua monarquía.» [11, 10]. En este sentido, se pueden recordar los poderes de que eran depositarios los capitanes generales en cada una de las trece zonas de su jurisdicción durante todo el siglo XVIII, y el privilegio de fuero propio, comparable al de la nobleza y el clero, de que gozaba el estamento militar [11, 12].

La guerra carlista, si en realidad no fue la primera plataforma de influencia militar dentro de los organismos del Estado, constituyó desde luego el principio de una intervención masiva y prolongada del elemento castrense en la implantación del sistema liberal en España. Espartero, Narváez, O'Donnell, Serrano y Prim son los generales de mayor relieve que ocuparon la jefatura del gobierno de la nación entre 1834 y 1874. Pero a su lado figura una nube de personalidades de análoga graduación que ejercen también como presidentes del gabinete ministerial o como ministros del gobierno: Pavía, Ferraz, San Miguel, Rodil, Alaix, Roncali, Lersundi, Llauder, Dulce, Infante, Fernández de Córdoba.

Busquets ha enumerado las causas que concurren en la intervención de los militares en la política española: las guerras (de la Independencia, americana, carlista) que, según subraya Jover, introducen a los jefes castrenses en una especial relación con los políticos de quienes dependen los suministros y la orientación global de la contienda; el romanticismo, que glorifica las actitudes liberales y rebeldes; el contacto con los ejércitos extranjeros, que abre un horizonte político nuevo ante los ojos de los militares españoles; la corrupción del poder civil, que incita a los militares a una intervención purificadora; y el mismo subdesarrollo del pueblo, regido por movimientos políticos todavía poco racionalizados y elaborados [20, 216]. Jover Zamora completa las anteriores aportaciones destacando la incapacidad de los políticos españoles para establecer un régimen estable, basado en el bipartidismo de moderados y progresistas [20, 279], y la estrecha base política con que contó siempre de hecho el sistema liberal en España, dada la enorme cantidad de pueblo no participante que establecían las leyes electorales, con lo cual el recurso a la fuerza militar se presentaba reiteradamente como necesario para aplastar las revoluciones populares [20, 281].

Un estudio pormenorizado y metódico de la influencia militar en la política española debería incluir no sólo un recuento de los puestos políticos ocupados por altos cargos de la milicia —en el Senado de 1853, de sus 314 miembros, 93 eran generales— sino una detectación de las conexiones estables entre las diferentes personalidades militares, y de su vinculación con intereses económicos y políticos de personalidades y grupos civiles. En este último sentido, Fontana ha destacado la presencia del general Serrano en la presidencia del Consejo de Administración de los ferrocarriles del Norte, del general Ros de Olano en MZA, junto al barón de Rothschild y al marqués de Salamanca, y los intereses de Madoz, comunicados confidencialmente a Prim, en una compañía de seguros contra las quintas. «¿Podemos creer en la sinceridad con que estos mismos hombres prometen la abolición de las quintas, en su esfuerzo por conseguir un amplio apoyo popular?», se pregunta Fontana [18, 116].

El estamento militar, dividido por los personalismos, las rivalidades, los intereses y las intrigas, es el que se proyecta con toda esta problemática sobre la vida política del país después de la guerra carlista. En este momento, según Payne, el ejército presenta un estado de desorganización similar al que lo había caracterizado desde 1814 [33 bis, 11], con cuadros de oficialidad excesivamente recargados después de que, de conformidad con las cláusulas del Tratado de Vergara (31 de agosto de 1839), Espartero inscribiera en la nómina a todos los oficiales del ejército de Maroto. La saturación de los cuadros de mando impedía a los oficiales, muchos de ellos ascendidos en el escalafón desde puestos sin importancia, entrar en el juego normal de los ascensos. La necesidad de reducir el ejército y su presupuesto a dimensiones normales hizo tomar a Espartero decisiones de graves consecuencias políticas para él: los oficiales despedidos se sintieron atraídos por las conspiraciones de los políticos moderados. Comenta Payne, al referirse a los años de régimen progresista, entre 1840 y 1843. «Cada mes que pasaba, el gobierno de Espartero veía restringirse su base, hasta no llegar a contar más que con el grupo de los Ayacuchos. El regente perdió contacto no sólo con la opinión civil, sino también con los militares. En 1843, hasta los progresistas se volvían contra él» [33 bis, 22].

Narváez, depurado en 1823 por sus ideas liberales y expulsado del ejército por diez años, participó en la guerra contra los carlistas, y resultó ser, según Christiansen, el reconciliador del ejército con el Estado liberal, al canalizar la ambición de los generales hacia un camino constitucional. Narváez, en realidad, desconfiaba de los regímenes representativos y no podía soportar los desórdenes populares, para cuya represión creó la Guardia Civil en 1844. Con la Constitución de 1845, favoreció la participación política de una restringida oligarquía civil y militar, de la cual salían los gobernantes; redujo al mínimo las libertades civiles; y estableció un Senado no electo, en el que cierto número de militares, de simpatías moderadas, ocuparon puestos vitalicios. De esta forma, se garantizó el derecho de veto al ejército, y se dio representación a los intereses militares [33 bis, 23].

En comparación con Narváez y Espartero, O'Donnell, por su parte, representó a la derecha moderada, y Prim, por otro lado, la continuidad en la lucha por una democracia constitucional capaz de mantener el orden público.

Con una intervención tan preponderante del elemento militar en la vida política española, en la etapa de la implantación del liberalismo burgués, se introdujo una contradicción profunda que podría formularse en estos términos: el sistema liberal tenía necesidad de integrar a los militares ganadores de la guerra carlista, para asegurar su propia subsistencia; pero el poder de los militares más conservadores, que ocuparon el mando por un período de tiempo más prolongado, ahogó las libertades, cuya proclamación caracterizaba el mismo sistema liberal.

8. LA IGLESIA

Aunque, como observa Jover, la Iglesia tuvo durante la época isabelina una influencia sobre la vida pública mucho menos considerable que la que ejercieron las clases medias, las clases altas y el estamento militar [20, 298], no deja de representar en España una fuerza social de gran importancia, que, en su conjunto, reacciona con hostilidad ante las innovaciones liberales. Fue muy firme su vinculación con Fernando VII, monarca absoluto, quien en 1814 anuló todas las medidas desamortizadoras tomadas con anterioridad y estableció represalias contra los que hubiesen adquirido bienes eclesiásticos durante el reinado de José I: la devolución de dichos bienes, el abono del producto que hubieran aportado durante el tiempo que estuvieron en su poder, y la inhabilitación temporal para ejercer cargos públicos [41, 65].

La adhesión de la Iglesia al monarca absoluto se renovó después del trienio constitucional, 1820-1823. En contraste con la actitud crítica que los jerarcas religiosos habían adoptado ante el liberalismo de aquellos tres años, durante la década siguiente lo que brilló fue la complacencia y el servilismo hacia las disposiciones de los vencedores. «Todo lo que había sido rozado por el liberalismo era protervo, abominable y catastrófico; mientras todo lo que coadyuvaba a la implantación del realismo era ortodoxo, justificable y sublime.» [34, 81].

Así, la Iglesia, para los liberales, no solo era una institución que necesitaba reformas urgentes, sino una fuerza social que se había constituido en un enemigo político, en un puntal del absolutismo que debía ser convenientemente desarbolado. A la muerte de Fernando VII, la corriente liberal, con más radicalismo los progresistas y con miras más limitadas los moderados, lleva a cabo una operación tendente a reducir el peso sociológico, económico y político de la Iglesia en el país. Intervienen en esta operación motivos de muy diverso peso, que se entrecruzan: la necesidad de depurar la nueva sociedad de clases y corporaciones que se miran como rémora para una España secularizada y burguesa, el incentivo de una desamortización que se ofrece como remedio de la hacienda pública y como recurso para el enriquecimiento y la captación de las clases pudientes, el control regalista sobre la Iglesia, y la aniquilación vindicativa de unas congregaciones religiosas que correspondieron a los favores del absolutismo [34, 484]. Dos manifestaciones claras, de gran envergadura, en la tentativa de desmantelar a la Iglesia de su influencia sociopolítica fueron la supresión de las órdenes religiosas y la desamortización eclesiástica.

Las exclaustraciones legales comenzaron en 1834, con la supresión de algunos conventos desafectos al gobierno liberal y simpatizantes con el carlismo (decreto de 26 de marzo), y culminaron con la ley recapituladora de 29 de julio de 1837. Estas medidas legales, junto con las reacciones no previstas por la ley (motines callejeros, matanzas de frailes, supresiones arbitrarias luego legalizadas), pusieron fuera de sus residencias conventuales a unos 32 000 frailes y a unas 15 000 monjas. Los religiosos eran vistos por los liberales como la recapitulación de los defectos que ellos querían corregir no sólo en la Iglesia, sino en la sociedad española: su marcado espíritu de cuerpo clerical, sus moldes corporativos trabados por la obediencia, su cometido preferentemente espiritual que chocaba con la idea de una sociedad en que triunfaran el individualismo, la igualdad, la razón, la utilidad [34, 5]. El restablecimiento de las órdenes religiosas no llegó hasta el último cuarto de siglo, con la restauración alfonsina.

Por otra parte, los bienes de los conventos aparecían con todos los vicios de las manos muertas, y como un recurso para enjugar la Deuda pública, para captar adeptos de la causa liberal y desencadenar un proceso de prosperidad nacional. En efecto, sobre los bienes de las órdenes religiosas recayó predominantemente la oleada desamortizadora impulsada por los decretos de Mendizábal (19 de febrero, 1 y 8 de marzo de 1836). La ley de 2 de septiembre de 1841, durante la regencia de Espartero, con Mendizábal como ministro de Hacienda, extendió el proceso de desamortización a los bienes del clero secular, disposición que fue suspendida por el decreto de 26 de julio de 1844, con los moderados en el poder. El volumen total de las ventas de las fincas rústicas y urbanas ascendió, en este período, según F. Simón Segura, a 2 429 887 005 reales, de los cuales el 52 % correspondían a bienes de regulares, y el 47,3 % a bienes de seculares [41, 154].

La segunda oleada desamortizadora fue desencadenada por la Ley Madoz de 1 de mayo de 1855. Su vigencia no se limitó a los años 1855-1856, de dominio progresista. En efecto, suspendida la Ley Madoz en octubre de 1856, fue puesta de nuevo en vigor en octubre de 1858, y permaneció con fuerza de ley hasta 1895. Entre 1855 y 1856, las fincas rústicas y urbanas del clero secular desamortizadas alcanzaron un valor de venta de 273 941 004 reales, y las del clero regular 49 878 477 reales [41, 232]. No obstante, como indica Simón Segura, las instituciones más afectadas por la Ley Madoz fueron los municipios, con la pérdida de grandes cantidades de bienes propios [41, 279].

La desamortización eclesiástica fue, sin duda, el principal problema que se planteó al negociarse el Concordato de 1851 entre el gobierno moderado y la Santa Sede. Se estableció que los compradores de bienes eclesiásticos no serían molestados, y, en cambio, se fijó una dotación para el culto y el clero. La unidad religiosa fue solemnemente proclamada, así como la inspiración católica de toda la enseñanza en los establecimientos públicos y privados. En este terreno, la autoridad eclesiástica veía reconocido el derecho de «velar por la pureza de la doctrina de la fe y de las costumbres, y sobre la educación religiosa de la juventud... aun en las escuelas públicas». Se afirmó el derecho de la Iglesia a adquirir y poseer bienes. El número de congregaciones religiosas varoniles permitidas quedaba reducido a dos, la de San Vicente de Paúl y la de San Felipe Neri, más una tercera a determinar. De las femeninas, se permitían expresamente el Instituto de las Hijas de la Caridad, y otras que «a la vida contemplativa reúnen la educación y enseñanza de las niñas u otras obras de caridad». La situación creada por la desamortización de Madoz quedó regulada por un convenio adicional de 25 de agosto de 1859.

Desde el punto de vista político, Francisco Simón Segura señala a los nuevos latifundistas como principales beneficiarios de la desamortización. El poder económico detentado con anterioridad por las municipalidades pasó a manos de los terratenientes [41, 295-300]. En el interior de la Iglesia, las medidas desamortizadoras, concebidas y llevadas a efecto con el propósito de contrarrestar el poder eclesiástico, crearon a corto plazo una mayor cohesión entre los fieles y un acrecentamiento de la actitud hostil ante la corriente liberal.

El repliegue sobre sí misma que efectuó la Iglesia aumentó en ella la sensación de fuerza, pero la mantuvo en una decisiva falta de sincronía con la evolución del mundo circundante. La Iglesia optó por permanecer en un ambiente sociocultural propio, que no pudo menos de quedarse anacrónico con el paso de los años, y se mantuvo en una actitud de continua vigilia ante el peligro del asalto liberal. Con todo ello, no dejó de disfrutar de un asentamiento popular amplísimo, invocado una y otra vez por los obispos frente a las medidas restrictivas de que era objeto la Iglesia por parte de políticos que alardeaban de luchar por la libertad. La contradicción señalada por los obispos no la percibían como tal los políticos liberales, que veían en la Iglesia un lastre para la evolución democrática del país.

En este proceso de aislamiento de la Iglesia respecto al mundo circundante, hay que señalar a dos sectores que se sustrajeron progresivamente a su influencia. La clase obrera industrial, cuyas luchas no fueron interpretadas en la especificidad de los factores que las condicionaban, sino como un episodio más de perturbación de un orden ya sustancialmente alterado por las libertades modernas. Y la clase intelectual, no dispuesta a vivir recluida en el recinto eclesiástico, cuyo clima sociocultural no permitía las condiciones de libertad requeridas para la actividad científica e investigadora.

No cabe duda que, en esta actitud retraída y hostil ante el mundo moderno, general en toda la Iglesia católica de la época, tuvieron un papel principal los obispos. Cuenca Toribio ha señalado la mediocridad de las dos hornadas de prelados que se produjeron en 1847-1849 (se cubrieron nada menos que cinco sedes metropolitanas y dieciocho episcopales), y en 1861-1863 (que afectó a una veintena de sedes), esta última dirigida por el confesor de la reina, arzobispo Claret [10, 77-78, 98-101; 20, 299].

CAPÍTULO II

Las ideologías

Los conflictos y tensiones entre las fuerzas vivas de la sociedad se reflejan a su manera en los contrastes de diversas tendencias y doctrinas en todos los campos de la actividad intelectual.

1. LA LITERATURA

En el terreno de la producción literaria, el romanticismo irrumpió en el país con el clima de mayor libertad que empezó a reinar después de la muerte de Fernando VII. La liberalización de la censura y la vuelta de los exiliados —el duque de Rivas (1791-1865) estuvo diez años en el extranjero, Martínez de la Rosa (1787-1862) ocho, Espronceda (1808-1842) siete— permitieron la manifestación de un movimiento que ponía en tela de juicio las normas absolutas de la religión, de la moral y de la tradición nacional, consideradas hasta entonces como indispensables para el bienestar de los individuos y la consistencia de la sociedad.

En el romanticismo, el sentimiento religioso desaparece o se hace superficial, cuando no se le niega o se le combate, particularmente en las formas de fanatismo (milagrería) o de poder (clericalismo) que presenta. En cambio, surge la muerte como tema constante, y el pesimismo radical como ingrediente de la visión romántica del mundo.

Las normas literarias del neoclasicismo dieciochesco son rechazadas, pero del período de la Ilustración subsisten el amor a la cultura y al progreso, el deseo de mejorar, el desprecio del fanatismo y la superstición, el impulso hacia la europeización.

La novela, el teatro, la poesía narrativa de la corriente romántica fijan su atención en la historia, buscando en ella particularmente el colorido local. Se silencian los triunfos imperiales y domina una constante actitud antifrancesa, que tiene sus raíces en la guerra de la Independencia y en la invasión de 1823.

La exaltación de los personajes marginados —el mendigo, el pirata, el verdugo, el condenado a muerte— es una forma de protesta contra los convencionalismos y trabas de la sociedad, y un canto a la incondicionada libertad individual. La sátira y la crítica de las costumbres, en que tanto sobresale Mariano José de Larra (1809-1837), son asimismo manifestaciones de inconformismo, cuando no de desesperanza.

Refiriéndose exclusivamente a la novela histórica entre 1830 y 1870, Juan Ignacio Ferreras ha establecido tres modalidades de la misma, la novela histórica de origen romántico, la novela histórica de aventuras y la novela de aventuras históricas, y ha visto en cada una de ellas el reflejo de la situación sociocultural del período en que se produce. En la novela histórica de origen romántico, el protagonista es fiel reflejo de la ruptura que plantean los autores adscritos a este movimiento al mundo circundante. En la novela histórica de aventuras, el héroe se encuentra también en ruptura con el mundo que le rodea, pero al final de la obra alcanza su destino personal. Finalmente, la novela de aventuras históricas muestra el triunfo del protagonista «frente al mundo que ha dejado de ser ruptura, que ha dejado incluso de estar en conflicto con el protagonista, puesto que éste le ha vencido después de mil combates y aventuras». El autor observa que la novela histórica de origen romántico tiende a desaparecer en torno a 1850, cuando la ruptura romántica empieza a ser asimilada por la sociedad: «En la década de los cincuenta no caben ya los exaltados políticos ni románticos, la sociedad se encuentra hasta cierto punto unida (...), en posesión de una serie de ideales que todos parecen compartir». La novela histórica de aventuras toma la historia como pretexto u ocasión para la defensa de ideales políticos contemporáneos. La novela de aventuras históricas es una literatura decadente de integración en una sociedad que se cree ya estabilizada y asegurada [16, 103, 176, 180-183].

Los críticos literarios señalan la brevedad de los años en que predominó la corriente romántica: una década, de 1834 a 1844, que termina con la subida de los moderados al poder y con el predominio en la escena literaria del costumbrismo de Mesonero Romanos (1803-1882) y Fernán Caballero (1796-1877). La descripción colorista de la realidad no tiene ya en estos autores la intención crítica como motor principal, sino la fijación de aquellas costumbres que corrían el peligro de desaparecer con el paso del tiempo, y que, por razones de moralismo y de conservadurismo social y político se consideraba como lo típicamente español. Como observa Donald L. Shaw refiriéndose a Fernán Caballero, al realismo de este autor le interesa sólo una parte de la realidad, la que «se podía adecuar a sus presupuestos morales» [40, 87].

A este propósito de hacer de la novela un vehículo de moralización no son ajenos ni Pedro Antonio de Alarcón (1833-1891) ni José María de Pereda (1833-1906). La selección arbitraria de los elementos recogidos por la observación opera en una dirección idealizadora [40, 91]. En Pereda, concretamente, existe la irrefrenada inclinación a «reducir los laberintos de la psique a una disyuntiva moral: los buenos y los malos», descartando de sus personajes toda clase de incertidumbre que pudiera conducirles a interrogarse por sus creencias, sus pasiones, sus errores [23, 112].

Frente a esta parcialización moralizante de la realidad, surge la novelística de Galdós (1843-1920), en cuya primera producción bulle la efervescencia revolucionaria del 1868. La novela de Galdós es «realista» ya en esta primera época, porque deja de ser evasiva y trata de incorporar la inquietud y la problemática del momento histórico. Pero, precisamente porque esta temática se encuentra insertada en los conflictos reales, se presenta transida de influencias ideológicas. Galdós, en su primera época, entre 1870 y 1880, «es quien incorpora a la novela las promesas, soliviantos y desengaños que acompañan al movimiento revolucionario; y al hacer esto, *radicaliza* por así decirlo la ficción novelesca, inyecta en ella una tensión ideológica que no es sino reflejo de la radicalización que se ha producido en el mundo real y que el propio novelista siente con aguda intensidad» [23, 107]. La radicalización ideológica no es el único factor que hay que tomar en consideración para situar adecuadamente el «realismo» de Galdós. Importantes conflictos de su época no encuentran eco en sus novelas: de ellas, en efecto, «la sociedad industrial, el problema agrario, o el interés por el modelo educativo español están virtualmente ausentes» [40, 197].

2. LOS FOLLETINES

La novela por entregas es un género que florece entre 1840 y 1870. Juan Ignacio Ferreras señala como público preferente de esta literatura al sector femenino, a ciertos núcleos de obreros y a la pequeña burguesía. Establece, además, que los folletines caen necesariamente en el dualismo moral. Y advierte, finalmente, que este dualismo es puesto al servicio de determinados intereses sociopolíticos.

Que este tipo de literatura tenga principalmente a la vista la preocupación de abastecer a un público femenino, obrero, artesano y pequeño burgués lo deduce Ferreras de la observación de los protagonistas (obreras, sirvientas, planchadoras, costureras, y personajes del pequeño comercio y artesanado), de los temas (el obrero presentado como personaje de conducta ejemplar, el amor, el adulterio, el matrimonio, los hijos abandonados sin padre ni madre, el patrono encarnado como personaje malo), y del ambiente de estas novelas (un mundo en que falta el dinero, y en que existe el hambre y la miseria).

En relación al «obrerismo» de este tipo de producción literaria, Ferreras señala que se trata de crear una postura sentimental en el lector, una «falsa conciencia» [14, 29], que impide más que ayuda a la toma de conciencia de clase. Esta incidencia confusionista y enmascaradora de la literatura folletinesca la explicita el autor al estudiar su estructura dualista. El conflicto alrededor del cual se construye el folletín se idealiza y esquematiza hasta el límite, de forma que queda entablado en último término entre dos ideales, entre dos visiones del mundo. Se carga así el odio y la simpatía del autor sobre una parte o sobre otra: «si el traidor es un sacerdote, nos encontramos ante la típica novela anticlerical; si es un liberal, nos encontramos ante la típica novela de tradición católica; y de la misma manera, la heroína será la víctima de un patrón, y la novela será «socializante»; o será víctima de un descreído y nos encontramos ante la no menos típica novela moralizante» [14, 270-271].

El resultado de este planteamiento dualista es la falsa conciencia. En la medida en que los problemas reales no son alcanzados por esta literatura, se ofrecen salidas conformistas en todos los terrenos: pactismo generalizado en el conflicto obrero-patrono, defensa de la moral de las clases dominantes, en una palabra, inmovilismo.

3. LA CULTURA EN GENERAL: TRADICIÓN Y SECULARIZACIÓN

En el campo de la cultura en general, y en el de la contienda política en particular, siguen en pugna, a través de todo el período isabelino, la concepción tradicional y la concepción innovadora. Bajo formas diversas, las ideas de libertad, justicia y fraternidad, que resonaron en todo el país en la segunda mitad del siglo XVIII, traídas por las corrientes de la ilustración, permanecen vivas a lo largo del siglo XIX y suscitan la reacción de los medios empeñados en evitar el asentamiento en España del antropocentrismo renacentista y del liberalismo en todas sus versiones.

Refiriéndose al liberalismo, como empeño secularizador que arranca de la modernidad, Eloy Terrón señala la incidencia negativa que, sobre la vida política del país, tuvo la emigración de hombres destacados en peso político e inteligencia, a Inglaterra, Francia y Bélgica durante la década absolutista de 1823-1833. La prolongada permanencia en estos países, técnica y socialmente avanzados, pero con problemas muy diferentes de los que planteaba la realidad española, «estimuló en ellos la tendencia al doctrinarismo abstracto». Se trata, sigue afirmando Terrón, de un verdadero «despotismo ilustrado disfrazado de constitucional» [44, 157].

La fatiga de la guerra civil, y la endeblez de las bases teóricas del liberalismo, dan lugar a que la corriente liberal se manifieste en España con las características del eclecticismo. Las palabras clave en la vida política durante los últimos años de la lucha civil entre carlistas y liberales, y los inmediatos que la siguen, son «coalición, conciliación, transacción», exponente no sólo de eclecticismo, sino de manifiesta ambigüedad: «En boca de los progresistas tienen por fin unir a todos los liberales en la lucha; pero en boca de los moderados, suenan a transacción en la lucha contra los carlistas», señala Terrón, quien advierte la influencia teórica del eclecticismo francés desde la regencia de Espartero hasta el bienio progresista [44, 158].

Son las insuficiencias teóricas y prácticas del planteamiento político del partido progresista las que dan alas en sus mismas filas a la fracción democrática, algunos de cuyos propugnadores se encuentran influenciados por los utopistas franceses (Cabet en Cataluña, y Fourier principalmente en Andalucía y Madrid). Esta coincidencia entre democracia y socialismo utópico no tiene nada de extraño, si se tiene en cuenta que el pensamiento utópico parte del postulado liberal de la igualdad y se presenta, particularmente en el caso de Cabet, como la línea que ha de llevar a cabo los principios de la Revolución francesa, aplicándolos al terreno de la economía.

En el interior del partido democrático, la eliminación de los resabios utópicos socializantes significó la sustitución de la influencia francesa por la alemana, que se manifestó sobre todo a través de los krausistas.

El krausismo es un pensamiento con aspiraciones a alcanzar un grado de coherencia incluso en las profundidades de la metafísica, que va tomando posiciones en la vida pública y en la universidad españolas a partir de 1854. Labra califica la época 1854-1868 de «período esplendoroso de la docta casa» [33, 88].

La filosofía de los krausistas españoles, en lo que toca a la realidad social y política, es portadora de una concepción racionalista, liberal (pero no individualista, sino organicista), reformista por vías de evolución, y sobre todo por vías de influencia pedagógica, enraizada en una ética que se centra en los valores de tolerancia, libertad, honestidad intelectual, sentido de responsabilidad, dignidad y valor sagrado de la persona humana [12, 67].

Para Elías Díaz, las principales razones de la prevalencia de la filosofía krausista en España radican en su concordancia con la concepción del mundo y los intereses de todo tipo, propios de la burguesía liberal progresista española de la segunda mitad del siglo pasado. Entre estas concordancias, Elías Díaz destaca particularmente el afán de libertad en el orden político y el intento de hacer compatible esa libertad con la defensa del orden socioeconómico basado en la propiedad privada [12, 26-27, 164 ss.].

La primera de las dos etapas de desarrollo y difusión de la filosofía krausista en España discurre entre 1854 y 1875. Sanz del Río, nombrado catedrático interino de Historia de la Filosofía de la Universidad de Madrid en 1843, y becado este mismo año para realizar estudios en Alemania, se incorpora definitivamente a su cátedra en la capital del reino en 1854. Hasta que se introduzcan en España las corrientes positivistas, en que la burguesía de la Restauración tratará de apoyar sus pretensiones hegemónicas [31], la filosofía krausista no solo constituirá para los universitarios de la Central de Madrid un ideal nuevo, frente a la sordidez del juego de los intereses económicos y políticos imperantes, sino que será la referencia ideológica más sólida de grupos liberal-progresistas, e incluso demócratas, de notable influencia, que no obstante mantendrán siempre ciertas reservas ante un planteamiento democrático excesivamente radical.

En el campo de la legislación sobre la enseñanza, la ley de Gil de Zárate de 1845 consagra el principio secularizador y estatalizador en este ámbito: «Sólo donde reside la soberanía, reside también el derecho a educar (...). Cuando la sociedad eclesiástica era la soberana en todo, fue y debió ser también la docente. (...) Perdida la soberanía, la sociedad eclesiástica no puede ni debe ser la docente» [49, 30-31]. La Ley Moyano de 9 de septiembre de 1857, aunque estableció el derecho de los obispos a velar por la ortodoxia de la doctrina que se difundía en la universidad (art. 296), no representa más que una codificación burocrática del sistema ya existente y, en realidad, reafirmó la dirección estatal y secular de la enseñanza.

Frente a las innovaciones ideológicas y a las disposiciones de la administración, subsistió fuertemente arraigada la interpretación tradicional propia del catolicismo de la época. La influencia social omnímoda de que había gozado con anterioridad, y la visión totalizante característica de la cultura católica, vincularon estrechamente la causa del catolicismo, primero, al absolutismo y luego, al carlismo. Perdida la guerra civil por los carlistas, el catolicismo se manifestó abiertamente hostil a la política liberal en todos los terrenos.

Los pensadores católicos más destacados de esta época se vieron profundamente condicionados por la situación de asedio en que la Iglesia se sintió colocada por el liberalismo. Fueron apologistas del catolicismo. Balmes sin situarse fuera de esta órbita en que dominaba el espíritu de autojustificación de las instituciones y de la historia del catolicismo, mantuvo su sensibilidad abierta a ciertas corrientes intelectuales contemporáneas (filosofía del sentido común), y, en su biografía de Pío IX (1847), tuvo la valentía de propugnar la conveniencia de que la Iglesia buscase cierto acomodo con las tendencias liberales imperantes. Las críticas feroces que le fueron dirigidas con este motivo amargaron los últimos meses de su vida [8, II, 732-740].

«Balmes y Donoso compendian el movimiento católico en España desde el año 1834», afirma Menéndez y Pelayo [29, II, 962]. Lo que en

Balmes es moderación, verbo templado y tacto, en Donoso (1809-1853) es fogosidad y exaltación de un visionario, derrotado y herido. Su visión catastrófica de la evolución del mundo contemporáneo tiene, entre otras, motivaciones biográficas, la muerte de su hermano Pedro, en 1849 [42, 117 ss.]. Inspirado en ambos pensadores, pero sobre todo en Donoso, Juan Manuel Ortí y Lara es tal vez el polemista de mayor envergadura que produce la cultura católica del momento. Los temas en que se polariza son, principalmente: la unidad católica del Estado, atacada en la base segunda de la Constitución «nonnata» de 1856, soslayada en el artículo 14 de dicho texto, y eliminada en el de 1869; la tensión entre la fe y la razón, en la que los católicos se debatían con el objeto de mantener para las creencias religiosas un estatuto de vigencia (incluso política) en el mundo moderno, y los defensores del pensamiento moderno reivindicaban la autonomía del conocimiento y la secularización de la enseñanza; el valor de la experiencia histórica de España cuando fue inspirada por motivaciones religiosas; la apertura a Europa, causa de decadencia según los católicos y garantía de progreso para los secularizadores [33].

Capítulo III

Las instituciones

Por su misma naturaleza, las leyes constitucionales determinan la distribución del poder político entre las diversas fuerzas vivas del país. La ley electoral, al señalar las categorías de ciudadanos que son admitidos al voto o a optar por un puesto en los organismos legislativos, delimita en sus grandes líneas los sectores sociales que tienen acceso al poder. Las leyes que regulan la libertad de expresión, en particular las de prensa e imprenta, establecen en cada momento las posibilidades reales de la formación de corrientes de la opinión pública, y regulan en beneficio de la administración las posibilidades de dirigir críticas a la gestión gubernamental. Las leyes de asociación, reunión y manifestación expresan la disposición de las fuerzas vivas en el poder a dar o negar carta de naturaleza en la vida pública a las otras fuerzas sociales, y revelan las posibilidades que se ofrecen en orden a la estructuración de la vida social, y a que el acceso al poder deje de ser una cuestión de privilegio o el resultado de maquinaciones ocultas, y pase a ser el patrimonio de las fuerzas socialmente mayoritarias y efectivamente representativas.

Por otra parte, la racionalización de la vida pública que persigue la corriente liberal tiene diversas manifestaciones, de las cuales unas son de carácter más técnico y no se encuentran tan sujetas al vaivén de las fuerzas que se suceden en el poder entre 1834 y 1874. Entre estas, merecen destacarse la división territorial en provincias (Real Decreto de 30 de diciembre de 1833), la división de las provincias en partidos judiciales (Real Decreto de 21 de abril de 1834) y el proceso de codificación del derecho penal, que tuvo lugar en dos fases, 1848-1850 y 1870. Estas medidas responden, en general, a un criterio de homogeneización y centralización de la administración.

Otras regulaciones administrativas, como las leyes por las que se rigieron las elecciones de ayuntamientos y ciertas fuerzas del orden público varían en consonancia con la orientación de los grupos situados en el poder, que necesitan en determinados casos recurrir a la coacción, y quieren contar con la fidelidad de los organismos municipales cuando se producen las elecciones. Para evitar repeticiones inútiles, cabe dejar sentado que la Milicia Nacional fue un cuerpo que existió al socaire de las cortas estancias en el poder de regímenes progresistas, y que la Guardia Civil fue instituida por el régimen moderado el 13 de marzo de 1844.

Entre 1834 y 1874, los órganos correspondientes elaboran para el país seis normas constitucionales, lo cual es ya en sí mismo síntoma de la gran efervescencia de la vida pública durante estos cuarenta años: a excepción de la «nonnata» Constitución de 1856, y del estado de proyecto en que quedó la de la Primera República, todas las demás tuvieron su propio período de vigencia. La promulgación de cada una de estas leyes constitucionales va acompañada de disposiciones de menor rango sobre elecciones, expresión, reunión, asociación, etc., en consonancia con el talante fundamental de cada Constitución.

1. EL ESTATUTO REAL DE 1834

La normativa constitucional conocida bajo el nombre de Estatuto Real, promulgado el 10 de abril de 1834 [51], representa un intento de tender un puente para la reconciliación entre carlistas y liberales, que fue rechazado por los partidarios del absolutismo, y resultó, a los ojos de los liberales, una fórmula a todas luces insuficiente para cambiar la organización social del Antiguo Régimen. En efecto, el Estatuto Real, además de ser una norma constitucional otorgada por el poder real, y no elaborada por los legítimos representantes del pueblo, reconocía por una parte a la Corona una influencia decisiva en la designación de los representantes, y por otra limitaba considerablemente el número de los llamados a participar en las elecciones.

En realidad, la Corona no sólo contaba en las Cortes, como miembros por propio derecho, a los grandes de España mayores de 21 años y con una renta mínima de 200 000 reales anuales, sino que podía designar a representantes sin más limitaciones que las de escogerlos entre los obispos, títulos de Castilla con 80 000 reales de renta, altos funcionarios de la administración, propietarios o industriales con 60 000 reales de renta y que en ocasión anterior hubieran sido procuradores, o profesores y funcionarios con igual renta y sueldo. Por otra parte, los 180 procuradores electivos —que por serlo debían tener más de 30 años y gozar de una renta superior a los 12 000 reales anuales— estaban sujetos para su designación a las normas que establecía el Real Decreto de 20 de mayo de 1834: sufragio indirecto (elección de compromisarios, quienes a su vez elegían a los procuradores), y sistema censitario, impuesto por vez primera, en virtud del cual solo gozaban del derecho de ser electores, además de los individuos con determinados títulos profesionales o civiles denominados capacidades (abogados con estudio abierto, altos empleados en tribunales superiores, catedráticos y profesores, miembros cualificados de las juntas de sociedades económicas o de las reales academias, médicos), los propietarios, fabricantes, empleados y comerciantes con rentas de 6000 ducados, o que pagaran más de 200 ducados por contribución de subsidio de comercio. El electorado, así definido, comprendía 16 026 votantes (el 0,15 % de la población).

Estas disposiciones electorales fueron modificadas por las que puso en vigor el Real Decreto de 24 de mayo de 1836, con el cual se estableció el sufragio directo —aunque todavía censitario— y el cuerpo electoral se cuadruplicó respecto al que definía el Estatuto Real (0,6 % de la población).

El motín de La Granja, de 21 de agosto de 1836, que determinó el restablecimiento de la Constitución de 1812, hizo que las elecciones a Cortes convocadas para el 21 del mismo mes, lo fueran con arreglo a lo determinado por las Cortes de Cádiz, aunque ampliando al número de los representantes (1 por 50 000 habitantes, en lugar de 1 por 70 000).

La libertad de expresión fue concedida, después de la muerte de Fernando VII, en un Real Decreto de 4 de enero de 1834, lleno de reservas, y puntilloso en sus disposiciones positivas. Un decreto complementario de 1 de junio de 1834 señalaba el comienzo de una legislación especializada sobre la prensa. En virtud de estas disposiciones, una larga serie de materias quedaban todavía sometidas a la censura previa, entre ellas la religión, la política, la geología, la historia y los libros de viajes. La edición de un periódico tenía que contar con la licencia de la Corona. Su editor responsable debía reunir las condiciones legales de elector, y quedaba obligado a un depósito de 30 000 reales en Madrid y 10 000 en provincias. El motín de la Granja llevó consigo la supresión de la censura previa (Real Decreto de 22 de marzo de 1837), aunque quedó aumentado el volumen de los depósitos exigidos (40 000 reales en Madrid, y cantidades menores en provincias, hasta un mínimo de 10 000 reales).

El derecho de reunión no fue regulado por normas legales específicas. El sufragio directo introdujo la necesidad de contactos entre los electores para designar a los candidatos. Así, las reuniones electorales se convirtieron en una pieza de la vida política del país. En cuanto al derecho de asociación, confundido frecuentemente con el de reunión, hay que decir que los textos constitucionales anteriores a 1868 no prevén la posibilidad de que se establezcan asociaciones con carácter permanente y con fines políticos.

La legislación sobre ayuntamientos empieza en este período con el Real Decreto de 23 de julio de 1835, que establece las condiciones para ser elector y elegible, y reserva al gobierno el derecho de nombrar corregidor en Madrid y demás capitales que se estime conveniente. El gobernador civil queda constituido en presidente nato de todos los ayuntamientos de la provincia respectiva.

2. LA CONSTITUCIÓN DE 1837

Las fuerzas progresistas, triunfantes en 1836, no se propusieron pura y simplemente establecer el sistema político de 1812. El gobierno se contentó con algunas medidas liberalizadoras en la línea marcada por la Constitución de Cádiz: establecimiento de la Milicia Nacional, ley de imprenta de 22 de octubre de 1820, artículos electorales de la Constitución, ley de ayuntamientos y diputaciones de 10 de julio de 1822 y 11 de agosto de 1813. La disposición que predomina en las fuerzas progresistas es la búsqueda de una conciliación con los moderados, impuesta en parte por la necesidad de obtener una victoria bélica sobre las fuerzas absolutistas. De aquí la división del poder legislativo en dos cámaras, el veto absoluto en favor de la Corona, y el derecho de disolución, en la Constitución promulgada el 28 de junio de 1837. Como «fracaso del liberalismo» y «fachada constitucional en un régimen efectivamente absoluto» califica Eloy Terrón esta Constitución [44, 158, 150], que resulta ecléctica no sólo por ser el resultado de un compromiso entre las dos facciones liberales, sino porque la estructura formal del texto y la misma terminología son espigados de constituciones extranjeras (la francesa de 1830, la brasileña, la norteamericana, la inglesa y la belga), que se citan con insistencia como fuentes de autoridad durante el debate en las Cortes Constituyentes [35 bis, 229].

Una cierta compensación la obtuvo la línea más liberal en la nueva ley de 20 de julio de 1837, que ampliaba sensiblemente el cuerpo electoral, restablecía el sufragio directo y rebajaba las condiciones económicas requeridas para ser elector. El nivel de participación reconocido por la ley se sitúa en el 2,2 % de la población de 1837, alcanza tres años después el 3,9 %, y llega al 4,3 % en 1843.

También la libertad de expresión se vio ampliada por el Real Decreto de 17 de agosto de 1837, que restableció la normativa vigente durante el trienio constitucional (Real Decreto de 22 de octubre de 1820). Pero fue objeto de restricciones bajo el gobierno moderado por la Real Orden de 5 de junio de 1839, que prescribía la presentación de los impresos antes de su distribución y venta, y facultaba a la autoridad para recoger los que consideraba delictivos [2, I, 135].

El derecho de asociación obtuvo durante este período un reconocimiento que aprovecharían los obreros industriales para constituir sus primeras asociaciones reivindicativas: la Real Orden de 28 de febrero de 1839 que, al permitir el establecimiento de sociedades de socorros mutuos, sería la fachada legal que cubriría a las sociedades de resistencia. Sucesivas intervenciones gubernativas, particularmente las Reales Órdenes de 9 de diciembre de 1841 y de 29 de marzo de 1843, impondrían primero la disolución de la Sociedad de Tejedores de Barcelona, y luego permitirían la existencia de dicho tipo de sociedades no sin severas restricciones en sus reuniones y en su asentamiento geográfico.

La ley municipal, aprobada el 14 de julio de 1840, fue la que provocó el enfrentamiento entre Espartero, jefe del gobierno, y la regente María Cristina, y la consiguiente sustitución por el mismo Espartero en las funciones de regencia. En ella, no sólo se ponían, para ser elegible a un cargo municipal, condiciones más estrictas que las requeridas para ser diputado a Cortes, sino que el gobierno quedaba facultado para designar alcalde y tenientes de alcalde entre los elegidos. La vuelta de los moderados al poder en 1843 puso en vigor esta ley de 1840, con pequeñas modificaciones (Real Decreto de 30 de diciembre de 1843).

3. LA CONSTITUCIÓN DE 1845

No fue unánime, ni mucho menos, entre los moderados la decisión de establecer una nueva Constitución a la caída del régimen progresista de Espartero. Istúriz, Posada Herrera y Pastor Díaz, entre otros, previeron ya en aquellas circunstancias lo que posteriormente iba a ocurrir: en adelante, el triunfo de cada partido entrañaría, frustrada o no, una nueva Constitución [35 bis, 246].

La ley constitucional, promulgada el 23 de mayo de 1845, presenta como características generales de mayor importancia la negación de la soberanía nacional y del poder constituyente del pueblo, y la afirmación de la iniciativa conjunta de la Corona y de las Cortes, como sujetos del poder constitucional.

Martínez de la Rosa subraya el significado de la norma constitucional de 1845, en comparación con las anteriores, en el último volumen de su estudio *El espíritu del siglo*: «El Estatuto Real lo había otorgado la Corona; la Constitución de 1837 lo formó por sí sola una asamblea popular; la de 1845, que puso sello a la obra, presentó felizmente hermanados la augusta voluntad del monarca y el libre asentimiento de las Cortes.» [28, 137].

La Corona, por su mayor estabilidad en comparación con las Cortes, se alza con el primado de la soberanía, y por su derecho a nombrar senadores en número ilimitado, dispone de mayoría en esta Cámara, equiparada en facultades al Congreso. La reforma del Senado, por ley de 17 de julio de 1857, acentúa el carácter conservador del régimen, al dar entrada a senadores por derecho propio, unos con carácter hereditario y nobiliario, y otros por razón de su función pública en la Iglesia o en el Ejército. Esta reforma se cancela por la ley de 20 de abril de 1864, que pone otra vez en vigor el texto constitucional de 1845.

Por la ley de 18 de marzo de 1846, se aumentó el número de representantes en la Cámara y se redujo el cuerpo electoral: se determinó el número de un representante por cada 36 000 habitantes (1 por 50 000 desde 1836), con lo que los diputados pasaron a ser 349. La condición del pago de una contribución directa de 400 reales (200 en la ley anterior) restringió el número de electores, que quedó por debajo de los 100 000 (el 0,8 % de la población). Igualmente se redujo el número de los elegibles al cargo de diputado, elevando a 12 000 reales procedentes de bienes raíces, o a 1000 reales de contribución directa, la renta necesaria para poder tener voto pasivo.

La elección por distritos, que designan a un diputado, frente al criterio defendido por los progresistas de elección por provincias, tuvo consecuencias favorables para los moderados, gracias al control que directa o indirectamente podían ejercer en la mayor parte del territorio del país.

Los progresistas, en efecto, sólo gozaban de influencia en los medios urbanos, y entre artesanos y comerciantes. «Las provincias representan para los progresistas mayorías más coherentes. Los distritos, en cambio, por superrepresentación de zonas rurales, inclinaban las mayorías a favor del moderantismo.» [27, I, 63].

La insuficiencia del cuerpo electoral fue la causa del reiterado retraimiento de los progresistas y de los demócratas en las elecciones celebradas con arreglo a esta ley electoral. Así, aquellas formaciones políticas fueron impulsadas a plantear su lucha política al margen de los procedimientos legales. De nada sirvió, a este propósito, la ley de 18 de julio de 1865 que, al rebajar las exigencias censitarias y ampliar el número de ciudadanos con capacidad electoral, por motivos diferentes de su renta (418 271 electores potenciales, el 2,67 % de la población), no logró sino aumentar el abstencionismo electoral (195 060 abstenciones) [27, I, 65].

La libertad de expresión la reguló, en primer lugar, el decreto de 10 de abril de 1844, primera versión, aún tolerante, de la legislación de imprenta de los moderados. Se acentuó el control de los impresores y de los vendedores ambulantes, y se pusieron condiciones restrictivas para poder formar parte del jurado calificador de eventuales denuncias de infracciones de la ley. El Real Decreto de 6 de julio de 1845 tiene un carácter más restrictivo: el jurado queda sustituido por un tribunal especial de cinco jueces de primera instancia. Los decretos de 2 de abril de 1852 y de 2 de enero de 1853 restablecen y suprimen, respectivamente, dicho jurado. El Real Decreto de 13 de julio de 1857 aumenta las restricciones, al ampliar el número de acciones tipificadas como delitos, por ejemplo, propagar «doctrinas contra la organización de la familia o contra el derecho de propiedad». Después de ligeras modificaciones, siempre en el sentido de menor permisividad, introducidas por las leyes de

29 de junio de 1864 y de 21 de julio de 1865, la de 7 de marzo de 1867 fue la última norma sobre este particular, elaborada bajo el reinado de Isabel II. Constituye un endurecimiento de la anterior legislación, en la tipificación de los delitos, en las condiciones puestas a la publicación de impresos, y en las normas procesales y penales.

La publicación de periódicos se vio afectada de manera específica por el decreto de 18 de marzo de 1846, que contemplaba por primera vez la posibilidad de una suspensión temporal o definitiva de los órganos de información. Este decreto, derogado a las seis semanas de su publicación, fue restablecido el 10 de enero de 1852.

El derecho de reunión pública fue regulado por la ley de 22 de junio de 1864 que, para reuniones de más de 20 personas, exigía permiso de la autoridad. La Real Orden de 12 de julio de 1865 mandaba la disolución de «todos los casinos, tertulias, reuniones o sociedades» en que se debatieran temas políticos.

Las sociedades de socorros mutuos se vieron equiparadas a las sociedades mercantiles, y sometidas a la normativa vigente para este sector desde 1848, por el decreto de 25 de agosto de 1853. Las Reales Órdenes de 28 de diciembre de 1857, de 26 de noviembre de 1859 y de 10 de junio de 1861 son textos inspirados en el afán de poner cortapisas a las sociedades obreras, que tanta vitalidad habían manifestado en Cataluña durante el bienio progresista. Las disposiciones de 12 de junio de 1865 y de 5 de enero de 1866 reiteraron a los gobernadores civiles la orden de disolución de todo tipo de asociaciones de carácter político.

La primera ley que regula propiamente la manifestación pública, identificada por el Código Penal de 1848 con la sedición, es la de 20 de marzo de 1863. En ella, por primera vez, se sistematiza la distinción entre estado normal, estado de alarma y estado de guerra, y quedan tipificadas como delictivas las manifestaciones convocadas contra la religión, la moral, la monarquía, etc.

Por la ley de ayuntamientos de 8 de enero de 1845, la Corona designaba a alcaldes y tenientes de alcalde no sólo en las capitales, sino también en las cabezas de partido con población superior a 2000 vecinos, y el gobernador civil nombraba a los restantes. Además, la Corona se reservaba el nombramiento de alcalde corregidor, en lugar del ordinario, en todo tipo de poblaciones. Los concejales elegidos por votación popular eran sólo la mitad más uno, y los restantes los designaba la Corona. Con esta ley, el gobierno moderado se propuso el control de toda la actividad política del país. Por la ley del 21 de abril de 1864 se prohibía el nombramiento de alcaldes corregidores en poblaciones de menos de 40 000 habitantes. La Ley Narváez, de 21 de octubre de 1866, sobre el precedente del predominio que sus adversarios políticos habían tenido en la administración local, restringía notablemente la representatividad de los ayuntamientos: se suprimían las corporaciones municipales establecidas en poblaciones menores de 200 vecinos, se limitaba el número de los elegibles, y se facultaba de nuevo a la Corona para nombrar alcaldes corregidores en las poblaciones que lo estimara conveniente, y se le concedía el derecho de prorrogar el mandato de alcaldes y tenientes de alcalde.

4. LA CONSTITUCIÓN «NONNATA» DE 1856

El bienio progresista es un corto paréntesis en los casi cinco lustros de gobiernos moderados entre 1843 y 1868. Las Cortes Constituyentes formadas en noviembre de 1854 elaboraron un texto, nunca promulgado, que es fiel reflejo del ideario progresista: soberanía nacional, prensa sujeta al juicio de jurados, autonomía de las Cortes y tolerancia religiosa, fueron aspiraciones que encontraron cauce legal en este texto. No era reconocida ninguna participación de la Corona en el proceso legislativo.

El proyecto de ley electoral de 8 de mayo de 1856, que nunca entró en vigor, hubiera dado por resultado un número de electores relativamente amplio, al rebajar la cuota censitaria a poco más de la mitad de la exigida por la ley de 1837.

En cuanto a la libertad de expresión y de imprenta, se volvió, por los decretos de 1 de agosto y de 5 de septiembre de 1854, a la ley de 17 de agosto de 1837. En virtud del primero de los decretos citados, los editores obtuvieron la devolución del importe de las multas que les habían sido impuestas desde 1852.

Ninguna referencia hace el texto constitucional de 1856 al derecho de reunión, para cuyo ejercicio seguía preceptivo el permiso de la autoridad. La disolución de todas las sociedades políticas, y la prohibición de toda reunión política, excepto las electorales, fueron prescritas por el Real Decreto de 29 de agosto de 1854, a raíz de la fuga organizada de la reina madre María Cristina y del subsiguiente motín popular en Madrid.

Para la elección de ayuntamientos, el gobierno salido de la revolución de julio de 1854 restableció las normas del trienio constitucional (decreto de 7 de agosto de 1854). La ley de ayuntamientos promulgada el 5 de julio de 1856 no llegaría a tener aplicación por la caída de Espartero el mismo mes de julio. Sin llegar al sufragio universal, dicha ley ampliaba notablemente el número de electores, no ponía ulteriores condiciones a los electores para ser elegibles y eliminaba toda intervención del poder político en la designación del alcalde presidente y del gobierno municipal.

5. LA CONSTITUCIÓN DE 1869

Las fuerzas triunfantes en la revolución de septiembre de 1868 dictaron, en octubre y noviembre del mismo año, una serie de medidas sobre libertad de pensamiento e imprenta (23 de octubre), reunión al aire libre, o libertad de manifestaciones públicas (1 de noviembre), asociación (20 de noviembre), que posteriormente quedarían incorporadas y ampliadas en el texto constitucional de 1869.

La nueva normativa que debía presidir las elecciones a Cortes Constituyentes, publicada el 9 de noviembre de 1868, establecía el sufragio universal para varones mayores de 25 años, aunque exigía que los votantes debían acreditar la vecindad, lo cual implicó que sólo los cabezas de familia con dos años de residencia pudieran efectivamente participar en el voto. A pesar de todo, el cambio con respecto a anteriores elecciones era sustancial. Lo señaló Cánovas, al argumentar en favor del voto censitario, en su discurso a las Cortes Constituyentes de 8 de abril de 1869. Se preguntó, en efecto, si no tenía que ser incapacitado para el voto el mendigo o el ignorante, como se incapacitaba a la mujer; si era tan claro que tuviera derecho a votar los impuestos que pesaban sobre los demás el que no contribuía a ellos ni siquiera con una mínima parte, y si era tan evidente que debiera intervenir en la creación del derecho quien ni lo conocía, ni lo entendía, ni podía conocerlo ni entenderlo [35 bis, 298].

Con esta ley, el censo electoral se elevó a una cifra próxima a los cuatro millones de electores, que equivalían casi a un cuarto de la población total. Se mantenía un representante por cada 45 000 habitantes, y el número de escaños continuaba siendo el de 352.

Por primera vez se sometía al cuerpo electoral la opción de monarquía o república, aunque el gobierno provisional, que convocaba las elecciones y las dirigía, expresaba en el preámbulo del decreto de 9 de noviembre su preferencia por la forma monárquica. Con esta opción radical ofrecida a los electores, el debate sobre el origen y naturaleza de la soberanía, característico de la época anterior, quedaba desbordado por otro más decisivo. De aquí la observación de Sánchez Agesta, al indicar que la revolución de septiembre de 1868 significó la afirmación de un nuevo sentido del liberalismo, que se presentó como *radical*, en contraposición con el *doctrinario* [35 bis, 285-291], en el cual predominaba la especulación sobre los orígenes filosófico-políticos del poder, y se ofrecía la opción entre normas constitucionales dimanantes del Rey y de las Cortes, o de la soberanía popular. En la Constitución de 1869, la monarquía es definida simplemente como «la forma de gobierno de la nación española». «Se funda exclusivamente —dice Sánchez Agesta— en la soberanía nacional como un poder constitutivo, el más alto, pero establecido por la nación, que elige la dinastía y puede revocarla» [35 bis, 304]. La monarquía no establece la Constitución, ni contribuye a establecerla, sino que es establecida por la norma constitucional. «El mismo texto de 1856 —continúa observando Sánchez Agesta—, aunque refiriera todos los poderes públicos a la nación, había aceptado la monarquía como un hecho histórico y le había concedido cierta participación en el poder constituyente, al atribuir la reforma de la Constitución a "las Cortes con el Rey".»[35 bis, 305].

Nunca como en la Constitución de 1869 se habían proclamado con tanta minuciosidad y énfasis los más variados derechos contenidos en los 31 artículos del título primero: libertad e inviolabilidad del domicilio y de la correspondencia, de circulación, de enseñanza, de industria, de expresión del pensamiento, de reunión, de asociación (que aparece por primera vez en el derecho constitucional), etc. Todos los derechos individuales son naturales, absolutos e ilegislables.

Por otra parte, el gobierno queda sujeto a la censura y a la interpelación de la Cámara y del Senado.

Pese a que se consignaban los principios básicos de la revolución de septiembre, derechos individuales y sufragio universal, la Constitución de 1869 estuvo muy lejos de dar satisfacción a las fuerzas que protagonizaron la caída de Isabel II. Los republicanos se opusieron al principio monárquico, los librepensadores al mantenimiento del culto. Pero sobre todo hirió a las fuerzas católicas, que veían por primera vez establecida en la ley fundamental la libertad de cultos.

La ley electoral de 23 de junio y de 20 de agosto de 1870 suprimió la exigencia de la acreditación de la vecindad, con lo cual eran reconocidos como electores los hijos de familia mayores de 25 años. Las mismas condiciones que regían para ser electos eran las que se requerían para ser elegido para la Cámara de Diputados. Para el Senado, eran elegibles sólo los mayores de 40 años que hubieran ocupado determinados cargos en el Ejército, en la Iglesia o en la administración. El número de senadores se establecía en cuatro por provincia, sin tener en cuenta el volumen de la población, con lo cual quedaban favorecidas las provincias menos pobladas, a la vez que resultaban beneficiados los sectores más moderados de la sociedad.

La ley de 1 de enero de 1871, complementaria de la anterior, incidía en el mismo criterio de beneficiar a las capas más moderadas de la sociedad, al rechazar el criterio progresista de elección por provincias, empleado en 1869, y volver al sistema moderado de elección por distritos, criterio que tendría que perdurar sustancialmente hasta 1931, y que tiene la virtualidad de proporcionar mayorías procedentes de las zonas rurales. Las elecciones verificadas bajo estas leyes electorales fueron las de 8-11 de marzo de 1871 y las de 3-6 de abril y 24-27 de agosto de 1872. En las primeras, existieron ya manipulaciones del ministro de la gobernación y el subsecretario del mismo departamento ministerial, Sagasta y Romero Robledo respectivamente, «para evitarle riesgos a la monarquía recién implantada» de Don Amadeo, consigna Martínez Cuadrado [27, I, 96].

En las segundas, el intento de manipulación por Sagasta se materializó en el escándalo de los dos millones, transferidos de la cuenta del Ministerio de Ultramar al de Gobernación, para fines electorales de las fuerzas gubernamentales. Las de agosto de 1872, se caracterizaron por la amplitud del abstencionismo, que alcanzó una media nacional del 54 %, y llegó a sus máximas cotas en el País Vasco y Navarra, ya afectados por la guerra civil, con un porcentaje entre el 80 y el 84 %.

El derecho a la libertad de expresión quedaba consagrado en el artículo 12 de la Constitución, y en el 23 se suprimía la censura y se anulaba la obligación de hacer depósito y nombrar editor responsable de los periódicos. El nuevo Código Penal, publicado el 17 de junio de 1870, no tipificaba ningún delito de imprenta, aunque la utilización de dicho medio se consideraba como un agravante por la publicidad que implicaba.

La libertad de reunión pacífica y para objetos aprobados por las leyes se reconocía en el decreto de 1 de noviembre de 1868, sin otra condición que la de la notificación a la autoridad con veinticuatro horas de antelación. El Código Penal de 1870 señaló como no pacíficas las reuniones que tuvieron por objeto cometer alguno de los delitos tipificados en él y prohibió acceder con armas a las reuniones.

La regulación del derecho de asociación tomó formas diversas en este período. El decreto ley de 20 de noviembre de 1868 reconoció «el principio de asociación», pero puso ciertas cortapisas a las asociaciones religiosas, para cuyo reconocimiento se les exigía una función social específica. A las asociaciones obreras se les señalaba como únicos objetivos la educación y la asistencia mutua. El decreto ni siquiera hacía mención de la función política como objetivo justificante de la creación de asociaciones.

El Código Penal de 1870 no recogió las prevenciones contra las asociaciones religiosas y presentó, en cambio, con notable amplitud las circunstancias que permitían perseguir como ilícitas a las asociaciones obreras. En base a la exigencia de acomodarse a los fines de la vida humana que no fueran contrarios a la moral pública, tal como prescribía el decreto ley de 20 de noviembre de 1868, se decidió en las Cortes, el 10 de noviembre de 1871, la ilegalidad de la Internacional.

El gobierno provisional salido de la revolución de 1868 promulgó la ley municipal de 1856 (decreto ley de 21 de octubre de 1868). Por su parte, las Cortes establecieron una nueva ley municipal el 20 de agosto de 1870. Según ella, los concejales eran elegidos en su totalidad por los residentes en cada población, y los concejales, a su vez, designaban al alcalde. Las condiciones de eligibilidad se contraían exclusivamente a cuatro años de residencia y, en el caso de los alcaldes, a saber leer y escribir.

6. EL PROYECTO DE CONSTITUCIÓN REPUBLICANA DE 1873

Con la abdicación de Amadeo I, la Asamblea nacional, formada por la Cámara de diputados y el Senado, proclamó por mayoría, el 11 de febrero de 1873, la República, como «forma de gobierno de la nación» (258 votos contra 32). Las Cortes, que según la Constitución de 1869 hubieran debido disolverse a continuación para dar paso a la formación de un gobierno provisional que preparara la elección de unas Constituyentes, no lo fueron de inmediato para evitar una situación de interinidad que se consideró peligrosa para el país.

La Asamblea nacional suspendió sus sesiones el 2 de marzo de 1873, y la Comisión permanente de la misma que quedó en pie para asegurar cierta continuidad al órgano legislativo, fue disuelta por el gobierno el 24 de abril del mismo año. Aquella Asamblea fue la que elaboró una nueva ley electoral, y la aprobó el 11 de marzo. En ella, además de convocarse elecciones a Cortes Constituyentes, se ampliaba el derecho de voto a todos los mayores de 21 años. De esta forma, según cálculos de Martínez Cuadrado, el cuerpo electoral quedaba ampliado en un 3,1 %, al pasar a ser los electores 4 551 436, contra los 4 030 792 de 1872 [27, I, 191].

Las elecciones celebradas los días 10-13 de mayo de 1873 se caracterizaron por el volumen del abstencionismo: una media global de un 60 % de abstenciones, que tenían en las zonas rurales sus máximas cotas (del 65 al 85 %). En la parte meridional de la Península se registraban los porcentajes más elevados de participación, algo superiores al 50 % del cuerpo electoral. En las Cortes Constituyentes, los republicano-federales obtuvieron 343 escaños, sobre un total de 391 (el 87,7 %).

La comisión parlamentaria encargada de redactar el proyecto de Constitución elaboró un texto de mayoría y uno de minoría. Este último, presentado por los diputados Díaz Quintero y Cala, se inspiraba en un liberalismo a ultranza e incluía la abolición de la pena de muerte y de las quintas, entre otras cosas. Sus mismos patrocinadores lo retiraron y no entró a debate. El proyecto de la mayoría fue repartido a los diputados el 26 de julio de 1873. El debate sobre el texto comenzó el día 11 de agosto, y se prolongó sólo hasta el 14 del mismo mes. Las preocupaciones de las Cortes estaban acaparadas por los problemas internos del país, la guerra de Cuba, la guerra carlista, el levantamiento cantonal y las cuestiones económicas y sociales del momento. La misma comisión que elaboró el texto del proyecto de Constitución insistía en su dictamen en la prioridad de los problemas de orden público. Castelar, por su parte, pidió a la Cámara el día 13 de agosto que se aplazase la discusión del proyecto hasta «después de la victoria sobre los carlistas» [14, 250-256].

Los criterios inspiradores del proyecto eran, según la comisión redactora, los de proseguir la obra liberalizadora de la anterior Constitución (se asegura rotundamente la libertad de cultos, se niega la subvención pública a cualquiera de ellos, se declaran abolidos los títulos de nobleza, etc.), los de establecer una división territorial del país acorde con la idea federativa (el proyecto enumera diecisiete estados como integrantes de la nación española: Andalucía alta, Andalucía baja, Aragón, Asturias, Baleares, Canarias, Castilla la Nueva, Castilla la Vieja, Cataluña, Cuba, Extremadura, Galicia, Murcia, Navarra, Puerto Rico, Valencia y Regiones Vascongadas), y los de una clara división de poderes, que evitara toda posible merma de derechos legítimos y todo intento de establecer una dictadura (como particularidad, el proyecto reconoce un cuarto poder, además de los tres clásicos, para ponerlos en relación mutua, ejercido por el presidente de la República federal).

La legislación relativa a los principales derechos individuales no varió durante la Primera República. Sólo ante la doble revuelta carlista y cantonal, Castelar prohibió, por decreto de 20 de septiembre de 1873, la utilización de la prensa para defender o estimular la rebeldía, difundir noticias no legitimadas por su origen oficial e informar sobre movimientos de tropas. Tres meses después, el 22 de diciembre, otro decreto autorizaba a los gobernadores civiles para suspender las publicaciones que cometiesen aquellos delitos.

CAPÍTULO IV

El curso de los acontecimientos

La guerra carlista, por una parte, y por otra el predominio de los moderados o de los progresistas en el gobierno, son base prácticamente indiscutible para la periodización de la etapa que discurre entre 1834 y 1868. De 1834 a 1840, se desarrolla entre las fuerzas liberales y las absolutistas una contienda bélica que, si exige de los liberales de todas las tendencias una convergencia de esfuerzos para obtener la victoria, no deja de forzar, gracias a las mismas alternativas de las operaciones militares, las diferencias existentes en el campo liberal.

El sexenio 1868-1874 tiene su propia peculiaridad, por la nueva correlación de fuerzas que en él se establece. El gobierno provisional, el reinado de Amadeo I y la experiencia de la Primera República son períodos cronológicos que tienen su coherencia propia.

1. LIBERALISMO Y CARLISMO EN GUERRA (1834-1840)

1.1. LA GUERRA

Aunque los enfrentamientos habían ya comenzado antes del fallecimiento del rey, al morir este, y después de la proclamación de María Cristina como reina gobernadora, tuvieron lugar los primeros levantamientos en Talavera de la Reina y en puntos del País Vasco, Navarra, Cataluña, Aragón, Castilla y Valencia. Carlos María Isidro proclamó en Abrantes (Portugal), el primero de octubre: «La religión, la observancia y cumplimiento de la ley fundamental de sucesión y la singular obligación de defender los derechos de mis hijos y de todos mis amados sanguíneos me esfuerza a sostener y defender la corona de España del violento despojo que de ella me ha causado una sanción tan ilegal como destructora de la ley que legítimamente y sin alteración debe ser perpetua».

La guerra civil, planteada en sus inicios por Carlos María Isidro en términos dinásticos, no sólo fue una confrontación de intereses en torno a la sucesión legal en el trono, sino principalmente un decisivo episodio en la lucha entre absolutismo y liberalismo.

A grandes rasgos, las operaciones militares de los carlistas se desarrollaron en tres fases. La primera estuvo dominada por la pesonalidad de Tomás Zumalacárregui, que supo convertir las partidas de rebeldes en un verdadero ejército. Su muerte, ocurrida el 24 de junio de 1835 en el sitio de Bilbao, supuso un gravísimo percance para las fuerzas carlistas. Otra fase termina con la expedición de Carlos V con su corte hasta las mismas puertas de Madrid (agosto de 1837). Esta operación, organizada con el objeto de aprovechar las reacciones producidas en las fuerzas conservadoras después del motín de La Granja de agosto de 1836, pero llevada a cabo con retraso, fue un rotundo fracaso. Durante esta segunda fase, tomó gran incremento la guerra en el Maestrazgo, bajo la dirección de Ramón Cabrera, que se separó de otra célebre expedición, la de Miguel Gómez, iniciada el 26 de junio de 1836 en dirección a Santander, Asturias y Galicia, y proseguida por Castilla, Aragón, Cuenca y Andalucía, para volver al norte al tiempo en que se libraban las batallas más encarnizadas en el tercer sitio de Bilbao (octubre de 1836).

La guerra, en su fase final, terminó de manera diversa según el escenario en que se desarrollaba. El Convenio de Vergara (29 de agosto de 1839) puso fin a las hostilidades en el País Vasco. Cabrera siguió en la lucha, que pudo darse virtualmente por terminada en Cataluña y Levante con la toma de Morella, el 30 de mayo de 1840.

1.2. La lucha por el poder en las filas liberales

Mientras los carlistas jugaban todo su porvenir en la guerra civil, las fuerzas liberales tenían necesidad de atender a las exigencias bélicas, por una parte, y por otra a la liquidación del Antiguo Régimen y a la implantación del sistema político cuyo perfil variaba según las preferencias de cada tendencia. Las exigencias de unidad liberal frente al común enemigo absolutista se vieron desbordadas una y otra vez por disparidades en la manera de concebir la consecución de recursos económicos para la misma guerra, en el problema de recurrir a fuerzas extranjeras (francesas, portuguesas e inglesas) con el mismo objeto, por el vaivén de los éxitos y fracasos de las operaciones militares, y por las rivalidades propias de la lucha política.

La muerte de Fernando VII encontró en el cargo de presidente del consejo de ministros a Francisco Cea Bermúdez, que lo ejercía desde primero de octubre de 1832. En el manifiesto de 4 de octubre de 1833, se expresaba su propósito de oponerse tanto a las fuerzas carlistas como a las apetencias de los liberales. Representaba el puro continuismo respecto a la situación anterior, y ofrecía tan sólo reformas administrativas.

Cediendo a los consejos del marqués de Miraflores y a las presiones de los generales Llauder y Quesada, la reina gobernadora decidió convocar las Cortes, para una reforma constitucional en la que se renunciaba al régimen absolutista. Con este objeto, nombró para el cargo de presidente del consejo de ministros a Francisco Martínez de la Rosa, el 15 de enero de 1834, cuyo proyecto de ofrecer, a través del Estatuto Real de 15 de abril del mismo año, una satisfacción a las exigencias de las libertades modernas y un apaciguamiento de las reivindicaciones absolutistas resultó totalmente ineficaz y fue rechazado por liberales y carlistas. Frente al desarrollo de la guerra civil, Martínez de la Rosa suscribió con Inglaterra, Francia y Portugal la llamada Cuádruple Alianza (22 de abril de 1834), en vistas a asegurar el apoyo de estos países a la consolidación del trono de Isabel II. La petición que hizo el 19 de mayo de 1835, en circunstancias de reiteradas victorias bélicas de los carlistas, para que el gobierno francés enviara tropas a fin de colaborar en la lucha contra los ejércitos de Don Carlos, fue desestimada. Martínez de la Rosa dimitió, y el 7 de junio de aquel año fue sustituido por el conde de Toreno.

José María Queipo de Llano y Ruiz de Sardo, conde de Toreno (1786-1843), que había sido ministro de Hacienda en el gabinete Martínez de la Rosa, reiteró a Francia, con fecha de 9 de junio de 1835, la petición de ayuda, con la advertencia de que, si no la obtenía, se vería obligado a recurrir al apoyo de la extrema izquierda liberal. No consiguió del gobierno francés la ayuda requerida, y esto determinó la composición del consejo de ministros: el 15 de junio, un Real Decreto anunciaba el nombre de José Alvarez Mendizábal como ministro de Hacienda [19, 123]. La designación de Mendizábal produjo un alza inmediata en los valores españoles de la bolsa de Londres, donde residía.

Toreno tomó medidas contra las órdenes religiosas (4 de julio, expulsión de los jesuitas; 25 del mismo mes, clausura de los conventos que albergaban a menos de doce profesos), como respuesta a abusos ampliamente reconocidos, y que el mismo Cea denunciaba el 10 de enero de 1834 al embajador español en Roma: «Cuando hay casas de religión en que se han urdido las conspiraciones, cuando se han descubierto pertrechos de guerra escondidos en los mismos templos, cuando al caer las gavillas amotinadas se han encontrado en ellas eclesiásticos armados que debían sufrir la suerte de los facciosos; ni era posible ocultar estos escándalos a la vista del pueblo, ni evitar que los periódicos refiriesen hechos tan públicos contestados oficialmente, ni contener siempre a la indignación o malignidad en los términos del respeto, al referir atentados tan abominables» [19, 235].

Las inclinaciones carlistas de la mayoría de los frailes y el bulo que circuló por Madrid, de que la causa del cólera era el envenenamiento de las aguas llevado a cabo por los mismos frailes, provocaron los incendios de los conventos y las matanzas de religiosos que tuvieron lugar los días 17 y 18 de julio de 1834. Fueron «escenas de venganza contra una clase que era considerada como quinta columna y aliada tenaz del enemigo» [34, 163].

Mendizábal, al aceptar el cargo en el gobierno, ofrecido por Toreno, esperaba que la gravedad de la situación española le depararía la posibilidad de desempeñar un papel de máximo protagonista en la política de su país [19, 127].

El movimiento que se originó en Barcelona el 25 de julio de 1835 contra los frailes, como supuestos partidarios del carlismo, el asesinato del general Bassa (5 de agosto) que desafió a la multitud, y el incendio de la fábrica Bonaplata, Vilarregut, Rull y Compañía (5 de agosto) fueron el ambiente popular en el que, el 10 de agosto, se creó en la capital catalana la Junta Auxiliar Consultiva. El fenómeno juntista, que no ha sido objeto todavía de un estudio riguroso y profundo, se extendió por la mayor parte del país. El objetivo de estos organismos «era triunfar en la guerra civil contra los carlistas. Sus principales actividades consistían en obtener dinero para la guerra y organizar tropas. En la mayoría de los casos, se tomaron medidas anticlericales, expropiando las propiedades monásticas» [19, 141]. Pero, por lo menos en Barcelona, las exigencias iban más allá: un manifiesto de la Junta Auxiliar Consultiva de mitad de agosto denunciaba la insuficiencia de las reformas y pedía la reunión de Cortes Constituyentes. En esta ocasión en que, según Elorza, puede hablarse de «fermento democrático frente al poder central, pero difícilmente de republicanismo», «los orígenes fácticos de la acción popular parecen haber sido anecdóticos, y la acción de la clase obrera, confusa» [45, 157]. En efecto, «articulación entre clases y profesiones, ausencia de separación entre monárquicos constitucionales y demócratas republicanos, son los rasgos del proceso político protagonizado por Barcelona entre agosto y octubre de 1835» [18 bis, 115-117; 45, 158].

En este clima llegó Mendizábal a España el mes de septiembre. Venía dispuesto a defender el trono de Isabel II y la regencia de María Cristina, único camino posible si quería contar con el apoyo de Inglaterra y Francia. No obstante, contra la decisión de Toreno de prohibir las juntas, Mendizábal se propuso legalizar el movimiento, reconstituyéndolas «en forma de comités de armamento y defensa, canalizando así su energía y entusiasmo hacia la guerra contra los carlistas» [19, 149]. Este fue el punto de mayor discrepancia con Toreno. Las aspiraciones de las juntas parecieron satisfechas al ser nombrado Mendizábal jefe del gobierno, el 14 de septiembre, a los pocos días de haber llegado a España.

Mendizábal se esforzó por pacificar a los juntistas, enviando para puestos de autoridad en las provincias a personalidades ultraliberales de

1820-1823, como Quiroga, O'Daly, López Baños, Espoz y Mina y Sancho, y dando mayor intervención a los vecinos en la constitución de las diputaciones provinciales (decreto de 21 de septiembre de 1835). Su programa de gobierno, formulado en un escrito a la reina gobernadora de 14 de septiembre de 1835, comprendía el fin de la guerra civil «sin recurrir a otras fuentes que las nacionales», la resolución del futuro de los monasterios y conventos, el fomento del sistema representativo y la reanimación del crédito público [19, 169].

Al renunciar a la ayuda exterior, Mendizábal ofrecía una alternativa que tendía a fortalecer al Estado liberal. Pero los fracasos bélicos del general Fernández de Córdoba frente a los carlistas le obligaron a cambiar de programa: obtuvo la presencia de una legión inglesa y una portuguesa junto a las tropas españolas, compró armas a Inglaterra, buscó con ella un tratado comercial que no llegó a firmar porque no se avino al práctico desmantelamiento de la industria catalana que reclamaban los ingleses y, finalmente, negoció con Francia, aunque sin éxito, la presencia en España de una fuerza militar de aquel país de 50 000 a 60 000 hombres.

La política eclesiástica de Mendizábal en esta época la resumen seis decretos: el de 8 de octubre de 1835, reduciendo el número de las ordenaciones para evitar cargas públicas al país; el de 11 de octubre de 1835, en el que se suprimía una larga serie de monasterios de órdenes monacales; el de 20 de noviembre de 1835, por el que se establecía «la adhesión decidida al gobierno de S. M.» como condición para obtener todo tipo de prebendas eclesiásticas; el de 19 de febrero de 1836, por el que se ponían en venta los bienes de las congregaciones religiosas extinguidas; el de 26 de febrero de 1836 que prohibía las actividades de predicación y confesión a ciertos eclesiásticos poco dóciles al gobierno; y el de 8 de marzo de 1836, por el que se ampliaba la supresión de conventos y otras casas religiosas.

El contratiempo más serio que experimentó Mendizábal en esta su primera época de jefe del gabinete tuvo lugar al ser derrotado en las Cortes el artículo 17 de la ley electoral, en el que tenía que quedar establecido el predominio de las ciudades en las elecciones (24 de enero de 1836). Se impuso, en realidad, el criterio conservador de las circunscripciones por distritos, y no por provincias, que favorecía a las zonas rurales. En las elecciones de febrero de 1836 se siguió el sistema de votación indirecta, tal como establecía la ley en vigor, de 20 de mayo de 1834, y los exaltados obtuvieron una victoria aplastante. De los 71 diputados que votaron el 24 de enero contra el mencionado artículo 17, sólo uno ganó otra vez su escaño. Pese a esta victoria, que marcó sus distancias entre la fracción conservadora y exaltada de los liberales, se acentuó la división entre los mismos seguidores de Mendizábal, hasta el punto que se llegó a celebrar un duelo entre él e Istúriz, el 16 de abril de 1836, del que ambos salieron ilesos. El enfrentamiento decisivo de Mendizábal con la reina gobernadora lo provocó la propuesta de cambios en los mandos militares de Madrid, que Mendizábal quería en manos de personal considerado por María Cristina como exaltado. La dimisión de Mendizábal fue aceptada el 15 de mayo de 1836 [18 bis, 175-179 y 187]. En vano el jefe del gobierno intentó salvar sus valores bursátiles, denegando los pasaportes a todos los correos, excepto al suyo propio, con el fin de evitar que la noticia de su caída llegara al mercado de Londres antes de que él pudiera vender. Esta precaución no evitó que, al ser relevado de la jefatura del gobierno, Mendizábal perdiera una fortuna considerable [19, 217-218].

Francisco Javier Istúriz (1790-1871), presidente de las Cortes, fue llamado a formar gobierno a la caída de Mendizábal. El embajador inglés comunicaba a Londres, el 17 de mayo de 1836, que el nuevo jefe del gabinete parecía haber aceptado la responsabilidad sin tener en absoluto nada nuevo que ofrecer, ni plan ni idea [19, 216]. El nuevo gobierno fue mal recibido en las Cortes, por lo que Istúriz, amenazando con dimitir, obligó a la reina gobernadora a disolverlas, el 21 de mayo [19, 219]. El jefe del gobierno convocó elecciones para el mes de julio, confiando en obtener un apoyo para su línea. Mendizábal e Istúriz, personalmente, fueron los polos de atracción de estas elecciones en las que, por primera vez, los seguidores del primero recibieron el nombre de progresistas [19, 281-282]. Pero antes de que los resultados se conocieran por completo, el gobierno de Istúriz fue arrollado por la revolución de las provincias y por el golpe de Estado de La Granja, en agosto de 1836. En efecto, el mismo julio volvió a arreciar en Andalucía el movimiento juntista, fomentado por Mendizábal [19, 221], que había resultado elegido en Málaga casi por unanimidad. El general Evaristo de San Miguel, convencido de que Istúriz iba a «hacer el papel de Cea» [19, 223], encabezó la junta de Zaragoza. Mendizábal comunicó al embajador inglés en Madrid, a finales de julio, que si la reina gobernadora estuviera bien aconsejada —se sobreentendía que por él— podría calmar los ánimos de las tropas y del país en veinticuatro horas [19, 224]. El movimiento juntista se impuso en el motín de La Granja, 12 de agosto de 1836, que obligó a la reina gobernadora a firmar la Constitución de 1812 [18 bis, 189-201].

El 14 de agosto la reina nombraba nuevo jefe del gobierno a José María Calatrava (1781-1847), quien después de ciertas resistencias de la soberana, designó a Mendizábal como ministro de Hacienda, el 14 de septiembre. Las elecciones de este mismo mes de septiembre se celebraron de acuerdo con lo estipulado en la Constitución de Cádiz. Esta legislatura fue la que elaboró la Constitución de 1837, y la ley electoral progresista de 20 de julio del mismo año.

Durante el tiempo de su gobierno, Calatrava volvió a poner en vigor importantes leyes promulgadas durante los dos anteriores períodos de régimen constitucional: la ley de ayuntamientos de 1823, la de la Milicia Nacional, la de la libertad de imprenta, etc. Y dictó disposiciones para poner fin a la guerra carlista: los decretos de 30 de agosto y 13 de septiembre de 1836 concretaban la manera en que debían entrar en el tesoro los capitales obtenidos con la venta de bienes religiosos; el de 14 de diciembre del mismo año, disponía el destino de las obras de arte de los conventos, disposiciones que completaban la ley de 27 de mayo de 1837; el decreto de 22 de diciembre de 1836 tomaba medidas enérgicas contra los eclesiásticos que se manifestaran a favor del carlismo; por Real Orden de 10 de enero de 1837, el gobierno intervenía en el nombramiento de párrocos, coadjutores y otros oficios eclesiásticos; el decreto de 28 de febrero de 1837 reforzaba las medidas para evitar que el púlpito o el confesonario se convirtieran en plataforma de propaganda de la causa del pretendiente; el de 29 de julio de 1837 insistía en la extinción de conventos y casas similares; y el de 5 de agosto prohibía a los eclesiásticos ausentarse de sus domicilios habituales sin permiso de las autoridades civiles competentes.

La amenaza que se cernía sobre Madrid al ser ocupada Segovia por las tropas carlistas en agosto de 1837 puso en evidencia la ineficacia militar del gobierno Calatrava. Espartero entró con sus tropas en la capital, y un grupo de unos setenta oficiales de su ejército, particularmente contrarios a Mendizábal, se negaron a salir de Madrid hasta que cambiase el gobierno: fue el golpe de fuerza llamado de Pozuelo de Alarcón. Calatrava dimitió. Se formó un gobierno con Espartero como presidente nominal, que sólo duró dos días, y finalmente, el 18 de agosto, se confió la jefatura del gabinete a un anciano diplomático, Eusebio Bardají (1776-1842). Las elecciones celebradas a partir del día 24 de septiembre dieron la victoria a los moderados, que se habían organizado mejor y se beneficiaban del cansancio provocado por la guerra, ante la cual la propuesta moderada era conseguir la intervención francesa [19, 289].

A Bardají le sucedió Narciso de Heredia, conde de Ofalia (1777-1843), conocido por sus tendencias conservadoras, que fue nombrado presidente del gobierno el 16 de diciembre de 1837. El embajador inglés en Madrid escribía a Londres, el 7 de abril de 1838, que en opinión de la mayoría, el mandato de Ofalia «era el más incapaz que ha existido desde la muerte del rey, excepción hecha del ministerio Bardají» [19, 292]. Sin duda, el nombramiento de Ofalia respondía al predominio moderado en las Cortes. El descalabro del levantamiento del sitio de Morella precipitó la caída del ministerio, que tuvo lugar el 6 de septiembre de 1838.

Bernardino Fernández de Velasco, duque de Frías (1783-1851), presidió a continuación un gabinete que carecía de significación y no contaba con el apoyo de ningún partido. Se mantuvo tres meses en el poder, y fue sustituido el 9 de diciembre de 1838 por Evaristo Pérez de Castro (1778-1848), que pasó a ocupar su puesto en Madrid desde su embajada en Portugal. Durante su mandato, en las elecciones a Cortes de junio de 1839, en las que el gobierno moderado participó limpiamente, triunfaron los progresistas. Pero la paz de Vergara, firmada en agosto, hizo pensar que el cambio de circunstancias producido en el país por el fin de la guerra justificaba nuevas elecciones. Las Cortes fueron suspendidas el 31 de octubre, y luego disueltas. En las elecciones que se celebraron en enero de 1840, la acción electoral de los progresistas, que al parecer había encontrado ya cierto apoyo en Espartero, se vio frustrada, según el embajador inglés en Madrid, «por los multiformes medios de influencia empleados por el gobierno» [19, 302]. Por añadidura, el voto carlista —más de 80 000 electores— vino a asegurar el triunfo de los moderados en el País Vasco, y probablemente contribuyó a él en otros lugares [19, 302-303]. El mismo embajador inglés en Madrid informaba que, a la vista de la derrota electoral, los progresistas consideraron seriamente la posibilidad de una revolución para salvaguardar la Constitución de 1837, juzgada como demasiado democrática por el presidente del gobierno [19, 305]. El proyecto de ley electoral de 23 de marzo de 1840 restringía la participación en los comicios. Igualmente restrictivos eran los proyectos de ley de imprenta y de ayuntamientos que se debatían en las Cortes.

Para captar el apoyo de Espartero (1795-1879), cuyas inclinaciones políticas todavía no se habían manifestado claramente a pesar del uso que de su nombre habían hecho los progresistas, la reina gobernadora inició con su corte un viaje a Barcelona el 11 de junio de 1840. Allí podría tratar con Espartero, «lejos del viciado clima político de Madrid» [38, 18]. La capital catalana fue elegida, al parecer, como escenario del encuentro con el general victorioso, por la mayoría moderada que en ella se había impuesto en las últimas elecciones de enero [38, 21]. Por los contactos con Espartero en Lérida, Esparraguera y Barcelona, ciudad en la que la comitiva real entró el día 30 de junio, quedó clara la hostilidad de Espartero al gobierno Pérez de Castro, y su decisión de defender la continuidad constitucional, y de pedir la disolución de las Cortes y el abandono de los proyectos de ley que discutía el máximo organismo legislativo. La reina gobernadora, como respuesta, firmó la ley de ayuntamientos el día 15 de julio. La reacción callejera pidiendo la caída del ministerio fue inmediata en Barcelona. El día 18 de julio presentó la dimisión el gobierno, y fue nombrado presidente del gabinete Antonio González y González (1792-1872).

El nuevo gobierno presentó a la reina el 6 de agosto un programa, conocido y aprobado previamente por Espartero, que incluía dos objetivos, clave de toda la crisis: suspensión de la ley de ayuntamientos y disolución de las Cortes. Al no aceptar la reina gobernadora este programa, dimitió el gabinete González que fue sustituido sucesivamente, y en pocos días, por uno formado por Valentín Ferraz, por otro a cuya cabeza figuraba Mauricio Carlos de Onís, y finalmente por un tercero, ya de signo moderado, que presidía Modesto Cortázar. Para sustraerse a la influencia de Espartero, la reina gobernadora y su comitiva se trasladaron a Valencia.

Cuando llegaron a Madrid las noticias de estos cambios, la reacción fue inmediata: se inició en la capital, el día primero de septiembre, un movimiento insurreccional en el que tuvo gran influencia Mendizábal [19, 311], y que se extendió por toda España. La reina gobernadora, el 5 de septiembre, encomendó a Espartero que se trasladara a Madrid a reprimir a los pronunciados. Espartero, en un célebre documento del día 7 de septiembre, se quejaba del favor real exclusivo de que gozaba el partido moderado desde hacía tres años, expresaba los inconvenientes de sofocar violentamente el levantamiento y aconsejaba a la Corona que hiciera pública manifestación de su voluntad de que fuera respetada la Constitución de 1837, de disolver las Cortes, de someter a nueva deliberación la ley de ayuntamientos y de cambiar el gobierno. La reina gobernadora no tuvo otra solución que nombrar a Espartero jefe del gabinete. Este se puso en camino hacia Madrid y allí escogió a sus ministros, junto con los cuales llegó el día 9 de octubre a Valencia. Al serle comunicado el programa del nuevo gobierno a la reina gobernadora, esta renunció a sus funciones y se embarcó para Marsella el 12 de octubre de 1840. Por otra parte, de nuevo el progresismo, esta vez por medio de la figura de Espartero, frustró el programa popular de las juntas [45, 167].

1.3. El socialismo utópico en España. La lucha obrera industrial

La amnistía decretada por el gobierno español después de la muerte de Fernando VII, el 7 de febrero de 1834, permitió entre otros a Joaquín Abreu, exiliado liberal en Francia, volver a Cádiz y difundir el fourierismo que había conocido en contacto con los núcleos franceses seguidores de Charles Fourier. Antonio Elorza subraya la participación de Abreu, como diputado a Cortes en 1823, en la elaboración de la ley de reparto de bienes comunales. Y teniendo en cuenta la restauración absolutista de 1823 y la subsiguiente condena a muerte que pesó sobre Abreu, comenta: «Como en tantas otras ocasiones, cerrada la vía de la reforma, se abre como alternativa única la utopía» [13, XI].

Abreu difundió las doctrinas de Fourier desde el segundo semestre de 1835, a través de los artículos que publicó en un pequeño periódico de Algeciras, *El eco de Carteya*. Probablemente, estos escritos no hubieran tenido eco alguno de no haberse reproducido en el periódico barcelonés *El Vapor*. Abreu, antes de abrirse el período de la regencia de Espartero, se limitó a la difusión de la doctrina fourierista, actividad que puede interpretarse como una alternativa que presentaba el político gaditano frente a la mentalidad mercantil capitalista que predominaba en Cádiz en aquellas fechas [13, XXVII].

La lucha obrera en la Cataluña en trance de industrialización (1832 es la fecha de la instalación y funcionamiento del primer vapor, como fuerza motriz de la fabricación en la indutria textil) no ha sido objeto de un estudio expreso centrado exclusivamente en esta época primeriza. Constan conflictos centrados en torno a la longitud de las piezas tejidas, en 1835. El trabajador cobraba a tanto por pieza, y el fabricante imponía mayor longitud de tejido en cada pieza, por el mismo precio. El gobernador civil, José Melchor de Prat, publicó un bando el 18 de septiembre de 1835, a tenor del cual quedaba establecida una Comisión inspectora de fábricas, «compuesta de personas no fabricantes, pero de probidad e inteligencia en el ramo de tejidos», con la función de dictaminar en los casos en que los obreros acudieran a ella denunciando abusos. Por parte obrera, se produjo en 1840 esta crítica de dicha comisión: «Ningún jornalero se atrevía a producir quejas, de las que no sacaría otra ventaja que hacerse despedir de la fábrica sin que ninguna otra le admitiese» [4, 219].

El 28 de febrero de 1839, publicó el gobierno una real orden que dictaba las condiciones que habían de regir la constitución de las sociedades destinadas al auxilio mutuo de los asociados en caso de enfermedad, desgracia, etc., o a reunir en común ahorros para hacer frente a necesidades futuras. Al amparo de esta disposición legal, los obreros fundaron en Barcelona la primera sociedad clasista de resistencia el 10 de mayo de 1840, antes de que Espartero accediera al poder. Al ser llamados por la autoridad municipal, Josep Sort y Rull, Josep Sugranyes y Vicens Martínez, para que justificasen su iniciativa de fundar la «Sociedad de Protección mutua de Tejedores de Algodón de Barcelona», «hablaron [...] de la facilidad que tienen los principales fabricantes de poder mancomunarse en un convite en la fonda de Gracia, u otra parte, por razón de su reducido número, arrastrando su opinión la de los demás, al paso que los jornaleros, para entenderse solamente, necesitaban la mayor publicidad» [4, 220].

Así, se encuentran ya planteadas en Cataluña, en 1840, las bases para la lucha de clases, que seguirá hasta 1869 un proceso muy característico de radicalización.

2. ESPARTERO EN EL PODER (1840-1843)

2.1. LA VIDA POLÍTICA

La presidencia del consejo de ministros la ocupó Espartero hasta el 10 de mayo de 1841, fecha en que fue proclamado regente por las Cortes. Durante el gobierno del ministerio de regencia, el proceso de desmantelamiento del Antiguo Régimen prosiguió. Alejada la reina madre, la monarquía representada en una reina niña parecía que podía ser configurada por las fuerzas progresistas. La Iglesia, bastión importante del Antiguo Régimen, sufrió poderosos embates. El nuncio había abandonado el país en 1835, cuando quedaron rotas las relaciones con Roma. El vicegerente de la nunciatura, José Rodríguez de Arellano, fue desterrado el 29 de diciembre de 1840, a causa de sus posturas enérgicas de protesta contra el nombramiento de gobernadores eclesiásticos de simpatías liberales para las diócesis vacantes, que en aquellos momentos eran la mayoría; contra la reforma de los límites parroquiales llevada a cabo en Madrid por orden de la autoridad civil; contra la ingerencia del Tribunal Supremo en la concesión de gracias eclesiásticas. El papa Gregorio XVI denunció estas irregularidades el primero de marzo de 1841. La protesta pontificia no impidió que el gobierno suprimiera la Congregación de Propagación de la fe (19 de abril de 1841), que se procediese a la desamortización de bienes de las capellanías (19 de julio de 1841), que el ministro de justicia Alonso Martínez protestase contra la denuncia de Gregorio XVI, calificándola de «declaración de guerra contra la reina Isabel, contra la seguridad pública y contra la Constitución del Estado» (30 de julio de 1841), que se procediese a la subasta de los bienes colativos de la Iglesia (2 de septiembre de 1841), que se renovase la prescripción al clero de un juramento de fidelidad al gobierno (14 de noviembre de 1841) y que se presentase a las Cortes un proyecto de ley sobre jurisdicción eclesiástica (13 de diciembre de 1841), calificado como cismático por representantes autorizados de la Iglesia. Gregorio XVI, en una encíclica fechada el 22 de febrero de 1842, pediría rogativas por el estado de la Iglesia en España.

El gobierno convocó elecciones a Cortes para el mes de febrero de 1841. Los moderados practicaron el retraimiento y la victoria progresista resultó avasalladora: Francisco Pacheco, diputado por Álava, fue el único moderado que obtuvo escaño en el Congreso, y de los 91 senadores, sólo 25 eran moderados. La apertura de las Cortes tuvo lugar el 19 de marzo de 1841. La primera cuestión en que se ocuparon los diputados, la del nombramiento de regente, dividió a los parlamentarios entre partidarios de que dicha función la asumiese una persona, o tres, o cinco. El 10 de mayo juró Espartero como regente, después de haber sido elegido por 179 votos contra 110.

Otro motivo de división del partido progresista fue la formación del nuevo gabinete, que finalmente presidió Antonio González y González. Ante la fragmentación del partido mayoritario, la tendencia moderada encontró motivos de cohesión en la protesta de la reina madre (19 de julio de 1841) contra la decisión de las Cortes de reemplazarla como tutora de su hija, y en el descontento reinante entre la clase militar, en cuyos cuadros, saturados en tiempo de paz, quedaba bloqueado el juego normal de los ascensos.

La iniciativa moderada se sustanció en el levantamiento contra Espartero, que comenzó con el golpe de O'Donnell en Pamplona el 27 de septiembre de 1841, y encontró las facilidades que se derivaban del enrarecimiento de la atmósfera política y militar. El movimiento fracasó en su tentativa de restablecer como regente a María Cristina por la fuerza de las armas. En Madrid, el plan de apoderarse de la reina Isabel y su hermana, llevado a cabo por el general de la Concha el 7 de octubre, encontró dificultades insalvables en la reacción de las tropas leales a Espartero. El general Diego de León, detenido con documentos comprometedores, fue juzgado en Consejo de guerra y fusilado. El movimiento tuvo un final igualmente desafortunado en Aragón, Navarra y País Vasco. El malestar contagió a las mismas fuerzas progresistas, cuyos diputados elevaron un voto de censura al gobierno (28 de mayo de 1842), acusándolo de carecer de prestigio y de fuerza moral en el país. El gabinete González dimitió y la crisis fue larga: sólo el 17 de junio aceptaba la jefatura del gobierno el general Rodil.

Independientemente de las divisiones de los progresistas, una de las mayores dificultades a que tuvo que enfrentarse el general Rodil durante su mandato fue el alzamiento de Barcelona, en noviembre de 1842, y que se prolongó desde el 13 de dicho mes hasta el 4 de diciembre. En este movimiento intervinieron factores cuya entidad y correlación no han sido suficientemente estudiadas: la crisis industrial, el temor a las repercusiones que sobre el trabajo de las fábricas tendría el tratado comercial con Inglaterra, el movimiento juntista respaldado en grados y motivaciones distintos por los republicanos organizados bajo la dirección de Abdón Terradas. El bombardeo de Barcelona desde Montjuich, el 3 de diciembre, y la subsiguiente represión (multa de 12 millones a la ciudad, fusilamientos), dejaron en Barcelona una estela de dolor y alentaron los sentimientos hostiles al gobierno central [45, 187, 179, 217].

2.2. La difusión del socialismo utópico. La lucha obrera organizada

La propaganda fourierista de Joaquín M. Abreu se orientó, a partir de febrero de 1841, hacia el objetivo de crear las condiciones para el ensayo del sistema en España. La decisión de la Diputación provincial de Cádiz, de promover la formación de cuatro nuevas poblaciones, ofreció la oportunidad esperada. El 9 de diciembre de 1841, Manuel Sagrario de Veloy, probablemente movido por la propaganda de Abreu, presentó el proyecto de una colonia societaria a instalar en Tempul. Dicho proyecto fue aprobado por el gobierno en septiembre de 1842, pero, al parecer, no llegó a cuajar, «juzgando por la literatura socialista posterior, que no hubiese dejado de subrayar el hecho» [13, 60].

En Barcelona, no parece que echara raíces la utopía fourierista, a pesar de haberse publicado allí en 1841 la obra anónima *Fourier, o sea explanación del sistema societario*, traducción en realidad de un libro francés de la señora Gatti de Gramond, titulado *Fourier et son système*. En cambio, tomó cuerpo y se manifestó con gran actividad la «Sociedad de Protección Mutua de Tejedores de Algodón», dirigida por el joven obrero Juan Muns, el cual, con desplazamientos continuos a las poblaciones industriales de Cataluña, animó la formación de sociedades obreras en ellas, y logró constituir a principios de 1841 una federación de las mismas. El objetivo de establecer pactos colectivos con los patronos, sobre salarios y condiciones de trabajo, se logró también a principios de 1841, pero en forma precaria, porque los compromisos firmados no fueron respetados por los amos, quienes, al contrario, lograron la prohibición gubernamental de este tipo de asociaciones (9 de diciembre de 1841). Aunque posteriormente el gobierno de Madrid revocaba esta prohibición (29 de febrero de 1842), y la euforia de este gesto gubernamental impulsara a los dirigentes obreros a ampliar una fábrica que había montado la propia sociedad obrera de los tejedores, las asociaciones clasistas encontraron grandes dificultades para subsistir ante las represalias que cayeron sobre ellas a partir de noviembre de 1842 [4, 227]. Están todavía por aclarar las relaciones entre el partido republicano de Abdón Terradas y las sociedades obreras, si bien consta que Terradas proyectó sobre la clase obrera su propaganda [45, 173], y que el dirigente obrero Juan Muns participó en noviembre-diciembre de 1842 en el alzamiento republicano de Olot [32, 360].

2.3. Fin del período de la regencia de Espartero

O'Donnell, junto con Narváez y otros militares que constituyeron la llamada «Orden militar española», conspiraban en París después de la derrota del movimiento de septiembre-octubre de 1841. La impopularidad que cosechó Espartero, particularmente en Cataluña, sirvió a la causa de los moderados.

La disolución de las Cortes, decretada el 3 de enero de 1843 por Espartero, vino a ser una confirmación de que el mando tomaba cada vez más un carácter personal. En las subsiguientes elecciones de diputados, los progresistas se presentaron divididos en tres frentes: los ministeriales, los legales (Cortina) y los puros (Joaquín María López). A la reaparición en la lid electoral de los moderados que salían de su retraimiento en los anteriores comicios, vinieron a añadirse, por vez primera, los demócratas. El estado de la opinión y las libertades aseguradas por las leyes progresistas en vigor dieron por resultado un Congreso fraccionado. Espartero no tuvo más remedio que acudir a los progresistas puros, radicalmente opuestos a su gestión como regente, para formar un gabinete (9 de mayo de 1843), que tuvo muy corta duración. La exigencia de que Espartero separara de su lado a sus más íntimos colaboradores, los generales Zurbano y Linaje, determinó la caída del gobierno López el 19 del mismo mes de mayo. En esta ocasión, Olózaga pronunció en el Congreso el famoso discurso de oposición que causó impacto por su «Dios salve a la Reina, Dios salve al país». Joaquín María López fue reemplazado en la presidencia por Gómez Becerra, quien, al presentarse a las Cortes el día 20 de mayo, fue saludado con silbidos. Las sesiones del organismo legislativo fueron suspendidas el mismo día 20, y el día 26 llegó su disolución. La oposición política fue acompañada por los levantamientos armados en provincias. Empezó el movimiento en Málaga, el 24 de mayo. Barcelona se sumó el día 6 de junio. Por otra parte, también se incorporaron a la lucha los moderados de la «Orden militar española»: Narváez, Concha y Pezuela se embarcaron en Port Vendres y tomaron tierra en Valencia el 27 de junio. La victoria obtenida en Torrejón de Ardoz por Narváez (22-23 de julio), que desde Valencia había emprendido la marcha sobre Madrid, puso a la reina Isabel en manos de los sublevados. Espartero, que se había dirigido hacia Andalucía para sofocar allí la rebelión, se embarcó en un buque inglés anclado en la bahía de Cádiz, y desde allí partió hacia el destierro el 23 de julio.

En realidad, las fuerzas triunfantes constituían un conglomerado heterogéneo de tendencias progresistas, moderadas y elementos partidarios del poder de las juntas. El gobierno de Joaquín María López, destituido el 19 de mayo, asumió provisionalmente el poder el 23 de julio. Para evitar la prolongación de la situación interina, el gobierno decidió convocar elecciones a Cortes. Los resultados dieron a progresistas y a moderados un número similar de escaños. Abiertas el 15 de octubre, las Cortes escucharon, el día 26, un mensaje del gobierno en que se proponía que se adelantara en dos años la mayoría de edad de la reina, la cual, efectivamente, juró la Constitución de 1837 el 10 de noviembre de 1843. En realidad, según expresó el mismo presidente del gobierno Joaquín María López, la influencia decisiva tras las bambalinas la ejercía Narváez: «Apenas pasaba un día —dijo— en que no fuera a buscarnos en el local en que se reunía el Consejo, el general Narváez, y en que no nos ocupase largo rato con la relación de peligros y tentativas de conspiración» [9, 24].

Por otra parte, el gobierno López tuvo que ir reduciendo a las juntas formadas en las distintas provincias. La junta que más tiempo resistió fue la de Barcelona. Desde el 13 de agosto se produjeron en la capital catalana manifestaciones populares en pro de la constitución de una junta central, como resultado del acuerdo de las juntas provinciales. El movimiento juntista tomó en la capital catalana el carácter de verdadera sublevación el 2 de septiembre, para finalizar el 20 de noviembre. Según Elorza, la participación de la clase obrera, «encabezada por el batallón de la Sociedad de Tejedores», en este movimiento, junto «con el protagonismo popular y las declaraciones igualitarias, prueban que, por vez primera, se disipa la imagen interclasista, y la dinámica insurreccional se funde con el conflicto de clases» [45, 218-219]. Los estudios en curso de José María Ollé pueden llegar a esclarecer, tal vez, un punto de tanta importancia.

En Madrid, el 20 de noviembre, hubo relevo en el gobierno. Joaquín María López aprovechó la ocasión que le deparaba la mayoría de edad de la reina, para dimitir y dar paso a un gabinete presidido por Olózaga, que había protagonizado desde el progresismo la resistencia al regente Espartero. Los verdaderos dueños de la situación eran, en verdad, los moderados. Cuando Olózaga, el 26 de noviembre, propuso medidas que no daban lugar a dudas sobre la orientación progresista que se proponía seguir —amnistía total a los esparteristas, modificación de la ley de ayuntamientos en el mismo sentido que cuando la revolución de 1840, rearme de la Milicia Nacional—, el contraataque moderado no se hizo esperar. El cargo de presidente de las Cortes lo obtuvo Pedro José Pidal, contra el candidato de Olózaga que era Joaquín María López. Olózaga respondió a esta acometida con el decreto de disolución de las Cortes, que firmó la joven reina el 28 de noviembre. Este decreto, que la misma reina presentó luego como arrancado por la fuerza, determinó la exoneración de Olózaga (29 de noviembre) y la subida a la jefatura del gobierno de Luis González Bravo (1 de diciembre), con lo que, propiamente, empieza la década moderada.

3. LA DÉCADA MODERADA 1844-1854

3.1. LA LUCHA POR EL PODER

Ramón María Narváez (1800-1868), que ocupó la presidencia del consejo de ministros durante casi cuatro años de este período, es el personaje central de una etapa cuyas características globales son el proceso de centralización y burocratización del aparato estatal [9, 168-174], la dureza de la represión (Pirala enumera 214 fusilamientos por motivos políticos sólo entre diciembre de 1843 y diciembre de 1844, cifra que triplica la de los diecisiete años de gobierno absoluto de Fernando VII), las intrigas de palacio, y en concreto de María Cristina, en la dirección de los acontecimientos políticos, y la corrupción de la administración, denunciada ampliamente por Donoso Cortés, que se manifiesta en forma particular en el asunto de las concesiones ferroviarias.

Al caer Olózaga, aun siendo Narváez árbitro absoluto de la situación, no ocupó todavía el general de Loja la jefatura del gabinete, que correspondió a Luis González Bravo (1811-1871). Este, una vez en el puesto de mando al que accedió en plena juventud, se significó por las medidas antiliberales que decidió aplicar: suspensión de las Cortes el 27 de diciembre de 1843, vuelta a la ley de ayuntamientos de 16 de julio de 1840 (30 de diciembre de 1843), ley de imprenta de 10 de abril de 1844 y establecimiento de la Guardia Civil (28 de marzo de 1844, fundación; 12 de abril de 1844, organización).

Narváez subió finalmente al poder el 3 de mayo de 1844, a la vuelta de París de María Cristina, la cual no consintió la continuación en la jefatura del gobierno del que la había cubierto de insultos desde el *Guirigay*. Dentro de la tendencia moderada, Narváez descalificó la línea del marqués de Viluma —partidario con Balmes de una reconciliación con la Iglesia— y la del grupo «puritano», encabezado por Joaquín Francisco Pacheco (1808-1865), inclinado a un moderantismo legal, capaz de entenderse con los progresistas por lo menos en el terreno de la práctica.

Comellas ha encontrado pruebas del carácter ciclotímico y depresivo del general Narváez, que explica las tres o cuatro «espantadas» en las que, contra toda lógica, abandonó inesperadamente el poder [9, 187]. Las Cortes que convocó por decreto de 4 de julio de 1844, y que se reunieron el 4 de octubre, aunque no tuvieron propiamente el carácter de constituyentes, elaboraron una reforma de la Constitución de 1837, que con razón se ha considerado como una nueva Constitución (promulgada el 23 de mayo de 1845). Narváez practicó una política de reconciliación con la Iglesia: un Real Decreto de 13 de agosto de 1844 suspendió la venta de los bienes eclesiásticos; por ley de 14 de febrero de 1845 estableció la dotación del culto y clero; y una ley de 3 de abril del mismo año preveía la devolución al clero de los bienes no vendidos.

La Constitución de 1845, y la reforma de la hacienda del mismo año, son las operaciones tal vez de mayor envergadura del gabinete presidido por Narváez. Su dimisión inesperada el 11 de febrero de 1846, debida según Comellas a disensiones internas del partido moderado [9, 213-214], dio paso a un período de inestabilidad gubernamental. Entre el 11 de febrero y el 5 de abril de 1846 se sucedieron en el gobierno cuatro equipos ministeriales. E igualmente cuatro gobiernos cubrieron la etapa que va desde febrero a septiembre de 1847.

El gobierno del marqués de Miraflores (Manuel Pando Fernández de Pineda, 1792-1872), del 11 de febrero al 16 de marzo de 1846, dio término a la elaboración de la ley electoral, complemento de la Constitución, encauzó las negociaciones con la Santa Sede y descartó como consorte de la reina al conde de Trapiani (hermano menor de María Cristina, y por tanto tío carnal de Isabel II). El 16 de marzo, Narváez sucedió a Miraflores, en un gobierno que sólo duró diecinueve días. Escandalosas jugadas en la bolsa dividieron al ministerio, y el 6 de abril Istúriz formó un gabinete que permaneció nueve meses en el poder (6 de abril de 1846 - 27 de enero de 1847). Su relativa estabilidad fue debida tal vez al exilio voluntario del general Narváez, y a la resolución —«a gusto de todos menos de la Reina», comenta Comellas [9, 229]— de la cuestión de los regios enlaces. El matrimonio de Isabel con Francisco de Asís (10 de octubre de 1846) reavivó la belicosidad carlista, que no llegó a concretarse más allá de una guerra de guerrillas.

La amnistía concedida con motivo de la boda regia, y el respeto a la ley en los comicios para las Cortes convocadas el día 25 de diciembre, dieron al partido progresista la inesperada suma de cuarenta escaños en el Congreso. Los disidentes moderados de Pacheco, unidos a los progresistas, hicieron triunfar la candidatura de Castro Orozco para presidente de las Cortes, contra la candidatura gubernamental representada por Juan Bravo Murillo (1803-1873). Istúriz dimitió, y la crisis tardó casi un mes en solucionarse. El duque de Sotomayor consiguió presidir una coalición entre moderados y puritanos de Pacheco, y formó el 28 de enero de 1847 un gobierno que se sostuvo sólo hasta el 27 de marzo del mismo año, sucedido el 28 del mismo mes por un gobierno monocolor de Pacheco, quien se abrió a los progresistas, con cierto éxito en los primeros momentos. Con Salamanca (1811-1883) en Hacienda, las críticas a su gestión financiera fueron uno de los cargos más fuertes que se dirigieron al gabinete. Los moderados, mayoritarios en las Cortes, plantearon una y otra vez en el Parlamento sus críticas, hasta que Pacheco lo hizo disolver el 5 de mayo de 1847. La crisis total del gabinete se planteó el 31 de agosto. Pacheco decidió dimitir, negándose a seguir apoyando a Salamanca. Este consiguió que la reina encargara la formación del nuevo gobierno a García Goyena, el 12 de septiembre, con dos puritanos, Salamanca incluido, dos progresistas y dos moderados.

La amnistía general decretada el mismo día 12 de septiembre permitió el regreso de los emigrados políticos. Espartero fue nombrado senador. Estas medidas irritaron a los moderados e incitaron a los generales Narváez y Serrano a no tolerar que se prolongara la situación. El 5 de octubre de 1847, Narváez penetró sable en mano en el consejo de ministros, para implantar su dictadura que, descontado el breve paréntesis del ministerio Cleonard (Serafín María de Soto, ? - 1862), duró tres años y tres meses.

El gobierno Narváez tuvo que enfrentarse con la crisis económica generalizada del final de los años cuarenta, y con las secuelas del movimiento revolucionario que sacudió a Europa en 1848. Auxilió al papa Pío IX expulsado de Roma por los revolucionarios, preparó la firma del Concordato de 1851 y pudo dar por terminada la contienda carlista. En este clima de poder disfrutado y triunfante, se produjo el 18 de octubre de 1849 otra dimisión de Narváez, «por causas no especificadas» —señala Comellas [9, 273]—, aunque las sospechas van hacia los cabildeos de la camarilla de palacio. El conde de Cleonard constituyó el día 19 un gobierno que duró pocas horas, porque inmediatamente fue llamado de nuevo Narváez a formar el gabinete.

Las acusaciones de corrupción administrativa que, con su verbo fogoso, formuló Donoso en su célebre discurso sobre la situación de España, de 30 de diciembre de 1850, dieron al gobierno un golpe de gracia que el mismo tribuno no se había propuesto. Isabel II no quería aceptar la dimisión de Narváez, pero tuvo que acceder a ella el 10 de enero de 1851, ante la insistencia del interesado.

Bravo Murillo, llamado a suceder a Narváez el 14 de enero de 1851, no pudo poner remedio a la crisis intestina del partido moderado, pero dio cima a brillantes realizaciones como la firma del Concordato (11 de mayo de 1851, aunque tiene vigor de ley desde 17 de octubre del mismo año), la consolidación de la Deuda pública (13 de septiembre de 1851, aprobación por las Cortes; 1 de agosto del mismo año, promulgación), y el plan general de ferrocarriles, presentado a las Cortes el 3 de diciembre de 1851. El propósito más ambicioso del gobierno Bravo Murillo fue el robustecimiento del poder ejecutivo contra el parlamentarismo a ultranza. Las primeras consultas confidenciales en este sentido las realizó Bravo Murillo a partir de mayo de 1852. El plan, en realidad, comportaba una nueva Constitución, que Bravo Murillo concebía como un texto breve y una serie de leyes orgánicas anejas. Este proyecto encontró la oposición dentro de las mismas filas moderadas, en Alejandro Mon (1801-1883), Pedro José Pidal (1800-1865), Manuel Seijas (1800-1868), González Bravo, Sartorius (1820?-1871), los generales Concha y O'Donnell (1809-1867) y, desde lejos, el mismo Narváez. En el acto de elegir presidente para las Cortes que se abrieron el primero de diciembre de 1852, la oposición logró el triunfo del candidato Martínez de la Rosa, frente al candidato gubernamental Tejado. Bravo Murillo disolvió la asamblea parlamentaria y convocó elecciones para reunir Cortes el primero de marzo de 1853. La *Gaceta*, en la misma edición en que publicaba el anuncio de la consulta electoral (el 3 de diciembre de 1852), incluía el texto de la Constitución en proyecto y de sus nueve leyes orgánicas complementarias. El sufragio quedaba restringido a los ciento cincuenta mayores contribuyentes de cada distrito; un Senado de miembros natos, hereditarios y vitalicios, formado por aristócratas con fuerte base económica, y personalidades; un Congreso de 171 diputados; sesiones parlamentarias sin publicidad; designación de las mesas por el gobierno; posibilidad de legislar por decreto; ausencia de derechos individuales; notorio reforzamiento de las atribuciones de la Corona y el gobierno.

Así, las elecciones a diputados tomaban el carácter de referéndum. La pretensión de Bravo Murillo de conseguir contra viento y marea la aprobación de una nueva Constitución unió a progresistas y moderados en una oposición que no se daba desde los tiempos de la caída de Espartero en 1843. Comenzó una serie de dimisiones, y la reina, asustada, retiró su confianza al ministerio, que dimitió el 13 de diciembre.

Con la caída de Bravo Murillo, el régimen moderado se desliza precipitadamente por la pendiente de la disolución. El gobierno del general Federico Roncali, formado el 15 de diciembre, fue, como comenta Donoso Cortés desde París al embajador de Prusia en Madrid (21 de diciembre de 1852), obra de María Cristina, y encontró a los mismos opositores que el de su antecesor Bravo Murillo. El primero de marzo se reunieron las Cortes convocadas por el gobierno anterior. La oposición que en ellas se formó contra el gobierno hizo tomar a Roncali la decisión de disolverlas a los cuarenta días escasos de haberlas reunido, y pocos días después, el 14 de abril de 1853, dimitió el gobierno.

El ministerio que se formó a continuación estaba presidido por el general Francisco de Lersundi (1817-1874). Con más razón que del anterior, si cabe, se dijo de él que estaba hecho a gusto de la reina madre, pues en él figuraba Pedro Egaña (1804-1885), uno de los principales consejeros de María Cristina, como ministro de la Gobernación. La oposición se ensañó con el gobierno en cuestiones de mala administración y de concesiones ferroviarias hechas sin las garantías suficientes. Cayó en septiembre, tras cinco meses de vida azarosa.

El último gobierno de la década moderada, antes de la Vicalvarada, lo constituyó Luis José Sartorius, el 18 de septiembre de 1853. La cuestión de los ferrocarriles fue su piedra de tropiezo. El Senado votó, el 8 de diciembre de 1853, en contra de la ley propuesta, por juzgarla inmoral, fruto del favoritismo, fautora de negocios sucios y dictada por la falta de escrúpulos. Al día siguiente, Sartorius disolvió las Cortes, y emprendió una sañuda persecución contra los senadores que habían rechazado el proyecto de ley. Una muestra del sistema represivo establecido por Sartorius puede ser el conjunto de indicaciones que el gobierno mandó a las redacciones de los periódicos. Según ellas, la prensa, bajo pena de secuestro, no podía tratar de los siguientes temas: la cuestión de los ferrocarriles, la última discusión y votación del Senado, los senadores que votaron contra el gobierno, las noticias sobre destituciones y dimisiones de funcionarios, la contrata con la casa Clavé, Girona y Cía., para la construcción del puerto de Barcelona, la defensa de las leyes fundamentales contra los ataques de periódicos nacionales o extranjeros, y todas las cuestiones que próxima o remotamente tuvieran relación con la administración.

La oposición, después de diversas tentativas, entre febrero y junio de 1854, logró una cierta unidad bajo la capitanía de O'Donnell, Dulce, Messina, Ros de Olano, en el pronunciamiento de Vicálvaro, el 28 de junio de 1854. La incorporación de Barcelona, Zaragoza, Valladolid, Madrid y otras ciudades, a mediados de julio, obligó a Isabel II a llamar a Espartero y a proponerle un gobierno de coalición con O'Donnell, que se formó el 31 de julio.

3.2. Utopismo. La asociación obrera bajo la represión

En los años posteriores a 1844, el fourierismo se difunde en la capital del Estado a través de periódicos como *La Libertad* (1846), *La Atracción* (1847), *La Organización del Trabajo* (1848) y *La Asociación* (1850), en torno de los cuales pululan los socialistas de la época, Ordax Avecilla, Sixto Cámara y Fernando Garrido, que participaron en la fundación del partido democrático en 1849. En Barcelona, la doctrina de Cabet fue difundida por un grupo de discípulos (Narciso Monturiol, los hermanos Montaldo), que publicaban los periódicos *La Fraternidad* (1847-1848) y *El Padre de Familia* (1849-1850), que también se incorporaron luego al partido democrático.

Por otra parte, el proceso seguido por el movimiento obrero industrial durante la década moderada nos es todavía desconocido en sus peculiares características y en su trayectoria. Sólo han llegado hasta nosotros la interpretación global que de este período tenían los dirigentes obreros de Barcelona, y ciertos detalles aislados de la existencia de las asociaciones obreras en una clandestinidad que, en ciertos momentos, parece que dio paso —siempre en forma efímera— a un determinado reconocimiento por parte de las autoridades.

El clima general que pesó sobre la clase obrera industrial durante esta etapa lo recordó Juan Alsina, dirigente obrero de Barcelona, el 9 de noviembre de 1855, ante la Comisión de las Cortes que tenía que dictaminar el proyecto de ley sobre la industria manufacturera, presentado a las Cortes el 8 de octubre de 1855: «No cesaron [...] para las sociedades obreras —dijo Alsina— las persecuciones ni los destierros. ¡Once años de terrible prueba para la clase obrera!» [4, I, 229-230].

Los problemas de la clase obrera industrial, la existencia de la organización obrera clandestina y ciertas particularidades de la acción de la clase obrera, quedan reflejadas, por otra parte, en las mismas disposiciones que tomaron las autoridades para su represión. El gobernador civil de Barcelona, ante el problema del paro obrero, dictó normas el 30 de septiembre de 1844. La misma autoridad tomó disposiciones el día 3 de octubre del mismo año contra las represalias que llevaban a cabo los obreros asociados contra los otros trabajadores no asociados, cuando estos últimos pretendían, con la ayuda de las autoridades, ingresar en las fábricas; y al mismo tiempo prohibía la lectura de periódicos y otros papeles públicos en los lugares de trabajo. El siguiente día 15 del mismo mes, la citada autoridad publicaba un comunicado sobre la constitución de una junta dedicada a resolver las diferencias que surgieran entre fabricantes y obreros. Unos días después, el 21, aprobaba el reglamento de esta junta.

Una Asociación Protectora del Trabajo Nacional y de la Clase Trabajadora fue fundada en Barcelona el 17 de octubre de 1847. María Teresa Aubach ha estudiado esta asociación interclasista en una tesis todavía inédita, y ha podido comprobar su fracaso, debido tanto a la intervención en ella de la autoridad, como al planteamiento paternalista de la burguesía [4, I, 233].

El 23 de febrero de 1850, el gobernador civil de Barcelona dictó una nueva orden contra las sociedades obreras, que, en la capital y en diversas localidades catalanas, continuaban existiendo y actuando más o menos clandestinamente, y el 31 de marzo de 1852 la misma autoridad reclamaba información sobre las sociedades de socorros mutuos «entre obreros y jornaleros» existentes en Barcelona y pueblos de la provincia.

Una nueva orden de disolución de las sociedades obreras, esta vez emitida por el capitán general de Cataluña, fue comunicada verbalmente a los directores de asociaciones obreras de Barcelona el 10 de julio de 1853. Las razones expuestas por los afectados a la autoridad civil movieron a ésta a convocar una junta mixta de patronos y obreros del ramo de tejidos mecánicos con el objeto de zanjar los problemas que se planteaban. Esta junta firmó un acuerdo colectivo el 21 de julio de 1853, y pocos días después el gobernador civil, Melchor Ordóñez, aprobaba la extensión de la experiencia al ramo de tejidos de colores. Este intento de extender la contratación colectiva a otros sectores de la producción chocó contra la resistencia de los fabricantes. Los obreros, entonces, reclamaron la libertad para seguir asociados y defender sus intereses al margen de las juntas mixtas. Las protestas debieron ir seguidas de detenciones, a juzgar por una exposición dirigida por un grupo de obreras y obreros presos, al Congreso de los Diputados, el 8 de noviembre de 1853. El 25 de agosto de este año, una Real Orden prohibía la fundación de asociaciones de socorros mutuos, y el 15 de septiembre el capitán general de Cataluña conminaba con severos castigos a los provocadores de desórdenes en las fábricas, cuyas actividades quedaban sujetas a jurisdicción militar.

De la huelga general iniciada en Barcelona el 23 de marzo de 1854, rápidamente extendida a todas las poblaciones industriales de Cataluña, sabemos todavía poco: su origen por causa de esquirolismo, la supuesta y no probada intervención de los carlistas, su final el día 3 de abril ante la promesa de las autoridades de interesarse por las cuestiones planteadas, las exigencias obreras expuestas en el documento del día 5 de abril (asociaciones representativas, regulación de las relaciones laborales por la ley y no por el arbitrio de la autoridad, creación de un jurado imparcial para aplicar las normas jurídicas). El 31 de mayo se publicaba en Madrid una Real Orden que puede considerarse como una respuesta a las exigencias obreras: se trataba de las bases de un jurado especial para la reglamentación interna de los establecimientos fabriles y las asociaciones obreras. La revolución de julio de 1854 impidió que estas bases entraran realmente en juego.

4. EL BIENIO PROGRESISTA (1854-1856)

4.1. LA LUCHA POR EL PODER

Lo que empezó el 28 de junio de 1854 en Vicálvaro (Madrid) siendo un pronunciamiento de un grupo de militares conservadores contra la corrupción administrativa y los atentados a la libertad de que fueron víctimas algunos de los protagonistas del alzamiento, y otros muchos ciudadanos, derivó luego hacia una alianza con las fuerzas progresistas, sin cuyo concurso la «vicalvarada» hubiese fracasado. Las gestiones para ganarse a Espartero y a la tendencia por él representada tienen su reflejo en el Manifiesto de Manzanares, de 7 de julio, en que O'Donnell, su firmante, incluye ya reivindicaciones típicamente progresistas, como por ejemplo la mejora de la ley electoral y de la de imprenta, y el establecimiento de la Milicia Nacional. El alzamiento progresista de Barcelona (14 de julio), de Valladolid (15 de julio), de Zaragoza y de Madrid (17 de julio), y la entrada triunfal y pacífica de Espartero en la capital aragonesa (20 de julio), inclinó decididamente la balanza en favor de los pronunciados. Espartero, llamado por la reina a Madrid para formar gobierno después de los de Fernandéz de Córdoba (17 de julio), del duque de Rivas (18 de julio) y del general San Miguel (20 de julio), se avino a compartir el poder con O'Donnell, después de que este rechazara cargos como la Capitanía General de La Habana, y se obstinara en reclamar para sí el Ministerio de la Guerra. Al no querer alejarse de la capital y participar en el gobierno en un ministerio clave, O'Donnell, según dijo él mismo en el Senado en 1857, pretendía que el pronunciamiento de Vicálvaro «volviese a su cauce de donde no había de salir», evitar que la revolución se desbordase [4, I, 270].

El gobierno Espartero-O'Donnell, formado el 31 de julio de 1854, tomó inmediatamente medidas para hacerse efectivamente con el poder, quitando, el 1 de agosto, toda autoridad a las juntas formadas por los progresistas en diversas capitales de provincia, y las convirtió en «juntas consultivas». Las Cortes constituyentes, abiertas el 8 de noviembre de 1854, hicieron una obra legislativa notable por su cantidad y significado. No sólo elaboraron, como les correspondía, una Constitución que quedó sin promulgar, con criterios y resultados que anticiparon los logros de 1869, sino que cubrieron sectores de tanta trascendencia como la desamortización, los ferrocarriles, los telégrafos y las sociedades de crédito.

La coalición entre moderados y progresistas que se presentó a las elecciones a Cortes constituyentes bajo el lema de «Unión Liberal», se mantuvo durante dos años en el poder, enfrentándose con grandes dificultades económicas (se sucedieron en el cargo durante este período cinco ministros de Hacienda, Collado, Sevillano, Madoz, Bruil y Francisco Santa Cruz), y viéndose obligada a combatir contra movimientos populares que no hacían más que reclamar la realización de puntos del programa progresista. Por ejemplo, la abolición del impuesto de puertas y consumos (Zaragoza, 11 de noviembre de 1855, y Madrid, 7 de enero de 1856), la abolición de las quintas (Valencia, 6 de abril de 1856), el abaratamiento de las subsistencias (Valladolid, 22 de junio de 1856, y otras localidades de Castilla). La línea progresista entraba así en contradicciones consigo misma, con el consiguiente desgaste político.

La crisis definitiva de la coalición Espartero-O'Donnell vino con los mencionados alborotos de Castilla, en junio de 1856. Al enfrentamiento en el seno del gobierno entre Patricio de la Escosura, ministro de la Gobernación, y O'Donnell, siguió la dimisión irrevocable de Espartero. El ministro de la Gobernación, después de girar una visita a los lugares en que se habían producido los alborotos, volvió a Madrid convencido de que el régimen era objeto de una amplia intriga conservadora, y de que era necesario deshacerse de O'Donnell antes de que fuera demasiado tarde. La reunión del consejo de ministros comenzada el 11 de julio de 1856 y continuada hasta la madrugada del 14, fue la de la ruptura definitiva. Espartero no consintió en admitir las dimisiones de Escosura y O'Donnell, y se obstinó en que fuera admitida su propia dimisión. O'Donnell, al parecer, ya tenía preparado de antemano el equipo ministerial de recambio, cuyos componentes, encabezados por el propio O'Donnell, vieron aparecer sus nombres en la *Gaceta* del mismo día 14 de julio [21, 251].

Una sangrienta revuelta siguió en Madrid y Barcelona a la caída de Espartero, y en la capital catalana el aplastamiento de los partidarios de Espartero fue acompañado de medidas represivas cuya crueldad rayó a alturas difícilmente igualables [4, II, 507-537].

4.2. El movimiento obrero en su cenit

Queda fuera de duda la participación obrera en el alzamiento progresista de Barcelona el 14 de julio de 1854. Y también la enorme fuerza que en la segunda quincena de julio y en los primeros días de agosto del mismo año poseyeron en la calle los hiladores asociados, dirigidos por Josep Barceló: hasta el mismo capitán general se creyó obligado a prohibir las máquinas automáticas de hilar, llamadas selfactinas (25 de julio de 1854). Pero desde el día 8 de agosto aparece en el movimiento obrero una línea más transaccional que se va imponiendo, y Barceló queda de hecho marginado de la dirección de los asuntos de la clase.

La línea transaccional que adoptan las asociaciones obreras tiene su manifestación más característica en los contratos colectivos, de contenido diverso, que se establecen entre patronos y obreros representantes de cada ramo de la producción: acuerdo en el ramo de tejidos mecánicos (8 de agosto de 1854), constitución de una comisión mixta en el de tejidos de estampados (16 de octubre), acuerdo en el ramo de la hilatura (20 de octubre), convenio colectivo en el ramo del arte mayor de la seda (1 de noviembre), y en el de tejidos mecánicos (4 de noviembre).

La opción negociadora quedó potenciada en la clase obrera con la constitución, el 24 de enero de 1855, de la Junta Central de Directores de la Clase Obrera, cuyos objetivos eran la coordinación de las diferentes sociedades obreras, la relación en nombre de estas con las autoridades y la tarea de mediación en casos conflictivos entre patronos y obreros. La extensión de la línea negociadora a los pueblos industriales de Cataluña, entre enero y marzo de 1855, creó tensiones que la intervención de la Junta Central no siempre logró encauzar debidamente. En uno de estos conflictos, suscitado en Badalona a mitad de junio de 1855, el capitán general Juan Zapatero —que con ánimo de «acabar con la cuestión obrera» había forzado el día 6 de junio la ejecución de Josep Barceló, condenado en un consejo de guerra por un delito de robo y asesinato, en cuya perpetración no quedó claro que el líder obrero tomara parte— publicó disposiciones tendentes a anular los contratos colectivos vigentes, a disolver las asociaciones obreras, y a decomisar sus fondos (21 de junio de 1855). Una huelga general fue sostenida desde el 2 al 11 de julio, como protesta contra las medidas de la autoridad militar y reivindicación del derecho de asociación obrera. El gobierno de Madrid puso en marcha los dispositivos de la administración para presentar a las Cortes un proyecto de ley reguladora de las relaciones laborales en la industria (8 de octubre de 1855), absolutamente insatisfactorio para la clase obrera. Los dirigentes obreros que pudieron eludir la represión consecutiva a la huelga general no dejaron de esforzarse por mantener las condiciones mínimas para una lucha reivindicativa de las asociaciones obreras. En Madrid se fundó el primer semanario obrero, *El Eco de la Clase Obrera* (agosto de 1855-febrero de 1856), que promovió por toda España una campaña de recogida de firmas para avalar un documento dirigido a las Cortes en demanda del reconocimiento del derecho de libre asociación obrera. Las asociaciones de Barcelona enviaron a dos representantes (Joaquim Molar y Joan Alsina) a exponer sus razones ante la Comisión de las Cortes que tenía que emitir el dictamen sobre el proyecto de ley acerca de la industria manufacturera.

En un conflicto llamado «la cuestión de la media hora», suscitado en el mes de mayo de 1856, apareció un elemento nuevo en la lucha obrera: la conciencia de que era insuficiente el enfoque estrictamente reivindicativo que había caracterizado hasta aquel momento la acción de las asociaciones clasistas, y la convicción de que había que buscar una salida al problema obrero en el terreno de la política.

La caída de Espartero en julio de 1856, inauguró otra etapa de represión que no sólo afectó personalmente a los dirigentes que se distinguieron en la defensa de los intereses obreros, sino que tomó por objeto principal a las mismas asociaciones obreras: disolución de las sociedades obreras de carácter reivindicativo (20 de agosto de 1856), imposición de la cartilla obrera (19 de enero de 1857), disolución de las hermandades de socorros mutuos del ramo de la hilatura (12 de marzo de 1857), y, finalmente, prohibición de toda clase de asociaciones obreras (31 de marzo de 1857).

Las manifestaciones ideológicas de la lucha de clases tienen su principal exponente, en este período, en Pi y Margall. Sus artículos en *El Eco de la Clase Obrera*, el texto de la *Exposición presentada por la Clase Obrera a las Cortes Constituyentes* y las *Observaciones acerca del proyecto de ley sobre la industria manufacturera*, firmadas por Molar y Alsina, pero inspiradas por Pi y Margall, revelan un pensamiento en el cual se destaca la importancia de las asociaciones obreras como instrumento indispensable de defensa de los asalariados. La articulación de estas asociaciones en el plano del conjunto del país llega a vislumbrarse como una alternativa al sistema capitalista [45, 310]. Pero la atención de Pi no se centra sobre esta utopía, anunciada como de paso, sino en los beneficios que reporta a la clase obrera el hecho asociativo.

Por otra parte, la utopía cabetiana no parece tener capacidad de convocatoria en Barcelona durante el bienio progresista [4, I, 183]. En Madrid, Fernando Garrido insiste en la necesidad de la democracia política para lograr la justicia social, y Antonio Cervera defiende la idea de que el crédito barato posibilitaría al obrero salir de la explotación. La penetración práctica de estas ideologías en el pueblo no es posible medirla, aunque se puede suponer escasa.

5. ESPLENDOR Y CRISIS DE LA UNIÓN LIBERAL. FRACASO DEL MODERANTISMO (1856-1868)

5.1. LA LUCHA POR EL PODER

O'Donnell fue el beneficiario inmediato de la ruptura de la coalición que había gobernado durante el bienio. Tal vez el acto de mayor significado político del gobierno O'Donnell lo constituya el decreto de 15 de septiembre de 1856, que restablece la Constitución de 1845, pero con algunas salvedades contenidas en un acta adicional que liberalizaba algún tanto aquella ley fundamental en las disposiciones sobre imprenta, orden público y designación de autoridades locales. Miraflores observa la contradicción en que incurría O'Donnell con esta disposición: modificar con un simple decreto una ley de categoría tan elevada como una Constitución equivale a un verdadero acto dictatorial [3, III, 173]. Este moderantismo atenuado, y en ciertos puntos contradictorio, era el distintivo de la «Unión Liberal», que O'Donnell capitaneaba.

El problema que condicionó la corta duración de este gobierno O'Donnell fue la desamortización eclesiástica. La ley de primero de mayo de 1855 fue declarada con fuerza obligatoria por el ministro de Hacienda, Manuel Cantero, el mismo día 14 de julio en que quedó instalado el nuevo gobierno. La reina, el 12 de septiembre, exigió que el gobierno pusiese fin a la desamortización, lo cual provocó en un primer momento la dimisión del ministro de Hacienda, y luego la de todo el equipo ministerial. La anécdota del baile de palacio, el 10 de octubre de 1856, en que la reina prestó todas sus atenciones a Narváez, no es más que una manifestación episódica de la decisión regia de abandonar a O'Donnell y sustituirlo por el general de Loja. Al hacerlo así Isabel II el 12 de octubre, volvió a implantar el moderantismo sin atenuantes.

Narváez, apoyado en la fuerza neocatólica representada por Cándido Nocedal en el Ministerio de la Gobernación, restauró en su integridad la Constitución de 1845, anulando el acta adicional de 15 de septiembre de 1856 (decreto de 16 de octubre de 1856), restableció la ley de ayuntamientos de 16 de julio de 1840 (el mismo 16 de octubre) y la de imprenta (2 de noviembre de 1856), adoptó para las elecciones a Cortes la ley electoral de 1846 y reformó en sentido conservador la composición del Senado (17 de julio de 1857).

Valera describe el cambio del gobierno Narváez, por uno presidido por el general Armero (15 de octubre de 1857), como provocado por la reina, tal vez cansada del carácter impetuoso de Narváez. Tres meses escasos duró el ministerio Armero, y más corta duración hubiera tenido, según Valera, a no ser porque la reina dio a luz al príncipe heredero el 28 de noviembre de 1857. Abiertas las Cortes el 10 de enero de 1858, el gabinete fue derrotado en el Congreso al salir elegido Bravo Murillo como presidente del órgano legislativo, y vencido el candidato gubernamental Luis Mayáns. La reina, enojada contra los ultraconservadores, quería en principio mantener el equipo gubernamental de Armero, pero optó por elegir a Istúriz (14 de enero de 1858), pensando que sería capaz de negociar con Bravo Murillo, convertido en cabeza de la oposición conservadora. Istúriz tuvo que sujetarse a las exigencias del presidente del Congreso y dio cabida en su ministerio sólo a miembros de la confianza de aquél. La dimisión del ministro de la Gobernación, Ventura Díaz, y su sustitución por José Posada Herrera, antiguo progresista afecto a la Unión Liberal, dividió al gabinete, que cayó el 30 de junio de 1858.

Con la llamada de la reina a O'Donnell, se constituyó un gobierno que fue el de mayor duración entre todos los formados durante el reinado de Isabel II. En los cinco años de mandato de la Unión Liberal (30 de junio de 1858 - 27 de febrero de 1863), en la cual confluían, según Valera, «progresistas que se asustaban de los excesos de la democracia» y «conservadores que repugnaban los planes y propósitos reaccionarios de muchos de su partido» [50, 577], destacaron por encima de toda otra acción gubernamental las expediciones militares exteriores a Cochinchina en colaboración con las fuerzas coloniales francesas, a África, a Santo Domingo y a Méjico. Las gestas militares de África galvanizaron a la opinión interior en torno al gobierno, contribuyeron a la estabilidad política y crearon el clima adecuado para una etapa de auge económico. En el orden interno, el ejército sofocó una intentona carlista en San Carlos de la Rápita (16-23 de abril de 1860), dirigida por el general Ortega.

Con Ríos Rosas como embajador en el Vaticano, logró el gobierno los beneficios de la desamortización sin ruptura con la Santa Sede (convenio de 25 de agosto de 1859). A partir del año 1860 se produjeron graves escisiones en el seno de la Unión Liberal: Ríos Rosas desertó; Alonso Martínez abandonó el gabinete, enfrentado con Posada Herrera por no consentir éste que la ley de ayuntamientos estableciera la elección del alcalde por los concejales; O'Donnell fue acusado de ser demasiado condescendiente con la corte, en la cual tenían gran peso el padre Claret y sor Patrocinio; Prim evolucionó hacia posiciones claramente progresistas. La reina se negó a la petición de O'Donnell de disolver las Cortes, con lo que forzó la dimisión del gobierno el 27 de febrero de 1863.

La sucesión fue encomendada al marqués de Miraflores (2 de marzo de 1863 - 16 de enero de 1864). En los cinco años y medio que transcurrieron hasta septiembre de 1868, se sucedieron siete gobiernos: el antedicho de Miraflores, el de Lorenzo Arrazola (16 de enero - 28 de febrero de 1864), el de Mon (3 de marzo - 16 de septiembre de 1864), el de Narváez (16 de septiembre de 1864 - 21 de junio de 1865), el de O'Donnell (21 de junio de 1865 - 17 de junio de 1866), el de Narváez (10 de julio de 1866 - 23 de abril de 1868) y el de González Bravo (23 de abril - 30 de septiembre de 1868).

Uno de los principales acontecimientos políticos que se dio a partir del ministerio Miraflores fue el retraimiento en bloque del partido progresista en la vida política, y en particular en las elecciones. Esta postura se adoptó a partir de la circular de Gobernación, de 12 de agosto de 1863, que limitaba a sólo los electores la asistencia a las reuniones de la campaña electoral. En realidad, ya antes de 1863, concretamente en septiembre de 1858, Olózaga había abogado por esta estrategia, pero no había logrado el asentimiento del partido. El retraimiento en las elecciones volvió a adoptarse en noviembre de 1864. El manifiesto de protesta contenía repetidas referencias a los «obstáculos tradicionales» (la corona y la camarilla) —expresión consagrada por Olózaga en las sesiones del Congreso de 11 y 12 de septiembre de 1861— y lamentaba la ausencia de un «turno pacífico de los partidos en las esferas del poder».

O'Donnell trató de dar satisfacción, por lo menos parcial, a los progresistas con la ley electoral de 18 de julio de 1865, que rebajaba las exigencias censitarias y ampliaba, por tanto, el cuerpo electoral. El manifiesto progresista de 20 de noviembre de 1865 reiteraba la decisión del retraimiento (decisión que en este caso no compartieron Madoz, Ruiz Zorrilla y Prim), y criticaba la ley electoral presentándola como «una concesión, pero concesión que en el ejercicio de la ley se convertiría en sarcasmo».

La corona no supo colocarse por encima de los intereses de los partidos y, al no contar en nada para el gobierno del Estado con el partido progresista, impulsó a este a acercarse a las posiciones del partido demócrata.

Otro episodio, perteneciente al área de la vida universitaria, afectó profundamente la vida pública, y contribuyó a radicalizar las posiciones de los partidos. Emilio Castelar fue expedientado el 20 de marzo de 1865, y el rector de la Universidad de Madrid, Juan Manuel de Montalbán, al declararse incompetente para instruir el correspondiente expediente académico, fue destituido de su cargo el día 5 de abril del mismo año. Castelar se había ya creído aludido por una circular del Ministerio de Fomento de 27 de octubre de 1864, en que se recordaban los criterios de ortodoxia católica que mantenía en vigor la ley Moyano de 1857. Castelar consideró que con dicha circular se restringía la libertad de la ciencia, y así lo afirmó en un escrito titulado «Declaración», publicado en *La Democracia* de 29 de octubre de 1864. El expediente que se le abrió en marzo de 1865 tenía como origen dos artículos publicados aquel mismo año sobre el gesto de la reina, que donó bienes del Patrimonio nacional para paliar el déficit de Hacienda de 600 millones de reales. Castelar minimizaba el gesto de la reina y decía, entre otras cosas: «El patrimonio real es del país. [...] La casa real devuelve al país una propiedad que es del país» (*La Democracia*, 21 de febrero de 1865). Y atacaba al partido moderado en el poder diciendo que «el rasgo» no había sido más que «uno de estos amaños» típicos para seguir en el gobierno (*La Democracia*, 25 de febrero de 1865). Una serenata de honor, ofrecida por los estudiantes al rector destituido, el 8 de abril de 1865 por la noche, degeneró en algarada que las fuerzas del orden procedieron a disolver con notable dureza. En la toma de posesión del nuevo rector, marqués de Zafra, el día 10 del mismo mes de abril, se volvieron a reproducir los disturbios, que se prolongaron con una manifestación de silbidos en la Puerta del Sol, frente al Ministerio de la Gobernación. El orden no fue restablecido hasta la medianoche, no sin haberse producido algunos muertos y una larga lista de heridos y presos. Castelar fue suspendido de empleo y sueldo el 20 de abril de 1845.

O'Donnell, sucesor de Narváez, repuso a Montalbán en su cargo el 17 de noviembre de 1865. Este episodio es fiel reflejo de un conflicto ideológico más profundo y amplio, ya descrito en otro lugar, entre pensamiento secular y tradición. Tampoco en este caso las formas ideológicas de la polémica pueden disimular el contenido político de la misma.

Las contradicciones del régimen, acentuadas por la crisis económica coyuntural, y su decrepitud, simbolizada en la ancianidad y la muerte de los dos generales que Martínez Cuadrado presenta como «últimos reductos de la resistencia isabelina» [26, 25], O'Donnell (1867) y Narváez (1868), fueron interpretados por Prim como índice de la oportunidad de forzar la caída de la monarquía. Los intentos de Prim en este sentido fueron cuatro. El de Valencia, en junio de 1865, que fracasó por haber fallado las guarniciones de Pamplona, Zaragoza y otros puntos. La de enero de 1866, en las cercanías de Madrid, que también se vino abajo por falta de organización. Después de estas dos tentativas se hizo patente para Prim la necesidad de ampliar la base del levantamiento, y de contar con los demócratas. Para Fontana, los progresistas «confiaron durante mucho tiempo en la eficacia del mecanismo del pronunciamiento para asustar a la reina y moverla a llamarlos al poder. Llegó un momento, sin embargo, en que acabaron desengañándose de las posibilidades de alcanzar el éxito por esta vía y se aliaron a los demócratas y unionistas» [18, 114-115].

La célebre insurrección de la noche del 22 de junio de 1866 en Madrid, que tuvo sus más sangrientas escenas en el cuartel de San Gil, fue también vencida por el gobierno presidido por O'Donnell. La represión consecutiva fue muy dura: hubo 66 fusilamientos, y entre los ejecutados se contaron algunos sargentos que no habían querido tomar parte en el levantamiento. A pesar de haber resultado victorioso en esta ocasión, O'Donnell no consiguió de la reina el apoyo que esperaba en el nombramiento de senadores y dimitió de su cargo.

La represión de su sucesor Narváez, después de un comienzo que pareció tolerante, llevó al exilio a muchas personalidades progresistas y demócratas, como Pi y Margall, Castelar, Cristino Martos y otros. El primer acuerdo firme entre los dos partidos se estableció en Ostende el 16 de agosto de 1866, y tenía por objeto «destruir todo lo existente en las altas esferas del poder [dinastía, para los progresistas, monarquía para los demócratas], nombrándose enseguida una asamblea constituyente bajo la dirección de un gobierno provisional, la cual decidiría la suerte del país, cuya soberanía era la ley que representase, puesto que sería elegida por el sufragio universal directo». Los acuerdos de Ostende fueron ratificados en Bruselas el 30 de junio de 1867. A continuación, Prim realizó otra tentativa de levantamiento que también fracasó. La adhesión de Dulce y de Serrano, e incluso el consentimiento de O'Donnell antes de su muerte, ganó a los unionistas para la causa revolucionaria.

5.2. LOS MOVIMIENTOS POPULARES

El movimiento obrero industrial quedó fuertemente mermado en sus efectivos por la represión que siguió a la caída de Espartero, y las asociaciones obreras que lograron subsistir tuvieron que hacerlo en la clandestinidad. En el Congreso obrero de junio de 1870, se levantaron voces que recordaron los sufrimientos de aquellos años de tiranía y oscurantismo (Rubau Donadeu), de postración (Ramón Solá) y de persecución a muerte (Rubau Donadeu).

En las regiones no industrializadas, las grandes hambres y los transtornos políticos provocaron en las masas campesinas movimientos de rebeldía, a veces con exigencias de repartos de tierras, y otras con invocaciones a la república. Fueron, en general, reacciones primarias, carentes de plan de conjunto, fácilmente reprimidas por la autoridad. Hay que mencionar, entre estos movimientos, la sublevación que tuvo lugar en la provincia de Sevilla el verano de 1857, en la cual se incendiaron archivos municipales y escribanías. Y la de las provincias de Málaga, Granada y Córdoba, en junio-julio de 1861, capitaneada por el veterinario de Loja Rafael Pérez del Álamo, conspirador republicano, que reunió a más de 10 000 hombres, entre los cuales algunos grupos de campesinos procedieron asimismo al reparto de tierras.

Dos obras culturales tuvieron su influencia sobre el mundo obrero durante esta época. El Fomento de las Artes, de Madrid, fundado en 1847, a cuyas clases de aritmética, gramática y francés relata Anselmo Lorenzo que asistió con provecho en los años 1864-1868 [24, 31-37]. Y el Ateneo Catalán de la Clase Obrera, de Barcelona, fundado en 1861 con el propósito de realizar una obra de regeneración del obrero mediante la instrucción. En una controversia entre grupos de socios de esta entidad, sobre la conveniencia de dar más amplitud a la sección recreativa, tomaron una postura contraria Rafael Farga y Pellicer, Jaime Balasch, Jacinto Pagés y Jaime Boguñá, que luego figuraron como internacionalistas en Barcelona. Sólo después de la revolución de 1868, el *Ateneo* pasó totalmente a manos obreras y tomó una orientación radical.

Entre las sociedades obreras que pudieron sobrevivir a la represión, Termes menciona la Sociedad de Tejedores de Algodón, de Igualada, y la de Peones de Estampados, de Barcelona. Entre 1864 y 1866, gracias al régimen tolerante establecido en Barcelona por el general Dulce, funcionaron de hecho en la capital catalana asociaciones obreras, como la sociedad de picapedreros, la de tejedores de velos, la de tejedores de algodón, etc. [43, 22].

Antonio Gusart, fundador y director de *El Obrero*, semanario aparecido en Barcelona el 4 de septiembre de 1865, organizó en la misma ciudad entre los días 24 y 26 de diciembre de 1865, un Congreso obrero al que asistieron unos 300 delegados de unas 22 asociaciones obreras. El Congreso decidió, entre otras cosas, la creación de un órgano coordinador de las sociedades obreras de Cataluña, y dio impulso al movimiento cooperativo.

Desde el primero de abril de 1866, apareció también en Barcelona otro semanario obrero, *La Asociación*, dirigido por José Roca y Galés. Los dos semanarios se alinearon, respectivamente, en la tendencia socialista y en la individualista que convivían dentro del partido democrático, y que aparecieron en franco y público contraste en la polémica entre Pi y Margall, por una parte, y Castelar, por otra, en la primavera de 1864. Anselmo Lorenzo dejó escrito que la asimilación de los conceptos emitidos en aquella polémica sirvió, a él y a otros que más tarde fueron internacionalistas en Madrid, como preparación para recibir el mensaje bakuninista de Fanelli [24, 40].

La represión consecutiva al levantamiento dirigido por Prim en junio de 1866 hizo desaparecer ambos semanarios obreros, y sumió otra vez el movimiento obrero barcelonés en la clandestinidad.

6. DE LA CAÍDA DE LA MONARQUÍA A LA REPÚBLICA (1868-1874)

6.1. LA LUCHA POR EL PODER

Josep Fontana, después de reclamar para una interpretación global de la «revolución» de 1868, el estudio de las distintas «revoluciones» de 1868, concluye que la tendencia que, entre las diversas que pugnaban por la victoria, triunfó e impuso sus programas no persiguió desde luego una revolución «social», sino un golpe de Estado que presentó algunos matices revolucionarios, aportados por determinados sectores que actuaron como protagonistas [18, 105].

En principio, Prim, el jefe indiscutible de la conspiración, quería un movimiento sin ninguna participación popular [18, 123]. El fracaso de sucesivos levantamientos le obligó a abrir el abanico de las fuerzas participantes. «Las proclamas y las consignas —observa Fontana— van adornándose con una retórica que pretende ser extremista, pero que resulta de una ambigüedad total.» [18, 126].

En el movimiento que estalló en Cádiz el 17 de septiembre de 1868, Fontana señala un proceso que resulta uniforme en todas las localidades pronunciadas, y harto significativo de la naturaleza misma del golpe militar. Aparece en los primeros días una junta provisional que excita al pueblo a la revuelta, con consignas radicales, destinadas a conseguir una movilización muy amplia. En una segunda fase, después de conseguido el triunfo, surge la necesidad de defender la revolución victoriosa frente a enemigos que no son ya las fuerzas reaccionarias, sino los que incitan al pueblo con la proposición de objetivos extremistas: «Las exhortaciones tienden a pedir invariablemente que se conserve el orden y se respete la propiedad» [18, 128]. Finalmente, el gobierno provisional, constituido por la Junta de Madrid, decide el nombramiento de ayuntamientos y diputaciones, «que permitirá muy pronto suprimir las Juntas y hará posible volver al control centralizado del poder» [18, 131].

Fontana llega a la conclusión de que las fuerzas victoriosas en la revolución de 1868 «no pretendían gran cosa más que la obtención del poder y la realización de pequeñas medidas de reforma política y económica. No tenían interés alguno en subvertir la sociedad y no participaban en absoluto de las preocupaciones de los grupos políticos más avanzados que se interesaban por la situación de la clase obrera y pretendían plantear problemas tales como el derecho al trabajo. Antes de lanzarse a la aventura de septiembre de 1868, habían adoptado todas las precauciones necesarias para ahogar cualquier intento de propagación del incendio revolucionario. La forma en que llevaron a cabo la rápida reorganización de la máquina del Estado, cortando de raíz la actuación de las juntas revolucionarias, delata un plan muy pensado y ejecutado con gran eficacia por un político hábil —y estrechamente ligado al capitalismo español— como era Sagasta» [18, 139-140].

Las fuerzas más radicales puestas en movimiento en 1868, y luego obligadas a replegarse sin alcanzar los objetivos ambiguamente expresados en fórmulas de apariencia revolucionaria, siguieron en activo en los años del sexenio. La experiencia de la Primera República fue el triunfo efímero de uno de los bloques participantes en los pactos de Ostende y Bruselas, que había sido excluido del poder. Pero, como observa Tuñón de Lara, la República no llegó en la cresta de una oleada revolucionaria, ni por una acción multitudinaria en el país: llegó porque el Estado no tenía en aquel momento ninguna otra salida [18, 143]. En realidad, la amenaza que la República hizo gravitar sobre los intereses triunfantes en 1868, hizo necesario que las fuerzas depositarias de aquellos intereses procedieran a una rectificación. En este sentido, escribe Fontana: «Más que una auténtica restauración, que hubiera significado una vuelta a la etapa anterior a la revolución, el golpe de Estado de 1874 fue una corrección de la trayectoria seguida después de 1868. Cánovas completaba y perfeccionaba la obra iniciada por los Prim, Sagasta y compañía. Y el propio Sagasta le ayudaría decisivamente en esta tarea. Al fin y al cabo, revolucionarios de 1868 y restauradores de 1874 (ni muy revolucionarios, los unos, ni muy restauradores, los otros) se sentaban juntos en los consejos de administración de las mismas compañías y tenían unos intereses comunes» [18, 141].

Este cañamazo interpretativo, al que por su parte Fontana no quiere dar mayor importancia que la de una hipótesis de trabajo, puede servir de telón de fondo a la relación sucinta de los vaivenes de las fuerzas políticas en el poder.

El gobierno provisional se formó, bajo la presidencia del general Serrano, el 8 de octubre de 1868, con Prim en Guerra, Sagasta en Gobernación, Álvarez Lorenzana en Estado, Romero Ortiz en Gracia y Justicia, Topete en Marina, Figuerola en Hacienda, Ruiz Zorrilla en Fomento y López de Ayala en Ultramar. En su manifiesto de 25 de octubre, el gobierno expresó su reconocimiento de las libertades fundamentales. Por el decreto de 9 de noviembre se estableció por primera vez en España el sufragio universal para los varones mayores de 25 años, en vistas a las elecciones a Cortes constituyentes, convocadas por el decreto de 6 de diciembre para los días 15-18 de enero de 1869. El mismo decreto que convocaba las elecciones fijaba la fecha de la inauguración de las Cortes: el 11 de febrero de 1869. La campaña electoral «no pudo ser en líneas generales más correcta». Desde entonces, se consolidaron los órganos de prensa cuyo prestigio permanecerá incluso hasta 1936 [27, I, 69, 75-78]. La tendencia monárquico-democrática reunió una mayoría de 236 actás. El núcleo más importante de la tendencia lo formaban los progresistas (156 diputados), capitaneados por Prim. Los republicanos consiguieron 85 escaños, y los absolutistas, 20. Las Cortes elaboraron una Constitución monárquica, que fue promulgada el 6 de junio de 1869. A falta de rey, se nombró regente al general Serrano, y Prim se encargó de la presidencia del gobierno (18 de junio de 1869).

Los gobiernos del sexenio tuvieron que enfrentarse a las insurrecciones de Lares, en Puerto Rico (25 de septiembre de 1868) y de Yara, en Cuba (10 de octubre de 1868). En el manifiesto de 25 de octubre de 1868, el gobierno provisional se refería expresamente a «las ventajas y beneficios de la revolución» de que «gozarían también nuestras provincias de Ultramar». Las promesas llegaron demasiado tarde. El hecho insurreccional, y las simpatías isabelinas o carlistas de ciertos grupos españolistas residentes en las colonias, obligó al gobierno a una política de dureza con los rebeldes, que le puso en contradicción con los principios proclamados.

En el orden interno, los problemas fueron graves en los años que siguieron al triunfo de septiembre de 1868: la resistencia de las juntas provisionales a disolverse; el desarme de los Voluntarios de la Libertad; la crisis agrícola, agravada por la sequía; el desempleo; las ocupaciones de tierras que tuvieron lugar no solo en Andalucía, sino también en Galicia, Levante y La Mancha; las partidas carlistas que se levantaron en Cataluña el verano de 1869, y que arreciaron en su furor bélico después de la entronización de Amadeo I; las reacciones armadas en Cataluña, Valencia, Zaragoza y Andalucía contra los poderes discrecionales concedidos por la administración a los gobernadores civiles (27 de septiembre de 1869); la fuerza creciente del partido republicano, muchos de cuyos miembros participaron en los movimientos de protesta, particularmente en el de otoño de 1869.

La administración fue incapaz de dar satisfacción a dos de las reivindicaciones populares más sentidas: la abolición de las quintas y la de los derechos de puertas y consumos. En efecto, la insurrección de las colonias, y la contienda carlista, obligaron a mantener en pie de guerra a un ejército numeroso, cuyas plazas no quedaban cubiertas con sólo voluntarios. Por otra parte, las necesidades económicas de la administración, sumadas a la voluntad gubernamental de no hacer cambio alguno fundamental en la economía, solo permitieron cambiar el odioso impuesto de puertas y consumos por otro llamado de capitación, aplicable a todos los mayores de 14 años (12 de octubre de 1868). La orientación librecambista ganó al gobierno la enemistad de los industriales catalanes, que, en un principio, habían apoyado a Prim.

La candidatura de Amadeo de Saboya fue aprobada por las Cortes el 16 de noviembre de 1870: 191 votos a favor, 100 en contra, 19 abstenciones. Los peores augurios pareció que se cernían sobre el reinado del nuevo monarca, cuando el día en que desembarcó en Cartagena (30 de diciembre de 1870) le fue anunciado el asesinato de Prim. Este crimen, atribuido por algunos republicanos exaltados, en concreto a Paúl Angulo, y por otros a agentes del general Serrano o del duque de Montpensier, pero todavía no esclarecido, pesó sobre el futuro del país. El partido progresista se escindió en seguidores de Sagasta, que estrecharon cada vez más relaciones con los representantes de la Unión Liberal, y de Ruiz Zorrilla, que se autodefinieron como radicales, y solo lograron atraer a los pocos demócratas dispuestos a colaborar con la monarquía.

Durante el reinado de Amadeo I, desde su juramento de la Constitución el 2 de enero de 1871, hasta su abdicación el 11 de febrero de 1873, tuvieron lugar tres elecciones generales a Cortes, y se sucedieron en el poder seis gabinetes ministeriales.

El gobierno Serrano, constituido después de la jura del rey, lo formó una coalición de progresistas, unionistas y demócratas, y tomó como principal cometido la convocatoria de las Cortes (decreto de 15 de febrero de 1871) y la celebración de las elecciones a diputados (8 de marzo y siguientes). Sagasta, como ministro de la Gobernación, y Romero Robledo como subsecretario del mismo departamento ministerial, optaron por una intervención en el proceso electoral, con ánimo al parecer de evitar riesgos a la monarquía recién implantada, y de consolidar la coalición gobernante en el poder.

Las divisiones entre los miembros de la coalición gubernamental dieron paso, el 24 de julio de 1871, a un nuevo gobierno, formado por Manuel Ruiz Zorrilla (1833-1895), cuya breve duración fue determinada por la derrota del candidato gubernamental para la presidencia del Congreso, Nicolás María Rivero. Sustituyó a Ruiz Zorrilla el general José Malcampo (1828-1880), amigo de Sagasta, el 17 de noviembre de 1871. El 23 de diciembre del mismo año Sagasta era llamado a desempeñar la jefatura del gobierno, al haber sido derrotado Malcampo por un voto de censura en el Parlamento. Sagasta, para lograr la estabilidad del gabinete en beneficio de la monarquía, obtuvo la disolución de las Cortes (24 de enero de 1872) y la convocatoria de elecciones de diputados.

Elegidas las nuevas Cortes en abril de 1872, el gobierno Sagasta se vio obligado a dimitir, debido al escándalo suscitado por la transferencia de dos millones de reales, durante la campaña electoral, de la caja del Ministerio de Ultramar a la de Gobernación. Serrano, que sucedió a Sagasta, se vio sujeto a las críticas del parlamento por el convenio que había firmado en Amorebieta con los carlistas. La resolución de suspender las garantías constitucionales, no compartida por el rey, fue la causa de la dimisión de Serrano, el 12 de junio de 1872.

Ruiz Zorrilla, su sucesor a pesar de las resistencias que opuso al ser llamado, permaneció en el poder casi ocho meses, hasta el 11 de febrero de 1873 en que se proclamó la República. La atmósfera de escándalo electoral que rodeaba a las Cortes elegidas en abril de 1872 inclinó a Ruiz Zorrilla a pedir al rey su disolución (28 de junio), y la convocatoria de nuevas elecciones para el 24 de agosto y siguientes. Durante la gestión de Ruiz Zorrilla se produjeron levantamientos carlistas en Gerona, Guipúzcoa, Vizcaya y Navarra. El pretendiente logró entrar en España, aunque se vio obligado a volver a cruzar la frontera. El rey Amadeo sufrió un atentado en Madrid. Hubo un levantamiento republicano federal en El Ferrol. Y se acentuó el conflicto colonial en Cuba. El episodio que decidió la caída de la monarquía, envuelta en tantos problemas de difícil solución, fue la negativa del arma de artillería a prestar obediencia al general del mismo cuerpo Baltasar Hidalgo (1833-1903), nombrado capitán general de Cataluña, alegando la intervención ultraliberal de este en 1866, en los sucesos del cuartel de San Gil. Desde los generales a los cadetes de artillería pidieron al rey el retiro del general. Ruiz Zorrilla obtuvo de las Cortes el voto favorable a la disolución del cuerpo (7 de febrero de 1873). El rey asintió, pero al mismo tiempo manifestó su decisión irrevocable de abdicar, cumplida el día 11 del mismo mes. El Congreso y el Senado reunidos aprobaron la siguiente resolución, por 358 votos contra 32: «La Asamblea Nacional reasume todos los poderes y declara como forma de gobierno de la nación la República, dejando a las Cortes Constituyentes la organización de esta forma de gobierno.»

El partido republicano llegaba al cumplimiento de sus aspiraciones lastrado por sus divisiones internas, por una parte, entre la línea federalista a ultranza (intransigente) —partidaria de un gobierno de asamblea y, en su momento, de la revolución cantonal como realización de lo que no podía conseguirse debido a las lentitudes administrativas— y la línea que preconizaba la legalidad como camino hacia el federalismo (federación desde arriba), y que quería a todo trance salvaguardar el orden en beneficio del mismo proceso hacia la república federal; y por otra parte, entre federales y unitarios. Además de estos problemas internos de la tendencia republicana, la experiencia de la Primera República estuvo condicionada por el aparato estatal heredado de la monarquía y por el partido radical —mayoritario en las Cortes mientras no se celebraron elecciones generales en mayo de 1873—, que favorecería en el mejor de los casos la tendencia republicana unitaria.

En nombre de la legalidad monárquica, vigente hasta que se reunieron las nuevas Cortes en junio de 1873, Pi y Margall, ministro de la Gobernación del gobierno del presidente Figueras, tuvo que disolver las juntas populares y reponer los ayuntamientos sustituidos espontáneamente por el pueblo. Siendo mayoritario en el Congreso, y contando con ministros en el gobierno, el partido radical exigió que la fórmula unitaria o federal no fuera decidida sino por las Cortes Constituyentes, tal como había decidido la Asamblea Nacional. La coalición gubernamental sólo se rompió después de fallidos dos intentos de golpe militar (el 24 de febrero y el 23 de abril de 1873), a los que no fueron ajenos personajes representativos de los radicales.

Las elecciones a Cortes Constituyentes, del 10 al 13 de mayo de 1873, se caracterizaron por el alto porcentaje de abstenciones (un 60 % localizadas particularmente en el norte y en el centro de la península), y por la abrumadora mayoría conseguida por los republicanos federales, que pronto apareció dividida por los factores hace poco indicados.

El primer gobierno republicano se formó el 11 de febrero de 1873, bajo la presidencia de Estanislao Figueras. Castelar ocupó la cartera de Estado, Pi la de Gobernación y Nicolás Salmerón la de Gracia y Justicia. Siguieron en sus puestos como ministros cuatro que lo habían sido en el último gobierno de la monarquía de Amadeo: Córdoba en Guerra, Beranguer en Marina, Echegaray en Hacienda y Becerra en Fomento. El golpe de fuerza que, para el 25 del mismo mes de febrero, preparaba Cristino Martos desde su puesto de presidente de la Asamblea, para eliminar del gobierno a los federales, lo pudo desbaratar Pi y Margall. Un nuevo gabinete quedó formado el día 25 del mismo mes, en que todos los ministros, excepto el de Guerra y el de Marina (Acosta y Oreiro, radicales), pertenecían al partido republicano. Un segundo intento de conquistar el poder por la fuerza lo realizaron los radicales el 23 de abril. Pi, en función de presidente de la República por ausencia de Figueras a causa de la muerte de su esposa, logró dominar la intentona. Acosta fue sustituido por Nouvilas.

Constituida la Asamblea parlamentaria el primero de junio, el día 8 del mismo mes, Orense, que la presidía, propuso la proclamación de la República federal, que fue aprobada con sólo dos votos en contra, el de García Ruiz y el de Ríos Rosas. Figueras se negó a seguir en el poder, y huyó a Francia el mismo día 11 de junio en que Pi y Margall fue designado segundo presidente de la República. El gobierno formado en esta ocasión se sostuvo poco más de dos semanas. Después de haber pedido a las Cortes y obtenido, el 21 de junio, un voto de confianza en las circunstancias de guerra carlista y cantonalista que amenazaban a la República, Pi formó un nuevo gobierno el 28 de junio. En ambos, Pi desempeñaba la presidencia de la República y el Ministerio de la Gobernación. El levantamiento de Cartagena, el 12 de julio, produjo en la Cámara tan vivas críticas, que Pi presentó la dimisión el 18 del mismo mes.

Con la caída de Pi, terminaba un período en que las contradicciones de la situación habían llegado a extremos insostenibles. Las demoras administrativas y legales, que retrasaban la federación, alejaron de las Cortes a la minoría intransigente, y dieron alas a los movimientos cantonales. Así decía, en efecto, la proclama de constitución del cantón murciano: «Las demoras del gobierno de la nación en constituir a esta definitivamente en federación, y los nombramientos de cargos militares a jefes desafectos a dicho régimen han obligado a los republicanos a proclamar el cantón murciano». Del 11 de febrero al 18 de julio habían ocurrido cinco cambios de gabinete, y se habían sucedido dos presidentes de la República.

El sucesor de Pi, Nicolás Salmerón, señaló como primer deber del gobierno el restablecimiento del orden. En esta línea persistió su gobierno, hasta que el presidente de la República, por motivos de conciencia, se negó a firmar la pena de muerte impuesta por los tribunales a algunos sediciosos, y dimitió de su cargo el 7 de septiembre. Le sucedió Emilio Castelar, que se empleó, con mayor energía si cabe, a combatir la insurrección cantonal. Para evitar obstáculos internos, logró que la Asamblea parlamentaria suspendiera sus sesiones del 18 de septiembre hasta el 2 de enero de 1874. Para dominar la insurrección, hubo que recurrir como es lógico al Ejército, que cobró así fuerza de nuevo en la vida del país. En la reapertura de las Cortes, el 2 de enero de 1874, se comenzó a discutir la conducta del gobierno en el intervalo de septiembre a enero. A las primeras horas del día 3, Castelar perdió un voto de confianza y dimitió. Poco después, el capitán general de Castilla, Manuel Pavía, ocupó violentamente el Parlamento y desalojó a los diputados. Pavía formó un gobierno republicano, bajo la presidencia del general Serrano, con viejos progresistas como Víctor Balaguer, radicales como Echegaray y Martos, y un republicano unitario, García Ruiz, que ocupó la cartera de Gobernación. El 12 de enero se rindió Cartagena a las fuerzas sitiadoras. Por un decreto de 26 de febrero, Serrano fue elevado a la condición de verdadero presidente de la República, pasando a presidente del gabinete el general Zavala, quien en la crisis del 13 de mayo formó un gabinete tan solo con monárquicos. Un nuevo ministerio, presidido por Sagasta, sucedió al anterior el 3 de septiembre, tras ciertos fracasos bélicos de Zavala frente a los carlistas. Este fue el último ministerio formalmente republicano, que acabó su vida el 29 de diciembre con el pronunciamiento de Martínez Campos en Sagunto.

6.2. EL MOVIMIENTO OBRERO: REPUBLICANISMO, INTERNACIONALISMO, INSURRECCIONALISMO

Desde los sectores más cercanos a los intereses del pueblo, el contrapunto a la lucha que se desarrolla en la esfera del poder lo marca el partido republicano, que se vio excluido del gobierno a pesar de haber participado en los preparativos de la revolución, y —dentro del partido republicano o en franca contraposición a él— las organizaciones obreras.

En Cataluña, desde junio de 1856 consta que el triunfo del partido republicano se había presentado a los ojos de los dirigentes obreros como el paso indispensable para alcanzar las aspiraciones de la clase obrera. Antonio Miguel Bernal señala asimismo que, en Andalucía, «los grupos republicanos y socialistas afirmaron la necesidad del establecimiento de una república con la consiguiente solución del problema de la tierra. Fue así como [...] la república se convirtió en la fórmula política adecuada para solucionar las cuestiones agrarias andaluzas» [5, 134]. Idéntica constatación hace, para Granada en concreto, A. M. Calero [7, 84].

La resonancia popular que alcanzaron estas posiciones hay que convenir en que no fue masiva en el sexenio, a la vista de los resultados electorales, ya comentados, obtenidos por el partido republicano. Pero no por esto tienen menos importancia las posiciones adoptadas por las minorías más concienciadas, cuya evolución anticipa movimientos que, a plazo medio o largo, repercutirán sobre capas más amplias de la población y pesarán en el desarrollo de la historia.

El estudio de los orígenes del anarquismo en Barcelona hizo ver, por una parte, la unanimidad con que las organizaciones obreras de aquella capital, en diciembre de 1868, adoptaron la resolución de apoyar al partido republicano, y por otra, la militancia que dentro del mismo partido desarrollaron los principales dirigentes obreros. El contacto con Bakunin y el círculo de sus seguidores, y el fracaso del alzamiento republicano de septiembre-octubre de 1869, orientó a un sector importante de las organizaciones obreras hacia posiciones de desengaño respecto a toda política burguesa, que quedaron formuladas en el apoliticismo y en las otras resoluciones «solidarias» aprobadas en el primer Congreso Obrero Español, celebrado en junio de 1870 en Barcelona. Bernal ha reconocido en el proletariado de Andalucía un proceso similar al que experimentó el obrerismo catalán. También tras el fracaso del levantamiento republicano de 1869, «la politización de su lucha, o esperar la solución por decisiones políticas pareció tiempo perdido» a los braceros andaluces. «Quizá por ello se reconocieron en el lenguaje empleado por la rama antipolítica y antiautoritaria de la Internacional.» [5, 135-136].

Josep Termes ha seguido la marcha del movimiento obrero barcelonés entre 1870 y 1874. La Commune de París (marzo-mayo de 1871) hizo que se desencadenara sobre las asociaciones obreras una notable represión, que se recrudeció entre diciembre de 1871 y abril de 1872, después del debate sobre la Internacional en las Cortes y el decreto de Sagasta disolviendo las secciones de la Internacional (17 de enero de 1872). No obstante, la organización obrera se difundió ampliamente por Cataluña, Andalucía, Castilla y País Valenciano, entre 1870 y 1873. En esta época, Cataluña contaba con casi los dos tercios de las organizaciones internacionalistas. En números absolutos, la cifra máxima de adheridos en toda España que presenta la misma organización es la de 29 000, en diciembre de 1872 [43, 223, 226].

Frente a la tendencia internacionalista existieron, en línea de oposición a la inspiración bakuniniana predominante, las secciones obreras «societarias», inclinadas a la lucha reivindicativa, a la difusión del cooperativismo y a la aplicación de las leyes sociales dictadas por el poder público [43, 220]. Por otra parte, la escisión que se produjo entre Marx y Bakunin en el interior de la Asociación Internacional de Trabajadores tuvo sus repercusiones en España a partir de la Conferencia de Londres, de septiembre de 1871. La correspondencia entre Engels y Mora, y la llegada fortuita de Lafargue a España, y su viaje posterior a Madrid, alimentaron al núcleo marxista de la capital, que con todo tuvo vida limitada y precaria [43, 155, 158].

Los movimientos insurreccionales que brotaron durante la primera República, promovidos por los republicanos intransigentes ante las dilaciones del poder en acelerar la implantación de la república federal, obtuvieron en ciertos casos la colaboración de determinados internacionalistas. Termes ha mostrado el carácter limitado de estas participaciones, y ha hecho hincapié en la crítica de que fueron objeto por parte de los dirigentes internacionalistas más representativos. No obstante, Termes deja afirmada la existencia de un sector obrero insurreccionalista, que ocasionalmente vio los levantamientos cantonales como un paso para la revolución social definitiva [43, 186, 188 ss.].

La represión consecutiva al golpe de Estado del general Pavía llegó a desarticular la organización internacionalista, que todavía organizó el IV Congreso Federal en Madrid (21-27 de junio de 1874), y delegó al Congreso Internacional de Bruselas (7-13 de septiembre de 1874) a Rafael Farga y Pellicer. En el clima asfixiante de la represión, Termes ha señalado la aparición de las primeras incitaciones oficiales de la organización obrera al nihilismo: represalias personales, incendios de la propiedad, que tendrían sus principales manifestaciones posteriormente en la Andalucía de los años ochenta, y en la Cataluña de los noventa.

CAPÍTULO V

Coyuntura y estructura

La presentación narrativa y episódica de los hechos podría muy bien estar concebida desde una visión puramente coyuntural del acontecer de la historia. Pero, aun ciñéndonos estrictamente a las esferas de lo político, lo social y lo ideológico, independientemente de los determinismos que arrancan del campo de la economía, el mismo relato positivo de los hechos, al tomar estudios monográficos rigurosos y solventes como base de la exposición, no puede menos de reflejar ciertas constantes y ciertos procesos, e incluso deja entrever ciertos protagonismos colectivos que rebasan el campo de acción biográfico de personas e instituciones.

Las juntas populares surgen en cada una de las revoluciones progresistas, y sistemáticamente, una y otra vez, son anuladas por diversos medios como centros de poder. En el mejor de los casos, sus individuos son reintegrados dentro de los cuadros previstos por la ley (ayuntamientos, diputaciones).

La defensa de la libertad presenta un carácter de lucha contra el Antiguo Régimen y sus pervivencias, y también contra las fuerzas populares que se proponen conquistarla fuera del marco del «orden» y de la «propiedad privada» que las fuerzas sociales dominantes no quieren renunciar a defender. Estos intereses, comunes a moderados y a progresistas, son tan intensamente compartidos, que ante ellos resultan insignificantes las diferencias entre unos y otros en el sistema censitario elegido para ampliar o restringir el derecho al voto, o en presentar la Corona y las Cortes, o las Cortes solas, como sujetos de la soberanía en el Estado.

Ciertas instituciones, como la monarquía o incluso la nobleza, y ciertas ideologías, como determinadas creencias religiosas o la literatura folletinesca, sirven como instancias o vehículos de enmascaramiento de la realidad que vive el pueblo. Este, si no grita ya «viva las caenas», acepta sobre la propia experiencia interpretaciones y prácticas institucionales que tienden a mantenerlo en la postración, la ignorancia, la incapacidad para el espíritu crítico y la participación en la vida colectiva.

La centralización no solo es una constante, en la organización de la administración estatal y en la codificación de las leyes, sino un verdadero proceso. Lo dicta, en parte, la necesidad de organizar la vida colectiva de una población que crece demográficamente y se transforma en el proceso de producción de los bienes, y que, en consecuencia, necesita una creciente racionalización de los cuadros de convivencia. Pero, al mismo tiempo, la centralización pone en manos de determinados grupos un poder creciente, en virtud del cual tienden a confundir sus propios intereses y proyectos con los del conjunto de la comunidad. No cabe duda que el problema de las nacionalidades y el problema obrero industrial recibieron del poder un tratamiento equivocado durante largas décadas, por no decir permanentemente.

Otro conjunto de constantes, que constituyen un verdadero proceso, es la lucha obrera que, en los cuarenta años de despliegue y asentamiento del sistema liberal, se radicaliza progresivamente desde posiciones reivindicativas a la conciencia política, y desde la conciencia política —formulada en términos de democracia republicana que asegurara las condiciones de libertad para la lucha obrera— a las formulaciones revolucionarias de corte bakuninista o marxista.

Una vez identificadas estas u otras constantes, que a veces presentan la lógica —siempre dialéctica, nunca lineal—, de un proceso, no resultaría difícil señalar protagonistas. Pero el rigor crítico no permite simplificar los antagonismos, ni creer que porque se han puesto nombres de «burguesía» y «proletariado» se tiene ya en manos la clave de la historia. En el estado en que se encuentra hoy la investigación entre nosotros, este tipo de denominaciones resulta casi siempre una abstracción nominalista, cuando lo que es preciso son realidad y matices. Hay burguesías diferentes, y hay estratos del proletariado que ostentan diferentes sistemas de relaciones con la burguesía, y diferentes grados de conciencia de clase. Thompson advierte: «Una clase es una relación, un sistema de relaciones, en suma, y no una cosa» [44 bis, I, 9], que solo se definen «a través del tiempo, es decir, a través de los procesos de acción y reacción, cambio y conflicto» [44 bis, III, 562]. Y descarta una visión cosificada y estática de las clases sociales: «Cuando hablamos de clase, pensamos en un cuerpo definido muy sueltamente, un cuerpo de personas naturalmente que comparten unos mismos conjuntos de intereses, experiencias sociales, tradiciones y sistemas de valores, que tienen una disposición a comportarse como una clase, definiéndose a sí mismas en sus acciones y en su conciencia en relación con otros grupos de personas. Pero la clase como tal no es una cosa, sino un acontecer» [44 bis, III, 562].

Es el conocimiento más preciso del «acontecer» de las burguesías españolas, y de los diferentes sectores del proletariado, del dinamismo de sus intereses, de sus relaciones mutuas y de sus expresiones culturales, el que pondrá de manifiesto la inutilidad de las palabras vacías, presentadas como instrumentos de interpretación cuando no pasan de ser reflejo de una ortodoxia acientífica o pura coquetería, y el que hará posible una calificación sintética y rica de los avatares que caracterizan la historia del país.

BIBLIOGRAFÍA

1. ALARCÓN CARACUEL, MANUEL R., *El derecho de asociación obrera en España (1839-1900),* Madrid, 1975.

2. ARTOLA, MIGUEL, *Partidos y programas políticos, 1808-1936,* 2 vols., Madrid 1974.

3. ARTOLA, MIGUEL, *La burguesía revolucionaria, 1808-1874,* Madrid, 1976.

4. BENET, JOSEP y CASIMIR MARTÍ, *Barcelona a mitjan segle XIX. El moviment obrer durant el bienni progressista 1854-1856,* 2 volúmenes, Barcelona, 1976.

5. BERNAL, ANTONIO MIGUEL, *La propiedad de la tierra y las luchas agrarias andaluzas*, Barcelona, 1974.

6. BUSQUETS, JULIO, *El militar de carrera en España*, Barcelona, 1971.

7. CALERO, ANTONIO MARÍA, «Los cantones de Málaga y Granada», en *Sociedad, política y cultura en la España de los siglos XIX y XX*, Madrid, 1973.

8. CASANOVAS, IGNASI, *Balmes. La seva vida, el seu temps, les seves obres,* 3 vols., Barcelona, 1932.

8 bis. CLAVERO, BARTOLOMÉ, *Mayorazgo. Propiedad feudal en Castilla (1396-1836),* Madrid, 1974.

9. COMELLAS, JOSÉ LUIS, *Los moderados en el poder, 1844-1854*, Madrid, 1970.

10. CUENCA TORIBIO, JOSÉ MANUEL, *La Iglesia española ante la revolución liberal*, Madrid, 1971.

11. CHRISTIANSEN, E., *Los orígenes del poder militar en España, 1800-1854*, Madrid, 1974.

12. DÍAZ, ELÍAS, *La filosofía social del krausismo español,* Madrid, 1973.

13. ELORZA, ANTONIO, *El fourierismo en España*, Madrid, 1975.

14. FERRANDO BADÍA, JUAN, *La primera República española,* Madrid, 1973.

15. FERRERAS, JUAN IGNACIO, *La novela por entregas, 1840-1900*, Madrid, 1972.

16. FERRERAS, JUAN IGNACIO, *El triunfo del liberalismo y de la novela histórica, 1830-1870*, Madrid, 1976.

17. FONTANA, JOSEP, «Canvi econòmic i actituds polítiques. Reflexions sobre les causes de la revolució del 1868», en *Recerques*, 2, 1972, pp. 7-32.

18. FONTANA, JOSEP, *Cambio económico y actitudes políticas en la España del siglo XIX*, Barcelona, 1973.

18 bis. FONTANA, JOSEP, *La Revolución liberal. (Política y Hacienda 1833-1845)*, Madrid, 1977.

19. JANKE, PETER, *Mendizábal y la instauración de la monarquía constitucional en España*, Madrid, 1974.

20. Jover Zamora, José María, «Situación social y poder político en la España de Isabel II», en *Historia social de España, siglo XIX*, Madrid, 1972, pp. 241-308.
21. Kiernan, V. G., *La revolución de 1854 en España*, Madrid, 1970.
22. López Morillas, Juan, *El krausismo español*, México, 1956.
23. López Morillas, Juan, «La novela española y la revolución de 1868», en *Revista de Occidente*, 67, 1968, pp. 94-115.
24. Lorenzo, Anselmo, *El proletariado militante*, Madrid, 1974.
24 bis. Maluquer De Motes, Jordi, *El socialismo en España, 1833-1868*, Barcelona, 1977.
25. Martí, Casimiro, *Orígenes del anarquismo en Barcelona*, Barcelona, 1959.
26. Martínez Cuadrado, Miguel, «El horizonte político de la revolución de 1868», en *Revista de Occidente*, 67, 1968, pp. 19-37.
27. Martínez Cuadrado, Miguel, *Elecciones y partidos políticos de España*, 2 vols., Madrid, 1969.
28. Martínez de la Rosa, Francisco, «El espíritu del siglo», en *Obras*, t. VIII, BAE, Madrid, 1962.
29. Menéndez y Pelayo, Marcelino, *Historia de los heterodoxos españoles*, 2 vols., Madrid, 1967.
30. Miraflores, Marqués de, *Memorias del reinado de Isabel II*, BAE, 3 vols., Madrid, 1964.
31. Núñez Ruiz, Diego, *La mentalidad positiva en España. Desarrollo y crisis*, Madrid, 1975.
32. Ollé Romeu, Josep M., *El moviment obrer a Catalunya, 1840-1843*, Barcelona, 1973.
33. Ollero Tassara, Andrés, *Universidad y política. Tradición y secularización en el siglo XIX*, Madrid, 1972.
33 bis. Payne, S. G., *Los militares y la política en la España contemporánea*, París, 1968.
34. Revuelta González, Manuel, *La exclaustración (1833-1840)*, Madrid, 1976.
35. Roure, Conrad, *Anys enllà*, Barcelona, s. f.
35 bis. Sánchez Agesta, Luis, *Historia del constitucionalismo español*, Madrid, 1964.
36. Seco Serrano, Carlos, «Larra: el liberalismo idealista», en *Sociedad, literatura y política en la España del siglo XIX*, Madrid, 1973.
37. Seco Serrano, Carlos, *Mesonero Romanos: la pleamar burguesa*, ibíd.
38. Seco Serrano, Carlos, *Barcelona en 1840: los sucesos de julio*, Barcelona, 1971.
39. Seco Serrano, Carlos, *Tríptico carlista*, Barcelona, 1973.
40. Shaw, D. L., *Historia de la literatura española*, Barcelona, 1974.
41. Simón Segura, Francisco, *La desamortización española del siglo XIX*, Madrid, 1973.
42. Suárez Verdaguer, Federico, *Introducción a Donoso Cortés*, Madrid, 1964.
43. Termes Ardévol, Josep, *Anarquismo y sindicalismo en España. La Primera Internacional (1864-1881)*, Barcelona, 1972.
44. Terron, Eloy, *Sociedad e ideología en los orígenes de la España contemporánea*, Barcelona, 1969.

44 bis. THOMPSON, EDWARD, *La formación histórica de la clase obrera. Inglaterra: 1780-1832*, 3 vols., Barcelona, 1977.
45. TRÍAS, JUAN J. y ANTONIO ELORZA, *Federalismo y reforma social en España (1840-1870)*, Madrid, 1975.
46. TRÍAS VEJARANO, JUAN J., *Almirall y los orígenes del catalanismo*, Madrid, 1975.
47. TUÑÓN DE LARA, MANUEL, *Estudios sobre el siglo XIX español*, Madrid, 1971.
48. TUÑÓN DE LARA, MANUEL, *Estudios de historia contemporánea*, Barcelona, 1977.
49. TURIN, IVONNE, *La educación y la escuela en España de 1874 a 1902*, Madrid, 1967.
50. VALERA, JUAN, *Historia general de España*, Barcelona, 1882.
51. VILLARROYA, JOAQUÍN TOMÁS, *El sistema político del Estatuto Real (1834-1836)*, Madrid, 1968.

TERCERA PARTE

LA ÉPOCA DE LA RESTAURACIÓN PANORAMA POLÍTICO-SOCIAL, 1875-1902

por

José María Jover Zamora

Introducción

Una previa consideración global del período 1875-1902 nos permite distinguir tres etapas o fases en la evolución histórica del mismo, cada una de las cuales presenta una fisonomía hasta cierto punto peculiar. El historiador de la literatura o de las artes plásticas, el historiador de las ideologías o del movimiento obrero, el historiador del Estado, de la política o de la política exterior sabe que los años setenta, los años ochenta y los años noventa del siglo ofrecen caracteres específicos inconfundibles en todos y cada uno de los sectores indicados; sin duda alguna el historiador de los hechos económicos y sociales advertirá un ritmo semejante en el proceso de la época de la Restauración. Ello nos sugiere la conveniencia de agrupar en torno a estas tres grandes etapas —de extensión desigual, por otra parte, ya que de los años setenta sólo vamos a referirnos al segundo lustro, en tanto que vamos a prolongar los años noventa hasta 1902— los elementos del proceso que pretendemos reconstruir; de esta forma, la conexión entre los distintos sectores podrá quedar más patente. Inútil advertir que estamos ante una subperiodización no más arbitraria, por otra parte, que cualquier otra; y, sobre todo, que sería absurdo, a más de arbitrario, pretender poner puertas al campo —abigarrado, plural y de inciertas fronteras— de cada década, marcando cronologías precisas. Retengamos, sin embargo, el hecho de que cada década tiene sus problemas, su ambiente, sus propios caracteres significativos.

En efecto, los años setenta son, en lo político, los del establecimiento de un régimen nuevo; el régimen de la Restauración. Establecimiento harto más laborioso, prolongado e informe de lo que podrían sugerirnos algunas fechas concretas, sean estas la de la proclamación de Alfonso XII por el general Martínez Campos, la de la Constitución del 76, o la del afianzamiento interno del régimen tras la liquidación de la guerra carlista; llevar hasta 1880 el desarrollo de este proceso constituyente no resulta, sin duda, exagerado. En lo ideológico, el segundo lustro de los setenta presencia la recepción de una filosofía positivista que todavía no va a producir, empero, los frutos propiamente nacionales que veremos aparecer más adelante; persiste en tanto un idealismo, tanto en la filosofía como en la literatura, que manifiesta cierta inercia con respecto al krausismo vigente en los años sesenta y durante el Sexenio, y que entra en pugna con el pragmatismo, cínico a veces, de una filosofía oficial sin excesivas convicciones. Años en que tiende a desvanecerse, bajo el peso de la derrota y de la represión, el obrerismo afecto a la Primera Internacional, de sesgo utópico y anarquista, en tanto que todavía no se ha conformado —porque es fenómeno propio de la década siguiente— el naciente socialismo marxista español. Años, en fin, en que la actitud política de España con respecto al resto de Europa viene presidida por la idea canovista de «recogimiento»; en presencia de una Europa nueva —la nueva Europa de la victoria prusiana y del comienzo de la gran depresión, de los sistemas bismarckianos y del gran empuje en la industrialización del continente, de la «decadencia de las naciones latinas» y de la *Realpolitik*—, la política exterior de España viene dictada por un hombre que ha sacado del pasado lecciones de prudencia y sentimientos de frustración y de derrota —el historiador Cánovas del Castillo—, sin lograr sacar del pueblo español real, que tiene ante sus ojos, atisbos de confianza y de fe en el futuro.

Los años ochenta muestran una España más sólida y madura. Muchas cosas que la década anterior había mostrado en agraz o en grado incipiente de desarrollo, se manifiestan ahora en toda su relativa plenitud. El estudioso de esa manifestación señera de la cultura española en tiempo de la Restauración que es la novela, sabe bien la diferencia de maduración que media entre lo escrito en una y otra década: del costumbrismo más o menos descriptivo, de la construcción «ideocrática» expuesta en blanco y negro, al hondo análisis de los problemas presentes en la conciencia moral de las clases medias; los años ochenta nos deparan la sorpresa de esa extraordinaria densidad en obras relevantes que ofrecen los años centrales de la década. El régimen se consolida; el bipartidismo funciona tras la prueba de fuego de la muerte de Alfonso XII. Si los primeros años de la Restauración llevan una impronta netamente canovista —doctrinaria—, los años ochenta (manteniendo aquella, que es la del forjador del sistema) traen vientos liberales; son una especie de continuación del Sexenio, si bien a otro nivel —sobre unas bases más «realistas», como corresponde a los signos de los tiempos, y en más estrecha dependencia de los fundamentos reales del poder—. Frutos tardíos del Sexenio son, en efecto, la consagración formal de los grandes principios liberales y democráticos alumbrados por aquel: desde el juicio por jurados hasta el sufragio universal. Pero con el sórdido envés de algo perdido irremisiblemente por el liberalismo español al pasar del Sexenio a la Restauración: su talante ético, su sinceridad. La afirmación del Estado, de los prestigios y los ideales del bloque de poder que lo sustenta, se proyecta claramente sobre las artes plásticas.

Prosigue —tributo al Progreso— la arquitectura de hierro; pero los neísmos[1] dejan paso a un eclecticismo arquitectónico que pretende ser trasunto de la primera virtud social que se atribuye el régimen ya consolidado: la tolerancia. La escultura más o menos oficial, la pintura de historia, expresan el ansia de respetabilidad de un régimen que confiere títulos de nobleza en tanto falsea el sufragio. El desarrollo económico aumenta la población obrera; la libertad de asociación facilita los cauces para una nueva etapa del movimiento obrero; surge —como partido político, como central sindical— el socialismo español de inspiración marxista. En fin, en los años ochenta España intenta una mayor aproximación a Europa; intenta acercar Europa a ella misma. Véase la política exterior de los liberales —con la adhesión de España a la Triple Alianza; con el intento, frustrado, de salir del «recogimiento»—; véase la penetración de vientos tan lejanos como los que trae de Rusia, vía París, la condesa de Pardo Bazán al hablar en el Ateneo madrileño de «la revolución y la novela» en aquel país. Trenes que circulan cada vez más y cada vez más llenos; ciudades que se plantean el problema de su ensanche tras el derribo de sus murallas; burguesías y clases medias que leen cada vez más periódicos, que aguzan su sentido crítico, que se interesan —en grupos cada vez menos minoritarios— por los problemas de la sociedad y de la política...

En fin, la década final de la centuria, los tensos y patéticos años noventa, se presentan ante nuestra consideración con caracteres no menos peculiares e inconfundibles. Gente nueva: los epígonos del Sexenio van siendo sustituidos por nuevos políticos dotados de un aire más europeo. El positivismo se ha incrustado en los saberes y en las mentalidades —no sin resistencia de ideologías y mentalidades tradicionales—, y hay frutos que manifiestan su influjo fecundante tanto en el campo de las ciencias naturales y de las ciencias sociales como en el de la literatura (naturalismo); el Estado de la Restauración muestra sus flancos progresivamente vulnerables a la nueva crítica. Pisando los talones al positivismo, manifestaciones de un cierto desvío con respecto a la fe en la ciencia y en la razón; manifestaciones que unas veces siguen el camino del evolucionismo para caer en fórmulas muy afines al irracionalismo germánico (¿no estamos en pleno paroxismo imperialista?), y otras el de un espiritualismo que suele aparecer, como elemento de contraste, diferenciando las obras de madurez de las forjadas, en años de juventud —los dorados ochenta—, por no pocos literatos. Las clases altas y medias del país expresan —en la política como en el arte— su preocupación, su temor o su simpatía por los desheredados; el «problema social» accede a un primer plano. El campesinado meridional, los obreros del norte, de Cataluña o de Madrid testimonian con su actitud, con su quehacer, con sus utopías, que el «orden social» puede dejar de ser la realidad inmutable y sacralizada que pretendiera conformar el Estado de la Restauración. También la concepción «moderada», doctrinaria, unitaria de España es sometida a revisión por una fuerza nueva que surge pujante en el campo de la cultura, de la economía, de la política: el «regionalismo»; y ello especialmente en Cataluña. Pero es la guerra —con sus implicaciones, con sus consecuencias— lo que confiere sus rasgos más característicos a la década final del XIX. Guerra colonial; otra guerra de Cuba. Y guerra internacional, en una fecha —1898— que es, también, una fecha para la historia mundial. En cierta medida, el 98 proyecta su luz, o sus sombras, sobre toda la década. Hasta el punto de que la historia que venga después —después del 98; después de 1902, apenas cuatro años después del «desastre»— será ya otra historia, y ello no sólo porque haya cambiado la persona del monarca.

* * *

La existencia de estos tres peldaños, de estos tres estadios en la época de la Restauración, es algo tan evidente como difícil de precisar en una cronología estricta, cosa a la que, desde luego, renunciamos. Pero nos servirá para agrupar, en torno a estos tres núcleos cronológicos principales, sendos conjuntos de aspectos sociopolíticos, culturales e ideológicos, facilitando de esta forma la exposición de su contemporaneidad, de su interdependencia, de su contribución respectiva a una historia que es, en el 76 como en el 85 o el 98, global.[2]

Por otra parte, la existencia de estos tres peldaños nos permite dar razón del sentido de un proceso que, contemplado en su conjunto, resulta muy coherente. Quizá la primera manifestación de esta coherencia sea la evidencia de la continuidad existente entre la última etapa de la España isabelina, el Sexenio democrático y la época de la Restauración. En efecto, si, por una parte, la continuidad entre el espíritu y las realizaciones del Sexenio con respecto a los años sesenta se manifiesta, en nuestra historiografía, de manera cada vez más evidente por encima de las aparatosas fechas liminares —tan del gusto de la historia *événementielle*—, no es menos cierto que la imagen del Sexenio parece anticipar dos de los componentes históricos fundamentales de la época de la Restauración: un nuevo empeño constituyente (análogo, aunque más afortunado, al del 69 y al del 73); una continuidad, sentida como irreversible, del camino hacia la liberalización formal, tan visible en los años ochenta. Pero la historia no se repite ni se estanca, y en los años noventa sí que se manifestarán, clamorosamente, nuevas fuerzas sociales y políticas, protagonistas del futuro inmediato, antagonistas de cuanto no había cambiado desde las consolidaciones de la era isabelina: el movimiento obrero, la nueva crítica de las clases medias y los movimientos regionalistas, en primera línea. Intentaremos en estas páginas dar razón, con algún detenimiento, de cada una de las tres grandes etapas que hemos comenzado por distinguir en la época de la Restauración.

NOTAS DE LA INTRODUCCIÓN

1. Empleo el término *neísmo* para agrupar fenómenos tales como el «neogótico», «neorrenacimiento», «neomudéjar», «neoplateresco», «neobarroco», etc., tan propios de la arquitectura española (y europea) del último cuarto del siglo XIX. No se me ocurre vocablo mejor para sustituir a la palabra inglesa *revival*, poco expresiva para lectores españoles, aun conocedores del inglés.

2. Concebido inicialmente este capítulo como síntesis de los aspectos sociopolíticos, culturales e ideológicos de la España del último cuarto del siglo XIX, razones ineludibles de espacio me han obligado a prescindir prácticamente de estos últimos —salvo en las referencias generales que sirven de introducción a cada una de las tres partes de aquel— centrando la línea de mi exposición, casi exclusivamente, sobre la evolución sociopolítica de la España de la Restauración.

Capítulo Primero

Los fundamentos sociales, ideológicos y constitucionales de la época

Entre 1875 y 1880 asistimos, pues, a un proceso constituyente destinado a sentar los pilares de un régimen cuyas estructuras formales durarán, con la interrupción de la dictadura del general Primo de Rivera, hasta 1931. Este proceso constituyente se opera en un contexto social como resultante de protagonismos activos, de pasividades y de resistencias; en un contexto ideológico —estrechamente conectado con el anterior— de referencia inexcusable para saber cuáles fueron los asideros intelectuales y mentales del régimen que se intentaba establecer. Este proceso constituyente cristalizará en una Constitución —la de 1876— destinada a ser la de más prolongada vigencia de nuestra historia constitucional ochocentista; constitución escrita cuyas previsiones serán coordinadas, por la clase política del régimen, con una constitución socio-política real que, desde Costa, viene siendo definida de manera tan simplista como gráfica a partir del binomio «oligarquía y caciquismo». En fin, la etapa constituyente de referencia tiene un protagonista político —Cánovas del Castillo y su partido conservador—, el cual habrá de atender, desde el poder, a una obra de «pacificación» que ponga fin al estado de guerra existente en el norte de la Península y en Cuba; a una obra legislativa que perfile el alcance de los preceptos constitucionales mediante las correspondientes disposiciones complementarias; a la forja de una nueva política exterior que, en cuanto se refiere a Europa, no podía ser, en forma alguna, ni mera «restauración» de la propia de la era isabelina, ni tampoco continuación de la del Sexenio, habida cuenta de los cambios sobrevenidos en el sistema europeo de Estados a partir de los años 1870-1871.

Intentemos caracterizar someramente algunos de estos grandes aspectos de la realidad española durante los últimos años setenta.

1. EL HECHO HISTÓRICO DE LA RESTAURACIÓN

1.1. ENTRE 1873 Y 1875: LA SOCIEDAD ESPAÑOLA ANTE UNA TRANSICIÓN POLÍTICA

Para entender, en sus motivaciones inmediatas, el advenimiento del régimen de la Restauración, es preciso partir de algunos hechos. Por una parte, de la realidad de que ni la revolución de 1868, ni la monarquía democrática de Amadeo, ni la República federal de 1873, llegaron a alterar —menos aún a derribar— los sólidos fundamentos socioeconómicos de la vieja España isabelina. Por otra parte, del fracaso rotundo de la primera República española. Que este fracaso, el fracaso de la República del 73, se debiera no tanto a razones esenciales y metafísicas como al empuje irresistible de tres guerras mantenidas simultáneamente, mientras por Europa soplan ya vientos de autoridad, de fuerza y de realismo, es algo que deja a salvo el valor ético y la significación política de aquella experiencia republicana, pero que no altera los términos de su balance ante la opinión pública de dentro y de fuera: la República ha fracasado debilitada por la ineptitud política de sus cuadros rectores; abatida por el peso de una guerra colonial, de una implacable guerra civil en el norte, de una anarquía cantonalista en levante y en el sur; vencida por la inercia de unas estructuras de poder que en el campo, en la administración, en el Ejército, en la Iglesia, en la conformación de la opinión pública, han tendido siempre a ver en los distintos regímenes del Sexenio —la revolución, la monarquía democrática, la república federal, la república conservadora del 74— no más que las etapas de una «interinidad». En cuanto a esta última —la República del 74, tras el golpe de Estado del general Pavía— se ha solido ver en ella una especie de puente hacia la Restauración, de régimen de transición entre el republicanismo auténtico del 73 y la monarquía alfonsina proclamada por Martínez Campos a finales del 74. El estereotipo es pedagógicamente válido, pero peca de simplista. Conviene no perder de vista que nuestra República del 74 —con el general Francisco Serrano, duque de la Torre, como principal figura política— tuvo como modelo referencial al contemporáneo e indeciso régimen del general Mac-Mahon en Francia, y que tal modelo hubo de desembocar en la Tercera República francesa. En efecto, la República del 74 pretendió tener en sí misma sus propios elementos de justificación y de consistencia. Las ambiciones y los designios personales del general Serrano —opuesto a la Restauración—, la fidelidad a la Constitución del 69 (si bien temporalmente sometida a un eclipse dictatorial) y, sobre todo, las posibilidades de un régimen políticamente ambiguo en orden a no desatar la discordia interna en el seno del Ejército (en el que había alfonsinos y republicanos), precisamente en un momento en que este Ejército estaba empeñado en una dura guerra civil contra los carlistas, son elementos que contribuyen a explicar históricamente la República del 74, intento de República conservadora y pretoriana que, por otra parte y según ha quedado advertido, contaba con un modelo referencial inmediato en el más próximo contexto europeo: la ambigua República francesa de los primeros años setenta.

Pero todo ello opera sobre una sociedad, en una sociedad, globalmente preparada e inducida por sus grupos dirigentes a la Restauración. Quedó dicho que el Sexenio no había alterado sustancialmente los fundamentos tradicionales del poder; hay que añadir que los grupos sociales que lo detentaban han de sentirse ganados por la inquietud y por el temor, por el deseo de seguridad a toda costa; de volver a lo anterior, a lo de siempre. A ello les empuja la irradiación del mito de la Comuna, traspuesto psicológicamente a los acontecimientos de 1873; la persistencia de una ideología tradicional, de abolengo estamental y nobiliario, de fuerte implantación no sólo en el bloque de poder, sino también entre las clases medias tradicionales; el deseo de un gobierno estable que garantice situaciones sociales y expectativas económicas; la identificación de «revolución» y «democracia» con «anarquía». En el marco de estos sentimientos generalizados, a cada elite social le corresponderá un papel. La nobleza de la sangre —elemento homogeneizador para el conjunto del bloque de poder de la etapa isabelina— mantendrá, a lo largo del Sexenio, una oposición visceral a la revolución de las clases medias y del pueblo; José Varela Ortega ha documentado recientemente el papel desempeñado por los salones madrileños en la gestación y ambientación de un hecho restauracionista presentado como «the Ladies Revolution» [248, 22ss.]. Para el Ejército —no obstante su solera liberal y su asentimiento, activo o pasivo, a la Revolución del 68—, esta última ha ido, especialmente con los acontecimientos del 73, más allá de lo admisible por el horizonte ideológico y la mentalidad aristocratizante de sus cuadros; y ello en tanto la crítica situación bélica en la Península y en Ultramar va haciéndoles más y más necesarios al mismo gobierno madrileño. En este sentido sí que cabe referirse al golpe de Estado del general Pavía en los umbrales de 1874, como a un primer indicio contundente de que el Ejército se dispone a asumir, en nombre propio, una actitud socialmente conservadora. En la Iglesia y en los eclesiásticos actúan conjuntamente la inercia de su compromiso con el régimen isabelino a partir del Concordato de 1851, cierta tendencia a la sacralización del orden social establecido —a la sombra de la monarquía—, y el arsenal ideológico contrarrevolucionario —antiliberal, antidemocrático, antisocialista— que irradia de los documentos pontificios de la época de Pío IX. Como los hombres del 68, del 69 y del 73, ideólogos e idealistas, habían planteado la lucha en el terreno de las ideas, a él acudió la Iglesia española, en orden de batalla, en defensa no sólo de un dogma conculcado, sino de un orden social y político que a veces se confundía.

con el dogma. Para la Iglesia la Restauración era, pues, un fenómeno deseable en parte; la parte restante iba apostada, no a la carta revolucionaria, sino a la carta carlista. Ahora bien, estamos hablando de los eclesiásticos en la medida en que ocupan, de hecho, situaciones de poder, y en la medida en que responden, con sus actitudes públicas, a una determinada mentalidad de grupo; el abanico de opciones ideológicas y políticas de los católicos españoles —más o menos practicantes, más o menos ortodoxos— es harto más amplio.

Es cierto que la gran propiedad territorial había recibido en su momento, de parte de la democracia española, las más satisfactorias garantías formales [237, 109]. Tras los acontecimientos del 73 y del 74, lo que se hace problema para los propietarios españoles es la existencia y continuidad de un gobierno fuerte capaz de cumplir y hacer cumplir tan sagrados compromisos: los gobiernos son débiles, los regímenes cambian de la noche a la mañana, se ha quebrantado la disciplina de los de abajo; el temor se alimenta con mitos inconcretos: la Comuna, la Internacional, socialismo, reparto... La propiedad, base del orden social, requiere un poder fuerte y estable que la respalde. ¿Dónde encontrarlo? En cuanto al mundo de los negocios —la burguesía en sentido estricto, y en especial la catalana— está, también, ávida de seguridad, de estabilidad. Las burguesías peninsulares estaban acostumbradas al pacto con residuos estamentales —doctrinarismo, moderantismo— desde los orígenes mismos del régimen liberal y parlamentario en España; a lo que no se acostumbran es a la inestabilidad del poder, a la inseguridad del mañana, a la indisciplina de unas clases populares que se han adueñado de la calle. En fin, el mundo de los grandes intereses que el Sexenio dejó intactos cuenta con un sector particularmente temeroso, particularmente crispado, particularmente desconfiado con respecto a las decisiones que puedan llegar de Madrid: el capital que ha cimentado su poder sobre intereses coloniales, y en especial los plantadores de Cuba. Autonomía y abolición eran palabras llamadas a sonar mal entre los peninsulares establecidos en las Antillas; la guerra de Yara (1868-1878) contribuye no poco a mantener tenso el ambiente; las tesis anticolonialistas de los federales —abolición de la esclavitud, autonomía para las colonias que pasarían a estar ligadas con la metrópoli por un lazo federal— potencian el temor de aquellos sectores, que aportan al pensamiento conservador algunas nociones claramente interesadas: la autonomía, máscara del separatismo, atenta contra la unidad de la Patria; la abolición acarrearía la ruina de Cuba, al mismo tiempo que atentaría contra un principio intangible: el carácter sagrado de la propiedad. Los ideales del septembrismo y, más específicamente, los del 73, eran una verdadera espada de Damocles sobre los intereses y el status social de los plantadores; sólo una «restauración», en el sentido integral del vocablo, podría retrotraer las cosas a la prosperidad y a la seguridad de los primeros años sesenta.

Las clases medias del país —por lo general, muy poco movilizadas políticamente— habían prestado una amplia adhesión a la Revolución del 68, por un conjunto de motivaciones entre las que cupo una no pequeña parte a las de índole moral. Esta adhesión se había extendido al republicanismo, en especial entre los estratos inferiores de las clases medias, en los medios urbanos con preferencia a los medios rurales, en las zonas periféricas con preferencia a las áreas del interior. Ahora bien, esta adhesión, incluso así recortada y matizada, no va a ser lo suficientemente fuerte como para superar los acontecimientos del 73 y del 74. La apetencia de paz, de orden y de estabilidad va prevaleciendo sobre las ideas y las utopías; en el lenguaje coloquial de las clases medias tradicionales la palabra «república» pasa a ser sinónimo de desorden, y el presentimiento de una ineluctable «vuelta a la normalidad» va adquiriendo cada vez más fuerza atractiva. Por lo demás, las clases medias ni estaban habituadas ni soñaban con oponerse al Ejército, y el Ejército va a marcar la salida de la «interinidad» a través de dos pronunciamientos: el de Pavía (3 de enero) y el de Martínez Campos (29 de diciembre de 1874).

En cuanto a las clases populares y trabajadoras, la medida de su compromiso dio la medida de su derrota. Aplastado el levantamiento cantonal, declaradas fuera de la ley las organizaciones obreras dependientes de la Internacional (11 de enero de 1874), queda controlada toda posible oposición republicana, de base popular, a la restauración borbónica. Por otra parte, es preciso recordar que la democracia española surgida de la Revolución de Septiembre no pudo o no acertó a crear una identificación real de intereses entre las clases trabajadoras y el régimen democrático o republicano. Como es sabido, las estructuras agrarias no fueron alteradas, y la revolución renunció una vez más a concitarse el apoyo de las masas campesinas, hambrientas de tierra; el clamor popular en pro de la abolición de las quintas encontró, de hecho, la respuesta de la guerra de Cuba y de la guerra civil; en cuanto a la democracia formal y a la libertad de asociación eran logros efectivos, pero de alcance más bien instrumental; en el 69 como en el 73 —como antes del 68— la revuelta popular en pro de una mayor radicalización revolucionaria había encontrado la respuesta de la fuerza pública. La represión que siguiera a la derrota de los focos cantonales significó en España —como en Francia la represión de la Comuna— un considerable retroceso en el papel de las clases populares y trabajadoras como fuerza política activa.[1]

1.2. LOS ARTÍFICES DE LA RESTAURACIÓN

En estas condiciones, la empresa restauradora se presenta factible; la situación internacional incita, por otra parte, a las consolidaciones más bien que a los experimentos; al realismo y al pragmatismo más bien que al idealismo. Sobre las condiciones apuntadas va a operar la acción de los tres principales motores inmediatos del cambio. En primer lugar está lo que podemos llamar «partido alfonsino», acaudillado por Antonio Cánovas del Castillo (n. Málaga, 1828), antiguo unionista, ex ministro de Gobernación, Ultramar y Hacienda en los años finales del reinado de Isabel II, prestigioso historiador de la España de los Austrias. Conservador inteligente, Cánovas tuvo la suficiente imaginación para advertir que, tras el empuje liberal de los años sesenta y tras la experiencia democrática que sigue a la Revolución del 68, la viabilidad y la permanencia de una «restauración» estaba condicionada a un cambio de faz en la vida política española. Se trata de restaurar un conjunto de cosas que Cánovas estima esenciales y en las cuales sinceramente cree: la monarquía como institución consustancial con la historia de España, vinculada en la dinastía de los Borbones; el régimen representativo, pero no en su versión democrática, sino en su versión doctrinaria, capaz de integrar en los órganos del poder las supervivencias estamentales existentes en el país; la defensa de la propiedad y del orden social tradicional; un liberalismo que se coloca a mitad de camino entre la actitud represiva de los moderados históricos y la devoción integral que los hombres del Sexenio profesaron a las libertades formales. Ahora bien, para sacar adelante todo ello de cara a los tiempos nuevos, muchas cosas han de ser renovadas. Cánovas se negará a una restauración en la persona de Isabel II, como se negará resueltamente a utilizar como cauce político del restauracionismo al partido moderado. Algo debe cambiar para que todo pueda seguir igual: Alfonso XII debe sustituir a Isabel II, tras la abdicación formal de esta última; un nuevo partido liberal conservador deberá encuadrar, para lo sucesivo, las fuerzas sociales antaño representadas por el partido moderado y por la Unión Liberal; las huestes procedentes del progresismo, de la democracia y aun del republicanismo que aceptaran los principios fundamentales arriba mencionados podrían constituir una alternativa de poder que diera lugar a un bipartidismo estable; en fin, es preciso acabar con el «pronunciamiento» como único instrumento de cambio político. Debe acabar la era de los Narváez y de los Espartero, de los O'Donnell, de los Prim y de los Serrano: la nueva monarquía debería basarse, resueltamente, en el poder civil; la admisión del bipartidismo haría innecesario el recurso a la fuerza por parte de una oposición impaciente.

El segundo motor del cambio —seguimos un orden puramente enumerativo— está constituido por el mundo de los negocios y de los grandes intereses económicos. Es conocido el decisivo apoyo financiero prestado a la causa de la Restauración por la alta burguesía barcelonesa; Enric Sebastià ha documentado, por su parte, el papel que cupo en la empresa a la burguesía valenciana. Pero ha sido el libro de Manuel Espadas sobre *Alfonso XII y los orígenes de la Restauración* el que ha venido a manifestar, de manera tan evidente y documentada como dramática, el papel de los intereses coloniales antillanos y de sus representantes peninsulares en el proceso político conducente a la Restauración. La conexión entre el conservadurismo cubano y el conservadurismo peninsular; las implicaciones del movimiento antirreformista, durante el Sexenio, entre las que cuentan la explícita y calurosa adhesión de la Grandeza de España; la conexión existente entre los intereses colonialistas cubanos y la larga conspiración llamada a culminar en Sagunto quedan perfectamente explicitadas: «hay (...) una línea de conspiración militar que, nacida en Cuba, se desenvuelve en Madrid, contando con el apoyo del alfonsismo catalán representado por el conde de Foxá y muy introducido en la capitanía general de Cataluña; de ella es centro el conde de Balmaseda y es última consecuencia el pronunciamiento de Martínez Campos en Sagunto» [56, 338].

En fin, queda el tercer factor que actuará decisivamente: el Ejército. La gestación del pronunciamiento es, como queda advertido, compleja y cambiante. Su caldo de cultivo es, lógicamente, el ejército del norte; aplastada la insurrección cantonal, el general Serrano se ve obligado a un esfuerzo decisivo contra los carlistas que asedian Bilbao y que constituyen, con las armas en la mano, el más inmediato riesgo para la República del 74. Para este esfuerzo, Serrano ha de recurrir a los generales alfonsinos; los cuales asumen, frente al poder político que los utiliza, esa posición de independencia y privilegio que, cuarenta años atrás, en ocasión de la primera guerra carlista, sirviera de base para la fortuna política de los generales isabelinos. El supuesto «macmahonismo» de Serrano y sus designios de estabilizar la República del 74 han barrido a sus adversarios de la izquierda —federales, cantonales e internacionalistas—; pero al defenderse de sus adversarios de la derecha —carlistas— no hará sino precipitar la transición a una solución restauracionista. Por lo demás, ver en la actuación de los militares alfonsinos una consecuencia pura y simple de la inducción de los grupos de intereses aludidos más arriba, constituiría una gruesa simplificación que falsearía la comprensión del proceso global. Es evidente la conexión directa de algunos altos mandos militares con intereses antillanos. Pero, por lo general, no son estos últimos los que determinan la actitud de los militares, sino más bien la identificación —llevada a cabo a lo largo del Sexenio por los círculos colonialistas— entre sus propios intereses (mantenimiento de la esclavitud, oposición a toda reforma) y los elementos clave de la mentalidad militar: integridad nacional, prestigio de lo español, deseo de evitar «que esas Antillas, hoy ricas y florecientes, se conviertan en un segundo Haití, del que aparta la vista la humanidad horrorizada», como argumentará, en nombre de la nobleza española, el marqués de Molins [56, 288]. Consolidada tal identificación —que la historia acreditará como falsa—, el Ejército, no sin relevantes excepciones, tenderá a actuar al dictado de una ideología así derivada: oponerse a las reformas y a la abolición equivale a servir la causa de la integridad nacional. Pero estas motivaciones de inducción ultramarina se amalgaman, en la mentalidad de los cuadros alfonsinos del Ejército, con otras igualmente arraigadas pero más inmediatas. En efecto, la doctrina del alfonsismo, definida rotundamente por Cánovas del Castillo —manifiesto de Sandhurst, 1 de diciembre de 1874—, venía a presentar, convenientemente explícitos y adunados, aquellos elementos de la ideología política de los militares más decantados y consolidados a lo largo del siglo XIX: su monarquismo y su liberalismo. Un monarquismo no absolutista, como el de Carlos VII; no extranjero, como el de Amadeo; no éticamente sospechoso, como había sido el de Isabel II. Y un liberalismo compatible con la disciplina, con el mantenimiento del orden social, con los elementos de la ideología nobiliaria y estamental muy presentes también, como sabemos, en la mentalidad de los generales que hicieron su carrera durante la era isabelina [92, 281 ss.].

Militares y políticos sustentan ideologías análogas; experimentan la inducción —y el apoyo real— de los mismos intereses. Pero divergen en cuanto se refiere a los medios a utilizar para llegar al hecho de la Restauración. Los militares piensan en términos de «pronunciamiento»; ello es natural, teniendo en cuenta que tal había sido el principal instrumento de cambio político utilizado, no solo a lo largo de la era isabelina, sino también —septiembre del 68, enero del 74— en dos momentos clave del Sexenio. Pero en el proyecto político de Cánovas entra, también, la eliminación del pronunciamiento de la vida política española; y no estimaba de buen augurio que el nuevo régimen debiera su nacimiento precisamente a aquello que se proponía desarraigar. Cánovas piensa en una restauración sobrevenida por medios constitucionales, formalmente irreprochable desde la óptica del poder civil. Pero los militares se impacientan. Las esperanzas se centran, primero, en el prestigioso general Concha, marqués del Duero, liberador de Bilbao frente al cerco carlista; esperanzas quebradas por una muerte inesperada (27 de junio). Será el general Martínez Campos (n. en Segovia, 1831) el que proclame rey de España a Alfonso XII, en la mañana del 29 de diciembre de 1874, en las afueras de Sagunto, cerca de Valencia.

1.3. Cánovas del Castillo y las etapas de la transición

«Se asegura que Cánovas calificó de "botaratada" el acto de Sagunto»; en todo caso, «consta el gesto desaprobatorio de la primera impresión» [59, 276]. En un resonante debate del Senado, celebrado cinco años después, Cánovas confirmará explícitamente el valor puramente factual que para él tuvo el pronunciamiento de Martínez Campos, preguntándose si «es serio, cuando se trata de un hecho tan grande como la restauración de una monarquía, pretender que todo se ha hecho al levantar dos batallones sin disparar un solo tiro», soslayando otros factores decisivos que el mismo Cánovas enumera [59, 277]. En fin, lo cierto y lo definitivo es que, inmediatamente después de secundado el pronunciamiento por los ejércitos del centro y del norte y por las principales guarniciones de Madrid y de provincias, el poder que abandona el general Serrano como presidente del Poder Ejecutivo es transmitido, por el general Primo de Rivera, precisamente al representante oficial del rey: a Antonio Cánovas del Castillo.

En efecto, a Cánovas corresponden las primeras decisiones y la configuración de la primera imagen del nuevo régimen. En 31 de diciembre de 1874, queda constituido el llamado ministerio-regencia, bajo la presidencia del mismo Cánovas; en él figuran antiguos moderados y unionistas, y, junto a ellos, dos antiguos hombres del Sexenio: Adelardo López de Ayala —muy significado, como es sabido, en la misma Revolución de Septiembre; ministro de Ultramar en el gobierno provisional que siguiera a aquella—, y Francisco Romero Robledo, que había sido ministro de Fomento con Amadeo I y que ahora lo será de Gobernación. Dato significativo: Martínez Campos será pronto ascendido a teniente general y nombrado capitán general de Cataluña; pero no formará parte del primer ministerio de la Restauración. Este último quedará establecido formalmente cuando Alfonso XII, recién desembarcado en Barcelona (9 de enero de 1875), confirme, por Real Decreto, el gabinete constituido diez días antes por Cánovas del Castillo.

Los dieciocho meses que median entre el pronunciamiento de Sagunto y la entrada en vigor de la Constitución de 1876 constituyen una etapa decisiva en la conformación del nuevo régimen; un nuevo régimen cuya solidez y capacidad de permanencia era una incógnita, precisamente por cuanto venía a suceder a una serie de situaciones precipitadamente abortadas y cada una de las cuales —monarquía democrática del 69, república federal del 73, república pretoriana del 74— había intentado infructuosamente constituir al país. ¿Se inscribiría, también, la nueva tentativa en la serie de situaciones constitucionalmente transitorias en que venía debatiéndose España desde 1868? El esfuerzo de consolidación llevado a cabo por Cánovas en estos meses decisivos apunta en cuatro direcciones. En primer lugar, se trata, por supuesto, de restaurar toda una ordenación sociopolítica bien asentada estructuralmente: adjudicación de mandos a los generales alfonsinos, y autorización a los jefes y oficiales apartados del servicio durante el Sexenio para solicitar el reingreso; concesión del Toisón de Oro a destacadas personalidades y restablecimiento de la legislación pre-republicana en lo relativo a Grandezas y títulos del Reino; modificación del matrimonio civil y reconocimiento de todos sus efectos al exclusivamente canónico; aproximación a la jerarquía eclesiástica, a la que se ofrece protección y a la que se piden oraciones por la salud del rey; inserción, en la pirámide administrativa, de los cuadros de la organización alfonsina, especialmente en los gobiernos civiles, etc. Los gobernadores civiles recibirán instrucciones muy estrictas relacionadas con el mantenimiento del orden público, y no faltarán drásticas medidas iniciales contra la prensa disconforme. Pero en segundo lugar, y complementariamente, se trata de amortiguar en lo posible —ya quedó indicado— el efecto pendular del tránsito de la Revolución a la Restauración. Por una vez, la reacción no pretende derribar todo lo edificado en tiempo de revolución; la concesión de una amplia amnistía viene a subrayar esta actitud. En tercer lugar, y precisamente por cuanto se trata de cimentar sólidamente el poder civil acabando con los pronunciamientos y con las intervenciones de los militares en la vida política, Cánovas se esforzará en hacer del rey, no solo pieza clave en el mecanismo de una monarquía constitucional y parlamentaria, sino también y al mismo tiempo jefe supremo del Ejército. La nueva imagen —insólita en la España del siglo XIX, fuera del carlismo— del «rey soldado» queda acuñada desde los primeros días de la Restauración, como lógica consecuencia de la inmediata marcha del monarca al frente del norte.

En fin, la clave de la consolidación del régimen se encontraba en la forja de un orden constitucional que, de acuerdo con el criterio ecléctico que queda esbozado, conjugara, en alguna medida, los intereses y los principios salvaguardados por la Constitución del 45, con las ideas y las libertades que animaron la Constitución del 69. Para preparar las bases de la nueva Constitución se promueve una Asamblea de ex senadores y ex diputados monárquicos —de variada observancia política—, que se reunirá en el Senado en 20 de mayo de 1875; de esta Asamblea se destaca una «Comisión de Notabilidades» integrada por 39 individuos, encargada de «formular las bases de la legalidad común». Una subcomisión de la misma, presidida por Alonso Martínez, preparará el anteproyecto constitucional. Un Real Decreto de 31 de diciembre de 1875 viene a convocar elecciones generales; deseoso de salvar las formas de la transición, si bien poniendo de relieve la excepcionalidad que atribuía al procedimiento, el mencionado Real Decreto hace constar que «las elecciones de senadores y diputados se verificarán, *por esta vez*, en la propia forma y con arreglo a las mismas disposiciones bajo las cuales se verificaron las de las Cortes convocadas en 28 de junio de 1872»; es decir, por sufragio universal. Ahora bien, la primera experiencia electoral de la Restauración va a dejar, ya, plena constancia de lo que sería un comportamiento político habitual durante toda la vigencia de la Constitución que se trataba de alumbrar: una curiosa mezcla de respeto externo a las formas del sistema parlamentario, y de cínica adulteración de sus esencias reales. «Impuesta la disciplina en la prensa y en los partidos —ha escrito Martínez Cuadrado— las elecciones serían un trámite. El acuerdo con el partido constitucional era un hecho desde noviembre. Los moderados y hasta el republicano Castelar tendrían escaños en el Congreso; *pero desde antes de los comicios,* merced, bien a los deseos del Ministerio, bien a los acuerdos con él negociados» (el subrayado es mío) [131, I, 221-222]. La cifra de abstenciones fue muy elevada, alcanzando un 88 % en Barcelona; entre un 70 y un 80 % en Zaragoza, Valencia y Valladolid; un 67 % en Madrid. Para el conjunto de España, la abstención superó ampliamente, al parecer, la cifra de un 45 % dada por medios oficiales. En fin, las nuevas Cortes contaron con una mayoría abrumadora —333 diputados sobre 391— de diputados liberal-conservadores y ministeriales. ¿De qué coartada moral disponía la nueva clase dirigente ante semejante comienzo político? Es obvio que un amplio sector de aquella no se hacía problema moral de este último ya que no creía en el procedimiento democrático que, *pro forma,* estaban aplicando; para explicar la actitud de los que llegaran a plantearse el problema, quizá fuera válida la interpolación de unas líneas escritas, setenta años después, por el historiador conservador Fernández Almagro. Según este último, «el triunfo de los candidatos ministeriales y de la mayoría constitucional, después de todo, no falseaba ni contradecía la opinión general del país. Romero Robledo llenó el vacío real de las votaciones con una interpretación abusiva y trapacera, pero no en pugna con la verdad de un extensísimo acomodo a las nuevas circunstancias»: he aquí el engarce entre una ideología y una praxis política. Pueden utilizarse palabras del mismo historiador recién citado para expresar hasta qué punto, en la sólida construcción política abordada por Cánovas durante estos meses, la corrupción electoral venía a significar un persistente elemento de debilidad, al dejar éticamente descubierto un flanco del sistema: «como quiera que sea, Romero Robledo sentó un pésimo precedente, del que se aprovecharon los ulteriores ministros de la Gobernación en mayor o menor grado, según sus respectivos modos de ser. Pero es evidente que de los amaños y fraudes electorales, perpetuados en punible costumbre, se llegó a hacer argumento contra la monarquía, cuya fuerza dialéctica no supo Cánovas calcular» [59, 330-331].

Entre marzo y mayo de 1876 se discute, en las Cortes, el proyecto de Constitución; la discusión del artículo 11 —relativo a la tolerancia de cultos— dará lugar, en especial, a enconados debates. Tras la aprobación de aquel por ambas Cámaras, sobrevendrá la sanción real y, en 2 de julio, la publicación en la *Gaceta de Madrid.* El país contaba ya con una nueva Constitución, llamada a ser la de más prolongada vigencia de nuestra historia constitucional. Pero antes de entrar en un análisis de la misma, en su estructura y en su funcionamiento, resulta conveniente esbozar el panorama ideológico que, por una parte, preside su gestación; por otra, constituye el contexto ambiental en que va a ser aplicada en estos años setenta, en que se lleva a cabo la implantación del nuevo régimen.

2. CONSTITUCIÓN DEL ESTADO Y CONSTITUCIÓN DEL PAÍS

2.1. LA CONSTITUCIÓN DE 1876

Para entender la significación de la Constitución de 1876 como expresión jurídica formal del Estado de la Restauración, es preciso tener en cuenta tanto su amplitud como sus límites. La relativa amplitud del consenso en que había de basarse ha sido muy elogiada por historiadores y juristas: en la medida en que pretendió llevar a cabo una síntesis de las Constituciones moderada del 45 y democrática del 69, en la medida en que pretendió conjugar la tradición doctrinaria según la cual la soberanía reside en «las Cortes con el Rey» con los principios liberales del Sexenio, en la medida en que fue dispuesta para servir de plataforma política común a dos grandes partidos que encontraran alternativamente expedito el camino del poder sin necesidad de recurrir a retraimientos ni a pronunciamientos, la Constitución de 1876 fue una constitución realmente ecléctica, capaz de expresar el consenso existente entre un muy amplio sector de la clase política del momento. Tal fue una de las claves —no la única— de su excepcional duración.

Pero, por otra parte, en el momento de analizarla, es preciso tener presente el campo de juego político que venía a acotar y, en consecuencia, lo que venía a dejar al margen del juego legalmente previsto. Al afirmar, frente a la «soberanía nacional» —principio clave en el constitucionalismo del Sexenio— la idea de *soberanía compartida por «las Cortes con el Rey»* como fundamento del nuevo orden jurídico, la Constitución del 76 viene a marcar una frontera tajante con respecto al Sexenio; frontera bien guarnecida por una serie de disposiciones represivas que sitúan fuera de la legalidad todo partido, toda asociación, toda reunión o toda expresión que ponga en tela de juicio tanto el dogma político mencionado como, consiguientemente, la institución monárquica o la persona de su titular. Es cierto que estas cortapisas chocan con los derechos individuales proclamados en el título I de la Constitución (que, en ese orden de cosas, recoge fielmente la herencia de la del 69); ahora bien, al remitir la regulación de tales derechos a leyes ordinarias, viene a dejar al arbitrio de cada situación política el alcance más o menos liberal, más o menos restringido, de su aplicación. Según quedó indicado, la legislación del 76 y, en general, la legislación canovista será, en este orden de cosas, restrictiva; en tanto que, más adelante, la misma ambigüedad del texto constitucional permitirá a los liberales el desarrollo de una legislación que vendrá a instalarse en el surco abierto por los legisladores del Sexenio. En cuanto al límite por la derecha, viene significado por el empeño —muy tenaz y acentuado en Cánovas— de marcar una solución de continuidad no menos tajante con respecto a los símbolos de la era isabelina, evitando toda apariencia de continuismo con respecto a lo derribado en septiembre del 68. La sustitución de Isabel II por su hijo Alfonso XII, la sustitución del poder militar por el poder civil, la sustitución del clericalismo cortesano por una ambigua fórmula constitucional que dejara a salvo, simultáneamente, la confesionalidad del Estado y la libertad de cultos; la sustitución, en fin, del moderantismo histórico por un nuevo partido conservador de características más acordes con los nuevos tiempos, expresan este empeño de Cánovas en montar el nuevo orden constitucional no sólo sobre una convergencia, sino también sobre una doble y tajante delimitación.

Pero, históricamente, la frontera más insalvable entre cuantas acotan el campo político salvaguardado por la Constitución del 76 no es la que encuentra, por designio de Cánovas, tanto a su izquierda como a su derecha. Sino la que encuentra bajo de sí mismo, por debajo de la clase política destinada a hacer jugar sus resortes, allí donde el mecanismo constitucional debe engarzar con un cuerpo electoral, base indispensable en el funcionamiento real de un régimen parlamentario. Todo análisis histórico de la Constitución del 76 debe partir del hecho de que la dinámica política prevista en su articulado —papel decisivo del cuerpo electoral, de las mayorías parlamentarias que comparten teóricamente con el rey la función de mantener o derribar gobiernos— no sólo no va a desarrollarse en la práctica de acuerdo con tales previsiones formales, sino que sus mismos artífices cuentan de antemano con ese desajuste entre la letra y la realidad de su aplicación. Más adelante habremos de referirnos a este dualismo entre constitución formal y funcionamiento real de la vida política; lo que es necesario tener en cuenta desde ya mismo es que tanto la estructura como las ambigüedades y los silencios de la Constitución de 1876 tienen una significación efectiva: el compromiso entre unas formas externas de comportamiento político —formas externas exigidas, a la sazón, por la respetabilidad de un Estado europeo—, y la realidad de una complejísima red de intereses y de unas estructuras sociales que se trata de conservar, pero que no pueden ser explicitados constitucionalmente.

Rey, Cortes y Gobierno son los tres órganos principales de la monarquía parlamentaria establecida por la Constitución del 76. En cuanto se refiere al rey, esta última recogió «los atributos esenciales de la monarquía tal como —con leves retoques— los habían venido consagrando las Constituciones anteriores: la inviolabilidad del rey; la potestad, compartida con las Cortes, de legislar; la de sancionar y promulgar las leyes; la de hacerlas ejecutar en todo el Reino; el mando supremo de las fuerzas armadas; la designación de los ministros responsables; el nombramiento de funcionarios públicos; la concesión de honores, dignidades y recompensas; las declaraciones de guerra; los tratados de paz; la acuñación de moneda y todos aquellos inherentes a la autoridad real», si bien, como corresponde en una monarquía parlamentaria, las facultades atribuidas formalmente al rey habían de ser ejercidas, de hecho, por sus ministros responsables [231, 124-126]. Ahora bien, en el espíritu —canovista— de la Constitución, el rey era más que todo esto, algo por encima de este conjunto de funciones. «Los redactores de la Constitución —muy influidos, en este punto, por Cánovas— consideraban que la Monarquía no era, entre nosotros, una mera forma de gobierno, sino la médula misma del Estado español. La regulación de la Monarquía no podía caer, propiamente, dentro de la decisión constitucional: era una instancia prefigurada por la historia nacional. Por esta razón Cánovas, oficiosamente, sugirió a la Comisión del Congreso de Diputados que, en su dictamen, propusiera la exclusión de los títulos y artículos referentes a la Monarquía del examen y discusión de las Cortes: la institución monárquica representaba una legitimidad situada por encima de las determinaciones legislativas, tanto de carácter ordinario como constitucional» [231, 122]. La larga cita que antecede de Tomás Villarroya tiene el valor suplementario de presentarnos una de las claves del pensamiento político de Cánovas.

En cuanto a las Cortes, el viejo patrón moderado se manifiesta, no sólo en su estructura bicameral, sino más específicamente en la composición de la cámara alta o Senado, integrado por tres clases de senadores: *por derecho propio* (unos, por razón de sangre, como los hijos del rey y del sucesor inmediato a la Corona que hubieran llegado a la mayoría de edad, o los Grandes de España que disfrutaran una determinada renta anual; otros, por razón de su jerarquía militar, eclesiástica o administrativa), *vitalicios* (nombrados por el rey de entre doce categorías, análogas a las expresadas por la Constitución de 1845; si bien ahora se añade, signo de los tiempos, a los presidentes o directores de Academias, a los académicos más antiguos, a los inspectores generales de ingenieros y a los catedráticos con determinadas condiciones de antigüedad), y *elegidos* mediante un sufragio restringido e indirecto por las Corporaciones del Estado y por los mayores contribuyentes. A diferencia de lo previsto en la Constitución de 1845, el número de senadores no es ilimitado, sino limitado a un máximo de 180 el de senadores por derecho propio y vitalicios conjuntamene, representando en todo caso el de senadores electivos un 50 % del total de la Cámara. La composición del Senado así como el procedimiento para la elección de aquellos (título tercero de la Constitución; ley de 8 de febrero de 1877) ilustra con suficiente claridad cuanto en esta alta cámara hay de proyección inmediata de los sectores integrantes del bloque de poder. En lo que se refiere a la cámara baja o Congreso de los Diputados, hay que destacar uno de los más significativos silencios de la Constitución, que remite a una ley electoral la amplitud del censo y el procedimiento de elección de aquellos. La Constitución dejaba abierto, pues, el camino para una restauración del sufragio restringido (ley de 28 de diciembre de 1878: cuerpo electoral de 850 000 electores), o a una aplicación del sufragio universal masculino, como harán los liberales posteriormente (ley de 26 de junio de 1890: cuerpo electoral de 4,5 a 5 millones de electores).

En fin, el gobierno, imprecisamente definido como tal en la Constitución —en la que no aparece mencionado en cuanto entidad corporativa, como no aparece tampoco la figura del jefe del gobierno: solo se habla en aquella de «los ministros»—, se afirmará en la práctica, sobre todo a través de la figura de su jefe, que será el que presente al monarca la lista de ministros. La práctica de los regímenes parlamentarios occidentales exigía que el jefe del gobierno contara con una doble confianza: la del jefe del Estado, que lo nombraba, y la de las Cortes, en las que había de contar con una mayoría dispuesta a votar las leyes; mayoría dependiente, a su vez, de las decisiones del cuerpo electoral. El rey puede disolver las Cortes antes de expirar su mandato (cinco años), pero con la obligación preceptiva, en este supuesto, de convocar y reunir el Cuerpo o Cuerpos disueltos (Senado, Congreso, o ambos) en el plazo de tres meses.

2.2. CONSTITUCIÓN REAL Y CLASE POLÍTICA

Hasta aquí, la letra de la Constitución, referible en última instancia al modelo británico y —salvando la composición cuasi-estamental del Senado español— no muy distinto del sistema establecido por las Leyes Constitucionales francesas del año anterior (1875). Ahora bien, lo que nos saca del derecho constitucional y nos conduce, de lleno, al terreno de la sociología política es el hecho de que, en España, el funcionamiento real del sistema y, en consecuencia, la conducción de la vida política responda a realidades que no están presentes en el texto constitucional. Peculiaridad que, por otra parte, no es privativa de España, sino referible a lo que podría ser llamado un submodelo meridional, en el marco de los regímenes parlamentarios de la época del imperialismo. Veamos sus caracteres sobre el caso español, muy significativo de tal submodelo.

En primer lugar, la función reservada, de hecho, al cuerpo electoral es, aquí, completamente pasiva. De manera que las líneas de inducción no funcionan del electorado a las Cortes; sino del gobierno al electorado, previo acuerdo de aquel con unos notables rurales, locales o provinciales («caciques»), que simulan la elección. El pacto se realiza sobre la base de una polarización de cada notable en torno a uno de los partidos o facciones en que aparece fragmentada, a nivel nacional, la clase política; sobre la base, también, de un previo acuerdo entre los máximos responsables de los partidos. El mecanismo del sistema constitucional parlamentario queda subrogado, de esta forma, por otro mecanismo real: el que establece el engranaje entre una estructura social real («caciquismo»), y una estructura política formal —Gobierno, Cortes— que funciona independientemente de lo que el texto constitucional presenta como clave: el cuerpo electoral [243].

En segundo lugar, el rey no se atiene, para designar gobierno, a la opinión del cuerpo electoral manifestada en unas mayorías parlamentarias. Sino al revés: el rey designa a un jefe de gobierno que propone los ministros al rey, que recibe un decreto de disolución, y que convoca nuevas elecciones, pactando sus resultados con las diversas fuerzas políticas («encasillado») capaces de movilizar sus respectivas clientelas; de esta manera «se hacen» unas elecciones que, indefectiblemente, proporcionan holgadas mayorías al gobierno que las convoca.

En tercer lugar, señalemos, pues, cómo la suprema decisión queda en manos del rey, que es el que —independientemente del cuerpo electoral— nombra o exonera, de acuerdo en esto con la Constitución, a cada jefe de gobierno. Falto del indicador de elecciones auténticas, ¿a qué indicador se atiene el rey para dar el poder a uno u otro jefe, a uno u otro partido político? En tiempo de Isabel II tal criterio había sido el puro arbitrio personal, ampliamente motivado por los grupos sociales con acceso a la corte [92, 306 ss.]. En tiempo de la Restauración, tanto Alfonso XII como la regente María Cristina se atienen, con criterio harto más racional, a la necesidad de mantener un amplio consenso para la monarquía, sobre la base de una práctica constitucional de formulación canovista: dualidad de partidos y de clientelas, en disfrute alternativo del poder, de manera que aleje la tentación de exclusivismo y, consiguientemente, la de retraimiento seguida del recurso a la conspiración o al pronunciamiento. En consecuencia, lo que confiere a un determinado partido, grupo o líder expectativa de acceso al poder no son sus éxitos electorales (que vendrán después); sino, como ha subrayado Varela Ortega, su capacidad para mantener la «unidad del partido», su capacidad para aglutinar el propio hemisferio político, dentro del bipartidismo impuesto por la práctica constitucional [248].

«En esas condiciones el Gobierno parlamentario es claramente una ficción», diagnostica el constitucionalista Sánchez Agesta. «Pero una ficción —añade— que dio un pasable juego durante un cuarto de siglo, mientras Cánovas y Sagasta mantuvieron la hegemonía casi indiscutida de dos grandes partidos que aceptan las reglas del juego como un compromiso político de honor» [205, 342]. Ficción desde el punto de vista del derecho constitucional; pero realidad social y política que plantea al historiador una serie de interrogaciones. Por una parte, la de la consistencia social, la mentalidad, las ideologías y la ética de esa clase política que protagoniza y usufructúa la gran ficción, tanto en el campo conservador como en el campo liberal. Por otra parte, la de las conexiones existentes entre tal clase política y los grandes intereses predominantes en el país —agricultura latifundista, distintos sectores de la alta burguesía, grandes instituciones sociales tales como la Iglesia o el Ejército—, constitutivos del «bloque de poder» a que se ha referido Tuñón de Lara [237, 155 ss.]. En fin, la de la forma de establecerse la conexión entre los órganos constitucionales y la realidad social del país con miras a la celebración, adulteración o simulación de elecciones. En cuanto acto constitucional, una elección podrá ser jurídica o moralmente nula al no expresar sus resultados la opción real de los electores inscritos en el censo; ahora bien, las cifras resultantes no por ello dejan de ser sendos datos reales, en la medida en que significan la resultante de unas fuerzas y de unos procedimientos que el historiador se ve obligado a reconstruir si aspira a entender lo que fuera, en su momento, una realidad sociopolítica. Ello nos conduce a enfrentarnos con el problema de la realidad del poder, de la influencia política, de los intereses en juego, no ya en el marco de una estructura social globalizada, sino en el marco de cada microestructura rural o urbana. Investigaciones como las de Javier Tusell [243] y José Sánchez Jiménez [208] nos muestran, desde distintos ángulos de enfoque —aunque, en ambos casos, con referencia a Andalucía— la gama de condicionamientos de todo orden que puede actuar, y que de hecho actúa decisivamente, sobre el pomposamente llamado «cuerpo electoral», cuando este es abordado para su análisis en el marco pequeño, pero concreto y real, de cada distrito rural o de cada apartada capital de provincia.

Los grandes repertorios biográficos de la época, las obras clásicas relativas a la historia política del período y la misma novela contemporánea —abundante en observaciones de primera mano al respecto—, así como los archivos privados, nos han proporcionado un buen conocimiento de la clase política de la Restauración; pero un conocimiento que, pese a los esfuerzos de un Linz [115] o de un Tuñón de Lara [237, 200 ss.], dista de ser exhaustivo. En todo caso parece prudente hablar de «clase política» integrando en ella a los cuadros de los partidos; a ministros, senadores y diputados; directores de periódicos; gobernadores civiles; presidentes de Diputación y alcaldes de las principales ciudades del país. Sobre un conjunto así delimitado —de manera, no hay que decirlo, puramente arbitraria y, por tanto, objetable—, podrían generalizarse algunas observaciones. En primer lugar, la existencia de una elite integrada por los grandes jefes de partido o de grupo, presidentes de gobierno o de ambas cámaras, y ministros de mandato largo o repetido y de competencia técnica especializada y bien definida. Es obvio destacar todavía, dentro de esta elite, la figura de Antonio Cánovas del Castillo por sus condiciones de auténtico hombre de Estado; por su condición de artífice, no solo del partido conservador, sino, en realidad, del conjunto del sistema.

En segundo lugar cabe señalar la procedencia generalmente mesocrática del conjunto de «la clase». La promoción a la misma viene jalonada por una carrera que se repite bastante, de acuerdo con un modelo dentro del cual el paso por la Universidad, y en especial por la Facultad de Derecho, constituye una etapa muy significativa. El funcionamiento del sistema de clientela (la adscripción personal a un «jefe»; la influencia, por razones familiares, sobre un distrito), la posesión de dotes personales que faciliten los caminos del pacto (facilidad de palabra, capacidad para anudar relaciones y hacer amigos), el conocimiento de los entresijos de la administración y del orden jurídico vigente (de ahí la importancia de los estudios de Derecho), son factores que promueven el ascenso desde la mesocracia provinciana a la clase política; desde esta al pináculo de la elite.

Señalemos, en fin, el relevo generacional operado a lo largo del cuarto de siglo que cubre la época de la Restauración. Hablar de sucesión de generaciones es algo tan obvio en términos naturales, como proclive a la arbitrariedad cuando se trata de acuñar categorías. Pero parece igualmente obvio que, en el conjunto del período, cabe distinguir unos *seniores*, procedentes tanto de la antigua etapa de Unión Liberal como del Sexenio, que son los que van a edificar el sistema (recuérdese la asamblea de notables que prepara la Constitución, *todos* cuyos componentes habían sido senadores o diputados en situaciones prerrestauracionistas). Y unos *juniores*, iniciados en la vida política a partir de 1875 y llamados al protagonismo de la misma a partir de los años noventa del siglo. Este elemental contraste generacional se manifiesta en un relativo contraste de ideologías y de mentalidades e incluso, a escala individual, en matizaciones de comportamiento y de praxis. Los *seniores* proceden ideológicamente, o de un doctrinarismo de raíz ecléctica, generalmente muy impregnado de la ideología tradicionalista aristocrática; o bien del idealismo krausista presente en las aulas madrileñas desde el 54 y predominante en el Sexenio. Ambas direcciones coinciden, a partir del 74, en un escepticismo alimentado por la crisis moral del régimen isabelino y por la crisis política del Sexenio; coinciden, también, en un temor a la revolución y en una ausencia de todo proyecto de futuro que trascendiera el mero disfrute de lo que tanto habían echado de menos durante los últimos diez años de su madurez: orden y tranquilidad. En cuanto a los *juniores*, son gentes que racionalizan su escepticismo político a través de una proyección de la recién recibida filosofía positivista sobre la nueva situación que tienen ante los ojos: atrás quedó la etapa metafísica, la época de las utopías y de los ensueños que —la experiencia acaba de demostrarlo— a nada positivo conducen; ha llegado el momento de lo positivo, de consolidar un orden social que es el suyo, o aquel en el que aspiran a integrarse. No hay necesidad de advertir expresamente la refracción que la filosofía positivista experimenta, antes de proyectarse sobre la realidad, al atravesar la mentalidad de un grupo cuyo escepticismo se alimenta, no solo de la reciente experiencia histórica, sino también y más profundamente de una falta de confianza en su propio pueblo, del cual tienden a considerarse socialmente segregados.

Unos y otros, *seniores* y *juniores*, se entienden a través de un vocabulario de situación en el que las palabras «*orden, realismo, pragmatismo, pacto, evolución* —el nuevo nombre del progreso—, etc. se repiten, una y otra vez, en las Cortes y en la Prensa. Se enfatizan las expresiones "paz", "sosiego", "prudencia", como hermanas de "prosperidad económica", "confianza financiera", "euforia inversora", y opuestas a "radicalismo", "utopismo" y "demagogia" (...) Posibilismo, practicismo y pactismo constituirán, sin duda, el triángulo de notas definitorias del talante realista y positivo de la vida política de la Restauración» [156, 34-35]. Unos y otros, *seniores* y *juniores*, doctrinarios y positivistas, marcados por la experiencia o por el recuerdo del 69 y el 73, identifican «pueblo» con «desmán callejero» y con «desorden»; la mitificación contemporánea de la Comuna parisiense, en el clima de la Gran Depresión europea, coadyuva en esta dirección. En la defensa del «orden social», todos están de acuerdo. Y este orden social apunta, en todo caso, al logro de una sociedad burguesa en la que al pueblo, como tal, le corresponde un papel de subordinación teñida de marginación, sin más salvación posible que el ascenso individual a la «sociedad» por antonomasia: una sociedad burguesa que sirve valores utilitarios, que proclama valores aristocráticos.

2.3. SIGNIFICACIÓN OLIGÁRQUICA DE LA ÉLITE POLÍTICA

El problema que se plantea a continuación es, en efecto, el de la conexión existente entre esta clase política y su elite de un lado, y de otro lo que Tuñón de Lara ha llamado «el bloque de poder»; algo cuya entidad no nos corresponde analizar aquí, pero que el historiador recién mencionado ha definido como «alianza entre las clases tradicionales (aristocracia) y otras que ascienden en el poderío económico (burguesía)», con la decisiva matización de que la aristocracia se define por su condición de gran propietaria agraria y no por su carácter formalmente estamental, y con la observación no menos importante de que aquella conserva su hegemonía ideológica —mentalidad, sistema de valores, etc.— no solo sobre el conjunto de los grandes propietarios, sino sobre el conjunto del bloque que forman estos últimos con la alta burguesía

[237, 155 ss.]. Bien mirado, Tuñón de Lara no hace en las páginas aludidas sino profundizar y categorizar una noción que está presente en la historiografía española desde Vicens, desde Ramos Oliveira y, en última instancia, desde Costa: para la comprensión de la España de la Restauración es necesario buscar, tras las figuras de los grandes protagonistas de la vida política (es decir, tras de la elite política que queda aludida más arriba), la fuerza decisiva de unos grandes intereses: grandes terratenientes, fabricantes catalanes, ferreteros vascos, bodegueros andaluces, burguesía financiera... En suma, el problema queda planteado así: los que ejercen inmediatamente el poder, utilizando en la forma indicada lo establecido en la Constitución, ¿qué intereses defienden?, ¿a qué modelo de sociedad apuntan?, ¿qué lugar cabe en tal modelo a los que, de hecho, «mandan» en la vida económica y social del país?

Un serio intento de aproximación científica al tema ha sido llevado a cabo por Tuñón de Lara sobre la base de un muestreo de «decisiones coyunturales»; conjunto de decisiones que parecen apuntar en el sentido de lo que sería función primaria del poder político: el mantenimiento de unas estructuras socioeconómicas centradas en la intangibilidad de la propiedad agraria, en la «libertad» industrial y de trabajo, y en el mantenimiento del régimen de explotación existente en las colonias [237, 205 ss.]. Por lo demás, los resultados de esta primera encuesta no son sorprendentes, sino más bien obvios: la propiedad privada de derecho romano, la «libertad» de trabajo y de industria, el trabajo esclavista en las colonias eran los fundamentos de esa sociedad que toda la clase política, en virtud de una convicción anclada en el ambiente social de expectativa (no hablamos de ambiente social de procedencia, porque ello nos llevaría a implicar en el problema el relativo a los ideales y las mentalidades de las clases medias), estaba dispuesta a conservar y a fortalecer. ¿A qué otra dirección sino a la que queda indicada apuntaba el principio tradicional, sacralizado, de la «propiedad individual como derecho natural» sin límites ni cortapisas; o el papel conferido por el doctrinarismo a la nobleza de la sangre y a la propiedad; o incluso un positivismo que intenta, ante todo, tranquilizar, y que todavía no se ha enfrentado críticamente —como lo hará en los años noventa— a cuanto de preburgués hay en el orden social que el mismo positivismo, en cuanto filosofía de una burguesía conservadora, tiende espontáneamente a salvaguardar? Hay que contar, por supuesto, con que los grandes poderes económicos del país no habían traído la Restauración para seguir aguardando, más o menos en vilo, las decisiones de una clase política ambigua, las fluctuaciones que impusiera un sufragio universal que estaba en la Constitución del 69, o las presiones de la calle. Hay que contar también con la red de conexiones personales —ennoblecimientos, matrimonios, participación en negocios, suculentas minutas— existentes entre la nueva clase política, y terratenientes, industriales, plantadores y financieros. Pero sería un error soslayar la *aceptación* previa del orden social, aceptación que viene impuesta a la clase política por su extracción social, por sus expectativas de promoción en un contexto sociopolítico que a la sazón se presenta como absolutamente estable; y, al mismo tiempo, por la convicción ambiente, muy positivista, de que era pasada la hora de las utopías y aun de las ideologías apasionadamente sustentadas. En fin, y en todo caso, el esquema de Tuñón de Lara apunta en una dirección que no puede dejar de ser fecunda: la clasificación y el análisis de las decisiones de gobierno, y su contraste, en cada coyuntura, con el conjunto de intereses integrados en la oligarquía económica y financiera del país.

En este orden de cosas, Varela Ortega ha creído detectar una divergencia entre grandes intereses económicos y comportamiento de la clase política, al analizar el contraste entre los intereses —proteccionistas— de aquellos y el tenaz librecambismo de esta última [248, 204 ss.]. A nuestro juicio habría que atar, empero, algunos cabos, antes de generalizar la evidencia parcial que el análisis del caso castellano nos ofrece. Por una parte habría que indagar, con respecto a los terratenientes del sur, tensiones análogas a las que se manifiestan, en los años ochenta, entre los agricultores del norte de Castilla —quizá más imbuidos que aquellos en la mentalidad capitalista y en la conciencia de sus intereses de cara a los mercados del exterior— y el sector de la clase política encargado de su representación en las Cortes. Y por otra habría que decantar el peso que, en las decisiones de política arancelaria, hubo de tener el contexto internacional y, más concretamente, la red de tratados de comercio existente con los países de los cuales dependía, globalmente, nuestro comercio exterior [17, III]; ya que, en este orden de cosas, la elite política, por estrecha que fuera su vinculación con la oligarquía económica, no podía prescindir de los condicionamientos que derivaban de la posición internacional del Estado.

En resumen, podríamos aventurar tres conclusiones. La primera sería la obvia identificación global de la elite política de la Restauración con las estructuras que cimentan el bloque de poder, si bien señalando que la ideología de abolengo nobiliario y estamental —propuesta a todo el bloque por la «oligarquía del cereal y del olivo»— es más patente en el partido conservador; en tanto que en los grupos llamados a integrarse en el partido liberal se manifiesta una mentalidad burguesa menos impregnada por aquella. La segunda conclusión sería la existencia de un complejo de conexiones personales y familiares entre clase política y bloque de poder, conexiones que Tuñón de Lara ha documentado suficientemente. Y la tercera, la extrema complejidad del fenómeno, que resiste toda simplificación mecanicista. Si la clase política que encarna los órganos constitucionales y que interpreta y aplica la Constitución lo hace indefectiblemente en el sentido del fortalecimiento de unas estructuras socioeconómicas establecidas, ello es fenómeno cuyas raíces hay que buscar, también, en unos esquemas ideológicos y mentales plenamente vigentes entre las clases medias de, a lo menos, los tres primeros lustros de la Restauración.

Pero es preciso recordar de nuevo, en este punto, que la ubicación social de la entera clase política requiere, para su determinación, dos coordenadas. Por una parte, la de sus conexiones con las grandes fuerzas económicas y sociales del país, y a ello acabamos de referirnos. Por otra, la de sus conexiones con el conjunto de la sociedad no integrada en el bloque de poder; con lo que, en términos constitucionales, podríamos llamar «cuerpo electoral» (sin olvidar que incluso este «cuerpo electoral» distaba de identificarse numéricamente, antes de 1890, con la totalidad de los ciudadanos varones). Abordemos este segundo problema, intentando analizar qué derroteros sigue esa fuerza política procedente de los campos, de los pueblos y de las ciudades antes de llegar a las turbinas del poder. Porque ya sabemos que el camino de referencia no es el establecido formalmente por la Constitución y por las leyes electorales.

2.4. El caciquismo en la práctica constitucional

Para llegar a su nivel historiográfico actual, el análisis de ese funcionamiento real de la Constitución que hemos visto calificar de «ficción» a Sánchez Agesta ha debido atravesar tres etapas. En la primera de ellas —hasta 1890 aproximadamente— el problema se ignora. Para Cánovas —que abandona la política electoral, como algo de menor cuantía, en manos del diestro Romero Robledo— como para el resto de la clase política, se sobreentiende que la esencia de un régimen constitucional a la europea no consiste tanto en la fidelidad con que se traduzcan electoralmente los deseos del cuerpo electoral, como en el normal funcionamiento de los órganos más elevados y visibles de aquel: unos partidos turnantes, unas Cortes y un monarca que preside el juego. La importancia de esta respetabilidad formal por encima de la sustancia representativa es algo muy arraigado en la psicología de Cánovas; es, también, algo que no debe perderse de vista si se aspira a entender la actitud de la clase política. Hablando de elecciones, lo que importaba era la impecabilidad jurídica formal del *acta* (actas «limpias»); la realidad social a través de la cual se llegaba a la obtención de la misma era quehacer plebeyo cuyas incidencias debía silenciar un caballero.

La segunda etapa del proceso indicado —desde la crítica regeneracionista hasta los avances, en nuestros días, de la sociología política— se centra, no siempre con certera puntería, sobre las «lacras del régimen parlamentario» en España, y responde a una crítica, inicialmente positivista, de las corruptelas electorales. Desde la resonante encuesta de Joaquín Costa sobre *Oligarquía y caciquismo* hasta el artículo de Fernández Almagro sobre *Las Cortes del siglo XIX y la práctica electoral*, el problema se centra sobre planteamientos éticos a los que, por otra parte, no es ajena la desviación que consiste en confundir la adulteración del sistema con el sistema mismo, prestando argumentos a la crítica personalista, dictatorial o totalitaria contra las instituciones representativas.

En fin, la sociología política de nuestros días tiende a desdramatizar la «ficción», quitándole toda carga emocional y ética. Las cosas se hicieron así, y se trata ahora de analizarlas en cuanto fenómeno social y político; no de juzgarlas. Parece, sin embargo, que el intento de explicación científica de unos comportamientos políticos —los de la clase política de la Restauración, en este caso— debe ir acompañado, no ya de un juicio moral, tarea que queda al margen de las ciencias sociales, pero sí de una honesta contextualización que sitúe tales comportamientos en la contradicción objetiva que efectivamente asumieron con respecto a un orden jurídico, formal y solemnemente establecido y jurado. La dualidad de actitudes morales —y de exigencias represivas— frente a una transgresión de los artículos del Código Civil relativos a la propiedad, o frente a una transgresión de los artículos de la Constitución relativos al sufragio, constituye, en todo caso, un dato precioso para ponderar, científicamente, la ética individual y social de la clase política de la Restauración.

El punto de partida para entender el «caciquismo» es, sin duda, la consideración —que no corresponde a estas páginas— de las microestructuras de poder existentes, a nivel rural y a nivel local, en la España del siglo XIX. Por otra parte, estas microestructuras de poder han de ser colocadas en el contexto que les presta el aislamiento y la incomunicación de pueblos y comarcas, que en la España de la Restauración presenta todavía caracteres absolutamente originales con respecto al resto de Europa occidental. Romero Maura —que ha subrayado mucho el papel de esta incomunicación recíproca en toda explicación del caciquismo— ha recordado los factores que la determinan: el relieve de la Península; la escasa densidad de vía férrea; la escasa cohesión que el mismo ferrocarril va a proporcionar a unas regiones por las que transita sin llegar a coordinar realmente sus distintos núcleos de población; la extremada escasez de carreteras vecinales. En fin, y como situación límite, recordemos que «había en España, en 1911, casi 5000 pueblos sin más comunicación con el exterior que veredas de herradura» [195, 21]. Este aislamiento generalizado solía corresponder, no hay que decirlo, a economías locales casi enteramente cerradas.

Una muchedumbre, pues, de entidades de población cuya característica, desde el punto de vista del Estado, es su hermetismo, su incomunicación, su natural —es decir: condicionada y espontánea— resistencia a la integración en los esquemas de un Estado liberal nacido con rígida vocación centralizadora y uniformadora. Pueblos, aldeas, villas y ciudades llamados a experimentar una silenciosa revolución sociopolítica en la transición del Antiguo al Nuevo Régimen; el desmantelamiento de las estructuras de poder estamental y tradicional que se opera, *grosso modo*, entre mediados del siglo XVIII (revaloración de precios agrícolas, aparición del «cacique» [78, 73 ss.]) y mediados del siglo XIX (desamortización de Madoz, a partir de 1855), transcurre contemporáneamente al proceso de centralización y burocratización propio del Estado liberal. Y al hilo de aquel proceso de desmantelamiento han surgido unos «notables» destinados a sustituir a las viejas «jerarquías naturales» del orden señorial: terratenientes, grandes arrendatarios, comerciantes de granos, usureros, médicos, notarios, abogados, oficios municipales... Ellos «conocen a las gentes locales y tienen a menudo sobre ellos un ascendiente fundado en una posición de superioridad social relativa, pero muy tangible» [195, 32-33]; a ellos ha de corresponder necesariamente el papel de conectar el medio local con el Estado. Es decir, con un poder grande y ajeno, irresistible en sus decisiones —en unas decisiones que se expresan en un lenguaje ininteligible y ritual, que sólo saben interpretar los notables—; un Estado que garantiza propiedades e impone contribuciones, que se lleva a los mozos, que envía funcionarios...

Los «caciques» o notables son, pues, en principio, miembros de una elite local o comarcal (hay también caciques provinciales, más poderosos que el gobernador civil), caracterizada por tres notas distintivas: su arraigo en un medio geográfica, económica y socialmente circunscrito; su predominio personal —frecuentemente no compartido— en el marco de una sociedad tradicional y cerrada; su función de intermediarios de esta última con respecto al Estado. El funcionario o el diputado es, en cuanto tal, intercambiable; depende, en última instancia, de Madrid. El cacique está ahí, arraigado en su medio, único interlocutor real de que dispone el poder político central para entrar en contacto con una realidad nacional en la cual —no lo olvidemos— dista de haberse consumado el largo proceso histórico que conduce, en España, del Antiguo al Nuevo Régimen. Observemos, pues, que la clase política del Estado —cualquiera que sea su relación o dependencia con respecto a los grandes intereses socioeconómicos del país, globalmente considerados— ha de entrar en contacto con la realidad inmediata de tales intereses en sus niveles efectivos de arraigo geográfico; en su fragmentación e individuación reales.

En tiempo de la Restauración, el esquema de las necesarias conexiones entre la clase política y un país real así definido —con las excepciones, bien conocidas, de las grandes ciudades—, se ha hecho más complejo de lo marcado por las pautas tradicionales. Por una parte, la comunidad rural o local no ve en el Estado tan solo al exactor de contribuciones, al custodio del orden social o al reclutador de mozos; ve también al poder económico capaz de subvenir a unas obras públicas —en especial, comunicaciones— que los nuevos tiempos demandan y cuyo coste queda muy por encima de las posibilidades de unas haciendas locales desamortizadas; ve a la entidad capaz de regular jurídicamente situaciones sociales nuevas, dando el derecho adecuado a una sociedad que cambia por más que sea lentamente. Pero el Estado, por su parte, va a plantear a las comunidades rurales o locales unas exigencias absolutamente nuevas, y no ya sólo las tradicionales de mozos y contribuciones; la clase política va a exigir a aquellas su colaboración en unos ritos que están en la Constitución y, por tanto, en la base de su justificación como tal clase política. La comunidad rural o local, encuadrada en un «distrito uninominal» —es decir, adecuado a la realidad del aislamiento— habrá de votar, porque la Constitución dice que su voto es el fundamento de la vida política del país; y habrá de votar sobre el supuesto de dos opciones establecidas —conservadores y liberales— carentes de diferenciación objetiva en la inmensa mayoría de las sociedades afectadas, las cuales difícilmente pueden —con su bajo nivel cultural, con su efectiva desmovilización política— captar las apelaciones doctrinales que diferencian entre sí a unos partidos que, en la perspectiva de los estratos populares, se confunden plenamente en cuanto tales (no así en cuanto a las personas que asumen su representación a nivel local).

En suma: el aparato de la clase política llega hasta el gobernador civil de la provincia; en el ámbito rural o local la función de «relación con el mundo exterior» que corresponde a los notables impulsará al cacique a asumir, en el ámbito de su demarcación, la función de «jefe local» de uno de ambos partidos, si bien de manera generalmente informal. La impostación del dualismo de partidos sobre antagonismos locales de intereses o familias es fenómeno frecuente, cuyo análisis corresponde de lleno al campo de la historia social. En su función de intermediario, el cacique intercambiará *votos* por *favores.* De cara a la clase política, el cacique se compromete a controlar, y a simular si llegara a ser preciso —que sí que lo llegará con no escasa frecuencia— la elección prevista en el ordenamiento constitucional; se compromete también a saber ceder, cuando llegue el caso, a las exigencias políticas de «no exclusivismo», aceptando la eventual transferencia temporal a un competidor, si es que este existe en el área local, de la parcela de poder detentada hasta entonces en exclusiva. De cara a la comunidad local o rural de que el cacique es cabeza, este se compromete a traducir en términos de intereses concretos el ordenamiento jurídico previsto en los textos legales; entre las mallas de la traducción queda, perfectamente bloqueado e inoperante, el principio de igualdad ante la ley. «Para los enemigos, la ley; para los amigos, el favor»: he aquí la regla de oro del sistema, que admite distintas formulaciones según lo que cada uno entendiera por ley. El *favor* consiste en la vulneración o el desconocimiento de un precepto legal —que, en teoría, obliga a todos— en beneficio del cliente: así, y son los casos más frecuentes, en la exención del servicio militar previa simulación de inutilidad o de talla insuficiente; en la rebaja o exención dolosa de contribuciones; en la «influencia» que tuerce la administración de justicia; en la adjudicación de pequeñas prebendas de la vida local, como empleos en el Ayuntamiento, plazas de médico titular, administraciones de lotería, etc. Lo importante es, pues, el desconocimiento del principio de igualdad ante la ley, y la traducción del orden jurídico a un complejo de relaciones personales en que la clientela se convierte en fuente de privilegio. En este contexto, y a cambio del *favor* (o de la liberación de la extorsión que le sirve de contrapunto), el elector da su voto o lo deja suplantar. Y ello sobre la base de que el voto de cada cliente —o individuo «de los nuestros»— expresa, en todo caso, adhesión personal o reconocimiento al cacique; nunca, o casi nunca, testimonio a favor de una ideología o de un partido entendido como pieza en el juego constitucional, salvas las relativas excepciones de carlistas y republicanos. Por lo demás, aunque predominen los favores individualizados del orden de los indicados, no hay que excluir aquellos otros que redundan en beneficio de una comunidad concreta, significando al mismo tiempo, para el cacique, el logro de un signo externo de su influencia cerca de la administración: la estación de ferrocarril, el tramo de carretera, el mercado o incluso —caso límite— la Universidad. Pero lo que interesa en todo caso subrayar, como lo ha hecho Tusell, es que nunca se trata de favores o de principios *generales* referidos de alguna manera al conjunto del cuerpo nacional en cumplimiento de un programa político. Sino de favores individualizados, referidos, bien a personas, bien a la estricta colectividad sobre la que ejerce su poder o su autoridad personales el cacique [243].

El régimen parlamentario —y, desde 1890, democrático— establecido por la Restauración reposa, pues, sobre la base, perfectamente ajena a lo previsto por los ordenamientos legales, que queda esbozada. Esta infraestructura viene a condicionar (no podía ser de otra manera) la totalidad de la vida política del país. Ya que, para la elite de «los que mandan» en esta última, no se trata sólo de conectar con los caciques —generalmente a través del gobernador civil— para que den hecha, desde la base, una elección formalmente necesaria en términos constitucionales; se trata también, y previamente, de decidir qué resultados han de ser pedidos al cuerpo electoral. En efecto, en lo que se refiere al contenido político de su manipulación, los caciques son meros ejecutores; a ellos les interesa el contenido real, en forma de afirmación de su poder o su influencia sobre un marco local o provincial de dimensiones limitadas. Pero es la elite política nacional, conviene no olvidarlo, la que establece, en función de una estrategia global, los resultados. Contemplada desde el nivel de tal elite política, esta estrategia global apunta a unos objetivos distintos de los del cacique, pero no menos peculiares si tomamos como término de referencia lo que reza la letra de la Constitución. En primer lugar, se trata de satisfacer las apetencias de los distintos grupos o facciones del propio partido, de manera que ninguno de estos últimos amenace la coherencia y la unidad del mismo: un partido dividido corre el riesgo de perder el disfrute o la posibilidad de acceso al poder. En segundo lugar, se trata de mantener firme el engarce con la propia infraestructura caciquil: en ello reposa la fortaleza social del partido. En tercer lugar, se trata de no exasperar las clientelas ajenas suscitando en ellas una expectativa de desquite; la esperanza permanente, para tirios y troyanos, de «volver a ser poder» y, en todo caso, de ser respetado por el que gobierne, mantiene la estabilidad del sistema. Impidiendo, arriba, retraimientos peligrosos; y, en la base, situaciones de descontrol, de anarquía o de imprevisibilidad.

Un gobierno cae cuando el partido al cual representa pierde su cohesión de tal, cuando —por tal motivo— pierde la confianza regia, o cuando las elites políticas pactan o se ven obligadas, para mantener el sistema, a un relevo en el poder; un gobierno no cae nunca, o casi nunca, por una votación adversa en las cámaras, ya que este supuesto es impensable cuando son los gobiernos los que hacen las cámaras y no las cámaras las que definen la composición de un gobierno. Al encargar a un nuevo jefe político la formación de gobierno, el rey —o la regente— le entrega el decreto de disolución de las Cortes existentes. Y, de acuerdo con los términos formales de la Constitución, se convocan nuevas elecciones para la formación de un nuevo Congreso y para la renovación de la parte electiva del Senado.

Es entonces cuando comienza a funcionar, desde arriba (Ministerio de la Gobernación, Presidencia del Gobierno), la preparación de la compleja operación política que queda referida; es decir, la fabricación de los resultados electorales mediante un pacto con las fuerzas de la oposición; pacto que reserva para estas últimas un determinado número de actas, respetándole el control de aquellos distritos en que es mayor su arraigo o su influencia. El *encasillado* establece, en consecuencia, la nómina de candidatos con expectativa de triunfo; el encasillado «es el proceso por el cual el ministro de la Gobernación (con frecuencia el subsecretario) coloca en casillas correspondientes a cada distrito los nombres de los candidatos, ya sean ministeriales o de oposición, que el gobierno está dispuesto a apadrinar o a tolerar. En realidad se trata de una compleja serie de *negociaciones* entre el gobierno (y aun dentro del mismo) y las diferentes fuerzas políticas del país» [249, 49; 243, 23-121]. La verdadera lucha electoral tiene lugar, pues, *antes* de la fecha designada para la elección formal; en esta última se trata, sencillamente, de hacer funcionar el aparato caciquil, que lo hace con relativa autonomía de procedimientos pero proporcionando fielmente, *grosso modo*, los resultados previstos en el encasillado. La obra clásica de Joaquín Costa, las más recientes de Tusell y de Varela Ortega permiten seguir paso a paso, y con un minucioso análisis, bien documentado, de cada uno de sus componentes, el mecanismo político que conduce desde una convocatoria de elecciones hasta la inauguración de las nuevas Cortes formalmente emanadas de aquellas.

Para terminar esta ojeada al funcionamiento real de la Constitución del 76, una última observación, realmente esencial: no entenderíamos nada del régimen de referencia si no tuviéramos en cuenta que no estamos en presencia de una situación inmóvil, que permanece más o menos igual a sí misma a lo largo y a lo ancho de la geografía española durante el cuarto de siglo aquí analizado. Lo que tenemos delante es, ante todo, un *proceso* histórico cuyo sentido consiste en una cada vez mayor movilización política del electorado, en una progresiva autenticidad del régimen representativo; en una paulatina elevación del cuerpo electoral a la ciudadanía al hilo de una evolución económica, social y cultural pareja a la recorrida contemporáneamente por los demás Estados de Europa occidental. Ahora bien, este proceso transcurrió muy lentamente durante los años de la Restauración; será preciso penetrar, y aun avanzar siglo XX adelante, para que se dejen sentir las grandes etapas cubiertas en el proceso indicado. Lo que sí se deja sentir ya claramente es el distinto comportamiento político de la circunscripción urbana con respecto al distrito rural; del medio industrial con respecto al área de latifundio; de Madrid o Barcelona con respecto a la capital de provincia pequeña y poco comunicada. Como es sabido, las grandes ciudades y los núcleos industriales serán los pioneros de un sufragio cada vez más veraz, allí donde el voto del cuerpo electoral tenderá progresivamente a sustituir los manejos de los caciques. Quizá fuera este, también, el lugar adecuado para mencionar a aquellos miembros de la elite política —Silvela, Maura— que se plantearon con sinceridad el problema ético y de decoro ciudadano implicado en el funcionamiento real del sistema. Pero, en un plano de obligada generalización, el esquema válido es el que queda expuesto. Para el cuarto final del siglo XIX es, en efecto, el juego de abstenciones o los procedimientos a que ha de recurrir la manipulación electoral el único dato cuantitativo que nos permite detectar aproximadamente el grado de movilización política de unas masas, cuyos problemas reales quedaban al margen de los programas de los partidos turnantes.

3. EL EJERCICIO DEL PODER CONSERVADOR, 1875-1880

Esbozada la nueva constitución establecida para el país —en su formulación jurídica formal y en su real encarnación sociopolítica—, es momento de ocuparse de la obra de gobierno llevada a cabo, desde el poder, por la clase política que va a detentarlo amparada por el texto de aquella. La primera de las tres etapas en que hemos dividido para su análisis la época de la Restauración, corresponde, como se recordará, a un ininterrumpido gobierno de los conservadores.

Sería una simplificación excesiva estimar concluso el proceso constituyente de la Restauración en el día —2 de julio de 1876— en que la nueva Constitución entra en vigor, tras su publicación en la *Gaceta*. En realidad, la constitución del Estado canovista —aun circunscribiéndonos al plano puramente formal al que nos estamos refiriendo aquí— será un proceso laborioso; el ajuste entre todos sus órganos hasta constituir el mecanismo previsto en su articulado cubrirá un largo lustro, que solo podremos dar por cerrado cuando, en la primavera de 1880, tras la conformación del Partido Liberal sobre la base de la aceptación de la Constitución del 76 por parte de todos sus grupos integrantes, quede formalizado el bipartidismo sobre el cual descansa, como es sabido, el funcionamiento del régimen.

El eje de este largo lustro viene representado por la llamada «dictadura de Cánovas», expresión que no significa que Cánovas asumiera formalmente poderes excepcionales ni que dejara en suspenso tal o cual precepto constitucional. De hecho, sin embargo, es su relevante personalidad de hombre de Estado la que configura, no solo el que será su propio partido, el Partido Conservador, sino la estructura global del Estado mismo. No puede hablarse todavía de bipartidismo, ni menos de «turno», ya que los grupos situados a la izquierda del partido canovista, procedentes en su inmensa mayoría del septembrismo, se manifiestan reacios a la aceptación de la nueva legalidad constitucional y afectos a la Constitución democrática del 69; no existe, pues, todavía una plataforma constitucional común que permita la colaboración activa de las oposiciones; no existe todavía el partido liberal, *partenaire* del conservador a partir del comienzo de los años ochenta. En esta larga etapa constituyente, la actividad de Cánovas se orienta hacia una consolidación del régimen dentro de los límites que quedaron indicados. Esta consolidación requería:

— Un intento de conformación de los partidos políticos destinados a servir de soporte al sistema parlamentario previsto en la Constitución. En el pensamiento y en los proyectos de Cánovas, estos partidos habían de ser dos; de manera que, evitando todo exclusivismo, turnaran en el disfrute del poder. Constituido inicialmente en poder, por la realidad de los hechos, el Partido Conservador, se trata de lograr, por lo pronto, un mínimo nivel de entendimiento con las fuerzas políticas provenientes del Sexenio, a la espera de que estas últimas acepten formalmente la Constitución y cristalicen en un partido que represente, con respecto al Conservador, una alternativa de poder.

— Una legislación complementaria, que desarrollara los principios establecidos en la Constitución en el sentido precisamente liberal-conservador que corresponde al sector de la elite política que ocupa el poder.

— Una apremiante labor de pacificación, destinada a poner fin a las situaciones bélicas —una guerra civil en el interior, una guerra colonial en Cuba— o seriamente conflictivas legadas por el Sexenio o, más exactamente, por todo el proceso político, social e ideológico del siglo.

— Un intento de respuesta a los problemas planteados por la situación económica y financiera del país, precisamente durante el período aquí abordado. Período marcado por la discordancia de los precios españoles con respecto a los internacionales (1876-1882); por el carácter seriamente deficitario de la balanza comercial, así como de la de pagos, cuyo déficit superará, para el quinquenio 1876-1881, los mil millones de pesetas; por la nueva oleada de inversiones extranjeras en España; por el descenso internacional del precio de la plata, iniciado en 1868.

— En fin, y desde el primer momento, la adopción de una política europea que tuviera en cuenta los profundos cambios determinados en el sistema europeo de Estados por los acontecimientos de 1870/1871 y por la nueva hegemonía alemana en la diplomacia del continente.

Veamos rápidamente en qué hubo de consistir cada una de estas dimensiones del quehacer político de Cánovas durante este lustro de gobierno no compartido.[2]

3.1. El Partido Conservador y su política

El partido «liberal conservador» —generalmente llamado Partido Conservador— se nutrirá en principio, como es sabido, de elementos procedentes de los viejos partidos unionista y moderado de la era isabelina; la continuidad sociológica del Partido Conservador con respecto a las fuerzas en que se basaba el moderantismo histórico es obvia. Ahora bien, en [illegible]novas encontramos la clarividencia necesaria para cambiar algunas [illegible]as con objeto de que, en el fondo, todo pueda seguir igual. Y las cosas que cambian son las que permiten una homologación formal con los regímenes burgueses y parlamentarios de Europa occidental; las que pueden prestar —según los dictados de la experiencia— una mayor estabilidad a la monarquía; las que traducen los desplazamientos de acento que los tiempos han traído al espectro de un bloque de poder, en cuyo seno lo exclusivamente rural pesa un poco menos y lo burgués cada vez un poco más que en tiempo de la monarquía isabelina. Ya quedaron indicados los límites señalados por Cánovas entre su nuevo Partido Conservador y el viejo moderantismo.

Por lo demás, y como ha observado Artola, «el Partido Conservador actuará desde el gobierno, sin necesidad de crear una organización de partido», siguiendo en esto la tradición del antiguo partido moderado [13, I, 328]; estamos ante un «colosal partido», pero sin juntas ni organización de tal. En cuanto a la ideología del mismo, el autor recién citado aduce como texto más expresivo el «Manifiesto de los Notables» de 9 de enero de 1876; en él se enuncian «las transacciones patrióticas a que ha llegado la comisión, compuesta de hombres políticos de muy distinta historia», con miras a un gran objetivo: «afianzar [...] las conquistas del espíritu moderno, asentando sobre sólidas bases el orden público y poniendo a cubierto de peligrosas contingencias los principios fundamentales de la monarquía española». Estamos, pues, ante una coincidencia básica, de signo ecléctico, que se atiene, según acabamos de ver, a tres conceptos clave: *espíritu moderno, orden público* y *monarquía,* esta última como signo de continuidad histórica y garantía del orden social. Ahora bien, el Partido Conservador cuenta con una sólida reserva doctrinal: el pensamiento de Antonio Cánovas del Castillo, historiador estudioso y brillante, teórico del conservadurismo español —bien informado de las grandes corrientes del pensamiento europeo contemporáneo— y hombre de Estado que preside con su inmenso prestigio la totalidad de la época de la Restauración. Sería un error identificar la ideología del Partido Conservador genéricamente considerada, hecha de transacciones, escepticismos y defensa de intereses, con el complejo y denso mundo intelectual de un Cánovas [50, 515-583; 31]. Pero no es menos cierto que este último presta a los conceptos clave más arriba enunciados —defensa de la sociedad y de la continuidad histórica cifradas en la monarquía, orden público, apertura al «espíritu moderno» vigente en la Europa de los setenta— un sólido respaldo doctrinal. En el plano ideológico, pocas cosas hay más notables en el Partido Conservador que el continuo magisterio ejercido por Antonio Cánovas del Castillo —a través de sus discursos parlamentarios, de sus conferencias en el Ateneo, de sus artículos y de sus orientaciones en la prensa, especialmente a través del excelente periódico conservador *La Época*— sobre la plana mayor de las huestes conservadoras y aun sobre el conjunto de las elites políticas e intelectuales del país, aunque fuera a través de las reacciones críticas suscitadas.

Entre enero de 1875 y marzo de 1879 los conservadores permanecen ininterrumpidamente en el poder, por lo general bajo la presidencia efectiva de Cánovas; entre marzo y diciembre de 1879, un intermedio de gobierno Martínez Campos —afecto todavía al Partido Conservador— ofrece un interés específico en el proceso de las relaciones entre altos mandos militares y clase política; entre diciembre de 1879 y febrero de 1881, nueva situación canovista, contrastada ahora por el contrapeso de una «fusión» entre los elementos que van a integrar el Partido Liberal. Interesa subrayar, en efecto, que durante el primer lustro del régimen no hay bipartidismo; no hay alternativa de poder para la situación canovista. No existe todavía el Partido Liberal; la «fusión» que marca el nacimiento del mismo no sobrevendrá hasta mayo de 1880. Es penoso rastrear, en estos años, los orígenes del futuro gran partido acaudillado por Sagasta; en tal indagación, el estudioso se pierde en una incesante contradanza de uniones y escisiones, con los correspondientes cambios de denominación. La oposición al canovismo por parte de la izquierda es incoherente; la frontera que media entre el golpismo cuartelero fomentado por Ruiz Zorrilla y la actitud conspiradora de un Serrano, o entre esta y la impaciencia de un Sagasta, no está todavía marcada por la aceptación expresa de la nueva legalidad constitucional que, en su momento, llevará a cabo este último. La oposición aparece, pues, desunida en sus ideas y en sus tácticas; unida, tan solo, en aquello que mantiene la desconfianza canovista y la resistencia del líder conservador a ceder parcelas de poder: la referencia insistente, técnicamente subversiva, a la Constitución del 69.

En el marco de esta situación tiene lugar la promulgación de una legislación complementaria de las disposiciones constitucionales, y el desarrollo de una práctica llamada a perfilar la imagen del nuevo orden político. El sentido general de esta práctica y de esta legislación consiste, por lo pronto, en la clarificación de determinadas ambigüedades constitucionales, en el sentido de una categórica solución de continuidad con respecto al espíritu del 69. Y ello en lo que se refiere al ejercicio de unos derechos individuales cuyo enunciado había pasado, sin embargo, del texto del 69 al texto del 76; en lo que se refiere al binomio descentralización-centralismo; en lo que se refiere a la inspiración democrática de aquel. En efecto, hay que señalar, en primer lugar, las medidas represivas y los rígidos controles a que va a ser sometida, de hecho, la libertad de expresión (multas, suspensiones y supresiones de periódicos; ley de Imprenta de 1879); la libertad de reunión (ley de junio de 1880); la libertad de asociación, no regulada formalmente hasta 30 de junio de 1887; la libertad de cátedra, que recibirá el toque de atención de la famosa circular del ministro Orovio, con la subsiguiente separación de varios profesores de enseñanza superior y secundaria; en fin, la distinción entre partidos legales e ilegales, mantenida con todo rigor hasta 1881 y que viene a reducir el campo político a los partidos dinásticos. En segundo lugar, y tomando como término de referencia las leyes de 20 de agosto de 1870 relativas a la organización de provincias y municipios, hay que anotar las reformas a que aquellas son sometidas, en sentido centralizador, por ley de 16 de diciembre de 1876. La restricción del sufragio en los niveles municipal y provincial, el nombramiento por el rey de los alcaldes de entidades de población que excedieran de 30 000 almas, la necesidad de que los presupuestos municipales fueran aprobados por el gobernador civil o por el gobierno ilustran la tendencia indicada [256, II, 123-127], que venía marcada ya por la ley de 21 de julio de 1876 aboliendo los fueros de las Provincias Vascongadas. Es cierto que esta pauta centralizadora venía a continuar la vieja tradición moderada; ahora bien, colocada en el contexto de esa España dual —escindida en dos niveles desde un punto de vista constitucional— a que nos hemos referido al tratar del caciquismo, resulta evidente cuanto de progresivo había, a la sazón, en la misma. En fin, la ley electoral de 1878 viene a restringir la capacidad electoral a «todo español de edad de 25 años cumplidos, que sea contribuyente dentro o fuera del mismo distrito por la cuota mínima para el Tesoro de 25 pesetas anuales por contribución territorial, o de 50 por subsidio industrial» (art. 15), así como a determinadas elites intelectuales, eclesiásticas, burocráticas, militares, profesionales, artísticas, judiciales y docentes (art. 19). El censo electoral así conformado queda integrado por unos 850 000 españoles, si bien «en años sucesivos este número disminuyó aún más por una aplicación más rigurosa de los preceptos electorales» [231, 121]; *grosso modo* puede afirmarse que la ley indicada venía a privar del derecho de voto a cinco de cada seis de los ciudadanos españoles varones mayores de 25 años. Por lo demás, ya se insistió suficientemente acerca del carácter predominantemente formal y del papel pasivo que, de hecho, corresponde al cuerpo electoral en el funcionamiento de la Constitución.

3.2. La Pacificación: el carlismo y el problema de las relaciones Iglesia-Estado

Con referencia a la época de la Restauración, se llama «pacificación» a la liquidación del estado de guerra múltiple que tan decisivamente había contribuido a derribar la situación nacida de la Revolución de 1868. De aquella trilogía de guerras —guerra de Cuba, guerra carlista, levantamiento cantonal—, este último había sido reprimido por la República del 74; es la terminación de la guerra de Yara y de la guerra carlista lo que no sólo presta contenido a la rúbrica indicada, sino que constituye el más espectacular logro de esta fase inicial, canovista y conservadora, de la Restauración. Hacer cesar el doble cáncer que había corroído las entrañas de la democracia española del Sexenio era, en sí, un logro harto sustantivo; presentar al nuevo monarca —al nuevo régimen— con el epíteto, de atribución correcta ante la opinión pública, de «el Pacificador», equivalía a inclinar en el sentido del consenso pasivo, ya que no del entusiasmo, la general indiferencia con que, según Varela Ortega, fue recibido el hecho de la Restauración [248, 86-88].

Desde un punto de vista militar, la victoria sobre el carlismo va a ser lograda a través de tres etapas. Primera: pacificación del centro, donde Dorregaray es batido eficazmente y obligado a repasar el Ebro. Segunda: pacificación de Cataluña, lograda en el verano de 1875 tras la conquista de Olot y Seo de Urgel. En fin, a Navarra y al País Vasco hubo de corresponder la resistencia más encarnizada, prolongada hasta el 28 de febrero del 76 en que don Carlos cruza la frontera francesa. La rápida victoria sobre el carlismo fue fruto, en parte, de las rencillas y disensiones existentes en el campo de don Carlos, contando entre ellas el expreso reconocimiento de Alfonso XII llevado a cabo por el general Cabrera, retirado en Inglaterra y casado con una inglesa. Pero fue fruto, sobre todo, de la voluntad resuelta del gobierno madrileño de poner fin a la guerra; de una acumulación de hombres y de material llevada a cabo por aquel con la convicción de estar jugando una baza decisiva en el afianzamiento del régimen. La victoria fue obra de «un ejército disciplinado y bien abastecido que superaba a los carlistas en la proporción de cuatro a uno» [22, 341], y fue presentada gustosamente por Cánovas como un triunfo de los ejércitos regulares, al servicio de un Estado constituido, sobre una guerrilla popular; género este último de resistencia popular en que nunca creyó [59, 313 ss.]. En fin, en 3 de marzo de 1876 la proclama de Somorrostro marca el final de la guerra, a través de una noble retórica liberal y conciliadora: «a ninguno debe humillarle su derrota; que, al fin, hermano del vencedor es el vencido»; según quedó dicho, la terminación de la guerra comportará, de hecho, la abolición de los fueros vascos, por más que queden subsistentes determinados privilegios administrativos especialmente en materia tributaria («conciertos económicos»).

Como es sabido, en el planteamiento del fenómeno carlista —en el marco de la España del Ochocientos—, la historiografía actual admite la confluencia de tres determinantes históricos bien diferenciados: hay un problema de resistencia campesina a la penetración del capitalismo liberal en los medios rurales; hay un problema de resistencia autonomista frente a un Estado liberal resueltamente entregado a su función centralizadora; hay un problema de resistencia de unas formas de religiosidad tradicionales, conectadas con una ideología integrista, frente a cuanto el liberalismo y el proceso general de secularización comportan incluso en el campo específicamente eclesiástico. A estos tres factores determinantes puede añadirse la incidencia, desde poco antes de morir Fernando VII, del consabido conflicto dinástico.

De todo ello, conviene retener ahora el problema político-religioso enumerado en tercer lugar, que ciertamente responde, como los otros dos, a un aspecto de la contienda que no va a quedar resuelto con el cese de las hostilidades. Los avatares de la Revolución de Septiembre y de los años subsiguientes —muy especialmente del 73— habían prestado motivo para que buena parte de los medios eclesiásticos del país tendieran a ver en el carlismo la única fuerza política capaz de protagonizar una «resistencia católica» frente al avance revolucionario; ello contribuirá poderosamente a dotar al carlismo, fuera de su zona natural de implantación y resistencia armada —País Vasco, montaña catalana y valenciana—, de una simpatía más o menos latente o explícita, fácil de detectar en publicaciones y biografías de los años setenta.

En consecuencia, es conveniente ver en la continuidad del carlismo como fuerza política a escala nacional, tras su derrota militar en febrero del 76, no tanto la persistencia de un pleito dinástico o de un foralismo frustrado, como la persistencia de una ideología político-eclesiástica según la cual la «unidad católica» de España, soslayada en la Constitución del 76, debiera ser base y fundamento inexcusable de todo ordenamiento constitucional legítimo. En efecto, la jerarquía eclesiástica, dirigida por Roma, se pronunciará contra el artículo 11 de la Constitución invocando el Concordato del 51 y, tras él, la identificación histórica de España con el catolicismo; la oposición política al orden constitucional, alentada por esta actitud eclesiástica, va a superponerse necesariamente a los planteamientos carlistas, incluso después de la derrota militar del carlismo [17, III, 290 ss; 37, 275-311]. Como se ve, lo que está en juego, en el fondo, no es tanto el problema de la supervivencia del carlismo en cuanto opción política concreta, como el problema de la adaptación del ala derecha de los católicos españoles a una situación política irreversiblemente marcada por el triunfo de la burguesía liberal. Un aspecto del ya añejo —y perdurable— problema de la pacificación religiosa.

En suma, hay, pues, un carlismo más o menos difuso, no circunscrito a las áreas regionales que habían sido escenario de la guerra, que sobrevive a la derrota militar. Para dejar realmente consumada la pacificación, era necesaria la integración del mismo en las pautas constitucionales. ¿Estaba el carlismo dispuesto, una vez vencido, a tal integración? Su historia subsiguiente será, en buena medida, la de su indecisión entre la aceptación del orden político establecido, haciendo valer en él, por medios legales, sus ideas; o el refugio en un retraimiento en tanto llegaba la ocasión de recurrir, de nuevo, al levantamiento armado. No es extraño que, inmediatamente después de su derrota, el Pretendiente propugne «una "cruzada de propaganda", sin aceptar ninguna alianza, aun cuando se favorecerá cualquier agitación republicana»; ya que, según su caudillo, el carlismo «tiene el deber de fomentar conflictos bajo mano, como promover movimientos republicanos avanzados, a fin de acelerar los acontecimientos y abreviar los males que afligen a mi querida España» [13, I, 536]. Ahora bien —precisa Artola—, «la resistencia de don Carlos a que el partido entrase en la legalidad fue combatida por la jerarquía eclesiástica, que, por su parte, intenta organizar a los católicos militantes en una asociación que, sin ser un partido, actuaría como un grupo de presión en defensa de los intereses de la Iglesia» [13, I, 538]. Difícil empeño: el mismo don Carlos resultará sospechoso de liberalismo a los ojos del sector que, en 1888, se separará del carlismo para constituir el partido integrista, bajo el liderazgo de Cándido Nocedal.

En la actitud de la jerarquía eclesiástica que acaba de ser aludida —y que será defendida, en el plano civil, por el conde de Canga Argüelles— hay que ver, predominantemente, una manifestación de la necesidad de entenderse con un régimen que, a diferencia de los del Sexenio, va manifestando crecientes indicios de estabilidad y de duración. Por otra parte, la sustitución de Pío IX († 7 febrero 1878) por León XIII trajo consigo un cambio de orientación por parte romana; la encíclica *Cum multa,* dirigida a los obispos españoles en 8 de diciembre de 1882, viene a propiciar la apertura de una nueva etapa en la actitud de los católicos ante el régimen de la Restauración, al indicar la necesidad de «huir la equivocada opinión de los que mezclan y como identifican la religión con algún partido político, hasta el punto de tener poco menos que por separado del catolicismo a los que pertenecen a otro partido. Esto, en verdad, es meter malamente los bandos en el augusto campo de la religión, querer romper la concordia fraterna y abrir la puerta a una funesta multitud de inconvenientes». Como justamente glosa Jerónimo Becker, este llamamiento al clero español venía a echar por tierra la tradicional y más o menos explícita identificación entre catolicismo y absolutismo [17, III, 419]. Anotemos, pues, esta inflexión que las relaciones Iglesia-Estado describen, en España, coincidiendo precisamente con el acceso a la década de los ochenta. La nueva década contará, pues, entre los componentes de su facies liberal y progresiva, con esta relativa pacificación religiosa.

3.3. La Paz del Zanjón: ¿Resolución o aplazamiento del problema colonial?

A primera vista, el planteamiento de la paz del Zanjón responde a unas motivaciones obvias: el régimen canovista necesitaba, para afianzarse y fortalecerse, terminar también con esta «guerra larga», dura y costosa guerra colonial que tan pesada carga había constituido para los regímenes del Sexenio; también lo necesitaba, por supuesto, Cuba, que venía sufriendo en su carne y en su territorio una guerra prolongada e indecisa. Ahora bien, la situación cuenta con otros componentes que condicionan y complican esta mutua necesidad de paz. Dos componentes de signo contrapuesto: por una parte, la presión de las oligarquías isleñas y de sus representantes peninsulares cerca del gobierno de Madrid; por otra parte, la presión de los Estados Unidos.

Por imperativo de la situación internacional, el empeño estabilizador de Cánovas hubo de partir de una doble gestión exterior: en Europa, el aseguramiento de los buenos oficios alemanes; en el área antillana, el apaciguamiento de los Estados Unidos. Refiriéndonos a esta última, hay que resaltar la nota de 16 de abril de 1876, en virtud de la cual el gobierno español se compromete ante el norteamericano a llevar a cabo en Cuba todo un programa de reformas, manifestándose propicio «a cumplir escrupulosamente lo prescrito en las leyes y tratados; a cambiar en sentido más liberal y amplio el régimen imperante en Cuba, así en el orden administrativo como en el político; a promover, no gradual, sino rápidamente, la emancipación de los esclavos; a suprimir cuantas trabas entorpecieran el comercio de Cuba con los Estados Unidos, y a dar, en fin, representación a la Gran Antilla, como ya se le había concedido a la Pequeña (Puerto Rico), en las dos Cámaras del Parlamento español», si bien con la reserva de que algunas de estas promesas, y en particular la última, requerían para su cumplimiento el previo cese de las hostilidades en la Isla [17, III, 270]. Es preciso encuadrar los términos de esta Nota en el contexto de la política internacional de la época del imperialismo, y más concretamente en el marco de las relaciones hispano-norteamericanas con referencia a Cuba, para advertir que, por más que España no hubiera asumido en aquella un compromiso formal, diplomáticamente exigible, no por ello dejaba de amagar frente a la política colonial de la Restauración un condicionamiento más férreo y riguroso que el de las mismas oligarquías nacionales, por poderosas que estas fueran, y lo eran mucho.

El momento de la pacificación de Cuba parece llegado, en efecto, cuando, concluida la guerra carlista, resulta posible transferir a la Gran Antilla el esfuerzo militar y financiero que hasta entonces había sido necesario concentrar sobre el norte de la Península. Esfuerzo financiero: mientras en Cuba se anda a vueltas con el tema de «la reorganización fiscal y la tantas veces invocada moralización administrativa» [184, II, 356 ss.], en la Península se había llevado a cabo la creación del Banco Hispano-Colonial —5 de noviembre de 1875—, con la finalidad de concertar con el mismo un préstamo de 200 millones de pesetas, para atenciones de guerra. Y esfuerzo militar: cuando Martínez Campos desembarque en Cuba a comienzos de noviembre de 1876, llevará consigo un refuerzo de 25 000 hombres; durante 1877 desembarcarán 17 000 más.

En conjunto, las fuerzas recibidas de la Península durante los diez años de duración de la guerra alcanzará la cifra de 181 040 hombres; de ellos morirán 96 025, el 91% de los cuales por enfermedades y sólo un 8,3% por acción de guerra; más de 25 000 serán devueltos a la Península por enfermos o inútiles, muriendo aproximadamente un 12% de ellos, bien durante la travesía o poco después de su desembarco [180, VI, 932]. «En cuanto al dinero dedicado a los gastos militares para acabar la guerra de los Diez Años, llegaría a la considerable suma de treinta y seis millones y medio de pesos anuales (1877)» [182, 488-489].

La fase resolutiva de la contienda fue protagonizada por los generales Jovellar y Martínez Campos; el primero, nombrado capitán general de Cuba en 18 de enero de 1876; el segundo, como general en jefe a partir del 9 de octubre. La manera humana y hábil de este último al dirigir las operaciones, vino a sumarse a la fatiga de unas huestes insurrectas propicias a la transacción, si bien con la excepción de Antonio Maceo. En efecto, en febrero de 1878 se llega a la paz del Zanjón, cuyas estipulaciones principales hacen referencia a la «concesión a la isla de Cuba de las mismas condiciones políticas, orgánicas y administrativas de que disfruta la isla de Puerto Rico» (art. 1), a la concesión de una amplia amnistía, y —punto este de gran importancia en el contexto del proceso abolicionista— a la «libertad a los esclavos y colonos asiáticos que se hallen hoy en las filas insurrectas» (art. 3). Un cotejo de los artículos inicialmente propuestos por el Comité del Centro —como se llamó a la comisión cubana de la paz— con los definitivamente convenidos tras las rectificaciones hechas por Martínez Campos, muestra que fueron dos las reivindicaciones insurrectas que el general en jefe español no estimó oportuno o no pudo aceptar: la propuesta cubana de «asimilación (de Cuba) a las provincias españolas bajo la Constitución vigente (en España), excepción de las quintas», y garantía de que el mismo general Martínez Campos asumiría el mando político y civil de la isla de Cuba, tras de la paz, para asegurar el cumplimiento de lo pactado [180, III, 564-572].

Al referir el nuevo *status* político de la Isla a las condiciones existentes en Puerto Rico, quedaba subsistente una cierta ambigüedad formal; ya que, por más que fuera evidente la referencia a las leyes votadas por la República del 73 para esta última isla, la subsiguiente derogación de tales leyes dejaba en pie un equívoco que el gobierno madrileño no supo resolver con generosidad y respeto al espíritu de lo pactado. Retoñará esporádicamente la insurrección en 1879 («guerra chiquita»), en 1883, en 1885; faltó imaginación y sobraron intereses creados para que pudiera hacerse de la paz del Zanjón fundamento de una renovada convivencia entre cubanos y españoles. Los historiadores cubanos ven, sin embargo, en la paz mencionada el comienzo de una nueva era, en la cual resultaron asequibles para los cubanos muchas de las libertades formales propias de un Estado liberal: posibilidad de organizarse en partidos políticos, libertad de expresión, capacidad de elección de Ayuntamientos y Diputaciones provinciales, limitación de las facultades hasta entonces omnímodas de los capitanes generales.

En suma: la generación cubana del 68 y la larga guerra de Yara permitieron e impulsaron un considerable avance en la maduración de la personalidad nacional cubana; sería injusto silenciar, por otra parte, la contribución que la generación española del 68, las ideas y los hombres del Sexenio, aportaron a tal maduración nacional [117, 289 ss.]. «El general Martínez Campos —escribió Rafael María de Labra— mereció bien de la patria y realizó una obra extraordinaria al preparar y suscribir el Convenio del Zanjón, que puso término a una lucha que costó sólo a la Metrópoli española, según dicho del general Jovellar, más de 140 000 hombres y 700 millones de duros» [17, III, 304]. Las reticencias, sin embargo, no fueron escasas ni débiles, y anunciaron ulteriores tormentas. Es significativo el hecho de que «en la reunión celebrada por el Casino Español de La Habana para decidir si felicitar o no a Martínez Campos por el Convenio del Zanjón, se acordase hacerlo por el escaso margen de un voto, por parecerles mucho lo que a los enemigos se concedía»; más lo es la referencia a «la mil veces maldita paz del Zanjón» hecha por el general Salamanca en la sesión de Cortes del 28 de abril de 1880 [184, 422, 440]. Palabras expresivas de un talante que veremos retoñar, cargado de presagios siniestros, en los pródromos del 98.

La gran empresa de «pacificación» cuyas dos principales manifestaciones quedan esbozadas, constituían el necesario fundamento para la estabilización del Estado de la Restauración. Cierto que cabe dar a la palabra «pacificación» un contenido más amplio y auténtico del que corresponde, escuetamente, a la liquidación de dos guerras. Al aludir a la trayectoria ulterior del carlismo, se han hecho algunas referencias al problema de la pacificación religiosa; sería injusto desconocer los logros de la Restauración en este campo. Es evidente, también —y lo será más en la década inmediata— el largo trecho avanzado sobre el camino de una pacificación política, si tomamos como término de referencia la España de Isabel II. Señalemos, en cambio, la ausencia de una política encaminada a una auténtica pacificación social, de la que sólo más adelante —y por iniciativa predominantemente conservadora— surgirán indicios: el edificio del Estado de la Restauración se levantaba, se consolidaba sobre unos cimientos sociales estructuralmente inestables; sobre situaciones de injusticia y de miseria no paliada, llamadas a hacer doblemente conflictiva, algunas décadas más adelante, la inevitable crisis de la Restauración.

3.4. LA POLÍTICA EUROPEA DE LOS CONSERVADORES

Si a la altura de 1875 había algún sector de la política del Estado para el cual fuera sencillamente imposible la restauración de lo existente antes de la Revolución del 68, este era, sin duda alguna, el de la política exterior. En efecto, los avatares experimentados por España durante el Sexenio habían obligado a una introversión de la política y de la atención nacionales, mientras en el resto de Europa ocurrían unos cambios aún más profundos y decisivos que los acaecidos en la Península. La fulminante victoria militar prusiana, el hundimiento del Segundo Imperio francés —potencia referencial para toda la política exterior isabelina entre el 52 y el 68—, los acontecimientos de la Comuna parisiense, la proclamación del Imperio alemán, la consumación de la unidad italiana a costa de los Estados pontificios; la crisis del 73, jalón inicial de la «gran depresión» que transcurre contemporáneamente a la época que aquí analizamos; el despegue inicial de una nueva hegemonía militar, diplomática y económica sobre el continente —la ejercida por la Alemania bismarckiana—, son acontecimientos cuya coincidencia en poco más de un lustro, a partir de 1870, no sólo venía a descartar la posibilidad de cualquier opción continuista en lo que se refiere a la política exterior del nuevo Estado, sino que obligaba a un esfuerzo de imaginación. Era preciso forjar una política exterior de nueva planta, en función de un nuevo condicionamiento externo; en función también, por supuesto, de la nueva realidad política nacional. Esta atención a Europa respondía, en efecto, a unas necesidades muy concretas. Necesidades que, de acuerdo con las valoraciones del momento, podríamos enumerar así. En primer lugar, la consolidación y defensa del régimen —de la monarquía— aconsejaba a los responsables de la política exterior una conexión con aquellas potencias que representaban el principio monárquico. La Europa de los legitimistas, la Europa de los republicanos y la Europa de los monárquicos realistas —en el sentido de la *Realpolitik*—, eran sendas realidades en las que se implicaba muy directamente, en particular a través de las conexiones exteriores del carlismo, el hecho español de la Restauración; es obvio que el principal apoyo al régimen madrileño ha de venir, precisamente, de la última de las tres corrientes indicadas. En segundo lugar, está la imposibilidad del aislamiento para una pequeña potencia con extensas posesiones coloniales, en un nivel histórico en que se sobreentiende todavía que es de las potencias europeas de las que dimana toda garantía y toda seguridad del *statu quo* colonial frente a terceros. En tercer lugar, está la realidad de una Europa que se siente cada vez más próxima desde que, veinte años atrás, se inauguró el ferrocarril del Norte.

Sobre la base de estas realidades y estos objetivos, resulta difícil no ver en la política europea de Cánovas la gestión más prudente y efectiva que, en este orden de cosas, podía llevar a cabo el régimen. Para entender los planteamientos desde los cuales llevará a cabo Cánovas del Castillo su orientación de la política europea, es preciso tener en cuenta dos nociones muy arraigadas en su ideario. Por una parte está su conciencia de una «decadencia» de España, conciencia cimentada, como es sabido, en sus excelentes estudios, de primera mano, sobre la crisis de la hegemonía española en la Europa del siglo XVII [79]; a este estrato básico de su formación intelectual es preciso añadir la profunda impresión que le hicieran los acontecimientos europeos de 1870, en los que vio clara manifestación —como sus contemporáneos, si bien antes que la mayoría de ellos— de una «decadencia de las naciones latinas» [21, I, 3-52]. Por supuesto que en este desmoronamiento de la secular primacía de la Europa latina —suplantada por las potencias del norte, germanos y anglosajones— hubo de integrar el conservador Cánovas del Castillo su vivencia de la crisis experimentada por el Estado español en 1873. En cuanto a la otra de las nociones básicas del ideario canovista que debe ser recordada aquí, es la del decoro y la respetabilidad formales del Estado, que Cánovas —superando en este aspecto tanto la tradición moderada como la procedente del Sexenio— hubo de cuidar mucho en el plano internacional.

El régimen de la Restauración tuvo, en principio, una buena acogida entre las potencias europeas, deseosas de «normalizar» lo que la experiencia de 1870 había acreditado como un peligroso foco de fricciones; no hubo problemas serios para el reconocimiento internacional del nuevo régimen. Pero tampoco se presentaba exenta de dificultades la posición internacional del nuevo Estado; «así, en la Francia de Mac-Mahon —ha escrito Julio Salom—, aunque algunos gobernantes ven con buenos ojos el advenimiento de la dinastía borbónica, otros sectores políticos y sociales continúan apoyando eficazmente la resistencia carlista, en tanto que sigue predominando el temor hacia la injerencia alemana en España». Inglaterra, por su parte, «recibe con marcada desconfianza al régimen restaurador, de quien teme una política ultramontana, una mayor actividad exterior —en particular en Marruecos— y, posiblemente, una desviación de la política librecambista desarrollada por los regímenes revolucionarios» [203, 419]. En cuanto a Alemania, queda claro el interés de Bismarck por una España estabilizada, susceptible de ser utilizada en función de dos referencias primordiales de su política internacional: las relaciones germano-británicas y las relaciones germano-francesas. El acuerdo hispano-alemán de 31 de diciembre de 1877 constituye el instrumento diplomático que viene a confirmar el apoyo y la simpatía dispensados por el gobierno alemán a la monarquía alfonsina desde los días de su establecimiento; la letra del acuerdo mencionado apunta a una común actitud defensiva frente a cualquier amenaza francesa, por más que el apoyo recíproco previsto para tal eventualidad no rebase una mera «acción diplomática» [203, 263]. Por lo demás, la vigencia de este instrumento diplomático —cuyo tenor queda muy lejos de algo parecido a una alianza— será muy breve; dos años después de su firma, la mejoría de las relaciones con Francia tanto desde Berlín como desde Madrid señalará la desaparición de su inmediata razón de ser.

Una referencia más detenida de la que aquí cabe hacer a la política europea de Cánovas recogería el interesante proceso de las negociaciones —diplomáticas y comerciales— con Francia; la negociación con Inglaterra y Alemania a que obliga la cuestión de Joló (1876-1877), especie de bautismo de fuego de la diplomacia española en la dura liza del imperialismo; las incidencias en las relaciones con la Santa Sede, a las cuales se ha hecho rápida alusión más arriba. Sería preciso, también, analizar las relaciones con Marruecos y en especial la Conferencia de Madrid (1880). Ahora bien, sobre toda esta cadena de hechos que recoge la historia diplomática —y que Julio Salom acertó a investigar y a presentar en un proceso coherente—, planea un denominador genérico: *recogimiento*. Frente a la mal llamada política de «ejecución» propia de la diplomacia de los liberales, la política de «recogimiento» propia de esta larga etapa canovista intentó evitar tanto el aislamiento como el compromiso. Se esforzó en presentar una buena imagen externa del Estado español y en mantener y mejorar las relaciones con las potencias; desde este punto de vista estamos ante la dimensión internacional de la pacificación. Pero la sólida preparación histórica y la elevada cota de racionalidad significadas en el pensamiento canovista coadyuvaron para evitar todo compromiso. Que esta virtud fuera, en ancha medida, pura necesidad impuesta por la situación objetiva del sistema europeo a la sazón, es observación que, ciertamente, debe ser intercalada aquí. Pero que no arguye nada ni contra la prudencia ni contra la perspicacia con que Cánovas del Castillo supo afrontar, en una etapa propicia a los resbalones siquiera fueran estos de prestigio, el problema de la política exterior de España.

NOTAS DEL CAPÍTULO PRIMERO

1. Se trata aquí el período de la primera República, analizado ya en capítulos anteriores. Porque se complementan y por el valor historiográfico de ambos autores, no se suprime nada. (Nota del editor.)

2. Omitiremos, sin embargo, todo lo relativo a la política económica y financiera, por haber sido objeto de análisis en otro capítulo de este mismo volumen.

CAPÍTULO II

Los años ochenta y la consolidación del liberalismo

Ya quedaron expuestos, al comienzo de estas páginas, los motivos que nos impulsaron a considerar la penúltima década del siglo XIX como una unidad historiográfica. Aun haciéndolo así, bueno será sin embargo subrayar la cesura que, desde muchos puntos de vista, marcan en la década indicada los años 1885-1887. En la historia académica tradicional, la primera de estas dos fechas tenía —y mantiene— una significación concreta: la muerte de Alfonso XII, el establecimiento de la Regencia, la formalización del turno con el acceso al poder del recién configurado Partido Liberal, son hechos que marcan una divisoria precisa; en nuestra historia política, los años de la Regencia (1885-1902) señalan una etapa bien definida, que no debe ser desconocida como tal. Por otra parte, cualquier conocedor de la cultura española en la que se ha llamado Edad de Plata de la misma habrá tenido que ver solicitada su atención por este promedio de la década, siquiera sea recordando que, entre otras muchas cosas, 1885 es el año de aparición de *La Regenta* de Clarín, y 1886-1887 los de los cuatro volúmenes de *Fortunata y Jacinta* de Pérez Galdós; el trienio arriba apuntado presenciaría, pues, la aparición de las que son, quizá, las dos cumbres novelescas de la literatura española del siglo XIX. En fin, no hay que insistir en el énfasis que la más reciente historiografía, de inspiración socioeconómica, ha hecho recaer sobre el bienio 1887-1888: años de crisis, de cambio de signo en las ondas largas de nuestra economía; años decisivos en la conformación del movimiento obrero español con la Ley de Asociaciones, con la consolidación del Partido Socialista, con la fundación de la Unión General de Trabajadores. El hecho de que a 1887 se deba, por otra parte, el segundo censo de población que permite hacer generalizaciones globales sobre la época, no ha dejado de contribuir, también, a tal fijación historiográfica. No obstante todo ello, y aun invitando al lector a retener en todo momento el objetivo valor liminar de tales años —muy frecuentemente utilizados para partir en dos grandes etapas el conjunto de la época de la Restauración—, hemos optado por nuestra parte, como queda dicho, por considerar globalmente la década en la cual se integran, por exigirlo así, en nuestro sentir, la mejor contextualización del cambio mismo.

En efecto, una consideración global de los años ochenta permite seguir la trayectoria de algunos procesos muy coherentes y, al mismo tiempo, estrechamente conectados entre sí, que la definen tanto desde el ángulo político como desde el cultural. La configuración liberal del régimen político es un proceso que discurre, con coherencia prácticamente ininterrumpida, desde la constitución del Partido Fusionista (junio de 1880) y el acceso del mismo al poder (febrero de 1881) hasta la conversión de aquel en Partido Liberal en el 85, hasta la ley de Asociaciones del 87, la del Jurado del 88, el Código Civil del 89 o la implantación del sufragio universal en junio del 90. El espectacular despegue de la Edad de Plata —especialmente en el campo de la novela— corresponde igualmente a esta década, por más que sus cimientos correspondan —Pereda, Galdós— a la década anterior. Tampoco la eclosión socialista y obrera visible a partir del 87 surge por generación espontánea, y es preciso referirse, ante todo, a un proceso de maduración entre cuyos antecedentes inmediatos no puede ser olvidada la fundación del PSOE, a finales de la década anterior. En fin, tanto el proceso político de liberalización formal como el proceso de desarrollo cultural —impostado predominantemente sobre las clases medias— o el proceso de desarrollo incipiente del movimiento obrero, tienen un fundamento común: son fenómenos esencialmente urbanos. No podía ser de otra manera; pero vale la pena fijar la atención en ello, teniendo en cuenta el carácter marcadamente rural que corresponde, todavía, a la España del último cuarto del siglo XIX. Estamos, en efecto, ante un protagonismo de la ciudad, de la fábrica, del ferrocarril, como pioneros de una renovación; del gran salto adelante dado por la sociedad española precisamente a lo largo de los años ochenta. Será necesario, pues, comenzar definiendo someramente el papel desempeñado por la ciudad como célula en que se gesta y desarrolla el triple proceso que queda apuntado, a cada una de cuyas vertientes nos referiremos a continuación.

1. EL MUNDO SOCIAL DE LA CIUDAD

1.1. LA ESPAÑA URBANA DE LA RESTAURACIÓN

Si añadimos a Madrid los doce principales núcleos de población existentes en la España del último cuarto del siglo XIX, estaremos cerca de determinar los principales puntos de apoyo de esa infraestructura urbana en que se asienta la mayor parte de cuanto de progresivo y de renovador alienta en la época indicada. Veamos, pues, el crecimiento que experimenta la población de esos trece núcleos urbanos entre 1877 y 1900:

	1877	1887	1900
Madrid	397 816	470 283	539 835
Barcelona	248 943	272 481	533 000
Valencia	143 861	170 763	213 530
Sevilla	134 318	143 182	148 315
Málaga	115 882	134 016	130 109
Murcia	91 805	98 538	111 539
Cartagena	75 908	84 230	99 871
Zaragoza	84 575	92 407	99 118
Bilbao	32 734	50 772	83 306
Granada	76 005	78 006	75 000
Lorca	52 934	58 327	69 836
Cádiz	65 028	62 531	69 832
Valladolid	52 181	62 012	68 789

Fuente: Tuñón de Lara, *El movimiento obrero en la historia de España*, p. 305.

Ciertamente, como ha apuntado Tuñón de Lara, no estamos ante magnitudes que evolucionen al mismo ritmo: crecimiento espectacular de Bilbao, Barcelona y Valencia; crecimiento notable de Madrid y de Cartagena (si se añaden a las cifras indicadas las correspondientes al contiguo municipio de La Unión, distrito minero en pleno auge); crecimiento discreto de las grandes capitales rurales del norte —Valladolid, Zaragoza— y del mediodía andaluz y murciano... En todo caso, si sumamos la población de estas trece ciudades en 1877, en 1887 y en 1900, y referimos los totales obtenidos al conjunto de la población española en tales momentos, obtendremos los siguientes porcentajes, indicativos de la parte de esta última que habita en los más importantes núcleos de población del país:

	1877	1887	1900
Cifra total de la población española	16 634 345	17 565 632	18 594 405
Cifra total de la población de las trece ciudades que anteceden	1 571 990	1 777 548	2 242 080
Porcentaje de población española que vive en las trece ciudades	9,45 %	10,01 %	12,06 %

Al objeto de este capítulo, estas cifras no pasan de tener un valor muy general, ya que tanto el desarrollo político y cultural urbanos como el auge más o menos calificado del movimiento obrero son cosas que no dependen exclusivamente, ni mucho menos, de la concentración de una población más o menos numerosa. Por lo pronto habría que matizar las indicaciones cuantitativas que anteceden con las que nos suministra la proporción, más o menos elevada, de gentes capaces de leer y de escribir; proporción que cambia según las regiones, según las ciudades e incluso, dentro de cada una de estas entidades, según los sexos. Las cifras globales para el conjunto de España son las que siguen:

Porcentaje de analfabetos con respecto al total de la población española

Censo	Varones	Mujeres	Total
1877	62 %	81 %	72 %
1887	61,5 %	81,2 %	71,6 %
1900	55,8 %	71,5 %	63,8 %

Fuente: Datos de Guzmán Reina, *Causas y remedios del analfabetismo en España*, reproducidos y completados por Martínez Cuadrado, *La burguesía conservadora...*, p. 124.

En lo que se refiere al reparto regional de estas cifras, podrían trazarse sobre el mapa de España, de acuerdo con los datos del censo de 1887, tres grandes zonas. La primera, integrada por el País Vasco y Navarra, Asturias, León, Castilla la Vieja, y las dos provincias de Madrid y Barcelona, formaría el conjunto más alfabetizado, con cifras de analfabetismo que oscilan entre un 37 y un 60 %. La segunda —entre un 60 y un 75 % de analfabetos— se extendería sobre Galicia, Cataluña, Aragón, la submeseta meridional (provincias de Guadalajara, Cuenca, Toledo; Extremadura) y la Baja Andalucía. En fin, queda para Levante y la Andalucía penibética el máximo índice de analfabetismo, con cifras que van del 75 al 86 %: así en las provincias de Murcia, Málaga, Granada, Castellón, Almería, Valencia, Alicante, Baleares [242, 102]. Por supuesto que estas cifras tienen una significación ambigua: en ellas habría que decantar la parte, muy variable según las regiones, que corresponde al analfabetismo femenino (particularmente intenso en Galicia y en Levante; más igualado con el masculino en Andalucía); la que corresponde a distintas generaciones (en 1887 solo un 57,2 % de analfabetos entre los 10 y los 35 años, mientras que para los comprendidos entre los 35 y los 60 años tal cifra alcanza un 65,4 %); la que separa los medios urbanos de los medios rurales; y, en fin, la que por un conjunto de circunstancias sociales de diverso orden viene a diferenciar entre sí entidades urbanas de la misma región o provincia. Inútil consignar que el número de escuelas primarias era insuficiente, que esta insuficiencia aumentaba al crecer la población más rápidamente que las nuevas creaciones escolares, que la situación socioeconómica del campesinado meridional creaba dificultades específicas para la escolarización, que incluso entre los alumnos escolarizados distaba de ser asidua la asistencia a clase, que las posibilidades de escolarización aumentan en la ciudad y, en todas partes, con el nivel social y económico [137, II, 194 ss.].

Más propiamente urbano resulta ser el tema de la enseñanza secundaria y superior. Sabemos que en el curso 1878-1879 había en España 33 638 estudiantes de segunda enseñanza y 16 874 de enseñanza universitaria [256, II, 205 ss.]; los primeros gravitan sobre las capitales de provincia —cada una de las cuales cuenta con un Instituto, como tendremos ocasión de ver más adelante—, en tanto que la población universitaria, especialmente numerosa en Madrid, se distribuye entre otra decena de poblaciones (Barcelona, Valencia, Granada, Sevilla y Cádiz, Salamanca, Valladolid, Santiago, Oviedo, Zaragoza). En resumen, la proporción de personas afectas al capítulo de «profesiones liberales» que figura en el censo de cada ciudad; el número de estudiantes de enseñanza secundaria y superior; la solera intelectual vinculada a tal Facultad, Instituto o Ateneo; la calidad y difusión de la prensa local; el nivel de instrucción de las clases populares y trabajadoras, son otras tantas variables que, proyectadas sobre cada una de las principales entidades de población del país, nos permitirían precisar sobre cuáles de estas últimas hubo de recaer un relativo protagonismo intelectual.

Por lo demás, no hay que insistir en la relación existente entre estos datos, que apuntan a la determinación de los principales centros culturales del país, y los relativos al desarrollo económico. El tráfico a través del puerto o de la estación de ferrocarril, la explotación minera, la fábrica, contribuyen poderosamente a impulsar el protagonismo urbano en la España de la Restauración: los casos de Barcelona y de Bilbao, de Cartagena, de Cádiz, de Santander, son significativos al respecto. La resultante de cuanto antecede sería la constatación de la existencia de una retícula, cuyos nudos vendrían significados por unos *núcleos urbanos* de relevante importancia económica, política o cultural, y cuyas líneas de unión vendrían significadas por el *ferrocarril*, que logra en las dos últimas décadas del siglo, como es sabido, un considerable desarrollo como instrumento de desplazamiento de personas y de mercancías, así como por las *líneas de navegación* que vienen a conectar entre sí los principales puertos españoles. Fuera de esta retícula queda la España tradicional de latifundios y jornaleros, de aldeas aisladas y sórdidas capitales de provincia de tercera clase, de pequeños propietarios que apenas pueden vivir de lo que poseen, de muchedumbres mayoritariamente analfabetas; de «burgos podridos», sin más instrumento de integración en el Estado que los lazos del caciquismo. Ahora bien, es sobre esta red, nada tupida, de nudos urbanos relacionados entre sí por el ferrocarril, sobre la que se asienta el triple proceso a que hemos de referirnos en las páginas que siguen.

1.2. MORFOLOGÍA SOCIAL DE LA CIUDAD

La ciudad es, pues, el microcosmos en que se gesta —y en el que, al mismo tiempo, se refleja de manera inmediata— el conjunto de transformaciones que confieren su fisonomía a la década de los ochenta. La ciudad, acabamos de verlo, aumenta el número de sus habitantes, si bien de manera desigual —en mayor proporción las de la periferia que las del centro, con la excepción de Madrid; en mayor proporción las del norte que las del sur; en una proporción que refleja, en todo caso, su pujanza económica—. La estructura material de la ciudad —calles y plazas, edificios y viviendas— queda pequeña; se hace necesario un «ensanche» —palabra de la época— destinado a dar alojamiento a sus nuevas muchedumbres. Este ensanche, fenómeno que cubre toda la segunda mitad del siglo, tenderá a desbordar el perímetro de las viejas murallas cuyo derribo data, por lo general, de la era isabelina; sobre el plano, el ensanche vendrá a estar representado por una especie de enrejado —calles rectas, tiradas a cordel, que se cruzan perpendicularmente—, adosado al viejo perímetro, de trazado irregular, legado por la historia. Los «ensanches» de Barcelona y de Madrid, de Bilbao, de San Sebastián, de Valencia y de tantas otras poblaciones supondrán otros tantos desafíos urbanísticos a los cuales harán frente los arquitectos españoles de la época con fortuna variable, pero generalmente con imaginación y con buen conocimiento de los problemas (ejemplo, la «Ciudad Lineal» proyectada para Madrid, a partir de 1892, por Arturo Soria) [233, 200 ss.].

Este incremento de la población urbana, en unión del «ensanche» que fue su consecuencia, eran fenómenos destinados a replantear la compartimentación social de la ciudad. A sus formas tradicionales de compartimentación —horizontal, según barrios y calles; vertical, según planos o «pisos» de las habitaciones, desde el «principal» a la buhardilla—, vienen a yuxtaponerse otras, menos integradas que las clásicas. En efecto, el aflujo de población trabajadora dará lugar al *tugurio*, al concentrarse aquella en los antiguos barrios populares; a la sórdida vivienda de suburbio; al *chabolismo* —barracones, casetas— cuando sea preciso improvisar alojamientos cerca de los lugares de trabajo. Las nuevas calles de cuadrícula, propias de los ensanches, prestarán alojamiento a unas clases medias incesantemente acrecidas, que vivirán en ellas aisladas topográficamente de los otros grupos sociales de la ciudad. En fin, nuevas zonas residenciales —hoteles, villas rodeadas de su pequeño jardín— prestarán alojamiento a la representación local del estrato superior, cuando este desborda palacetes y viviendas de lujo en el viejo casco de la ciudad. En todo caso, los ensanches, construidos con criterio utilitario y en serie por un sector del capital dedicado al campo de la construcción, estarán concebidos y planeados teniendo en cuenta la circulación más bien que la articulación del conjunto en torno a unos núcleos comunitarios; la vieja función integradora de la plaza o plazuela retrocede frente a la desoladora uniformidad de calles iguales tiradas a cordel. En fin, por encima de toda la compartimentación social urbana se hace cada vez más patente, con una evidencia plástica y monumental, la presencia de un poder incontrastable, trascendente a la misma ciudad, al que cabe referir la fuerza y los prestigios de las distintas elites locales, de los que de una manera u otra mandan en la ciudad: el Estado. Las grandes avenidas de perspectivas majestuosas, flanqueadas por palacetes o edificios en que habita parte de la clase dirigente, ornamentadas con monumentos que expresan una determinada filosofía o una determinada concepción histórica oficialmente refrendadas; los grandes edificios de la Administración —ministerios, gobiernos civiles, capitanías generales, audiencias, diputaciones provinciales, ayuntamientos—; las iglesias de finalidad mayestática y de clara connotación social, presiden la compartimentación social de la ciudad, haciendo de esta última, en su aspecto material y visible, una especie de concreción plástica de esas abstracciones que encontramos enunciadas, como poderes sociales, en el artículo constitucional relativo a la composición del Senado.

Desde este punto de vista, arquitectura, escultura y pintura —esta última, en el interior de los edificios— son llamadas a cumplir una finalidad social muy concreta: expresar la magnificencia, el poder y la respetabilidad del orden establecido. No ha de extrañarnos que este designio de afirmación se manifieste con especial reiteración e intensidad en Madrid: si a la Corte había correspondido siempre una misión de proyección plástica inmediata de la magnificencia real, a través de palacios, teatros, parques y avenidas, no es menor la función reservada a la capital en el Estado, férreamente centralizado, de la época del Imperialismo. En este sentido no hay inconveniente en admitir que el caso de Madrid es sustancialmente distinto al de las demás ciudades del país, incluso Barcelona; y ello por más que corresponda a cada capital de provincia el privilegio de trasuntar urbanística y arquitectónicamente, en la escala adecuada y con referencia a su propia demarcación administrativa, la función de la capital, de Madrid.

En el aspecto que abordamos, es difícil trazar una separación neta entre la segunda mitad del reinado de Isabel II y el Sexenio, de una parte, y la época de la Restauración, de otra: ya que estamos ante la que, partiendo de la lectura de Mumford, podríamos llamar «ciudad capitalista» [146, II, 555 ss.]. Para el autor recién citado, una de las características de la nueva ciudad es el afán de adornarse con los prestigios externos propios de lo antiguo, de lo histórico, para hacerse perdonar la ausencia de lo único que no se posee: el refrendo de la historia y de lo establecido «desde siempre». La aristocracia, afirma Mumford, había podido permitirse siempre el lujo de ser innovadora, precisamente porque su arraigo histórico y social no era contestado por nadie. La ciudad capitalista, en cambio, ha de buscar en lo clásico, en lo gótico, en los viejos estilos grandiosamente interpretados, los signos externos de un arraigo histórico de que en realidad carece, y que sin embargo tienen la virtud de suscitar en la sociedad contemporánea tácitos y subconscientes reflejos de acatamiento. Por lo demás, y en cuanto se refiere precisamente a España, conviene no perder de vista el poderoso aditivo de otra motivación, que estaba en la misma estructura sociopolítica del régimen isabelino, como lo estará en el de la Restauración: me refiero a la presencia de unos residuos estamentales —recuérdese la función de la nobleza cerca del conjunto del bloque de poder— y a la prevalencia de los esquemas ideológicos propuestos por los mismos.

Estas motivaciones sociales de fondo dispondrán de unos condicionamientos técnicos especialmente adecuados para que la nueva ciudad burguesa pueda cumplir el designio indicado con el máximo decoro arquitectónico, en cuanto a fidelidad a los modelos se refiere. El extraordinario avance de la arqueología a lo largo de la segunda mitad del siglo XIX, va a permitir un conocimiento preciso de las posibilidades y de las soluciones constructivas de los distintos estilos de antaño. El artista va a disponer, en consecuencia, de un repertorio de modelos, perfectamente estudiados y reproducidos, prestos a ser puestos al servicio de los nuevos objetivos urbanísticos y estéticos. Así surgirá y llegará a su apogeo entre los años sesenta y ochenta de la centuria el *revival* o «neísmo», caracterizado por la resurrección o utilización tardía y fuera de su contexto histórico real de una serie de estilos arquitectónicos —neogótico, neoclásico, neoplateresco...— utilizados simultáneamente y en función de la finalidad social a que cada edificio o conjunto de edificios va destinado. Al comenzar los años ochenta surge, por otra parte, la iniciativa de superar esta sistemática y fiel imitación de los modelos antiguos, mediante la transformación o utilización parcial de los mismos de acuerdo con un criterio ecléctico; para Juan de Dios de la Rada —autor del que Navascués llama «verdadero manifiesto del eclecticismo» [148, 236 ss.], «el arte arquitectónico de nuestro siglo tiene que ser ecléctico, confundiendo los elementos de todos los estilos para producir composiciones híbridas, en que no se encuentre un pensamiento generador y dominante». Agustín Ortiz de Villajos (n. en 1829), autor de los planos de la iglesia y hospital del Buen Suceso (1868), del Circo Price (1880), del Teatro de la Princesa (1885) —todo ello en Madrid—, pasa por ser la personalidad más característica de este eclecticismo. Por lo demás, la distinción entre neísmo o *revival* y eclecticismo tiene más valor para el historiador de la arquitectura como forma artística, que para el historiador de la sociedad. Este parará su atención, preferentemente, en el marco real que prestan a la vida social cotidiana edificios como el Banco de España (Eduardo de Adaro, 1890) o el Ministerio de Fomento (hoy de Agricultura); iglesia de tan evidente función cortesana como la catedral de la Almudena (proyectada por Francisco de Cubas) o la basílica de Nuestra Señora de Atocha (Fernando Arbós); monumentos tan significativos como el dedicado a Colón en el paseo de Recoletos (Arturo Mélida, 1886) o a Alfonso XII en el parque del Retiro. Mención más detenida de la que es posible conferirle aquí requeriría la arquitectura de hierro y cristal, tan representativa de la época que estamos analizando y, en particular, de cuanto en ella hubo de creencia en el progreso: el Museo de Ciencias Naturales, situado en los altos del Hipódromo madrileño (Fernando de la Torriente, 1887) y la estación de Atocha (Alberto de Palacio, 1880-1892) pueden ser mencionados como modelos que responden a funciones muy diferenciadas.

Pero más que en los grandes edificios aislados es en los grandes conjuntos arquitectónicos —paseos y avenidas, plazas y calles de distinto rango social— donde habría que buscar la proyección de una cultura, de una diferenciación social. Los muros de ladrillo, los huecos «guarnecidos de piedra de ampulosa labra», las techumbres de pizarra de pronunciada vertiente —todo ello a imitación de la arquitectura del renacimiento francés— no se encuentran sólo en los palacios y palacetes construidos por el marqués de Cubas para la alta clase madrileña; ladrillo rojo y piedra labrada pasan a significar una especie de «estilo Restauración» en las viviendas de las calles socialmente más distinguidas de las principales ciudades españolas. Algo semejante cabría decir de las series iconográficas —motivos históricos, en las grandes avenidas: monumento a Isabel la Católica, al general Martínez Campos...; motivos alegóricos a la Industria, al Comercio, etc., allí donde es preciso rimar con la arquitectura de hierro y cristal; motivos religiosos o funerarios en el interior de catedrales e iglesias; retratos en busto de los miembros de las elites— que prodiga una escultura en la que se distingue un conjunto de escultores catalanes y valencianos, entre los cuales Ricardo Bellver, Agustín Querol, Mariano Benlliure... En fin, es significativo anotar el hecho de que la pintura de historia en gran formato —tan implicada en la tradición moderada y unionista de la era isabelina— conozca ahora, tras el relativo eclipse de los años del Sexenio, una nueva edad dorada: recuérdense los lienzos de Francisco Pradilla (*Doña Juana la Loca*, 1878; *Rendición de Granada*, para el palacio del Senado); y, con una significación análoga, las grandes pinturas murales de San Francisco el Grande. Función complementaria corresponde a la que Lafuente Ferrari ha llamado «boga extraordinaria del *tableautin* de asunto español», instalado en el surco abierto por *La Vicaría* de Fortuny (1867), y que compartirá con «la tablita de asunto del XVIII, que los marchantes buscan para satisfacer una creciente demanda», y con el retrato, la misión de decorar los salones y las viviendas privadas del estrato superior de la sociedad española [104, 487 ss.].

A partir de las grandes líneas que quedan esbozadas, y en algún caso meramente insinuadas, sería preciso proseguir detenidamente nuestras referencias sobre un doble plano. Por una parte, y como el lector habrá observado, las breves indicaciones que anteceden se proyectan exclusivamente sobre Madrid. En efecto, hemos preferido concentrar aquellas sobre el primero y principal modelo de ciudad española de la Restauración; el lector imaginará el grado de abstracción a que hubiéramos debido recurrir si hubiéramos pretendido señalar gradaciones y variantes provinciales, locales o regionales.

Pero por otra parte, y sobre todo, al analizar la morfología social de la ciudad a partir de su célula más elemental —la casa, la vivienda—, el historiador ha de recordar la sugerencia de Schumpeter para el cual los componentes de una clase social no son tanto individuos como familias; en la sociedad española de la Restauración esta apreciación es, sencillamente, una realidad. La *casa* y la *vida cotidiana* son las coordenadas espacio-temporales de la familia, a través de las cuales esta se integra en la ciudad (o en la aldea o en el medio rural). Casa y vida cotidiana manifiestan toda una gama de diferencias de acuerdo con la situación social y económica de sus titulares; y ello de tal manera que una y otra resultan ser, no solo proyecciones inmediatas de un *status*, sino, al mismo tiempo, componente de este último. Bueno será, en todo caso, tener muy en cuenta que también la casa centra la vida cotidiana en medida muy distinta según la situación social: medida muy alta para la pequeña burguesía, generalmente introvertida en el plano doméstico; medida compartida con el lugar donde se desarrolla el trabajo colectivo para las clases asalariadas.

En su estructura más compleja —la que corresponde a la vivienda de la alta burguesía y de los grupos socialmente equiparables—, la casa manifiesta una distribución que responde a tres funciones: a) *de relación o de aislamiento social* (vestíbulo, salones, etc.); b) *de vida privada familiar,* tanto más diferenciada, según los individuos componentes de la familia, cuanto más alto sea el *status* (comedor, salas de estar, gabinetes, dormitorios, etc.); c) *de servicio doméstico*, también en relación con el nivel socioeconómico: cocina y despensa; cuartos de plancha y de costura, etc.; cocheras y cuadras; habitaciones de un «servicio doméstico» tanto más numeroso y diferenciado funcionalmente cuanto más elevado es el *status*, pero que conviene recordar engloba cifras que quedan cerca de los 90 000 hombres y 300 000 mujeres —algo más de un 10 % de los cuales en Madrid— en la España de 1877 [25]. Esta estructura doméstica se va simplificando, en tanto disminuye drásticamente la superficie total de la vivienda, conforme penetramos en las distintas capas de las clases medias: el sector de relación social queda limitado al «recibidor», «recibimiento» o «entrada» —versión mesocrática del vestíbulo de la clase alta—, en que se recibe a las personas que por su inferioridad social o por el carácter informal o incidental de su visita no tienen acceso a las habitaciones familiares, y a la «sala» o «salón», reservado a las visitas, y decorado de manera que trasunta, más o menos lejanamente, el modelo que se trata de imitar: el salón de la aristocracia; el servicio queda reducido a una o dos «criadas» que tienen su centro de gravedad en la cocina, en donde realizan sus comidas. La vivienda popular resume en una sola habitación central —a la que suele accederse directamente desde la calle o la escalera— las funciones de comedor, sala de estar y sala de recibir, si bien las relaciones sociales de las clases populares y trabajadoras suelen gravitar sobre espacios situados fuera de la casa (la calle y la plaza, el mercado; la fábrica o el lugar de trabajo; la taberna, etc.). Presidida por la «cómoda» —sobre la que aparecen imágenes religiosas, retratos familiares o estampas de significación social o política—, esta habitación central, verdadera célula familiar, comparte con la cocina, la alcoba y algún dormitorio para los hijos la escasa superficie doméstica. Esta estructura, por simple que sea, responde a lo que todavía sigue siendo una «casa»; por debajo de ella queda el alojamiento de las muchedumbres urbanas que han de conformarse con una única habitación para toda la familia, o con un sórdido tugurio sin espacio, luz ni ventilación. Las estadísticas relativas al reparto —por barrios y calles— de alquileres urbanos [76, I, 494]; las encuestas acerca de la salubridad y condiciones de vida de la vivienda [32, 41]; la riquísima cantera significada por la novela contemporánea (en particular, por la de Pérez Galdós, en cuanto a Madrid se refiere) y, sobre todo, la creciente atención de la historiografía a los estudios de vida material [211, 413-418; 451-464], pueden ayudarnos a conocer esta infraestructura urbana sobre la que se imposta y en la que toma cuerpo una estratificación social.

En cuanto se refiere al ritmo de la vida cotidiana y, en otro plano, al de sus ritos de carácter semanal o anual, solo hay lugar en estas páginas —como ha sido el caso al tratar de la ciudad, de la calle y de la casa— para apuntar el relevante interés de la materia, cuando se trata de establecer la más elemental bisagra entre sociedad y cultura. *La espuma*, de Palacio Valdés (1890), *La Regenta*, de Leopoldo Alas (1885) y *Arroz y tartana*, de Vicente Blasco Ibáñez (1894) pueden ser mencionadas como excelentes fuentes para el conocimiento de las cuestiones indicadas en lo que se refiere a la alta clase madrileña, a la oligarquía provinciana (Oviedo), y a la clase media valenciana respectivamente: ocio, trabajo y fiesta jalonan las grandes etapas del día, la semana y el año. Ahora bien, al hacer entrar en estos esquemas a las clases trabajadoras, encontramos contextualizados los grandes problemas de estas últimas: cuando el ritmo anual viene marcado no por la fiesta, sino por el paro estacional; cuando en la vida cotidiana falta espacio no solo para el ocio, sino aun para el descanso; cuando la enfermedad, el paro y la miseria amenazan incesantemente la continuidad de aquella.

1.3. LA FUNCIÓN POLÍTICA DE LA CIUDAD

Entre el Poder abstracto —el Estado, la Administración— y a veces lejano, y la realidad material y humana —con sus calles, sus casas y sus hombres— de la ciudad, ¿quién manda en esta última? Cuando trata de definir la «clase política» de la Restauración, Martínez Cuadrado habla de un conjunto de elegidos —con una periodicidad media de tres años y medio—, en el que figuran ministros, subsecretarios, directores generales, diputados y senadores, a más de «presidentes de organismos relevantes, secretarios generales y particulares», etc. Pero en el que figura también una muchedumbre harto más numerosa: gobernadores civiles, presidentes de Diputación y alcaldes, más de mil diputados provinciales y unos setenta mil concejales, a los que habría que añadir un número nada reducido de cargos «de confianza» y de empleados de nivel provincial y local. Resulta de ello que, si «entre elegidos, intermediarios, colaboradores permanentes y ocasionales, la trama de la clase política bajo la Restauración afecta a un mínimo de, por lo menos, 100 000 ciudadanos en los primeros tiempos, para terminar movilizando a casi el doble desde 1890» [132, 269-272], una aplastante mayoría de ellos, es decir, de la clase política, está implantada y actúa a nivel provincial y local.

Contemplados en la concreta perspectiva de la ciudad, los miembros de esta clase política —diputados provinciales, alcaldes, concejales; miembros del comité local de uno u otro partido— forman parte de una elite local que, ciertamente, no se concibe actuando aislada; sino integrada en lo que podríamos llamar «bloque de poder local», en el que se integran, por otra parte, unos «notables» que están ahí ejerciendo un poder social y aun político no inferior, en ocasiones, al de alcaldes, secretarios de ayuntamiento y concejales. Son, por una parte, funcionarios de rango local, muy implicados en la vida de la ciudad (magistrados y jueces de primera instancia, notarios, delegados o subdelegados de Hacienda, etc.); por otra, miembros dé estamentos o corporaciones más o menos autónomos, de gran prestigio y audiencia en la vida local (clero, jefes y oficiales del ejército), profesionales (médicos y abogados predominantemente); en fin, comerciantes, industriales o rentistas de poder y arraigo. Ahora bien, conviene parar la atención especialmente en un muy pequeño y muy importante grupo, más definible desde un punto de vista antropológico o sociológico que desde un punto de vista político, al que ya nos referimos anteriormente: se trata de aquel «notable» que trasciende su específica función administrativa, profesional o económica, apoyado en un sistema de relaciones sociales, movido del deseo de controlar las estructuras de poder en el ámbito local. Estamos, por supuesto, ante el *cacique*, a cuyo papel como intermediario entre la sociedad local o comarcal y la elite de poder establecida en Madrid se ha aludido ya. La nómina de estos caciques guardaría, sin duda, estrecha relación con la serie de representantes que cada entidad local tuvo en las Cámaras legislativas durante el cuarto de siglo aquí contemplado [210]. Pero no hay que perder de vista que tales nóminas locales no coinciden necesariamente con las de los detentadores efectivos del poder local, muchos de los cuales permanecen en la sede del mismo mientras delegan en figuras secundarias el desplazamiento a Madrid y la participación en la política de nivel nacional.

Por lo demás, y particularmente en lo que se refiere a las principales ciudades del país, conviene no supervalorar, y sobre todo no aislar, la función de intermediarios con respecto al poder central que corresponde a los caciques. Ciertamente, de ellos depende en amplísima medida el funcionamiento del mecanismo electoral, según quedó indicado. Pero no hay que olvidar la densidad que, en estas ciudades, reviste la red funcionaria de competencias definidas, así como su mayor grado de independencia con respecto al cacique; es en estas ciudades donde la función centralizadora y modernizadora del Estado figura en vanguardia, y es en ellas —distinta y complementariamente— donde el sufragio reviste mayores caracteres de autenticidad. En las capitales de provincia, la presencia del Estado se personaliza en el gobernador civil, pieza clave en la conexión de la ciudad con el poder central; siguiendo a Bernard Richard, Martínez Cuadrado ha subrayado la relativa estabilidad del cargo para el período 1874-1899, el predominio meridional en la extracción regional de los mismos para el período indicado [132, 274-276]. La otra pieza clave en la organización provincial, como es sabido, es la Diputación [212, 148-183].

En cuanto a la administración local, hay que partir del ayuntamiento, el cual representa al municipio o conjunto de personas que viven en un término municipal [212, 184-209]. El ayuntamiento está integrado por un alcalde (designado, de entre los concejales, por el ministro de la Gobernación en las capitales de provincia, cabezas de partido judicial y entidades de población con un número de vecinos igual o superior al de estos últimos), unos tenientes de alcalde y unos concejales de elección popular; el número de concejales varía según la población del término municipal. En cuanto a las atribuciones del ayuntamiento, vienen a afectar muchos y muy diversos intereses a través de la facultad de abrir y alinear calles, plazas y vías de comunicación; de la tutela de establecimientos de instrucción y servicios sanitarios; de las funciones de policía y seguridad; de la administración de los bienes municipales. En suma: el ayuntamiento es el que regula la vida cotidiana de la ciudad en cuanto esta tiene de rutinario y de introvertido. Ahora bien, las decisiones que afectan a tal regulación no dimanan generalmente del mandato popular recibido por los concejales, sino del poder social efectivo que detentan los caciques. Delegados *de facto* del poder central —a través del Ministerio de la Gobernación y del gobernador civil— reparten favores que corresponden formalmente a las atribuciones municipales enumeradas; a cambio de ello, ya quedó dicho, organizan las elecciones a nivel local.

Pero dentro de la ciudad alientan y crecen fuerzas dotadas de un dinamismo llamado a acelerar las ruedas del mecanismo político, cultural y social del país. Es el desarrollo comercial e industrial; el desarrollo del movimiento obrero, muy visible a partir de la década de los ochenta; la fermentación cultural que alienta en Universidades, Institutos y Ateneos. Por lo pronto, cabría decir que son los vientos que soplan de la ciudad —en contraste con la solera terrateniente del Partido Conservador— los que van a empujar las velas de un Partido Liberal cuyo proceso de conformación definitiva y cuyo acceso al poder comienzan precisamente con los años ochenta para lograr su plenitud a mediados de la década, con la Regencia.

2. EL ESTADO: LA CONFIGURACIÓN LIBERAL DEL RÉGIMEN

Si, globalmente considerado, el proceso político y constitucional vivido por España a lo largo del siglo XIX viene explicado por una sucesión dialéctica de revoluciones y consolidaciones [90], el fenómeno a que asistimos a lo largo de la década indicada consiste, pura y simplemente, en la consolidación parcial de las utopías alumbradas por la Revolución de Septiembre. Esta consolidación tuvo un instrumento: el conjunto de grupos políticos, más o menos identificados inicialmente con la Constitución del 69, y aglutinados sucesivamente por el *partido constitucional* (que viene del Sexenio), por su heredero el *partido fusionista* y finalmente por el *partido liberal* formalmente constituido en junio de 1885. La consolidación apuntada cristalizará en una labor legislativa que incorpora al derecho público de la Restauración puntos sustanciales del septembrismo: desde el juicio por jurados hasta la ley de asociaciones y el establecimiento del sufragio universal masculino, entre otras cosas. Ahora bien, en la España del siglo XIX toda consolidación de la carga utópica que alienta en cada una de sus revoluciones comporta una cierta degradación de aquella; y la consolidación de las utopías y los ideales del septembrismo que llevan a cabo los liberales de la Restauración no constituye una excepción, sino más bien un verdadero modelo de la degradación apuntada. Esta degradación vendrá motivada, de manera inmediata, por la misma heterogeneidad de los elementos políticos integrados en el Partido Liberal; y se manifestará tanto en la práctica constitucional —tan adulterada por los liberales como por los conservadores— como en su distanciamiento de aquellas reivindicaciones populares que rebasaban, con mucho, las libertades formales legadas por el texto constitucional del 69.

2.1. Del Sexenio a la Regencia: la compleja gestación del Partido Liberal

Aludimos, en su momento, a la ausencia de bruscas rupturas y a la voluntad generalizada de transición pacífica que presidió el paso de la República del 74 al régimen de la Restauración. Para seguir el proceso de esta transición es indispensable la referencia al más sólido de los puentes tendidos, en un plano político formal, entre uno y otro régimen: el llamado «partido constitucional», surgido en el reinado de Amadeo I en torno al general Serrano y a Práxedes Mateo Sagasta, por confluencia de progresistas de derecha y unionistas de izquierda, bajo el signo de la Constitución del 69. Conviene recordar el protagonismo político que cupo al Partido Constitucional durante la República del 74, como asimismo el hecho de que fuera Sagasta el presidente del último gobierno del Sexenio, durante los últimos cuatro meses del 74. Partamos, pues, del hecho de que, con la Restauración, Cánovas vino ya a sustituir a Sagasta. ¿Cuál fue la actitud de Sagasta ante esta forzada sustitución? Un editorial de *La Iberia* —el periódico sagastino— aparecido el 2 de enero de 1875 expuso diáfanamente tal actitud: el Partido Constitucional, «la más genuina representación de la Revolución de Septiembre», mantiene la bandera de la Constitución del 69, pero se manifiesta dispuesto a colaborar con el nuevo régimen sobre la base de la existencia de unos apremiantes objetivos comunes: la victoria sobre el carlismo y sobre la insurrección cubana. Al mismo tiempo, el Partido Constitucional exhibe ante la nueva situación las credenciales que le asisten para reclamar el respeto y la consideración de esta última: en la turbulencia del Sexenio y, sobre todo, en el 74, «creó un ejército, restableció la disciplina, vigorizó la sociedad civil y militar, allegó recursos, levantó el espíritu del país». Esta actitud propicia a tender un puente entre las dos orillas de Sagunto será secundada por el mismo Cánovas, al poner en labios de Alfonso XII, en el discurso de la Corona (15 de febrero de 1876), el reconocimiento de que «muy laudables esfuerzos se habían sin duda hecho desde antes de mi advenimiento al trono para reorganizar el país, dándole los medios con que dominar la guerra civil carlista, el filibusterismo cubano y la anarquía interior» [44, I, 20]. Quizá sea conveniente hacer partir de estos antecedentes el espíritu de eclecticismo político y de «turno pacífico» que, no sin esporádicos desabrimientos e impaciencias, veremos prevalecer y afianzarse en los años ochenta.

La adhesión a la Constitución del 69 mantenida por el Partido Constitucional hubo de chocar, empero, con el designio canovista de establecer una nueva «legalidad común»: la que será Constitución del 76. Esta contraposición fue resuelta a través de la disidencia de Manuel Alonso Martínez, disidencia que dará lugar al «partido centralista» o «centro parlamentario», el cual permanecerá desgajado del tronco del Partido Constitucional entre abril del 75 y diciembre del 78, en que será reabsorbido por este último. El intermedio de esta disidencia permitirá a Alonso Martínez y a los suyos pactar con Cánovas la gestación de la nueva Constitución del 76. Tras el restablecimiento de la unidad constitucionalista —llevada a cabo, como queda indicado, en diciembre del 78—, el paso inmediato en la formación del Partido Liberal vendrá significado por la *fusión* —en mayo de 1880— del Partido Constitucional de Sagasta con otras fuerzas que comparten con este último el carácter de «oposición liberal dinástica» —es decir, que aceptan la dinastía y, por tanto, el nuevo régimen—; pero que van a contribuir señaladamente para dotar al nuevo conjunto, es decir, al que se denominará «partido fusionista», de una imagen más conservadora, menos septembrista que la que había venido exhibiendo, en su arriscada identificación con la Constitución del 69, el escueto Partido Constitucional. Desde este punto de vista, la integración en el nuevo Partido Fusionista —acaudillado por Sagasta— del moderado conde de Xiquena será un hecho significativo; pero lo será en mucho mayor medida la de un grupo de generales, encabezados por el mismo general Martínez Campos, separados del Partido Conservador por la escasa audiencia que habían encontrado en Cánovas sus proyectos de reforma militar. Por otra parte, recuérdese una vez más la reintegración en el constitucionalismo, aun antes de la *fusión*, del grupo centralista de Alonso Martínez, que fuera pieza clave en la fórmula de compromiso arbitrada por Cánovas para sacar adelante la Constitución del 76. Si tenemos en cuenta, además, que en el nuevo Partido Fusionista figuraban «Grandes de España tan calificados como los duques de Alba, Medinaceli, Fernán Núñez y Veragua» [60, I, 370], dispondremos de todos los datos necesarios para entender cómo, en los umbrales de la década de los ochenta, el Partido Fusionista se ofrecía a Cánovas y al sistema por él establecido como una alternativa de poder dotada de las mínimas garantías de significación social y política como para basar en él —conjuntamente con el Partido Conservador— un bipartidismo que dotara de estabilidad al régimen establecido por la Constitución del 76, ya aceptada por sus reticentes adversarios del primer momento.

En efecto, entre febrero de 1881 y enero de 1884 asistimos a una primera etapa liberal, protagonizada sucesivamente por un gobierno Sagasta (con Martínez Campos en Guerra y Alonso Martínez en Gracia y Justicia) y por un efímero gobierno Posada Herrera, significativo este último de las fuerzas llamadas «demócratas» que habían quedado circunstancialmente a la izquierda del fusionismo. Como quiera que sea, la significación del trienio liberal que queda indicado consiste, fundamentalmente, en esto: el área de consenso con respecto a la Constitución del 76 va ensanchándose, conforme las fuerzas socialmente más conservadoras entre cuantas proceden del Sexenio —desde los posibilistas de Castelar hasta los antiguos oriundos del unionismo, como el mismo Posada Herrera— van advirtiendo que cualquier alternativa al régimen del 76 pasa por riesgos que no están dispuestos a aceptar: riesgo carlista, riesgo federal, riesgo socialista; riesgo —harto más real a la sazón— de un «pronunciamiento» por parte de los miembros de una Asociación Republicana Militar que, efectivamente, cristalizará en la frustrada intentona de agosto de 1883 [164, 46-48].

Entre enero del 84 y noviembre del 85, un intermedio conservador presidido por Cánovas —con Romero Robledo en Gobernación y Pidal en Fomento; el primero controlando las elecciones y el segundo la Universidad y la instrucción pública— viene a refrendar, *sensu contrario*, el carácter y la impronta genéricamente liberales del conjunto de la década. Por una parte, encontramos en tal bienio la actitud dura, represiva, de un Cánovas que mantiene la distinción entre partidos legales e ilegales; que truena —desde el discurso de la Corona— contra el fantasma de un retorno al republicanismo, al carlismo, al desorden del Sexenio. Por otra, cuenta la impaciencia reprimida, no sólo de los fusionistas, sino también de militares, universitarios y obreros, en progresiva actitud divergente frente a la rigidez canovista.

En el proceso que venimos siguiendo, el promedio de la década —año 1885— resulta decisivo. El Partido Fusionista, previa unión con una «Izquierda Dinástica» de muy compleja y fluctuante gestación, va a convertirse en el Partido Liberal bajo la jefatura, ahora definitiva e indiscutida, de Sagasta; el pacto que da lugar a este último se establece sobre unas bases —la llamada «ley de Garantías»— que definen, ahora con harta mayor precisión que en ocasión de la «fusión», el programa del nuevo partido: aceptación de la Constitución del 76 que se aspira a reformar; pero no a sustituir por la del 69, a cuya restauración formal se renuncia definitivamente. Se acepta expresamente la tesis canovista de «las Cortes con el Rey» como titulares de la soberanía; y se remite a la necesaria reforma constitucional la implantación de unos principios que se mantienen: garantía de los derechos individuales, sufragio universal masculino, responsabilidad de los funcionarios públicos ante el poder judicial, juicio por jurados. En suma: se acepta en principio la Constitución del 76, se mantienen empero los grandes principios del 69, se confía a una reforma constitucional la tarea de injerir estos últimos en aquélla.

La llamada «ley de Garantías» —acta de nacimiento del Partido Liberal de la Restauración [44, II, 444]— data del 4 de junio de 1885; no pasarán seis meses sin que la muerte del rey Alfonso XII (25 de noviembre) plantee como necesidad imperiosa el recurso al nuevo instrumento político recién forjado y consolidado. Las difíciles circunstancias en que se planteaba el problema de la sucesión en la jefatura del Estado —con una reina viuda extranjera, sin práctica de gobierno y con condiciones intelectuales que se tenían a la sazón por no relevantes; sin más heredero que dos niñas de muy corta edad, y la expectativa derivada del embarazo de la reina—; la actividad de los republicanos; la misma situación atravesada por el Partido Conservador, vienen a calificar la oportunidad, casi la necesidad, del llamado —con dudosa precisión— «Pacto de El Pardo» y, en consecuencia, la entrega del poder a Sagasta inmediatamente después del fallecimiento de Alfonso XII. Desde finales de noviembre del 85 cambia, en consecuencia, la fisonomía externa del régimen. Cambio en la jefatura del Estado, que pasa a María Cristina de Austria, reina regente durante la menor edad de su hijo el rey Alfonso XIII (n. Madrid, 17 de mayo de 1886), «discreta regente» en expresión de su biógrafo, el conde de Romanones, que se esforzará en el cumplimiento de sus funciones de reina constitucional en el marco de un régimen que encuentra establecido. Pero cambia también la orientación general de la política. Seguirán cinco años de ininterrumpido gobierno liberal, bajo la presidencia de Sagasta. El cual remodelará su gabinete en tres ocasiones (octubre del 86; junio y diciembre del 88), utilizando un equipo de gobierno en el que destacan hombres como Alonso Martínez (Gracia y Justicia), Moret (Estado, Gobernación), Camacho y López Puigcerver (Hacienda), amén de una veintena de otros ministros, algunos de los cuales dejarán huella importante de su paso por el gobierno. Un parlamento de excepcional duración —el llamado «parlamento largo», que será el único de la Restauración que quede cerca de agotar el plazo constitucional de cinco años— coadyuva con el gobierno en la preparación de una abundante e importantísima legislación, a la que se alude en el párrafo inmediato.

Tanto el Partido Liberal como sus antecesores inmediatos el Partido Fusionista y el Partido Constitucional, responden al modelo de partidos *de cuadros* o *de notables*. En la cumbre, a nivel nacional, «solamente en el partido constitucional, hasta la fusión de 23 de mayo de 1880, encontramos un organismo al que pueda atribuírsele el gobierno central del partido: la Junta Directiva, compuesta por todos los miembros parlamentarios, senadores y diputados, que deposita sus poderes en un Directorio compuesto por tres o cuatro personas». Ahora bien, a partir de la fecha indicada «no volvemos a encontrar en el partido fusionista, en la izquierda dinástica o en el partido liberal ninguna mención a un organismo semejante. Todo se deja en manos del jefe, Sagasta en un caso, el duque de la Torre o su sobrino, López Domínguez, en el otro» [44, I, 117 ss.]. La dirección del Partido Liberal tiene, pues, como en el caso del Conservador, un carácter irremisiblemente personal, y es en las personalidades de sus líderes, y muy especialmente en la de Práxedes Mateo Sagasta (n. en Torrecilla de Cameros, Logroño, 1827) donde hay que analizar los engranajes entre el partido y los restantes organismos constitucionales del país [151].

Si intentáramos seguir la organización del partido en niveles provinciales y locales, encontraríamos su célula básica en el *comité*, existente tanto en los pueblos como en las capitales de provincia; según Dardé, que ha inventariado los comités constitucionales y fusionistas existentes entre 1875 y 1885, llegó a haberlos en 1059 localidades; su distribución hubo de lograr una especial densidad en la mitad sur de la Península (muy especialmente en las provincias de Valencia y Alicante, que van a la cabeza en cuanto a su número se refiere), así como en Galicia y Cataluña. En cuanto a su función, oigamos la definición autorizada dada por el conde de Romanones [192, 124]:

> Estos comités son los instrumentos de que se valen los Gobiernos para hacer las elecciones; ellos son los que, cuando mandan sus amigos, pues en la oposición sirven para muy poco, trabajan las candidaturas de los diputados a Cortes, la mayor parte de las veces en pro de candidatos que desconocen.- En cambio, es ya un principio corriente que se les deje en libertad para la designación de aquellos que han de ocupar los puestos en los Ayuntamientos y Diputaciones.

En suma: no pensemos en una estructura jerarquizada y democrática, funcionando verticalmente, de abajo arriba. Sino en dos planos conectados, con miras al necesario intercambio de servicios. Un plano legislativo y de gobierno, de nivel nacional, al que corresponde la tarea que vamos a analizar seguidamente: delega poder en los comités locales, a cambio de resultados electorales. Y un plano provincial y local, en el cual el comité se integra en el mundo de relaciones sociopolíticas analizadas al tratar del caciquismo: el comité prepara resultados electorales recibiendo, a cambio, esa delegación de poder indispensable para poder llevar a cabo el ideal caciquil de todos los tiempos: al amigo, el favor; al enemigo, la ley.

2.2. La herencia del Sexenio y la consolidación liberal

Contemplada en su conjunto la obra de gobierno llevada a cabo por los liberales en el poder a lo largo de la penúltima década del siglo xix, e necesario, ante todo, subrayar su decisiva importancia en la conformación del derecho público liberal, tal y como este va forjándose paulatinamente entre las Cortes de Cádiz y 1936. Nuestra tradición constitucional ochocentista debe mucho a la etapa que nos disponemos a reseñar rápidamente. Subrayemos, también, algo que ya se ha advertido: el perfeccionamiento del Estado liberal llevado a cabo en los años ochenta no es sino una consolidación, hecha desde el poder y en circunstancias propicias a ello, de un conjunto de aspiraciones y de ideas que proceden inmediatamente de la revolución del 68; es por ello por lo que nos hemos referido a la herencia o a los «frutos tardíos» del Sexenio. En fin, la obra de gobierno a que hemos de referirnos aquí se manifiesta en cuatro direcciones, de las cuales nos ocupamos sucesivamente.

En primer lugar, hay un empeño en consolidar el partido, en mantener su unidad, en intentar la atracción de grupos más o menos afines. Al comenzar la Regencia, tanto conservadores como liberales cuentan con sus respectivos disidentes: Romero Robledo y López Domínguez, el último de los cuales representa la tenaz resistencia de la «Izquierda dinástica» a la integración en el Partido Liberal, así como su pretensión de suplantar a este último en la función de aglutinante de las fuerzas procedentes del Sexenio. La historia —aburrida y reiterativa— de las disidencias y las minifusiones pierde seriedad cuando, a fines del 86, ambos disidentes —Romero Robledo y López Domínguez— hacen público su designio de fundir sus respectivos grupos en un Partido Reformista, que actuara como tercera fuerza en el panorama político de la Regencia; fusión efímera que no hará sino subrayar la solidez del recién establecido bipartidismo. Harto más interés reviste el considerable ensanchamiento que recibe el Partido Liberal cuando Castelar, en un sensacional discurso de febrero del 88, anuncia la incorporación del posibilismo a la monarquía, una vez que esta se democratizaba con el establecimiento del Jurado y del sufragio universal. En realidad, el gesto de Castelar, al aproximar sus posiciones a las de Sagasta, venía a consumar el fracaso y la fragmentación de la oposición republicana, anclada en los recuerdos y en las ilusiones del 73. El fracaso de la intentona militar de 1883 —Badajoz, Santo Domingo de la Calzada, Seo de Urgel— había malbaratado ya, en expresión de Pi y Margall, «el caudal de la revolución, que no era escaso. Nunca más volvió la causa de la República a contar con tantos elementos» [178, VI, 234]; tres años después, el pronunciamiento de Villacampa en Madrid —tan duramente enjuiciado por Pérez Galdós en *Ángel Guerra*— no hará sino refrendar rotundamente tal realidad. Demostrada la imposibilidad de un golpe militar que volviera del revés el hecho de Sagunto; captado para el régimen —por Sagasta y por Castelar— el republicanismo conservador de base mesocrática; orientado en sentido específicamente obrero —socialismo, anarquismo— el viejo inconformismo de las clases trabajadoras, quedaba marcada netamente la divisoria entre el legado del Sexenio que iba a ser objeto de consolidación, y la parte del mismo que, perdida su oportunidad histórica, quedaba definitivamente extramuros del sistema.

En segundo lugar, hay en la calle, en la prensa, en la cátedra, una libertad de expresión que, hasta entonces, no había aparecido en la historia de España sino confinada en los breves intermedios de trienios, bienios y sexenios. Entre febrero y marzo del 81 se anuncia el nuevo clima público con el levantamiento de la suspensión que pesaba sobre algunos periódicos, con el sobreseimiento de las causas criminales incoadas por delitos de imprenta; con el reconocimiento explícito de la libertad de cátedra y el reintegro al servicio activo de los profesores separados, obligada o voluntariamente, de la enseñanza, con ocasión del famoso decreto de Orovio sobre textos y programas; con la delimitación expresa entre los delitos de injuria o de calumnia, y el derecho de criticar a los poderes responsables [60, I, 369]. La libertad de imprenta quedará formalmente establecida por ley de 14 de julio de 1883; en cuanto a la libertad de asociación —de tan relevante importancia en la trayectoria del movimiento obrero— quedará consagrada por la Ley de Asociaciones de 17 de junio de 1887. El proceso de apertura así jalonado experimentará un retroceso circunstancial durante el intermedio canovista del bienio 1884-1885 (recuérdese la presencia de Pidal en el ministerio de Fomento; las tensiones entre la Universidad y parte del episcopado que siguieron a la revuelta universitaria de noviembre del 84). Pero quizá no sea exagerado hablar de una conquista irreversible —la consagración de las libertades formales establecidas en la Constitución del 69, recogidas por la del 76, y reglamentadas ahora en sentido ampliamente liberal—, cuya vigencia alcanzará, con el eclipse significado por la dictadura de Primo de Rivera, hasta la guerra civil de 1936.

En tercer lugar, hay que prestar atención especial a un conjunto de reformas legislativas encaminadas a la racionalización y modernización del Estado, de la Administración y, en general, del orden jurídico del país. Las reformas financieras de Camacho (1881-1882); la frustrada reforma militar del general Manuel Cassola (n. en Hellín, 1838), excelente y competente militar, encaminada, entre otras cosas, a la democratización del ejército mediante la implantación del servicio militar obligatorio (1887), se inscriben en esta línea. También debe ser mencionada aquí la llamada Ley provincial (1882) que, tomando pie en su antecesora del Sexenio (1870) y rectificando la del 77, define la *provincia* como entidad territorial de carácter esencialmente administrativo, y configura su cuadro institucional sobre la base del Gobernador, la Diputación provincial, la Comisión provincial y las dependencias burocráticas de aquella (secretaría, contaduría, depositaría). La llamada Ley Santamaría de Paredes, de 3 de julio de 1888, intenta fijar por primera vez en España, en el texto de una ley, el concepto de lo contencioso administrativo, regulando su procedimiento; en lo sucesivo, la última instancia jurisdiccional del Estado no descansará en el Consejo de Estado y en la decisión del monarca, de acuerdo con la tradición moderada —resucitada por la Restauración, a través de uno de sus primeros decretos—, sino en un Tribunal Supremo de Justicia, ateniéndose en ello a la tradición del Sexenio, que así lo había establecido por un decreto del Gobierno Provisional (13 de octubre de 1868), suscrito por cierto por el mismo Sagasta, ministro de la Gobernación a la sazón. En cuanto a la ley de Procedimiento administrativo de octubre de 1889, verá prolongada su vigencia nada menos que hasta 1958.

Mención aparte merecen dos reformas de gran alcance político, no sólo por su contenido intrínseco; sino porque, como hemos visto al referirnos a la actitud de Castelar, habían pasado a ser, juntamente con la garantía de los derechos individuales, sendos símbolos de la Revolución del 68. Nos referimos al juicio por jurados (ley de 20 de mayo de 1888) y al establecimiento del sufragio universal masculino para mayores de 25 años (ley electoral de 9 de junio de 1890). El proyecto de ley relativo a este último fue aprobado rápidamente por el Senado; pero en el Congreso dio lugar a un prolongado debate que cuenta entre los más expresivos para captar el talante socio-político de la elite. En este debate se distinguieron el marqués de Pidal y Francisco Silvela —por el Partido Conservador— y Álvaro de Figueroa y Canalejas por el Partido Liberal; pero quizá sean unas palabras de Cánovas, recordadas al respecto por Fernández Almagro [60, II, 84], las que más diáfanamente —y con una sinceridad que, por lo general, faltará en la praxis de conservadores y de liberales— expresen el sentir de la clase política ante la perspectiva de disociar «propiedad» y «ciudadanía»:

> Yo creo que el sufragio universal, si es sincero, si da un verdadero voto en la gobernación del país a la muchedumbre, no sólo indocta, que eso sería casi lo de menos, sino la muchedumbre miserable y mendiga, de ser sincero, sería el triunfo del comunismo y la ruina del principio de propiedad; y si no es sincero el sufragio universal porque esté influido y conducido, como en este caso estaría, por la gran propiedad o por el capital, representaría... el menos digno de todos los procedimientos políticos para obtener la expresión de la voluntad del país.

No es temerario afirmar que en la mente —y, desde luego, en la práctica— de muchos liberales estaba instalado el dilema expuesto por Cánovas en las líneas que anteceden, y, consiguientemente, la reserva mental de que el sufragio universal no fuera sincero; es decir, la reserva mental de falsearlo. En este punto, tocamos fondo, pues, en la corteza que separa unas reformas llevadas a cabo sobre el papel, de una realidad social apremiantemente necesitada de reforma, pero que los liberales no estaban resueltos a abordar. En suma: si la Revolución del 68 había sido una «revolución de papel» [92, 345 ss.], sus herederos de los años ochenta no estaban dispuestos a calar más hondo, haciendo llegar sus postulados justicieros y su inicial carga ética a los entresijos de la sociedad española. En el campo de la historia política no puede desdeñarse el valor de unos principios formalmente proclamados con rango constitucional, aunque estos resulten luego falseados en la realidad social; ya que la opinión pública tenderá progresivamente a tomarlos como referencia para valorar comportamientos y actuaciones. Pero lo cierto es que la ley del sufragio universal, que de acuerdo con su tenor literal hubiera debido ser decisiva, viene a cambiar muy poco en los resultados electorales, como ha mostrado Martínez Cuadrado [131, II, 525 ss.]; el sistema genera espontáneamente las contramedidas destinadas a neutralizar su potencial capacidad de transformación. En suma: el cumplimiento del programa liberal, tan alborozadamente saludado por Castelar, viene a poner en evidencia la existencia de una problemática más honda que la contemplada por las reformas de abolengo septembrista. El dilema no era tan tajante como lo expusiera Cánovas —comunismo o propiedad—; pero quedaba bien explícita, pasando a un primer plano, la existencia de un ámbito de reivindicaciones sociales cuya expresión «normal» o constitucional quedaba bloqueada, a despecho del sufragio universal, en razón de la forma ficticia en que este iba a ser aplicado. La «muchedumbre miserable y mendiga» no encontraría cauce para hacer valer sus más elementales derechos humanos a través del sufragio, sino a través del movimiento obrero. En este punto, fue la ley de Asociaciones de junio del 87 la que, según quedó indicado y pese a sus limitaciones, vino a ensanchar las posibilidades de que las clases trabajadoras participaran, de alguna manera, en la dinámica sociopolítica del país.

En fin, en esta decisiva década de los ochenta, que presencia la consolidación de un Estado liberal en España, hay que hacer referencia a unos textos legislativos de autenticidad social muy superior a la del mismo texto constitucional. Por muy rápida que, forzosamente, haya de ser nuestra mención, es preciso subrayar la importancia de una red de códigos y de leyes encaminados a la conservación del orden social establecido o, por decirlo con expresión de época, a «la defensa de la sociedad» [102]. La clave de bóveda de esta construcción se encuentra, sin duda, en el *Código Civil* de 1889 —de larga y compleja gestación, pero cuyos fundamentos inmediatos se encuentran en la década aquí referida—, cuyo alcance e importancia no es menor, en forma alguna, que los que corresponden a la misma Constitución del 76. En unión del Código Penal de 1848 (modificado por ley de 17 de julio de 1876), de la Ley Hipotecaria de 1863 (reformada sucesivamente en el 69 y el 77) y de otros textos que sería prolijo enumerar aquí, el Código Civil mencionado viene a fundamentar un orden jurídico y social inspirado en una concepción individualista de la propiedad privada, cuya intangibilidad prevalece, no sólo sobre consideraciones de orden social —en el sentido auténtico y más amplio de la expresión— y de bien común, sino sobre el mismo estado de necesidad de un amplio sector de la población española.

2.3. LOS LIBERALES ESPAÑOLES ANTE EL EXTERIOR

En el apartado anterior se ha presentado, reiteradamente, la política de los liberales como consecuencia —más o menos rectilínea, más o menos degradada— del espíritu y de los programas de la Revolución de Septiembre. Aplicando idéntico elemento de contraste a su política exterior, encontramos, en la España liberal de los años ochenta, una línea de continuidad y una línea de ruptura con respecto al Sexenio. La continuidad afecta a la política económica, que, cerrando el paréntesis de bloqueo del librecambio significado por las disposiciones del 75 y del 76 [253, cap. XLVI], procura reinstalarse en la línea abierta por el arancel del 69 poniendo nuevamente sobre el tapete la tan debatida cuestión de la famosa «base 5.ª». La discontinuidad afecta, en cambio, a la política exterior, en el sentido más concreto de la expresión —es decir, a los proyectos y gestiones diplomáticas—. Esta discontinuidad viene condicionada en gran parte por el cambio de horizonte político que se registra en Europa precisamente a lo largo de la década anterior, cambio significado por el descrédito de las utopías, por el advenimiento de la *Realpolitik*, por la implantación de un sólido sistema continental bajo la hegemonía alemana. Pero lo cierto es que los liberales españoles de los años ochenta, al reaccionar contra el «recogimiento» canovista, renunciarán de paso a la tradición neutralista y a la «política exterior de ideas» tan características de la política exterior del Sexenio. La actividad y las iniciativas de los gobiernos liberales en materia de política exterior —no siempre incardinadas en un plan coherente, prudente y resueltamente proseguido— culminarán en la poco más que platónica adhesión de España a la Triple Alianza bismarckiana.

El designio de reorientar en sentido claramente librecambista la política económica viene marcado por dos hechos estrechamente relacionados entre sí: la denuncia general de tratados de comercio, prevista por la Real Orden de 30 de septiembre de 1881 con objeto de «entablar negociaciones para la conclusión de nuevos tratados sobre la base de obtener y conceder rebajas en las tarifas arancelarias vigentes» entre España y cada uno de los demás países [17, III, 395-396]; y el muy importante Tratado de Comercio suscrito por España y Francia en 6 de febrero de 1882, cuya aprobación suscitará tanto en las Cámaras como en el país una viva oposición pero que constituye un modelo de la nueva política económica exterior. Cuatro meses después, la orientación quedaba confirmada por una ley que volvía a poner en vigor la «base 5.ª» del arancel de 1869: se prevé una reducción escalonada de derechos, a través de tres etapas y en un plazo de diez años. «De acuerdo con esta Ley, se formularon los Aranceles de 1886, que favoreció nuestra salida de vino, pero nos obligaba a la compra de maquinaria. Paradójicamente —y así lo han señalado Vicens, Tallada y Pugés—, este arancel librecambista benefició a la industria textil catalana, ya que le permitió adquirir maquinaria que mejoró, en mucho, la calidad y el precio de coste de su producción» [103, 197]. «Esta época librecambista que acabamos de ver —continúa Lacomba— coincide con un momento de gran expansión de la coyuntura general, y así, el comercio español vive una fase de euforia.» Pero no nos corresponde entrar aquí en problemas específicos de política económica, que tienen su lugar en otros capítulos del presente volumen. Más cercanas a nuestra línea expositiva quedan las recientes consideraciones de Varela Ortega en torno a «la respuesta que el movimiento proteccionista de los trigueros castellanos dio ante lo que consideraron como amenaza librecambista», y ello en la medida en que «este movimiento, desarrollado durante los años ochenta, puede bautizarse como regeneracionismo castellano» [248, 214-215]: tema sobre el cual habremos de volver más adelante. En cuanto a Cataluña, la resistencia a la política librecambista y, más concretamente, al tratado hispano-francés de 1882, puede centrarse —como lo hizo Vicens [254, 108]— en la denodada actuación del diputado Bosch y Labrús, cabeza del grupo parlamentario proteccionista y portavoz, en la ocasión indicada, de obreros y patronos catalanes [187, 221 ss.]. Pero, desde finales de la década, mientras en Europa continental se esbozaba la histórica transición hacia el proteccionismo —transición tan implicada en la problemática global del imperialismo—, la economía de la Restauración experimentaba el choque de la crisis de 1888: los días del librecambismo a ultranza, propugnado por Camacho en el Arancel de 1882 —seguimos traduciendo a Vicens— estaban contados. «El último día de diciembre de 1891 fueron suprimidas todas las franquicias de la ley de 1882, sentándose las bases de la ley proteccionista de 1906, lograda tras la catástrofe política y económica de 1898.» Desde una perspectiva político-internacional esta orientación hacia el proteccionismo era no sólo un reflejo defensivo de la economía nacional. Era el signo de la presencia de España en un contexto internacional —presidido por el despegue del gran capitalismo, por la creciente concurrencia entre las grandes potencias industriales, por la marcha hacia el pleno imperialismo— bien distinto del que circundara a los idealistas liberales del 69.

Tanto el «recogimiento» canovista como la política «de ejecución» propugnada por los liberales presentan un factor de continuidad: la consideración de Alemania como potencia hegemónica, con referencia a la cual resultaba indispensable establecer las líneas de la política exterior de

España. Como quedó advertido, el régimen de la Restauración contó, desde el primer momento, con la actitud amistosa de la Alemania bismarckiana; este apoyo hubo de concretarse en el pacto de 1877, seguido, sin embargo, de un inmediato y progresivo enfriamiento, impuesto por el escaso entusiasmo de ambas partes. La política exterior de los liberales se instala sobre estas mismas premisas —a pesar de sus designios de reactivación y renovación— girando también en torno a Alemania y, en sentido más amplio, en torno a la Triple Alianza. En efecto, ya el bienio 1881-1883 «presenciará un auténtico *rapprochement* hispano-alemán, que constituye un eslabón de notable importancia en la cadena de progresivo acercamiento que culminará en el año 1887» [204, I, 419-420]. Para Julio Salom —al que seguimos en este apartado—, en la nueva política germánica de los liberales es preciso distinguir dos planos. Hay, por una parte, la política gubernamental, debida a iniciativas del marqués de la Vega de Armijo, ministro de Estado; política inquieta, de iniciativas múltiples frecuentemente frustradas, cuyo más significativo episodio está representado por el viaje del rey Alfonso XII a Austria y Alemania (septiembre de 1883). El viaje, pleno de símbolos y signos —no siempre prudentemente seleccionados— de adhesión afectiva y dinástica de España a las potencias germánicas, recibió la contrapartida de su brillantez en las «incorrecciones oficiales y escándalos callejeros» (Bécker) de que fue objeto el monarca español a su paso por París, en su viaje de regreso: en el pasivo del viaje quedaba la partida de un penoso incidente hispano-francés. Por lo demás, parece que la visita de Alfonso XII a Alemania hubo de trascender, en su significación diplomática, el alcance que el gobierno de Madrid hubiera querido darle, ya que Salom llega a hablar —y este es el segundo de los planos arriba aludidos— de una política personal del joven monarca. El cual ofrecerá al Kaiser un acuerdo secreto; posteriormente, un viaje a España del Kronprinz Federico dará lugar a «un pacto oral y secretísimo que liga al rey español a la política alemana. Acuerdo peculiar y de escaso valor efectivo —como realizado que está a espaldas del gobierno y de la opinión pública—, no por eso deja de señalar el peso de la acción personal de los soberanos en las relaciones entre ambos Estados». En fin, el momento de máxima euforia y de relativa plenitud en la política exterior de los liberales tiene por protagonista a Segismundo Moret y por punto clave el año crucial de 1887. En el amplio contexto de la amistad existente, a la sazón, entre Inglaterra y las potencias de la Triple Alianza (Alemania, Austria-Hungría, Italia), España va a prestar su adhesión a esta última (6 de mayo de 1887) precisamente a través de Italia, ya que Bismarck quiere evitar una directa conexión hispano-germana que parezca orientada contra Francia. El pacto —redactado por Bismarck— ofrece muy poco, y no comporta ni reconocimiento de intereses españoles, ni mucho menos garantía formal de los mismos: «modelo de vaguedad», será llamado por el mismo Moret; por lo demás, será mantenido en secreto. Su finalidad consistía en «fortalecer el principio monárquico y contribuir a la consolidación de la paz» mediante el compromiso, por parte de España, de no llegar a acuerdo alguno con Francia que apareciera como dirigido, directa o indirectamente, contra cualquiera de las tres potencias signatarias de la Triple; en el compromiso recíproco de abstenerse de todo ataque no provocado, así como de toda provocación; en el mantenimiento del *statu quo* mediterráneo y la atención especial, en esta zona, a los intereses italianos y españoles [17, III, 700-701]. El acuerdo será renovado —precisamente por Cánovas— en 1891; pero no lo será ya en 1895. Cuando sobrevenga la crisis del 98 la posición de España será, pues, de pleno aislamiento. Pero es preciso insistir en la afirmación de Pabón [161, 156-157], obvia por otra parte, de que, aunque hubiera estado vigente tal conexión con la Triple en 1898, ello no hubiera afectado sino muy livianamente a la posición internacional de España. El planteamiento internacional del 98 desbordaba ampliamente, en su escenario y en sus protagonistas, también en sus compromisos, al vagoroso documento del 87.

En cierto sentido correspondería al capítulo siguiente —en que habremos de tratar del proceso de redistribución colonial en el cual se integra— la referencia al conflicto hispano-alemán en torno a la soberanía de las islas Carolinas (1885) [17, III, 595-618]. Por lo pronto, es momento de hacer un rápido balance de la política europea de los liberales; balance que quizá quepa polarizar en torno a tres conclusiones. En primer lugar, salta a la vista —en especial, si repasamos la *Memoria sobre política internacional* redactada por Segismundo Moret a finales de 1888: un documento realmente fundamental al respecto [144] —el escaso fundamento real, la insuficiente atención a las realidades de poder, en que hubo de basarse tal política: en tiempo de la *Realpolitik* bismarckiana, la diplomacia madrileña continuaba siendo tan utópica e idealista como lo fuera en el Sexenio; sólo que ahora había perdido el norte de las finalidades éticas y humanitarias a que entonces soliera apuntar. En segundo lugar, habría que subrayar que, en tanto que política de prestigio, quizá no fuera difícil discernir en la política exterior de los liberales una primacía de la política interior, buscando para la institución monárquica unos prestigios y unos respaldos internacionales que compensaran el retroceso mayestático inherente a la nueva fisonomía formalmente democrática del Estado. En tercer lugar y en resumen, hay que subrayar el refrendo indirecto que la política exterior de los liberales presta a la oportunidad y al realismo del «recogimiento» canovista. La experiencia demostró que, en la Europa del Imperialismo, podría llegar a encontrarse una garantía más o menos formalizada para el régimen establecido; pero nada que se pareciera a una garantía del *statu quo* territorial, incluyendo las islas de Ultramar. Garantía que, de cara a la crisis de redistribución que se avecinaba, constituía objetivamente la primera necesidad del Estado español en el concierto internacional.

3. LAS CLASES TRABAJADORAS: CONDICIONES DE VIDA Y MANIFESTACIONES SOCIO-POLÍTICAS

Para completar el panorama de la década, es necesario prestar atención al desarrollo del movimiento obrero y a los crecientes signos de movilización política que se advierten entre las clases trabajadoras del país. Interesa de antemano subrayar la radical disparidad de planteamientos entre una clase política que cree alcanzado el techo de su misión con el establecimiento de un Estado liberal y de unas libertades formales que en nada afectan a la situación económica real —a la vida cotidiana real— de una inmensa mayoría de españoles, y unas clases trabajadoras que, sin menospreciar tales libertades formales, han de ver en el Estado liberal, ante todo, la instancia de poder que garantiza precisamente su indefensión frente a los titulares del poder económico: frente a los dueños de la tierra, de las máquinas o del dinero. El hecho de que el republicanismo de Castelar viniera a confluir, por su propia dialéctica, en el Partido Liberal de la Restauración, hubo de presentarse como un símbolo ante quienes ya habían empezado a advertir, en las experiencias del Sexenio, que los intereses —apremiantes, de puro estado de necesidad en muchedumbre de casos— de las clases trabajadoras comenzaban allí donde terminaban las reivindicaciones y los objetivos de la revolución liberal.

3.1. LA SITUACIÓN DE LAS CLASES TRABAJADORAS

Estudiar el movimiento obrero español en el siglo XIX —organizaciones, ideologías, acción reivindicativa— soslayando el previo análisis de las condiciones de vida del trabajador (ritmo de la vida diaria y anual; vida familiar y laboral, vivienda y alimentación, precios y salarios, condiciones de trabajo, actividades asociativas, etc.), equivale a poner la carreta delante de los bueyes. En la situación actual de la historiografía, nuestro conocimiento de las organizaciones e ideologías del movimiento obrero durante la Restauración va siendo, afortunadamente, cada vez más completo y pormenorizado. Muy inferior es el nivel logrado, hasta la fecha, por nuestro conocimiento de las condiciones de vida de las clases trabajadoras, pese a la existencia de fuentes de primer orden, entre las que destaca la *Información oral y escrita...* y las publicaciones de la Comisión de Reformas Sociales. Lo que resulta y ha de resultar difícil, en todo caso, es resumir en una síntesis breve unas condiciones de vida y de trabajo que, para el último cuarto del siglo XIX, varían enormemente según circunstancias regionales, locales, de actividad económica y de relación con la empresa o con la propiedad del fundo. Las condiciones de vida de las clases trabajadoras son más refractarias a la exposición sintética que las de las clases medias, las de la burguesía, etc.; y ello, entre otros motivos que quedan apuntados, porque aquí hemos de hacer referencia a muchedumbres mucho más numerosas que viven y trabajan sobre una geografía nada uniforme. Renunciamos, pues, a la síntesis, limitándonos a unos pocos testimonios indicativos de las situaciones más frecuentes, siquiera sea con objeto de evitar que el lector no iniciado transfiera inconscientemente a la época analizada situaciones que corresponden a un desarrollo ulterior.

En relación con la vivienda urbana madrileña, y con referencia a las casas alquiladas en diciembre de 1900, sabemos que, sobre un total de 101 077 habitaciones (= casas o viviendas), 62 491 pagaban de alquiler mensual entre 2 y 30 pesetas. Este 60 % de la vivienda alquilada madrileña —en el que, evidentemente, se aloja la inmensa mayoría de las clases populares y proletarias madrileñas, sin más excepción que los afortunados que poseyeran vivienda propia— se descompone así:

Alquiler mensual	Número de viviendas
De 2 a 5 ptas. inclusive	1 356
De 5 a 10 ptas. inclusive	15 767
De 10 a 15 ptas. inclusive	23 202
De 15 a 20 ptas. inclusive	10 565
De 20 a 30 ptas. inclusive	11 601

Cuadro elaborado sobre datos de Ph. HAUSER, *Madrid bajo el punto de vista médico-social*, Madrid, 1902, I, 494.

Tanto la distribución de las cifras que anteceden como las que suelen figurar en los presupuestos más corrientes propuestos por una familia trabajadora [236, 265-266], apuntan hacia la vivienda de 15 pesetas de alquiler mensual como la típica del obrero relativamente afortunado. Veamos ahora cómo era una de estas «habitaciones» o viviendas, según un testimonio de 1884 (Antonio Rivera):

A la entrada de la habitación hay un departamento, que no sé el nombre que le corresponde; no me atrevo a llamarla cocina, por más que a la izquierda tiene el fogón. Al lado opuesto, y arrimado a la pared y sin puerta alguna que lo oculte, hay un sitio que el olfato os haría comprender cómo se llama. Después hay una salita, ocupada por una mesa, cuatro sillas y una máquina para coser [...]: en esta sala, después de colocar los muebles indicados, no caben dos personas de pie. Sigue después la alcoba, en la cual se encuentra, como es natural, la cama, quedando para desnudarnos y vestirnos un trecho de media vara o tres cuartas.

A esta vivienda se accede tras subir 80 escalones; su ventilación se reduce a la puerta de la escalera, a la chimenea que hay sobre el fogón y a la ventana de la sala, «esta última colocada en la medianería, donde hay otras 29 de otras tantas habitaciones (la mía hace el número treinta) como inquilinos tiene la casa» [32, I, 187 ss.]. Por el tipo medio de salario a que hace referencia (3,50 ptas. diarias), por el alquiler pagado por la vivienda recién descrita (16,25 ptas. mensuales, «que es de los más baratos») e incluso por la presencia de esa máquina de coser entre el menaje doméstico, parece evidente que estamos ante un marco de vida cotidiana que, en el contexto de las clases trabajadoras, hay que situar entre los niveles superiores. Los estudios del mismo Hauser [75; 76], la excelente Memoria de César Chicote sobre *La vivienda insalubre en Madrid* y, en particular, los volúmenes de *Información oral y escrita...* de la Comisión de Reformas Sociales nos permitirían, en unión de una bibliografía que ya va siendo nutrida sobre temas urbanísticos y rurales, referidos a provincias concretas, perfilar una referencia para la que aquí no hay lugar. Por lo que tiene de situación límite, vale la pena, en todo caso, hojear las páginas que Brenan dedica a las condiciones de vida del bracero andaluz [20, 96 ss.].

En cuanto a alimentación, Damián Isern, sobre la base de reiteradas observaciones propias y de la *Información...* de la Comisión de Reformas Sociales, llega a la división de los obreros madrileños en tres grandes grupos: «el de los que ganan menos de seis reales diarios; el de los que ganan menos de diez y más de seis, y el de los que ganan diez o más» [86, 64-66]:

La alimentación de los primeros se reduce a una copa de aguardiente por la mañana, un pedazo de pan y dos onzas de queso al mediodía, y legumbres cocidas o una ensalada por la noche.

La de los segundos se compone de dos sardinas arenques por la mañana; 200 gramos de garbanzos, 150 de carne y 30 de tocino al mediodía, y 250 gramos de bacalao con patatas, con 600 gramos de pan en todo el día.

La de los últimos está compuesta de dos sardinas escabechadas y un vaso de vino por la mañana; 200 gramos de garbanzos, 200 de carne, 30 de tocino, dos onzas de queso y un cuartillo de vino al mediodía; un potaje de judías, unas sardinas escabechadas o una ensalada por la noche, con 600 ó 700 gramos de pan en todo el día.

Con no muchas excepciones, puede decirse que esencialmente no es diversa la alimentación del obrero en las grandes capitales de provincias [...].

Los datos que anteceden valen poco si no se conjugan con otras variables que no hay espacio para exponer aquí: movimiento de precios y de salarios; atención especial a los jornales agrícolas que, salvo en tiempo de cosecha, no suelen rebasar el tope de los «seis reales» (1,50 ptas.); niveles de paro, y en particular asolador paro estacional —más de seis meses al año— de los jornaleros del sur; jornada de trabajo que oscila entre las diez y las doce horas, pero que en ocasiones —como ha señalado Carlos Seco [216, I, LXIII]—, bajo el eufemismo de jornada «de sol a sol» encubre jornadas de unas dieciséis horas, y «aun así nos quedaremos cortos si tenemos en cuenta que los vinicultores de Sanlúcar hablan indistintamente de "jornada de sol a sol" o de dieciocho horas» —caso extremo que, por lo demás, destaca el mismo autor, no es demasiado frecuente—; condiciones higiénicas del trabajo y accidentes laborales; trabajo de mujeres y niños... El lector encontrará en el libro citado de Tuñón de Lara un útil conjunto de datos e indicaciones relativos a esta serie de variables de la condición obrera [236, 262-269, 311-320]; datos relativos al período contiene también la obra, centrada sobre una etapa posterior, de Fernanda Romeu [196 bis]. El contexto existencial en que se integra —a nivel personal y familiar— la resultante de estos factores aparece presidido, con harta frecuencia, por situaciones de extrema miseria y necesidad; y, en todo caso —como hemos apuntado en otro lugar— por la inseguridad. «El obrero se siente inseguro dentro de un orden social que es, en relación a él, inexorable [...]; inseguridad del obrero en el seno de un orden jurídico que siempre ve invocado contra él: por el patrono, por el casero, por el prestamista, por la guardia civil.» El paro, el accidente de trabajo, la enfermedad acechan como catástrofes globales e imprevisibles: no hay seguridad para el futuro más inmediato, y solo cabe afanarse por el pan de cada día [92, 70-73].

3.2. La corriente libertaria: de la Primera Internacional a la Organización Anarquista de la Región Española

Como es sabido, el 10 de enero de 1874 un decreto del Gobierno Provisional establecido tras el golpe de Estado del general Pavía —más explícito, por cierto, en su exposición de motivos que en su lacónico articulado— había venido a disolver la Internacional. Entre la fecha indicada y febrero de 1881, en que el acceso al poder de Sagasta y de los fusionistas devuelve la libertad a asociaciones y partidos, el movimiento obrero español atraviesa, pues, una etapa de clandestinidad. Sólo mantienen vida legal algunas asociaciones que, como la «Federación de las Tres Clases de Vapor» de Barcelona o la «Asociación del Arte de Imprimir» de Madrid, revisten un carácter más puramente societario o sindical que político; su importancia política será grande, sin embargo —en el caso de las dos citadas—, cuando el movimiento obrero entre en su etapa de reorganización al recobrar la libertad. La clandestinidad había afectado de lleno, por el contrario, a la Federación Regional Española, afecta a la AIT y de orientación resueltamente anarquista. En cuanto a los viejos cuadros de la Nueva Federación Madrileña —segregada de aquella por su orientación marxista en 1872; formalmente desaparecida poco después—, encontrarán en la Asociación del Arte de Imprimir, presidida por Pablo Iglesias, un «núcleo legal de continuidad y organización» a través de los duros tiempos de la primera etapa canovista [236, 273].

La adaptación de la Federación Regional Española a la clandestinidad puede ser seguida tanto en el plano táctico como en el organizativo [114, 233 ss.]. En todo caso, para entender su actuación durante los siete años que dura aquella, es necesario tener en cuenta tanto la dureza de la represión padecida desde el 73 como el imperio de un ambiente adverso muy sensibilizado frente al internacionalismo obrero: en este contexto, «la Defensa de la Sociedad» es algo más que el título de una significativa revista; es la expresión del temor obsesivo de las clases acomodadas [95; 227, 125-128].

Pero el arraigo del anarquismo entre los trabajadores españoles hará renacer rápidamente de sus cenizas la vieja organización, ahora con el nombre de Federación de Trabajadores de la Región Española (Congreso de Barcelona, 24 de septiembre de 1881). «La nueva FTRE se expandió rápidamente, realizando en poco tiempo progresos asombrosos. Su vitalidad demostró que el movimiento obrero se había mantenido activo en la clandestinidad, pese a la represión y a las luchas internas» [114, 241]. Según datos del Congreso de Sevilla, la nueva organización contaba, en el verano de 1882, con los siguientes efectivos:

Comarcas	Fed. locales	Secciones	Afiliados
Cataluña	53	193	13 201
Valencia	12	32	2 355
Murcia	5	5	265
Andalucía oriental	69	179	19 181
Andalucía occidental	61	179	19 168
Aragón	3	14	688
País Vasco	3	13	710
Castilla la Nueva	3	16	515
Castilla la Vieja	6	19	936
Galicia	3	13	914
TOTAL	218	663	57 933

Fuente: datos de Max Nettlau, *La Première Internationale...*, cap. XVII. La cifra total de afiliados que antecede no coincide exactamente —por la mínima diferencia de 1—, tras sumar las distintas partidas comarcales, con la que da Nettlau.

A la vista del cuadro que antecede, llama la atención el aplastante predominio de las fachadas levantina y meridional de la Península en la geografía del anarquismo, que se superpone *grosso modo* a la implantación del federalismo en la década de los setenta; si bien con la anomalía de la escasa implantación de aquel en Murcia. Llama la atención en mayor medida la ausencia de organización en Extremadura, así como en Asturias y en Navarra. En fin, las cifras resultantes que anteceden deben su volumen, fundamentalmente, «al gran número de campesinos y viticultores andaluces, y en segundo lugar al textil catalán»; cifras finales que pueden ser elevadas hasta 11 federaciones comarcales, 247 federaciones locales, 757 secciones y 59 711 afiliados, una vez rectificadas aquellas de acuerdo con datos suplementarios correspondientes a noviembre de 1882, que registra el mismo Nettlau [149].

Pero el turbio asunto de «la Mano Negra» y la implacable represión que lo siguió, así como las luchas internas, dieron pronto al traste con este momento de expansión en la organización. La asistencia de delegados a los congresos, la cotización de las Federaciones se rarifican conforme avanzan los años ochenta. En fin, en 1888 todo anuncia un profundo viraje en la trayectoria del movimiento obrero español; también en el movimiento libertario. La discrepancia entre anarco-colectivistas (Bakunin) y anarco-comunistas (Kropotkin) [114, 242 ss.] se pondrá de manifiesto en ocasión del Congreso celebrado en mayo en Barcelona, del que saldrá el «Pacto de Unión y Solidaridad» de sociedades de resistencia; los andaluces brillarán por su ausencia, precisamente por su adhesión a la segunda de las tendencias indicadas. Y en octubre, el Congreso extraordinario de Valencia registrará la desaparición de la Federación de Trabajadores de la Región Española y su sustitución por la «Organización Anarquista de la Región Española».

En un reciente análisis de la ideología del anarquismo español, Álvarez Junco ha distinguido cuatro niveles de los que apenas cabe hacer aquí una escueta mención [6]. En primer lugar hay unos fundamentos filosóficos y antropológicos en los que la idea de libertad, la creencia en la bondad natural del hombre; la fe en la razón, en la ciencia y en el progreso; la profesión de una moral natural y racional, atenta a la solidaridad y expresada frecuentemente en un talante puritano, ocupan un lugar central. Hay, en segundo lugar, una crítica de la sociedad existente que se centra sobre el sistema económico capitalista, sobre la ética negativa de los privilegiados —incluyendo a la Iglesia católica—, sobre el poder político; sobre el nacionalismo y el militarismo que ponen fronteras a la solidaridad y conducen a la guerra. El ideal de sociedad futura —tercer nivel de los indicados— apunta a una organización no autoritaria de la sociedad, basada en el pacto, así como a una colectivización de la propiedad; y ello de acuerdo con fórmulas —¿a cada uno según su trabajo, o a cada uno según sus necesidades?— que serán objeto de discusión y aun de cisma. En fin, el espontaneísmo, la repulsa a la participación en el poder y a las alianzas, el apoliticismo visceral, son actitudes sobre las que se basarán unas tácticas que bascularán sucesivamente de la idea de lucha revolucionaria alimentada por la clandestinidad (1874-1881) a la confianza en la propaganda y en la fuerza de la expansión de las ideas (1881-1888), y de esta a la «propaganda por el hecho» —es decir, al atentado terrorista (1893-1906)— en tanto la enseñanza racionalista o integral (experimento de la Escuela Moderna, 1901-1909) intenta una nueva apelación a la razón y a la ciencia. El cómo y el porqué esta compleja —pero coherente y bien trabada— actitud humana viene a impostarse sobre extensos sectores del proletariado español, y en especial sobre el obrerismo catalán y el campesinado andaluz, son problemas lo suficientemente implicados en nuestra historia contemporánea como para que puedan ser eludidos. En lo que se refiere al proletariado catalán, Tuñón de Lara ha llamado la atención acerca de las adhesiones que hubo de restar al socialismo de inspiración marxista tanto la existencia de un socialismo de orientación puramente sindical y «societaria», basado principalmente en la tradición y en los efectivos de «Las Tres Clases de Vapor», como las luchas entre aquel y las organizaciones específicamente socialistas (PSOE y UGT) [236, 333 ss.]; ante esta situación, los obreros imbuidos en una más clara conciencia de clase o más proyectados sobre una acción directamente reivindicativa se orientarán hacia la FRE o las organizaciones que sucedan a esta. Por lo demás, ya se ha apuntado más arriba la superposición de las áreas de implantación anarquista con respecto a las de implantación, diez años antes, del más arriscado republicanismo federal. En esta coincidencia Cataluña no es una excepción, y ello induce a pensar en que la tradición pactista, refractaria a toda centralización, del catalán, vino a encontrarse más próxima, a la sazón, de la filosofía política del anarquismo que de las formas organizativas adoptadas por el PSOE o por la UGT

En cuanto al campesinado andaluz, salta a un primer plano la idea, tan repetida, de la distancia existente entre los cuadros de la organización anarquista, «catalanes en su mayoría, más moderados y con más sentido de organización» [236, 290], que las muchedumbres situadas en la base, y esta última. Por supuesto que esta distancia cuenta de manera muy calificada cuando se trata de los jornaleros meridionales: entonces el esquema ideológico que antecede se simplifica extraordinariamente, reduciéndose a unas pocas creencias y motivaciones fundamentales, que engranarán bien —no lo olvidemos— con la ideología analizada por Álvarez Junco; pero que encarnarán en unos hombres y unas muchedumbres en las que la enorme vigencia de una cultura oral —muy rica, por otra parte; esencialmente marginada del mundo de actitudes mentales puesto en circulación por el capitalismo— y, sobre todo, la experiencia de un ritmo de vida excepcionalmente duro y objetivamente injusto, han de prevalecer necesariamente sobre esquemas doctrinales basados en una cultura escrita muy elaborada. Desde este punto de vista, las observaciones de Díaz del Moral [47, 202-208] y de Gerald Brenan —excelentes conocedores de la realidad humana y social andaluza— son especialmente dignas de ser tenidas en cuenta. Lo que parece evidente es la profunda motivación ética y aun religiosa del anarquismo andaluz, lúcidamente analizada por Brenan [20, 146 ss.], y, al mismo tiempo, la persistencia —que en el ideario anarquista encontrará cauce y proyección de futuro— de un colectivismo comunal del que quedaban demasiados residuos, así como demasiados recuerdos, en la España de fines del siglo XIX.

3.3. LOS ORÍGENES DEL SOCIALISMO ESPAÑOL

Es claro que al hablar de «orígenes del socialismo» con referencia a la España de la Restauración nos estamos refiriendo, concretamente, al socialismo de inspiración marxista, ya que tanto el llamado socialismo utópico como, en general, los movimientos societarios de uno u otro carácter, cuentan con una más larga historia en el siglo XIX español. Por otra parte, bueno será tener presente al analizar el socialismo español (en el sentido estricto que queda indicado, que es al que nos referiremos mientras no se advierta otra cosa) su integración en un denso contexto europeo —de la Europa industrial, predominantemente— de que careciera nuestro anarquismo.

La prehistoria inmediata del socialismo español hace referencia a la «Nueva Federación Madrileña»; a la Asociación del Arte de Imprimir, que permitió a los cuadros de aquella, según quedó dicho, acogerse a una continuidad legal en los años de clandestinidad; a las conexiones que, desde su exilio de 1874, establece José Mesa —tipógrafo malagueño [142, 107]— con Jules Guesde, con Lafargue, con Marx y Engels; a la personalidad de Pablo Iglesias, nacido en El Ferrol (1850) de muy humilde extracción familiar, presidente de la Asociación del Arte de Imprimir, salvo alguna interrupción, entre 1874 y 1884. El acto fundacional del Partido Socialista Obrero Español tiene lugar, el 2 de mayo de 1879, en una fonda de la calle de Tetuán, en Madrid; en la histórica reunión estaban presentes 25 personas (dieciséis tipógrafos, dos diamantistas, un marmolista, un zapatero, tres médicos, un estudiante de medicina y un doctor en Ciencias [173, I, 156 ss.]). Consecuentes con la tesis clave de la escisión del 72, se afirma el designio de «formar un partido que se denominaría *Socialista Obrero* y cuya política se separaría completamente de la que hacen los demás partidos burgueses, desde el más avanzado al más retrógrado, por creer que ninguno de ellos representa los intereses del proletariado». Se nombra una comisión de cinco miembros —encabezada por Iglesias— encargada de redactar el programa del nuevo partido. El programa, aprobado en 20 de julio del mismo año, establecerá tres objetivos fundamentales: «Abolición de clases, o sea, emancipación completa de los trabajadores. Transformación de la propiedad individual en propiedad social o de la sociedad entera. Posesión del poder político por la clase trabajadora». A estos objetivos fundamentales sigue la exposición de un programa mínimo, que resume las reivindicaciones inmediatas del proletariado y que significa, en la vida política de la Restauración, la más resuelta y explícita declaración en favor de los derechos de la persona humana, más allá de las libertades formales establecidas por la legislación liberal:

> Libertades políticas. Derecho de coalición o legalidad de las huelgas. Reducción de las horas de trabajo. Prohibición del trabajo de los niños menores de nueve años, y de todo trabajo poco higiénico o contrario a las buenas costumbres para las mujeres. Leyes protectoras de la vida y de la salud de los trabajadores, y creación de comisiones de vigilancia, elegidas por los obreros, que visitarán las habitaciones en que estos viven, las minas, las fábricas y los talleres. Protección a las cajas de socorros mutuos y pensiones a inválidos del trabajo [...].

Siguen otras reivindicaciones que hacen referencia a la enseñanza primaria gratuita y laica, al servicio militar universal y obligatorio, a la reforma de las leyes de arrendamiento y desahucio, etc., sin que falte alguna específicamente socialista, como la que propugna la «adquisición por el Estado de todos los medios de transporte y circulación, así como de las minas, bosques, etc., y concesión de los servicios de estas propiedades a todas las asociaciones obreras constituidas o que se constituyan al efecto» [13, II, 261].

Pero son los años ochenta —con la salida de la clandestinidad— los que van a conformar y a dotar de su peculiar fisonomía al socialismo español, y ello en tres niveles: el de su organización e implantación en el contexto de la clase trabajadora; el de su definición ideológica y difusión; y el de su práctica, tanto en el orden político como en el laboral. En cuanto se refiere a su organización, señalemos la constitución, en 1881, del primer Comité Central del Partido, residente en Madrid, integrado mayoritariamente por tipógrafos y sobrepuesto a las Agrupaciones Socialistas existentes a la sazón en el país (la madrileña, cuya iniciativa fue decisiva al respecto; las de Guadalajara, Barcelona, Valencia y San Martín de Provensals). Corresponden a agosto de 1888, sin embargo, como es sabido, las fechas definitivas en la gestación del movimiento socialista español. El factor desencadenante fue la agudización, en 1887, de la crisis industrial —con su secuela de cierre de fábricas, aumento de paro, intentos de rebaja salarial, etc.—, que induce al proletariado industrial a buscar el acceso a un nivel de organización tan amplio, que pudiera hacer frente, de alguna manera, a la fuerza coordinada del capital. La idea de un «congreso amplio» que estableciera un pacto de solidaridad entre las distintas agrupaciones obreras, independientemente de su afiliación ideológica, surgirá, casi simultáneamente, en la FTRE y en los medios socialistas que preparan un «congreso nacional obrero». Se intenta, pero no se logra, aunar ambas iniciativas. La anarquista desembocará en una «Federación de Resistencia al Capital», de escaso porvenir, como quedó advertido. La socialista dará lugar a la «Unión General de los Trabajadores de España» (UGT), constituida en un Congreso obrero celebrado en Barcelona entre el 12 y el 14 de agosto y en el cual se deja sentir el peso de las agrupaciones socialistas catalanas surgidas nuevamente a lo largo de la década. La neutralidad ideológica y la moderación en la línea de conducta quedan definidas como características de la nueva Unión General [173, I, 207].

El mismo PSOE requería, por su parte, una consolidación que tomara en cuenta su reciente desarrollo. Nueve días después de clausurarse en Barcelona el Congreso constitutivo de la UGT, se reunirá, en la misma ciudad, el primer Congreso del Partido Socialista; congreso que, dadas las circunstancias en que había tenido lugar la fundación de este último, puede considerarse también constitutivo. El programa del partido se perfila y enriquece; «en suma —concluye la parte programática del manifiesto de los delegados al Congreso—: el ideal del Partido Socialista Obrero es la completa emancipación de la clase trabajadora; es decir, la abolición de todas las clases sociales y su conversión en una sola de trabajadores dueños del fruto de su trabajo, libres, iguales, honrados e inteligentes» [13, II, 264-267]. A nuestro juicio vale la pena subrayar esta apelación humana y esta afirmación moral, hechas desde la perspectiva de un humanismo no individualista, por cuanto expresan un talante político tan arraigado en el sentir de las clases populares como insólito en el marco de la política oficial de la Restauración. En cuanto a la organización del Partido, queda fundamentada en las Agrupaciones locales, cuyos representantes, reunidos en Congreso (Bilbao, 1890; Valencia, 1892; Madrid, 1894 y 1899), establecerán la línea a seguir. Ahora bien, el Comité Nacional no será elegido por las agrupaciones de base, sino por los afiliados de la localidad en que estableciera su residencia. Como la localidad designada a tal efecto será Madrid, resultará de ello, no sólo una persistencia de la tradicional primacía de los obreros del arte de imprimir, sino una expresiva manifestación del centralismo que opera, a la sazón, en tantos otros niveles de la vida nacional. En fin, «la doble fundación de 1888 planteaba, por vez primera en la historia de España, la definición neta y distinta entre partido de la clase obrera (que aspira al ejercicio del Poder), y organización de resistencia o sindicato orientado a defender los intereses de todos los trabajadores en sus relaciones de producción (con los patronos o empresas) y, en general, de sus condiciones de vida [...]. Teóricamente la central sindical es independiente del partido; de hecho, la vinculación entre PS y UGT fue estrechísima desde su fundación» [236, 323-325].

En cuanto a los efectivos de uno y otra, sabemos que el número de Agrupaciones del PSOE pasa, de 16 en 1888, a 23 en 1890, a 37 en 1892, a 42 en 1894, a 70 (o 55, según Francisco Mora) en 1899. Sabemos también que el número de secciones afectas a la UGT sube en punta entre 1888 y febrero de 1893 (de 27 a 110), para descender a continuación hasta las 65 de 1899; en cuanto al número de sus afiliados, partirá de 3355 en 1888 para llegar a cerca de 9000 en febrero del 93, retrocediendo de nuevo para alcanzar súbitamente los 15 261 en 1899. En fin, la geografía del socialismo expresa, a primera vista, una preferencia de implantación sobre la España industrial: Madrid, por sus antecedentes históricos inmediatos —ligada a la actuación de los obreros tipógrafos— y por su condición de capital; Vizcaya, Asturias, Cataluña. Se han apuntado más arriba los peculiares caracteres que reviste la implantación del socialismo en Cataluña; en ella, el dualismo y las fricciones entre un PSOE de inspiración marxista y la tendencia societaria —afín al tradeunionismo británico— representada principalmente por «Las Tres Clases de Vapor», traducen bien la situación del socialismo europeo, y en especial del socialismo francés, a la sazón. Es significativo al respecto el hecho de que, en las decisivas reuniones de París en 1889, el primero acuda a las reuniones de la Salle Petrelle (congreso fundador de la Segunda Internacional), mientras que los segundos se integran en el llamado «Congreso Posibilista», reunido simultáneamente en la Salle Lancry. Lo cierto es que, como recordara Vicens, «hacia 1890 la situación era [...] del todo favorable a una orientación profesional y política del sindicalismo catalán», en menoscabo de la tendencia ácrata que, sin embargo, recobrará el terreno perdido a partir de la fecha indicada [254, 166-167].

En todo caso, retengamos la extraordinaria importancia que revisten a la sazón y no solo en Cataluña —aunque en ella tengan, como acabamos de ver, particular peso específico— las organizaciones obreras de resistencia. Centros obreros, federaciones locales, regionales y aun de nivel nacional proliferan, nacen y desaparecen, logrando su apogeo entre la última década del XIX y la primera del XX. Sus objetivos, estrictamente sindicales, se centran en la defensa y en la resistencia obrera; en ocasiones se advierte una cierta gravitación de las bases respectivas. Así, la influencia anarquista sobre los jornaleros encuadrados en la «Federación Regional de Trabajadores de Andalucía», la influencia de la UGT sobre el «Centro de Sociedades Obreras» de Madrid, o el reformismo a que apunta el «Partido Socialista Oportunista» impulsado por una base que se encuadra en «Las Tres Clases de Vapor». «El hecho a retener —concluye Tuñón de Lara, al que seguimos casi literalmente en este párrafo— es que, al margen de organizaciones sindicales centrales, existían en España al terminar el siglo XIX una multiplicidad de asociaciones obreras [...] que constituía, de hecho, una masa en "disponibilidad" para el movimiento obrero, a nivel de los primeros escalones de conciencia sindical» [236, 339]. El fenómeno no es nuevo ni extraño: antes que la captación para una ideología o una utopía hubo de jugar en la clase trabajadora, como primera motivación para la asociación, la apremiante necesidad de defensa «dentro de» o «frente a» —primera disyuntiva— un orden social que se había edificado y se estaba consolidando sin tener en cuenta las más elementales necesidades ni la condición humana de un amplio sector de la población española.

Centrémonos de nuevo sobre el socialismo de inspiración marxista. Como ha notado Pérez Ledesma, «la condición obrera de la totalidad de los dirigentes socialistas españoles de la primera etapa determinó la reducción de su actividad teórica a la difusión pedagógica y simplificada de un conjunto de principios que, en su opinión, constituía la esencia del legado marxista, y que ellos mismos habían asimilado de forma simplificada, y en ocasiones adulterada, a partir de los textos de Jules Guesde y los principales "guesdistas" franceses» [173, I, 165]. No es esta ocasión de reconstruir el mecanismo de la primera recepción del marxismo por parte de los socialistas españoles [84, 55 ss.]; prescindiendo de esa «prehistoria» que transcurre durante el Sexenio y que tiene por protagonistas muy calificados a Paul Lafargue —yerno de Carlos Marx— y posteriormente a José Mesa (traductor del *Manifiesto Comunista* y de la *Miseria de la Filosofía*), podemos partir, de cara a los años ochenta, de una realidad bien conocida: el influjo de Jules Guesde sobre Pablo Iglesias y del guesdismo sobre el naciente PSOE; recordemos que la fundación de este último tiene lugar en el mismo año —1879— en que se funda en Marsella el *Parti Ouvrier Français*, con Guesde como figura principal, y que *Le Socialiste* (fundado por Guesde en París en 1885) precede en menos de un año a *El Socialista* español, que aparecerá inspirado en su homónimo francés «hasta en sus caracteres tipográficos» [241, 81; 24]. Estamos ante un fenómeno normal en la España del siglo XIX: salvo excepciones (v. gr. el krausismo), lo europeo penetra siempre entre nosotros a través de su versión francesa: razones de vecindad, de idioma y de parentesco cultural lo imponen así.

La primera manifestación importante del incipiente marxismo español tiene lugar en 1884, al participar la Asociación del Arte de Imprimir y la Agrupación Socialista Madrileña en la «información oral y escrita» abierta por la Comisión de Reformas Sociales. El informe escrito presentado por la Asociación fue redactado por Pablo Iglesias, aunque apareciese firmado por el secretario de la misma (Matías Gómez Latorre). En cuanto al informe presentado por la Agrupación Socialista Madrileña fue redactado por Jaime Vera (n. en Salamanca, 1859), médico neuropsiquiatra, miembro fundador del PSOE y principal teórico, a la sazón, del marxismo español. No menos importante desde el punto de vista de la cristalización ideológica, pero más desde el punto de vista de su difusión y de su proyección sobre la realidad cotidiana, será la fundación de *El Socialista* en 1886 —semanario dirigido por Pablo Iglesias— tras una discusión de las «bases» doctrinales y tácticas a que había de atenerse el nuevo órgano del partido. Otros órganos de expresión socialistas, de carácter regional (*La lucha de clases*, de Bilbao; *La Aurora Social*, de Gijón-Oviedo, etc.) surgirán a lo largo de los años noventa.

La historicidad de los sistemas económicos y sociales, la consideración de la lucha de clases como motor de la historia misma, son los principios marxistas que aparecen como fundamentales en los textos españoles de la época. El antagonismo entre burgueses y proletarios —principio aplicado, quizá, con un cierto simplismo a la sociedad española del último cuarto del XIX, demasiado compleja estructuralmente—, la creencia de que la revolución estaba ligada a la agudización de los conflictos entre las clases, la creencia de que la burguesía no podría mantener su predominio ante el paro y la extensión de las crisis, son, para Pérez Ledesma, motivos clave para explicar la actitud de Pablo Iglesias y de los socialistas españoles en los años que conducen al bienio 86-88, años «en los que la crisis económica se convirtió para Iglesias en un claro preanuncio del estallido revolucionario» [173, I, 169]. «En cambio —continúa el mismo autor—, en los años siguientes, en los que tras su organización pública se hace manifiesta la débil implantación del Partido Socialista y la UGT entre los trabajadores españoles, y la capacidad del sistema para superar sus crisis económicas, la insistencia en la proximidad de la revolución desapareció de los escritos de Iglesias y de sus seguidores, mientras su interés se desplazaba hacia las tareas organizativas y reivindicativas». En este contexto es preciso integrar uno de los más serios problemas —de análisis de la realidad social y de táctica a seguir— con que hubo de enfrentarse el naciente socialismo español: el de su actitud diferenciada con respecto a los distintos partidos «burgueses» (y muy en especial con respecto a los republicanos), y el de su actitud, en cuanto partido «de clase», con respecto a los intelectuales y a las clases medias, así como con respecto al campesinado. Es evidente que, en esta primera etapa del socialismo español, faltó un previo análisis de la efectiva realidad social española; análisis que, de haber sido llevado a cabo, hubiera obligado a una atención más sostenida al problema campesino, así como a una ponderación más realista de la función que podía corresponder a las clases medias en la transición a la nueva sociedad. No faltaron en el PSOE intelectuales de valía (Jaime Vera, José Verdes Montenegro), a cuya aportación doctrinal —quizá no suficientemente valorada en los mismos cuadros del partido— vendrá a sumarse la frecuente colaboración de intelectuales de diversas orientaciones ideológicas en periódicos y revistas socialistas; es así como vemos aparecer en estos últimos firmas tan dispares como las de Costa, Altamira, Posada o Unamuno. Incidencia más inmediata tendrá, en el plano político, el muy debatido tema de la actitud a adoptar hacia el republicanismo y, en general, hacia los partidos burgueses de izquierda: según la óptica adoptada podían ser considerados estos como competidores frente a la captación de una clientela política relativamente afín, o como aliados circunstanciales frente a los adversarios en la conquista de objetivos inmediatos (sufragio universal, libertades formales, etc.). Es aquí donde se bifurcan las posiciones sostenidas respectivamente por Pablo Iglesias y por Jaime Vera, al ver el primero en las fracciones republicanas los principales adversarios de las ideas socialistas y de sus propagadores, los que orientan demagógicamente el descontento de los trabajadores hacia objetivos —el anticlericalismo, por ejemplo— que enmascaran y soslayan los que deben ser sus auténticos objetivos de clase [84, 143-146, 182-184]. Como es sabido, tendrá que llegar 1908 para que un cambio de táctica —anclado realmente en una situación crítica— desemboque en la llamada «conjunción republicano-socialista».

CAPÍTULO III

El difícil "fin de siglo". El impacto de la guerra y la agudización de las tensiones internas

Entre 1890 y 1902 se extiende, ciertamente, el tramo más prolongado de los tres en que, con fines expositivos y de manera puramente convencional, hemos dividido la época de la Restauración. Bueno será advertir de entrada que, además del más largo, es también —si es que cabe hacer estas comparaciones— el más decisivo para nuestra historia contemporánea. Esta valoración relativa viene motivada no sólo por su mayor proximidad a nuestros días, por su colocación en los umbrales del siglo XX; sino también y sobre todo porque, a lo largo de estos doce años, la clásica introversión española va a perder muchos grados. Es sabido el viraje que describe la historia mundial en torno a la década 1895-1905, viraje al que no es ajeno, ni mucho menos, el proceso de expansión imperialista, y cuyo último sentido apunta a la transición de una historia europeocéntrica a una historia auténticamente mundial —fenómeno que aparecerá consumado tras las dos guerras mundiales—. Situada en el vórtice del proceso en razón de su exiguo pero disperso imperio colonial; enfrentada al desafío de unas inoportunas guerras coloniales; colocada pasivamente en el epicentro de la crisis mundial de redistribución de 1898, la guerra vuelve a ser —como lo fuera veinte años antes, en la transición del Sexenio a la Restauración— suprema instancia referencial de la historia española.

La guerra salta a un primer plano de la vida política, primero con la guerra de Melilla (1893), luego con la guerra de Cuba (1895) pronto extendida a Filipinas; en fin, con la guerra frente a los Estados Unidos (1898). Pero esta escueta y consabida enumeración no resulta suficientemente expresiva de la continua y forzada extraversión de los gobiernos españoles, solicitados sucesivamente por las relaciones con Marruecos (incidente de Melilla, julio de 1890) y sus repercusiones en el plano de las relaciones con las potencias europeas; por la evolución del problema cubano y por las imprevisibles injerencias del gobierno de Washington; por el incidente de Ponapé (Carolinas occidentales); por la pequeña guerra de Mindanao (1890); por el problema de la renovación (1891) de la adhesión a la Triple Alianza; por el problema de las relaciones económicas con el exterior, planteado agudamente desde el comienzo de los años noventa —arancel conservador de 1891, fracasado tratado hispano-alemán de 1892, formulación de la «metafísica de la autarquía» por parte del Cánovas de los años noventa... [22, 380]. Y todavía habría que añadir, entre 1898 y 1902, el angustioso conflicto que no registran los manuales: la tensión hispano-británica, la crisis de Gibraltar, el problema de la garantía internacional a las islas y enclaves españoles tras el Desastre [92, 431-488].

Era, sencillamente, el *crescendo* del imperialismo interfiriendo el proceso político de una pequeña potencia, insuficientemente desarrollada desde el punto de vista industrial, con muy escaso potencial militar, pero estratégicamente situada y dueña de residuos coloniales susceptibles de reparto. Si, en los años ochenta, positivismo e idealismo de raíz krausista —ambas, actitudes racionalistas, en última instancia— habían contribuido decisivamente a establecer la fisonomía intelectual de la época, no resulta difícil detectar ahora, conforme se acercan y se trasponen los umbrales del nuevo siglo, indicios de unos nuevos planteamientos filosóficos que vienen a colocar la Vida —y con ella los valores vitales: la salud, la fuerza, la afirmación de la desigualdad humana y de la lucha como instrumento de la historia para la selección de los mejores— en el puesto de honor en que antaño se colocara la Ciencia. La figura de Pompeyo Gener —cuya obra se concentra especialmente entre 1894 y 1901— resulta significativa al respecto, como eslabón entre el cientificismo darwinista y determinados planteamientos regeneracionistas de claro sabor prefascista:

> Nada de decadencias, nada de misticismos. Todo Vida, Vida ascendente, intensiva, extensiva, y predominio del genio. La ley de la lucha por la Vida, que parecía olvidada, se vuelve a proclamar con furor, con frenesí, y para la lucha se piden genios, jefes, que nos lleven a ese vital paroxismo;

texto este último que data de 1897. «Se trata de una filosofía —apostilla Núñez— que siente una especial predilección por escribir con mayúscula y a cada instante términos como Vida, Voluntad, Genio, Superhombre, Raza, etc.» [156, 123]. Estamos en la línea directa de «asalto a la razón» propia de la época.

Paralelamente a ella, es necesario colocar otra que hace referencia a la escueta crisis del positivismo como actitud filosófica: barruntos o convicciones de que, ni el orden social burgués es tan sólido y admirable, ni el conocimiento científico-natural algo que baste a dar razón, por sí mismo, de todas las incógnitas del hombre. Asistimos así al apogeo de una pintura que no puede ser llamada «social» en sentido estricto; pero que se diría que busca insistentemente, a través de la reiteración del tema de la miseria, del desvalimiento del desheredado, del dolor y de la muerte del humilde (v. gr.: *La madre enferma*, de Bordiguon, 1887; *Huérfanos*, de Cabrera Canto, 1890; *El nido de la miseria*, de Romañach, 1891; *Triste antesala*, de Bilbao, 1897; *Trata de blancas*, de Sorolla, 1897, etc. [54]), testimonios de cargo frente a una sociedad que exige imperativamente su defensa y su conservación por boca de su burguesía. En cuanto a la novela, Nelly Clemessy ha señalado acertadamente cómo, una vez más, la despierta receptividad de Emilia Pardo Bazán marca el hito de 1890 —*Una cristiana, La prueba*— como señal de que el naturalismo, en cuanto manifestación estética inmediata de una concepción científico-natural de la existencia, «había perdido una gran parte del favor de que gozara algunos años antes en una fracción de los medios intelectuales españoles» [29, I, 307]; del protagonismo de la naturaleza se pasa al protagonismo de un mundo interior en que planteamientos psicológicos, religiosos y morales acceden a un primer plano. Por lo demás, no faltan en este «fin de siglo» manifestaciones de un naturalismo vigoroso no exento de motivaciones sociales que van más allá de la mera simpatía hacia el desheredado. La figura del valenciano Vicente Blasco Ibáñez cobra, en este sentido y según se anticipó, un relieve especial (*La barraca*, 1898; *La bodega*, 1905), por más que su definición política no trascienda los límites de un radicalismo republicano burgués.

En líneas muy generales cabe decir que el movimiento obrero desarrolla, en esta década final de la época de la Restauración, los caracteres que hemos visto apuntar en su gran etapa de despegue. Entre las matizaciones imprescindibles figura, ante todo, el incremento del asociacionismo obrero, que alcanzará caracteres multitudinarios a comienzos del nuevo siglo. La tasa de mayor incremento corresponde a las asociaciones no definidas ideológicamente, a las meras asociaciones de resistencia directa y exclusivamente encaminadas a la mejora de las condiciones de vida y de trabajo. Pero también corresponde a ellas la tasa de mayor confusión e indeterminación. Confusión en las cifras —en todo caso muy elevadas [236, 411-412]—; confusión en la significación política, ya que «gran parte de esas asociaciones estaban bajo la influencia de cierto radicalismo matizado de anticlericalismo y extremismos verbales, que no eran específicamente obreros: es el caso de las citadas "Casas del Pueblo" lerrouxistas, que también se extienden por Valencia»; añádase a ello la tendencia de las simples sociedades de resistencia a situarse «bajo la influencia de anarquistas o de socialistas, aunque formalmente mantengan su independencia» (*ibidem*). No deja de contribuir a esta confusión la existencia —impulsada por la encíclica *Rerum novarum*, de León

XIII (1891)— de un sindicalismo católico, tan bienintencionado en sus formuladores (recordemos la figura del jesuita P. Vicent) como inoperante frente a unos intereses poco permeabilizables, por lo general, por consideraciones evangélicas o de moral social [112, 81]. Por otra parte, el hecho de que el Consejo Nacional de Corporaciones Católicas Obreras —fundado en 1896— estuviera presidido por un prestigioso político conservador, y vicepresidido por un duque y dos marqueses, expresa suficientemente lo irreal del planteamiento a que se confiaba el obrerismo católico.

En el movimiento anarquista va a registrarse una desintegración a nivel organizativo, un gran esfuerzo de propaganda, una persistencia de los movimientos colectivos del campesinado andaluz acogido más o menos expresamente a esta ideología. Y una entrega, por parte de grupos aislados de especial implantación en densos medios urbanos, al atentado terrorista (1891, bomba en los locales del Fomento del Trabajo; 1893, atentado en Barcelona contra el general Martínez Campos y bomba en el Teatro del Liceo, de la misma ciudad; 1896, bomba contra la procesión del Corpus, en la calle de Cambios Nuevos, de Barcelona; 1897, asesinato de Cánovas del Castillo). Las leyes represivas se suceden; también los procesos y las ejecuciones; terrorismo y contraterrorismo sumen Barcelona en una especial tensión, en tanto que Montjuich se convierte en un símbolo siniestro. Un nuevo ingrediente de barbarie se injiere en la vida española de los años noventa, potenciando la sensación colectiva de malestar social. Bueno es advertir, empero, que tampoco aquí nos enfrentamos con un fenómeno específicamente español: los atentados terroristas y los magnicidios son, realmente, fruto de la década en Europa.

En cuanto al socialismo, tiende a consolidar su implantación con un ritmo cuyo despegue ascendente se dejará sentir desde finales del siglo; si tomamos como indicador la suma de afiliados a la UGT, vemos saltar su número, de los 6154 de 1896, a los 15 261 de 1899, a los 26 088 de septiembre de 1900, a los 56 905 de febrero de 1905 —todo ello con incesantes fluctuaciones—. El PSOE pierde fuerza en Cataluña; gana arraigo, en cambio, en Vizcaya y en otros puntos; en general, cabe hablar de su penetración progresiva en los sectores mineros y metalúrgicos, en tanto se mantiene su muy escasa capacidad de penetración en los medios campesinos. Van incrementándose lentamente las cifras —relativamente exiguas todavía— de la participación socialista en las elecciones legislativas (Madrid, Bilbao); en cuanto a las municipales, desde 1901 habrá 27 concejales del PSOE; 75 en 1905. Resumamos con Tuñón de Lara: «el período de 1887 a 1899 ha marcado, sin duda, el afianzamiento de la organización socialista (y su central sindical) y su entrada en hechos (1.° de mayo, elecciones, concejalías, huelga de Bilbao, huelgas de Málaga, aparición de nuevos semanarios, etc.). Todo ello conservando, sin duda, un carácter netamente minoritario» [236, 358]. El rápido deterioro del nivel de vida de las clases trabajadoras, iniciado precisamente hacia 1898, impulsará la expansión del partido en los años de transición de un siglo a otro; señalemos también como motor de este impulso el crédito logrado ante las clases trabajadoras y ante un sector de los intelectuales por un partido al que no cabe imputar responsabilidad moral alguna en la inmensa catástrofe, material y moral, del 98.

Esbozados estos rasgos generales del período —y apremiados, por razones de espacio, a redoblar el esfuerzo de síntesis— nos limitaremos a resumir algunos aspectos definitivos de la vida española en este fin de siglo. En primer lugar examinaremos la nueva fisonomía que ofrecen los partidos y el sistema político, como consecuencia de los factores de cambio que se acumulan a lo largo de los años noventa. En segundo lugar haremos referencia a un proceso histórico de profundas raíces, con el cual no pudo contar Cánovas al edificar el Estado de la Restauración, pero que irrumpe con enorme fuerza en la historia española a partir de los últimos años del siglo XIX: el regionalismo. En tercer lugar hubiera correspondido aquí —de haber dispuesto del espacio necesario para ello— una referencia pormenorizada a ese otro proceso histórico, de alcance y significación histórico-mundial, anudado en el 98: guerra de Cuba y Filipinas, enfrentamiento con los Estados Unidos, pérdida de las colonias [94].

En fin, el impacto del proceso que acaba de ser aludido, o si se quiere del Desastre, sobre el conjunto de la vida española es lo suficientemente profundo e inmediato como para imponer una atención especial a esos pocos años que transcurren entre 1898 y 1902, límite convencional de nuestra exposición. Bajo el signo de una profunda crisis nacional, con la palabra «regeneración» como clave de un nuevo vocabulario de situación, transcurre en España algo que también en la historia mundial tiene carácter objetivo, no solamente convencional, de bisagra histórica: el paso del siglo XIX al siglo XX.

1. LA TRAMA POLÍTICA, 1890-1902. LOS PARTIDOS Y EL SISTEMA

1.1. LOS GOBIERNOS Y LOS HOMBRES

Partamos de lo más superficial e inmediato en la vida política: la sucesión de los gobiernos. A primera vista, el turno funciona con una precisión casi matemática: gobierno Cánovas, 5 de julio de 1890; gobierno Sagasta, 9 de diciembre de 1892; gobierno Cánovas, 23 de marzo de 1895.

En 8 de agosto de 1897, el asesinato de Cánovas, en el balneario de Santa Águeda, a manos del anarquista italiano Miguel Angiolillo, da lugar a una breve situación-puente presidida por el general Azcárraga, ministro de la Guerra que había sido en el último gabinete. Pero el turno continúa: 4 de octubre de 1897, gobierno Sagasta; 3 de marzo de 1899, gobierno Silvela; 7 de marzo de 1901, gobierno Sagasta, al que corresponderá presenciar el advenimiento del nuevo reinado (17 de mayo de 1902), al llegar Alfonso XIII a su mayoría de edad.

Lo primero que llama la atención en esta sucesión de gobiernos es su indefectible sustitución bienal. Pasó el momento de aquellas largas etapas quinquenales —la canovista, entre el 75 y el 80, en que se echaron los cimientos de un Estado; la liberal, entre el 85 y el 90, en que las reformas del «parlamento largo» configuraron en tal sentido la fisonomía de aquel. Ahora la vida política acelera su ritmo: hay nuevos problemas —se han agudizado las tensiones sociales, se ha planteado la necesidad de revisar la política económica de cara al exterior, ha irrumpido el regionalismo en un primer plano de la vida nacional; ha surgido, como un contrapunto constante pero de creciente intensidad, hasta el desenlace del 98, la guerra—; hay nuevos hombres. Y los nuevos hombres, los *juniores* de que se hizo mención al comienzo de estas páginas, aportan a la situación nuevas ideas para los nuevos problemas; aportan también su impaciencia frente a los viejos líderes planteando disidencias, buscando inquietamente acomodo entre el mecanismo de los dos partidos tradicionales. Ellos representan, por supuesto, la continuidad en la defensa de una sociedad establecida, la defensa de los intereses sociales y económicos propios de unos grupos dominantes. Pero con unas formas nuevas, con la convicción —que denota una correcta recepción de las corrientes de su tiempo— de que es preciso corregir mucho para que todo pueda seguir igual; de que la única política conservadora pasa por la reforma. Las reformas sociales de Moret, las proyectadas (y fracasadas) reformas de Maura en Ultramar, los intentos de moralización y autentificación del sufragio llevados a cabo por Silvela y por el mismo Maura, la proyectada reforma hacendística de Gamazo, la actuación de Silvela y de Villaverde inmediatamente después del Desastre, llevando a la práctica cuanto el regeneracionismo tenía «de gacetable dentro de las coordenadas de la política dinástica» [248, 321], son otros tantos testimonios de este impulso. Las frustraciones, las inercias paralizadoras con que tropezó frecuentemente esta política reformista marcan el sólido techo impuesto por unos intereses cuyos reflejos defensivos inmediatos son más fuertes que cualquier consideración racional —no digamos ética— de los problemas nacionales. En cuanto al fracaso de los intentos de autentificación del sufragio, es preciso dar la razón a Varela Ortega: no bastaba con la neutralidad del gobierno; hubiera sido preciso remover, de raíz, los mecanismos fácticos de poder —a escala nacional, provincial, local— que permanecían poderosos y activos, en forma de caciquismo y de oligarquía.

En suma, y contempladas las cosas desde el poder, se diría que asistimos a un cambio de dirección en los estímulos y en las iniciativas. Para gobiernos y parlamentos se trata cada vez menos de edificar un Estado, de conformar una sociedad a través de conjuntos coherentes de medidas legislativas basadas en sendos programas; se trata, de manera cada vez más apremiante, de responder como se puede —con resistencias, con palabras, con reformas más o menos limitadas, con crisis parciales, con cambios de gobierno— al desafío de unos problemas que han tomado, de lleno, la iniciativa; unos problemas que están en la calle, en las tensiones internas de los grupos políticos, en un contexto exterior que cada día se deja sentir como más próximo. Todo ello explica el hecho, un tanto sorprendente, de que el ritmo bienal que quedó advertido en la sucesión de los gobiernos no responda a ningún acuerdo previo y rígido; menos, claro está, a fluctuaciones alternativas de un cuerpo electoral que sabemos marginado de este tipo de decisiones. Sino al punto de equilibrio que la regente establece, mientras puede, entre dos contrarios: la inercia del poder en los que mandan, y la impaciencia, a veces alborotada (Cánovas en el verano del 93; Sagasta en la primavera del 97), de los que se encuentran en la oposición.

1.2. Los partidos

Una rápida ojeada sobre los partidos, aisladamente considerados. El Partido Conservador cuenta, bajo la jefatura indiscutida de Cánovas (hasta su muerte en 1897), con dos figuras secundarias de muy distinto talante, fuertes personalidades que no se detendrán, cuando llegue el momento, ante la escisión: Francisco Romero Robledo (n. en Antequera, 1838), modelo de versatilidad política, experto en manipulación de elecciones, y Francisco Silvela (n. en Madrid, 1845), intelectual de valía, imbuido de una concepción ética de la política especialmente sensibilizada ante la realidad del sufragio. Por encima de las personas —más complejas siempre que los símbolos— hay, en el Partido Conservador de estos años, una verdadera crisis de imagen: ¿se opta por un conservadurismo brutal, a lo «Trabuco» de *La Regenta*, capaz de ganar elecciones pero nada escrupuloso en los procedimientos; orientado a un patriotismo retórico y ultrancista como respuesta elusiva a las dificultades internacionales? ¿O por un conservadurismo más afín a modelos occidentales, respetuoso con las formas, capaz de perder unas elecciones dejando a salvo unos principios éticos y de convivencia; orientado a planteamientos realistas ante la difícil posición internacional? Es claro que Cánovas quedaba, por su temperamento y por su cultura, más cerca de la segunda alternativa que de la primera; pero ya Fernández Almagro se refirió agudamente a la necesidad que aquel tenía de su «complementario», del hombre capaz de hacer aquello —organizar, de cerca, unas elecciones— que a él le repugnaba, pero de lo que no podía ni estaba dispuesto a prescindir [59, 329 ss., 378]. Lo cierto, en todo caso, es que el Partido Conservador, tras bascular —bajo el arbitraje de Cánovas— entre romerismo y silvelismo, reconocerá en Francisco Silvela al sucesor de Cánovas, cuando este desaparezca de la escena política. Precisando algo que ya quedó apuntado, hay que advertir que, al asumir la herencia liberal (todas las reformas del «parlamento largo»), en julio de 1890 el Partido Conservador lleva a cabo un acto de transigencia y de tributo a la continuidad análogo al llevado a cabo antaño por el fusionismo al aceptar la Constitución del 76; hay que advertir, también, la especial receptividad que la elite del Partido Conservador manifestará —actitud sincera o actitud táctica: no hay lugar para un proceso de intenciones— hacia una nueva sensibilidad ético-social, que crece en el ambiente como consecuencia, según se advirtió, tanto de la reflexión de los intelectuales de los años ochenta como de la progresiva difusión de valoraciones procedentes del movimiento obrero. No será ajena a esta receptividad la atracción ejercida durante toda la década por el Partido Conservador sobre uno de los más caracterizados sectores liberales: el acaudillado por el vallisoletano Germán Gamazo (n. en 1838), representante de los agricultores castellanos.

En cuanto al Partido Liberal, parece dar muestras, al recobrar el poder en diciembre de 1892, de su viejo *élan* reformista: reformas de Gamazo, con un Real Decreto contra las ocultaciones de riqueza, «muy combatido por los intereses creados que hería» [60, II, 183], con sus drásticas economías presupuestarias encaminadas a reducir el déficit; reformas de López Domínguez que, aun sin la trascendencia social de las de Cassola, trasuntan estas últimas por lo que tienen de intento de racionalización organizativa; reformas de Montero Ríos en Gracia y Justicia; reformas de Maura en Ultramar, verdaderamente importantes y que, de haber prevalecido, quizá hubieran impreso un nuevo sesgo a la cuestión cubana. Se trata, como puede verse, de un tipo de reformas que trascienden, también aquí, las reformas «formales» de los años ochenta. No se trata, ahora, de perfilar, sobre el papel y de acuerdo con modelos septembristas, un Estado liberal; sino de rozar, de alguna manera, problemas estructurales: saneamiento financiero, represión de la ocultación de riqueza, adecuación del aparato militar a necesidades técnicas y estratégicas, extensión a Cuba del impulso liberalizador que había operado en la Península durante los años ochenta... La resistencia proliferó en los distintos medios y sectores afectados; fue tenaz y paralizante; en el caso de las reformas para Cuba, encarnizada. Y Sagasta —atento, sobre todo, a mantener la unidad del partido y, con ella, el poder; siempre contemporizador, pero más que nunca ahora, cuando ronda los setenta años de su edad y se ve rodeado de problemas que desbordan su horizonte ideológico— pulirá combinaciones, retocará incesantemente su Gabinete, pero dejará en la estacada a su ministro de Ultramar.

El Partido Liberal se presentaba en buena forma al recobrar el poder; Sagasta había acertado a restablecer la disciplina del partido, su posición era fuerte y la reciente incorporación formal de los posibilistas (once de los catorce diputados de que disponía a la sazón este grupo) parecía señalar un paso adelante en el proceso de «fusión», de integración que había venido jalonando desde la Restauración la carrera política de Sagasta. Contaba además —acabamos de verlo— con un equipo dispuesto a la acción. Pero esta satisfactoria situación de partida comenzará a deteriorarse muy pronto, precisamente al hilo de las resistencias suscitadas por las reformas. Seguir el puntual relato de la agitadísima vida de estos gobiernos liberales de los noventa es, hoy, penoso para el lector; debió ser sobrehumano y obsesivo para sus protagonistas. Por encima de estas peripecias y en resumen, quizá quepa señalar cuatro causas principales de este deterioro progresivo del partido. En primer lugar está el tantas veces mencionado bloqueo de las reformas, y en especial las relativas a la autonomía cubana: si la función histórica del partido de Sagasta había consistido, precisamente, en incorporar —en la medida de lo posible— el legado de la Revolución de Septiembre al régimen de la Restauración, la interrupción de tal proceso, precisamente en un momento crítico y en relación con el viejo problema colonial, había de dejarle en cierto modo sin bandera; y ello tanto más cuanto que el Partido Conservador había recogido la de la reforma social. En segundo lugar, muy pronto iba a quedar bloqueada también, y ahora de manera insalvable, esa continua «apertura a la izquierda» —atracción e integración en el régimen de elementos no dinásticos procedentes del Sexenio— en que había consistido la función específica asignada al Partido Liberal dentro del bipartidismo de la Restauración. En efecto, en tanto los posibilistas de Castelar dan el tan esperado paso decisivo, los restantes grupos republicanos proseguirán el continuo tejer y destejer de su deseada y difícil unión; pero, por lo pronto, se benefician del sufragio universal. El republicanismo se implanta sólidamente en el Congreso y en los ayuntamientos de las principales ciudades, con una nitidez que pone de manifiesto que no se trata, ya, de una reliquia del pasado, sino de una gran fuerza política para el futuro: por ese lado, ya no hay ensanche posible para el Partido Liberal. La tercera causa —quizá la primera, en cuanto se refiere a su eficacia inmediata— del deterioro de aquel hubo de consistir, ya se apuntó, en la crisis de cohesión subsiguiente a la aparición de los *juniores*: la derecha (gamacistas, con un auténtico estadista entre sus filas: Antonio Maura, n. en Palma de Mallorca, 1853) suscitará una disidencia seguida de la integración en el Partido Conservador; la izquierda no dejará de plantear problemas, a través de la personalidad de otro gran estadista, poco avenido a veces con la disciplina del partido: José Canalejas (n. en Ferrol, 1854), que en algún momento —1902— llegará a amagar un entendimiento con los republicanos. En cuanto a la cuarta causa, será fundamental: tanto el país como los liberales tuvieron la desgracia de que Sagasta presidiera el gobierno en 1898. Por lo demás, el más ancho estrato de los responsables se encontrará feliz al disponer, en el Partido Liberal y en el mismo Sagasta, de un chivo expiatorio del Desastre. Cuando a comienzos de 1903 muera, agotado y vencido, Sagasta, habrá un motivo más para decir que terminó una época.

El resurgimiento del republicanismo cuenta como uno de los rasgos más característicos dentro del panorama político de los años noventa. Es fácil discernir entre sus causas la implantación del sufragio universal, la progresiva autentificación del voto en las principales ciudades y el hecho de que, por razones históricas, extensos sectores populares de la ciudad tiendan a ver espontáneamente, en el voto republicano, la expresión de su discrepancia con respecto al sistema político establecido; y ello aun cuando militen en asociaciones obreras de orientación socialista o ácrata. La historia externa del republicanismo español de la época es tan compleja que resiste cualquier intento de síntesis en pocas líneas; Artola ha caracterizado al respecto el período comprendido entre 1887 y 1906 por «el fracaso de las uniones republicanas» [13, I, 383]. Pero ha señalado certeramente el dualismo existente entre una contradanza de grupos históricos, de uniones circunstanciales que no engloban a todos, de contrastes entre personas, programas y tácticas, y unos «elementos de base de las diversas organizaciones» que, frecuentemente, «no encuentran justificación al pluralismo partidista e, ignorando las diferencias doctrinales, optan por integrarse en asociaciones locales de carácter mixto». Bien es verdad que, a la sazón, la vida política española era lo suficientemente compleja como para que la mera opción por la forma republicana de Estado no resultara aglutinante suficiente, excepto a niveles de conciencia política muy elemental; por ello conviene insistir en su tácito significado social —a veces expreso, como en el manifiesto de Emilio Prieto (1891) [13, I, 385-386]—, y sobre todo en su significado de repulsa global del sistema de la Restauración. Destaquemos, en fin, la persistente tendencia a la unión; y la realidad sociopolítica de que la coalición, cuando se da, determina «una vitalidad insospechada en votos republicanos que parten de las grandes ciudades y ganarán las minorías a los liberales» [131, II, 546], hecho este último de inequívoca significación. Por otra parte, el avance republicano en las elecciones municipales (en mayo de 1892 la coalición triunfará en Madrid y en otras ocho capitales de provincia) creará serias inquietudes, tras el 93, al gobierno Sagasta [248, 307-308].

1.3. El sufragio universal

La implantación del sufragio universal no acabó, ciertamente, con el caciquismo, pero obligó a este último a un esfuerzo —en imaginación y en recursos económicos— para que los resultados siguieran siendo, globalmente considerados, los mismos: así «surgieron nuevos procedimientos para hacer frente a un electorado multiplicado por seis [...]. La inclusión de las clases trabajadoras desmovilizadas acrecentaba las oportunidades de soborno para los plutócratas. Y, paralelamente, las elecciones se convirtieron en un deporte caro reservado sólo a unos pocos. Por eso la prensa conservadora escribía confiada que, "por lo pronto, está ya demostrado que, lejos de considerarse incompatibles con el sufragio universal, la gran propiedad y la nobleza han pensado que tal vez le favorezca"» [248, 421-422]. Este es el obligado contexto, de amplitud nacional, en el que hay que situar los hechos —indicativos de un comienzo de democratización real, a nivel de principales ciudades; pero no generalizables en forma alguna— que han sido aludidos líneas arriba. La norma seguía siendo el fraude; un fraude del cual «todos los partidos eran responsables en el poder y víctimas en la oposición». Y continúa Varela Ortega: «desde luego los cometieron (los fraudes) liberales y conservadores, que contaban con mayor número de organizaciones. Pero también los republicanos que ya en 1891 sorprendieron a Silvela con sus "habilidades electoreras" [...]. Tampoco los carlistas dejaron de recurrir a la partida de la porra cuando se vieron en necesidad y oportunidad de hacerlo. Sólo hasta cierto punto quedan los socialistas como caso aparte» [248, 415-416].

El siguiente cuadro podrá darnos una visión sinóptica del número de actas obtenidas por los distintos partidos y grupos políticos en las distintas elecciones legislativas celebradas entre 1891 y 1903:

Partidos y grupos políticos	Número de actas obtenidas						
	1891	1893	1896	1898	1899	1901	1903
a) *Conservadores*	262	61	279	84	236	87	240
b) *Liberales*	83	295	88	266	122	245	102
c) *Republicanos*	31	33	1	14	18	19	36
d) *Independientes*	—	4	5	10	12	28	11
e) *Carlistas e integristas*	7	7	9	5	3	7	7
f) *Regionalistas*	—	—	—	—	—	6	7
Afiliación no establecida	16	—	19	22	11	9	—
Totales	399	400	401	401	402	401	403

Fuente: elaboración propia sobre datos de Martínez Cuadrado, *Elecciones y partidos políticos de España...*, t. II.

El cuadro que antecede tiene un valor meramente aproximativo, ya que los grupos resultantes de las distintas escisiones —tanto del Partido Conservador como del Partido Liberal— se han incorporado al partido de procedencia, independientemente de su comportamiento parlamentario. «Silvelistas», «romeristas» y «tetuanistas» se han contabilizado, pues, como conservadores, en tanto que van contabilizados como liberales «martistas», «cassolistas», «gamacistas» y «demócratas» de Canalejas. Por excepción, se han incorporado a los liberales también los 14 diputados «posibilistas» (1893), y no a los republicanos. En conjunto, no deja de ser curioso observar que la suma de actas obtenidas en las seis primeras elecciones consignadas (de 1891 a 1901: tres de predominio conservador y tres de predominio liberal) arroja cifras semejantes para ambas formaciones: 1009 actas conservadoras frente a 1099 liberales, lo que testimonia la relativa precisión con que funcionaba la matemática del «turno». El bache republicano de los años finales del siglo refleja una realidad electoral; la mínima cifra de 1896 es resultado de una abstención general, «seguida masivamente por los electores republicanos» (Martínez Cuadrado, II, espec. p. 586). Como es sabido, los socialistas no lograrán su primer escaño hasta las elecciones de 1910.

2. EL REDESCUBRIMIENTO DE UNA ESPAÑA PLURAL

2.1. EL PARTICULARISMO INSTITUCIONAL COMO COMPONENTE DEL REGIONALISMO

Quizá convenga comenzar distinguiendo tres «niveles» en el juego de motivaciones inmediatas que van a desembocar en ese complejo fenómeno llamado regionalismo, puesto en marcha como fuerza nacional* precisamente en la época a que estamos refiriéndonos. Hay un primer nivel en que juega esa defensa de un «particularismo institucional» certeramente definido por Julio Aróstegui como ingrediente muy calificado del carlismo [12, 306], pero en forma alguna exclusivo de él como demostrarán cumplidamente Luis y Sabino Arana. Para los países integrantes de la antigua Corona de Aragón, tal particularismo institucional era un recuerdo histórico, a reconstruir por los eruditos, cuya vigencia efectiva se remontaba a las vísperas de la Nueva Planta. Para Navarra y

* Se advierte al lector que, en este capítulo, las palabras «región», «regionalismo», «nación», «nacionalismo», son utilizadas en función exclusiva de la significación corriente que les fue conferida en un contexto histórico determinado: la España del último cuarto del siglo XIX. Acerca de los desplazamientos semánticos experimentados por la palabra «nación» desde el siglo XVII, véase nuestro estudio de 1951, que se cita en la bibliografía (*Sobre los conceptos de monarquía y nación en el pensamiento político español...*) [93].

las Provincias Vascongadas, era algo consustancial con unas formas de vida que, precisamente en 1876, van a ser puestas seriamente en tela de juicio. La proclama de Somorrostro había proclamado generosamente el fin de la contienda —«hermano del vencedor es el vencido»—; pero dejando explícito el logro de la victoria al declarar «fundada por vuestro heroísmo (de los soldados) la unidad constitucional de España». Era insistir, con la contundencia de la victoria reciente, sobre algo ya indirectamente apuntado en la ley de 25 de octubre de 1839, que había confirmado los fueros de las Provincias Vascongadas y Navarra «sin perjuicio de la unidad constitucional de la Monarquía». En efecto, la unidad constitucional —la integración de pleno derecho de Navarra y Vascongadas en el Estado español— era una alternativa; la otra era el mantenimiento de un derecho público peculiar —los fueros— yuxtapuesto al derecho público de la monarquía. La frase de la proclama de Somorrostro que se menciona «provocó ataques violentísimos al Rey y a Cánovas por la mayoría de los vascongados que dirigían el país foralmente» [70, 189-190], incluidos, claro está, los no identificados ni aun simpatizantes con el carlismo. En cambio llegan de toda España —excepto de Sevilla—, y muy especialmente de Zaragoza y Santander, peticiones en favor de la unidad constitucional. En el correspondiente debate parlamentario, serán los liberales los partidarios de acabar con todo particularismo político, administrativo o económico; la posición vasca será defendida especialmente por el diputado alavés Mateo Benigno de Moraza. La posición, relativamente conciliadora, de Cánovas y de su mayoría cristalizará en la ley de 21 de julio de 1876 que soslaya el problema de abolición o no abolición formal de los fueros, establece la obligación de que las Provincias Vascongadas aporten —como «las demás de la nación»— su respectivo contingente de hombres al servicio militar y las contribuciones e impuestos que les correspondan, y prevé la posible reforma del antiguo régimen foral de aquellas. El forcejeo entre el gobierno y las Diputaciones para la aceptación, por parte de estas últimas, de la ley de julio; el establecimiento del «concierto económico»; la conversión —de hecho— de los fueros en una autonomía administrativa; la subsistencia del sentimiento fuerista, llamado a integrarse ulteriormente en el nacionalismo, son aspectos de la cuestión de que sólo cabe aquí hacer mención [111].

El fuerismo vasco encontró un eco de simpatía —no podía ser de otra forma— en Cataluña. Juan Mañé y Flaquer, «un buen conservador, enemigo del parlamentarismo a la madrileña y partidario de las formas de democracia directa comunalista», director a la sazón del *Diario de Barcelona* —de enorme difusión entre la burguesía catalana—, publica una serie de artículos favorables al mantenimiento de los fueros vascos, artículos recogidos en un libro publicado en Barcelona en 1876 (*La paz y los Fueros*). Del mismo autor y del mismo año son unas *Cartas provinciales*, dirigidas a Cánovas del Castillo y encaminadas a advertir a este acerca de la persistencia de un espíritu «provincial», «revivido o exaltado por las usurpaciones del poder central» [254, 291]. La referencia a Mañé y Flaquer nos conduce al que Pabón llamara «regionalismo tradicionalista» —en el que Solé-Tura ha visto «el peso de la Cataluña rural»— que puede ser jalonado, en cuanto a la época de la Restauración se refiere, por el mismo Mañé y Flaquer; por Manuel Durán y Bas (n. en Barcelona, 1823), catedrático de la Universidad de Barcelona y máximo representante en España de la escuela histórica del Derecho, de Savigny; por el obispo de Vic, José Torras y Bages, hombre de gran prestigio —por la profundidad de su saber y su auténtica piedad— entre los medios eclesiásticos de la época, autor de un libro sobre *La Tradició catalaña* (1892) que cuenta entre los principales clásicos del regionalismo. Lo que llama la atención en este conjunto no es solo la continuidad y coherencia que ha destacado Solé-Tura [222, 83], sino también, y a nuestro juicio de manera más significativa históricamente, la concordancia de planteamientos con otros movimientos regionalistas, típicamente con el vasco. El radical confesionalismo de Torras y Bages —«Cristo, restaurador de la naturaleza, es el corazón de la nación catalana»; «Cataluña e Iglesia son dos cosas, en el pasado de nuestra tierra, imposibles de separar [...]»— se corresponde con el radical confesionalismo del fuerismo vasco y de Sabino Arana; la apelación historicista de estos últimos cuadra bien con el atractivo que «la organización cristiana político-social de la Edad Media» ejerciera sobre Mañé y Flaquer. En fin, cuando Durán y Bas recuerda, en 1883, que el elemento histórico no es, en el derecho español, uno e idéntico, sino diverso; y que «aun prescindiendo de Galicia, un quinto de la población de España vive bajo legislaciones forales» en el orden civil, estaba recurriendo a planteamientos globales que apuntan contra las abstracciones racionalistas de un liberalismo presto a desconocer cuanto de históricamente diferenciado había pasado a integrarse en una España plural. En este orden de cosas, conviene insistir sobre algo que queda apuntado: si el derecho público vasco —vigente hasta 1839— va a contraponerse a «la unidad constitucional de la Monarquía», el derecho privado de las distintas regiones o provincias aforadas va a sentirse en peligro ante la empresa de la Codificación; de hecho, el Código Civil de 1889 dejará establecido (arts. 11 y 12) que, salvo en lo relativo a los efectos de las leyes y estatutos y las reglas generales para su aplicación, y salvas también las disposiciones relativas al matrimonio, «las provincias y territorios en que subsiste derecho foral lo conservarán *por ahora* en toda su integridad, sin que sufra alteración su actual régimen jurídico, escrito o consuetudinario» [29 bis]. Las palabras subrayadas por nosotros —«por ahora»— expresan la existencia en el ánimo del legislador de una expectativa de uniformización jurídica a medio o largo plazo, que la historia subsiguiente se encargará de desmentir. Por lo pronto, conviene recordar aquí la publicación por parte de la «Biblioteca Judicial», a lo largo de los años ochenta, de una serie sobre *Legislación foral de España* que recoge en nueve volúmenes el derecho civil vigente en Cataluña, Aragón, Navarra, Mallorca, Vizcaya y Galicia.

En resumen: este primer nivel de motivaciones a que nos referíamos más arriba apunta a la *conservación* de unos particularismos institucionales muy arraigados en la realidad viva de unas sociedades no castellanas. Este conservatismo tiene, como es obvio, un respaldo predominantemente rural en todas y cada una de las regiones indicadas pocas líneas más arriba; apunta genéricamente contra el Estado liberal, y más concretamente contra la tendencia uniformizadora —de acuerdo con el patrón castellano— asumida históricamente por el liberalismo español. Este conservatismo recibe el respaldo doctrinal de una línea de pensamiento que viene del romanticismo histórico, con todas las connotaciones ideológicas que esta corriente cultural conlleva. Este conservatismo, en fin, va a superar su tradicional identificación con el carlismo —reliquia del pasado— abriéndose a los nuevos horizontes del regionalismo, concebido como alternativa de articulación de la pluralidad de pueblos integrados en la monarquía española, en el Estado español de la Restauración.

En un segundo nivel de motivaciones colocaríamos *el renacimiento de las culturas regionales* —por utilizar la misma terminología de la época— o, más exactamente, el acceso de las lenguas españolas distintas de la castellana a formas de expresión literaria de una calidad no lograda hasta entonces a través de los tiempos modernos. Es obvio que estas «renaixenças» expresan un redescubrimiento de sendas identidades nacionales; redescubrimiento que, a su vez, apunta al de una nueva concepción de España, más rica y clásica que la que prevaleciera entre los decretos de Nueva Planta y el apogeo del uniformismo liberal. No es preciso insistir acerca de la importancia histórica, realmente fundamental, de este aspecto del fenómeno «regionalista»; razones de espacio, que quedaron aludidas más arriba, nos impiden, sin embargo, dedicarle en estas páginas la atención que hubiera requerido.

2.2. Regionalismo y nacionalismo políticos. (I): Cataluña

Los dos niveles de motivación regionalista que acaban de ser referidos —particularismos institucionales, renacimiento de particularismos culturales— son, en cierta medida, manifestación espontánea de una real diversidad «regional» o «nacional» (problema que no hemos de discutir aquí), consustancial con la realidad histórica de España, reprimida durante siglo y medio, pero que ahora aflora, por distintas circunstancias, a la superficie de la vida española. Entre estas circunstancias juegan determinantes de orden social, económico y político, específicos de la época que estamos analizando y que constituyen un «tercer nivel» de motivaciones regionalistas; sin que, en este caso, el ordinal presuponga otra cosa que no sea atención a una lógica expositiva. ¿Qué motivaciones socio-políticas concretas, implicadas en la realidad social y política de la España del último cuarto del siglo XIX, inciden en el gran despegue del regionalismo? ¿Qué fuerzas sociales recogen y promueven el legado histórico que queda señalado, poniendo en marcha la que será una de las grandes fuerzas políticas de la España del siglo XX? Hoy por hoy, parece que la respuesta puede sintetizarse en las dos proposiciones que siguen. En primer lugar, un desajuste estructural entre Cataluña y la España interior, que impulsará a la burguesía catalana, tras el fracaso en la empresa de una articulación económica moderna del conjunto español, a un repliegue regional; un repliegue facilitado en términos de invocación nacional por los particularismos señalados —el lingüístico en cabeza—, al mismo tiempo que tales «hechos diferenciales» recibían la dinámica apoyatura social de la clase hegemónica en Cataluña: la burguesía [255, I, 143 ss.]. El regionalismo político catalán, rompiendo amarras con el federalismo pimargalliano, conjugará su visceral proteccionismo con un nacionalismo peculiar —es decir, circunscrito a Cataluña— al que no faltará, incluso, su formulación imperialista (Prat de la Riba). En segundo lugar, y subsiguientemente, la iniciativa política de la burguesía catalana acuña un modelo al que se atendrán formalmente otros movimientos regionalistas: el vasco, el gallego y el valenciano.

Con miras a una rápida recapitulación de las principales formulaciones políticas a que se atiene el *regionalismo catalán* en la época de la Restauración, nuestro punto de partida se encuentra, sin duda, en el federalismo de Pi y Margall. Antoni Jutglar ha precisado rigurosamente tanto la significación social de tal federalismo como las capas sociales que prestan apoyo al mismo [96 bis; 99]; en este último sentido, Solé-Tura ha podido referirse al federalismo como «ideología de una posible burguesía laica, urbana y dinámica» [222, 123 ss.]. Sobre esta línea, hay que señalar el intento de adaptación del modelo de la nonata Constitución federal del 73 al Estado catalán, de acuerdo con el movimiento que cristalizará en la Asamblea Federal de Zaragoza de 1883 [178, VI, 338-345]. Pero el federalismo catalán había entrado en la década de los ochenta bajo el signo de una sustitución de las formulaciones doctrinales y abstractas de Pi, por el resuelto y cálido catalanismo de Valentí Almirall, fundador del *Diari Català* (1879), promotor del Primer Congreso Catalanista (1880), autor —en 1886— de dos obras muy significativas de su orientación: *L'Espagne telle qu'elle est* y *Lo Catalanisme*. En 1881 se había separado formalmente del Partido Federal, propugnando la formación de «un gran partido catalanista político, desligado de todo compromiso con cualquier partido madrileño» [160, I, 120; 234]. A su iniciativa se deberá la fundación del *Centre Català*, del que saldrá —redactado por el mismo Almirall— uno de los documentos fundamentales del catalanismo político: el *Memorial de greuges* (o «Memoria en defensa de los intereses morales y materiales de Cataluña»), presentado en mayo de 1885 al rey Alfonso XII por una comisión catalana —en la que figuran, entre otros y además de Almirall, Jacinto Verdaguer y Ángel Guimerá—, que acude a Madrid al efecto. «La parte central del *Memorial* —ha escrito Artola— es la dedicada a combatir el acuerdo comercial con Inglaterra, y sus argumentos descubren la naturaleza de los intereses amenazados: las empresas marginales que temen por su supervivencia en el caso de que la competencia británica obligase a mayores inversiones para aumentar la productividad» [13, I, 413).

Los años finales de la década —ya bajo la Regencia— registran un decisivo cambio de orientación en el movimiento catalanista con la fundación de la *Lliga de Catalunya* (1887) y con la irrupción en el escenario político de Enric Prat de la Riba (n. en 1870); es el ocaso de Almirall, de las referencias federales —ancladas en el Sexenio, en última instancia— de las aspiraciones autonómicas de Cataluña, de la apoyatura pequeñoburguesa del catalanismo. Es conocido el hecho anecdótico, pero cargado de significación, de la duplicidad de Juegos Florales celebrados en Barcelona en 1888, año en que la Exposición Universal viene a hacer de la capital catalana centro de la atención política y económica del país. Habrá, en efecto, unos *Jocs Florals* patrocinados por la Lliga, presididos por D.ª María Cristina —en calidad de reina de la fiesta— y en los que actuó de mantenedor Menéndez y Pelayo. En tanto que el *Centre català* de Almirall organizó otros Juegos Florales en la fecha prevista tradicionalmente, «buscando la neutralidad política, "y no para desairar a una digna y altísima dama"» [160, I, 124]. La Lliga aprovechó la ocasión para poner en manos de la regente un mensaje que constituye la primera formulación de un programa específicamente regionalista [13, I, 415]. No se trata en él de problemas doctrinales, ni de definir la organización global del Estado español; sino, pura y simplemente, de volver al régimen político debelado en Cataluña por la victoria de Felipe V y por los decretos de Nueva Planta:

Deseamos que vuelva a poseer la nación catalana sus Cortes generales, libres e independientes abiertas por el Jefe del Estado o su Lugarteniente [...] Que sea Cataluña dueña y señora del gobierno interior de su suelo y señale por sí misma el contingente del ejército para el Principado, no por sorteo ni con levas forzosas, sino proveyéndose de soldados voluntarios y a sueldo, los cuales no deben salir, en tiempo de paz, de nuestro territorio. Que la lengua catalana sea la oficial de Cataluña para todas las manifestaciones de la vida de este pueblo, que se use la lengua catalana para la enseñanza en Cataluña. Que sean catalanes los tribunales de justicia, y todas las causas y litigios se fallen definitivamente dentro del territorio; que sean los mismos catalanes los que elijan a los que deban desempeñar cargos en la nación catalana [...] Que el Jefe del Estado venga a jurar a Cataluña sus constituciones fundamentales, condición indispensable de antiguo establecida para ejercer la soberanía en el Principado [...].

La formación de la *Unió Catalanista* —por fusión del «Centre Escolar Catalanista» y de la Lliga— en 1891, de la que será designado secretario Prat de la Riba, ha de ser recordada aquí por cuanto es aquella la entidad que suscribe otro documento básico en la trayectoria del catalanismo político: las llamadas «Bases de Manresa», cuya redacción primitiva corresponde al mismo Enric Prat. Estamos ante una especie de síntesis entre la concepción federal necesaria para prever la integración del Estado catalán en el marco del Estado español (es obvio advertir que no hay ni sombra de separatismo en las actitudes que estamos analizando), y la concepción regionalista —quizá fuera más exacto decir «nacionalista»— a que, con Prat de la Riba, había accedido el catalanismo político. Las «bases» de Manresa (27 de marzo de 1892) son 16, de las cuales la primera y más extensa hace referencia al «poder central», en tanto las quince restantes definen el «poder regional». El poder central es concebido, ya queda dicho, como un poder federal estrictamente delimitado, cuyas líneas generales responden a la nonata Constitución del 73, si bien se prevé la desigualdad de las regiones ante la constitución de una Asamblea legislativa central: «el número de representantes será proporcional al de habitantes y a la tributación, debiendo tener (cada región) tres como mínimo». El poder regional, por su parte, combina una cierta radicalización del catalanismo que informa el mensaje del 88 (véanse, por ejemplo, las bases 3.ª y 4.ª), con un manifiesto conservadurismo que elude, incluso, lo que tanto cuidaron los federales del 73: una referencia explícita a los derechos del ciudadano. Por lo demás, la *Unió Catalanista* se dedicó, en asambleas celebradas en años sucesivos, a desarrollar el contenido de las Bases con miras al estudio y a la programación de la que debiera ser futura constitución catalana. Y paralelamente a todo ello, entre el 92 y el 96, un persistente e inteligente esfuerzo de movilización social: los catalanistas penetran y controlan paulatinamente las grandes corporaciones de la vida catalana: el Ateneo de Barcelona, el Fomento del Trabajo Nacional, la Academia de Legislación y Jurisprudencia... En tanto, «la edición de folletos y hojas sueltas conoció un gran auge, alcanzando una especial difusión el *Compendi de la doctrina catalanista* de Prat de la Riba, del que se hizo una tirada inicial de 100 000 ejemplares» [13, I, 418].

Tal será la situación cuando sobrevenga el 98. Dos observaciones generales, de primordial interés, cabe hacer en este punto. En primer lugar —es preciso insistir en ello— no estamos en presencia de un movimiento secesionista, como fuera el caso en 1640; sino, como ocurriera durante la Guerra de Sucesión, en presencia de una afirmación de la personalidad histórica de Cataluña *dentro* de una España que se aspira a rehacer de acuerdo con un patrón diferente al que prevaleciera tras la victoria castellana de Felipe V. La aparente contradicción entre esta afirmación y la teoría del «repliegue regional» de la burguesía catalana en el último cuarto del XIX se manifestará en la circunspección con que el catalanismo abordará, apenas en la indispensable base 1.ª de Manresa, el problema de la articulación global del Estado español. La segunda observación hace referencia a la curiosa pasividad, incluso complacencia (recuérdense los *Jocs Florals* del 88), con que el régimen de la Restauración dejará hacer, hasta 1896, a los catalanistas; como si el proyecto político que maduraban no fuera contra los fundamentos mismos de aquel. Los acontecimientos de 1898 incidirán en este juego de actitudes de la manera que veremos más adelante.

2.3. Regionalismo y nacionalismo políticos. (II): Galicia, País Vasco, Valencia

La referencia que hagamos aquí a la dimensión política de los restantes regionalismos españoles habrá de ser más escueta que la dedicada al caso catalán: ningún otro, salvo este último, contaba todavía a la sazón con el apoyo social necesario para hacerlo políticamente operante. Galicia, como el País Vasco o Valencia, contaban, ciertamente, con ese complejo de factores que, en el sentir de los regionalistas de la época, define una «nacionalidad»: «las fronteras naturales, la raza, la lengua, las costumbres y la religión o las creencias [...] enlazados por el derecho, la historia y la conciencia íntima de una personalidad característica», según la definición de Brañas [13, I, 460]. Pero el ejemplo y la incitación a la actuación política venían de Cataluña; en tanto, cada círculo regionalista —o nacionalista— procura recoger en su programa la problemática socioeconómica peculiar de su región.

En cuanto se refiere a *Galicia*, hay que consignar la existencia de un «Proyecto de Constitución para el Estado Galaico», aprobado en julio de 1887 por una Asamblea Federal de la Región Gallega reunida en Lugo; el proyecto corresponde todavía, como es obvio, a la estela del 73, por más que ofrezca peculiaridades y matices dignos de análisis [67, 9-36]. A la vertiente propiamente regionalista corresponden, sin embargo, las ideas y las actividades que protagonizan, a partir de 1889, Manuel Murguía —patriarca del regionalismo gallego— y, sobre todo, Alfredo Brañas. En el año mencionado, Brañas —catedrático de la Universidad de Santiago, de ideología próxima al carlismo— publica en Barcelona su libro *El Regionalismo*, llamado a una enorme resonancia tanto en Cataluña como en el País Vasco; en él se resumen las aspiraciones del regionalismo gallego en 16 proposiciones que, en muchos aspectos, parecen anticipar las también 16 bases de Manresa [247, 128-130]. Al año siguiente —1890— Murguía es invitado a pronunciar un discurso en los Juegos Florales de Barcelona, dando a conocer en una conferencia ofrecida en los locales de la Lliga los «orígenes y desarrollo del regionalismo en Galicia» [147, 57 ss]. Pero, tras destacar esta conexión, interesa referirse a la Asociación Regionalista Gallega —establecida en Santiago bajo la presidencia de Murguía—, de importancia relevante en la trayectoria del galleguismo, así como a la dualidad que, ya a finales del siglo, se manifestará en el mismo: orientación liberal en la «Liga galega» de La Coruña; orientación tradicionalista en la «Liga galega» de Santiago.

Las características lingüísticas e históricas del *País Vasco* —tan originales dentro del conjunto peninsular—, unidas al todavía reciente planteamiento, con carácter agudo, de la cuestión foral en ocasión de la última guerra carlista y de su desenlace, van a dotar de especiales características, también, al naciente nacionalismo vasco. En la formulación de este último, cupo un papel protagonista a Sabino de Arana (n. en Abando, Bilbao, 1865), hijo de un constructor de barcos y gabarras de nivel más bien modesto y de filiación carlista. En la biografía de Arana será decisiva su permanencia en Barcelona entre 1883 y 1888, adonde acudió para estudiar Medicina junto a su hermano Luis; este último despertó en él una conciencia nacional circunscrita a Vizcaya, sin duda bajo la inducción de un ambiente —el de la Cataluña de Almirall y del «Centre Escolar Catalanista»— que invitaba a una trasposición de planteamientos. Este nacionalismo que en principio no rebasa, como queda indicado, lo vizcaíno («bizkaitarrismo»), dará visibles señales de actividad a partir del bienio 1893-1894. En el primero de estos años se publica, en efecto, el libro de Sabino de Arana *Bizkaya por su independencia*, en que se recogen algunos artículos publicados con anterioridad; también a 1893 corresponde la reunión del caserío de Larrazábal —3 de junio—, en que Arana expone su ideario a un grupo de amigos vizcaínos, que al parecer reaccionaron frente al radicalismo de sus planteamientos; cinco días después aparece el periódico *Bizkaitarra*, del que llegarán a publicarse 32 números (hasta septiembre del 95). «Desde el discurso inaugural —ha escrito Artola [13, I, 443-444]— Sabino aparece en el centro de un movimiento de opinión que trata de organizarse, siguiendo las incitaciones que desde *Bizkaitarra* se le hacen, en un sentido nacionalista, sin paralelo, por su radicalismo, con ningún otro». Simultáneamente va a surgir en el país vasco-navarro un nuevo movimiento de descontento frente al gobierno madrileño: las reformas del equipo liberal en el poder apuntan tanto a un incremento de las cuotas aforadas de Navarra y las Provincias Vascongadas (Gamazo) como a un traslado de la capitanía general de la región militar desde Vitoria a Burgos; el desdichado viaje de Sagasta a San Sebastián, a finales de agosto del 93, prestará ocasión —harto depresiva para el gobierno— para que se manifieste este descontento [70, 238 ss].

En 1894 se constituye una sociedad recreativa (*Euskeldun Batzokija*), primera organización nacionalista existente en el País Vasco, para la cual redactará Arana una declaración de principios basada en una insistente confesionalidad, en una afirmación racista, en la voluntad de restaurar el orden jurídico tradicional en Vizcaya, en la aspiración a una confederación constitutiva de Euzkadi:

> Siendo Bizkaya por su raza, su lengua, su fe, su carácter y sus costumbres, hermana de Álaba, Benabarre, Gipuzkoa, Lapurdi, Nabarra y Suberca, se ligará o confederará con estos seis pueblos para formar el todo llamado *Euskelerria* (Euskeria), pero sin mengua de su particular autonomía. Esta doctrina se expresa con el principio siguiente: *Bizkaya libre en Euskeria libre* [13, II, 238].

El 14 de julio de 1894 ondeará por primera vez en Bilbao, en los locales del *Euskeldun Batzokija*, la bandera bicrucífera, creación de Sabino de Arana. En fin, el día de San Ignacio de 1895 (31 de julio) se establece, en el marco de la sociedad recién mencionada, una especie de junta política (*Bizkai-Buru-Batzar*) encabezada por los hermanos Sabino y Luis de Arana, que constituye la forma inicial del Partido Nacionalista Vasco. En lo sucesivo Sabino de Arana cuidará especialmente, para evitar ambigüedades en el País Vasco y en Navarra, de subrayar la radical diferencia impuesta al nuevo nacionalismo vasco con respecto al nacionalismo español del carlismo, por más que este último hiciera también bandera de los fueros o «leyes viejas»; no obstante, muchos carlistas pasarán a engrosar el nuevo movimiento. Desde el año indicado, el gobierno ejercerá una acción represiva, en tanto el nacionalismo vasco fortalece su implantación —más en Vizcaya que en Guipúzcoa y Álava— logrando sus primeros éxitos electorales en 1898, al conseguir la entrada de Arana en la Diputación Provincial de Bilbao.

Juan Pablo Fusi, al hilo de su excelente análisis del socialismo vasco entre 1880 y 1923, ha dicho del nacionalismo vasco de finales de siglo «que parecía capaz de capitalizar la alarma de las clases medias locales ante la creciente movilización política y laboral de los trabajadores inmigrantes» en sentido socialista [66, 193]; alarma a la que, al parecer, no fue ajena la fundamentación social de la victoria electoral de Arana en 1898. En todo caso, a partir de esta fecha comienza a templarse el extremismo separatista de sus propagandas iniciales; «desde 1898-99 [Arana] llevó a su partido hacia la acción legal y hacia la colaboración con otros grupos de la derecha católica local», evolución que vino a coincidir, según Eleizalde, «con el comienzo de afluencia de las masas nacionalistas y también con el comienzo del prestigio que el nacionalismo vasco ganó ante la sana opinión del país» [66, 196]. En 1902, y tras una estancia de varios meses en la cárcel, motivada por un telegrama dirigido a Roosevelt con ocasión de la independencia cubana, Sabino de Arana fijará la posición de su partido, en unas declaraciones a *La Gaceta del Norte*, de acuerdo con este objetivo: el logro de «una autonomía lo más radical posible dentro de la unidad del Estado español, y a la vez más adaptada al carácter vasco y a las necesidades modernas» [70, 251-252]. Al año siguiente, y a los 38 de su edad, moría Arana.

En fin, sólo la cronología nos ha impulsado a dejar para el final la referencia al regionalismo *valenciano*, por más que sus planteamientos y caracteres queden harto más cerca del catalán y del gallego que del vasco. En efecto, en un nivel político el regionalismo valenciano se caracteriza por su tardía formulación, hasta el punto de que sólo precedentes cabe señalar dentro de los límites cronológicos impuestos a este capítulo. Para Alfonso Cucó, será el discurso del Dr. Faustino Barberá —pronunciado en *Lo Rat Penat* en diciembre de 1902, pero no publicado hasta 1910— «De regionalisme i Valentinicultura» el que marque la transición, con las ideas en él expuestas, del provincialismo al regionalismo [36, 37]. Por otra parte, hay que recordar cómo el *blasquismo* —acción política significada por el novelista y agitador republicano radical Vicente Blasco Ibáñez— canaliza, en imprecisa frontera con un regionalismo auténtico, la proyección política del valencianismo sobre la vida nacional. En todo caso, para entender los problemas del regionalismo valenciano —si es que este ha de hacer referencia a la totalidad de un país, de acuerdo con sus fronteras históricamente definidas, desde la montaña de Segorbe hasta la vega baja del Segura o la meseta de Requena— es preciso partir del hecho de una consustancial dualidad lingüística: el catalán (allí llamado valenciano) y el castellano. Ello contribuye a explicar la encrucijada contemporánea del regionalismo valenciano, basculando entre una posible integración en el conjunto de los llamados «països catalans» (Cataluña, Valencia, Baleares), o una autodefinición enteramente peculiar y autónoma capaz de asumir el real dualismo cultural y lingüístico del conjunto del antiguo reino de Valencia.

3. EL DESASTRE COLONIAL

En tanto el conjunto de la sociedad española experimenta el proceso de enriquecimiento y desarrollo cultural significado tanto por la llamada «Edad de Plata» de la cultura de expresión castellana como por las distintas «renaixenças» periféricas, los problemas de política exterior —increíblemente mal conocidos en sus planteamientos reales incluso por aquellos a quienes correspondía adoptar decisiones en relación con los mismos— van a desencadenar sobre ese mismo conjunto de la sociedad española una catástrofe material y moral sin precedentes desde los primeros lustros del siglo XIX.

La palabra «desastre» (= «desgracia grande, suceso infeliz y lamentable», DRAE), que más adelante pasará a designar, por antonomasia y popularmente, la fulminante pérdida de Cuba, Puerto Rico y Filipinas acaecida en 1898, apareció quizá por primera vez en el vocabulario político de la época, con ocasión de la derrota naval de Cavite, en la prensa del 3 de mayo del 98 («El desastre de Manila»). Actualmente la palabra puede ser usada sin distorsión para designar el proceso histórico global que contextualiza la derrota militar a que inicialmente fuera aplicada. En efecto, un desastre —en la más estricta significación del vocablo— fueron las inhibiciones, las vacilaciones y los retrocesos de la política colonial madrileña entre la paz del Zanjón y el grito de Baire; un desastre fueron —por los sufrimientos y por las ingentes pérdidas humanas que acarrearon— las guerras independentistas libradas casi simultáneamente en Cuba y en las Filipinas, entre el 95 y el 98; y un desastre fue, a más de un absurdo, la guerra hispano-norteamericana, aceptada sin más alternativa que la segura derrota. Tres aspectos, conceptualmente diferenciados, de lo que, en la historia española del último cuarto del siglo XIX, constituye un proceso coherente: hay una política colonial inadecuada que desemboca en unas guerras de emancipación. Y hay unas guerras de emancipación tan desdichadamente situadas en la geografía y en la cronología del imperialismo, que darán lugar a una intervención norteamericana de objetivos no coincidentes con los planteamientos emancipadores.

La misma importancia y complejidad del tema, las dificultades que opone a todo tratamiento sumario que exceda el mero esquema cronológico —todo ello en relación con la escasez de espacio disponible—, aconsejan remitir al lector, en este punto, a la producción historiográfica que en nuestros días ha suscitado, desde planteamientos especializados, la crisis internacional del 98 en sus aspectos políticos, militares y estratégicos. Detengamos, en cambio, nuestra atención en el contexto nacional del Desastre y en la huella —de profundidad variable según grupos sociales y actividades materiales y espirituales— que los acontecimientos de Ultramar imprimen en los destinos del pueblo español.

4. LA CRISIS DE FIN DE SIGLO

Quizá pocos tramos históricos de nuestro siglo XIX hayan experimentado recientemente cambios tan radicales de planteamiento, de análisis y de ponderación relativa en el marco de su contexto como esos años de transición, entre los siglos XIX y XX, que para el estudioso de la historia europea no son sino la manifestación, en el ámbito peninsular, de una década decisiva: 1895-1905. Los estudios —entre otros muchos que sería prolijo enumerar— de Tuñón de Lara; de Juan Alfonso Ortí y de José Varela Ortega en cuanto se refiere a la función de las clases medias en el ambiente psicológico-colectivo de la transición; de Pérez de la Dehesa, Blanco Aguinaga, Inman Fox y José Luis Abellán en cuanto afecta a la precisa ubicación histórica de la llamada «generación del 98»; y del autor de estas páginas en lo relativo a la contextualización político-internacional del 98 en el marco de un proceso de redistribución imperialista que, para España, solo podrá considerarse clausurado hacia 1904/1907, han venido a precisar las dimensiones reales de esa compleja «crisis de fin de siglo», que representa la traducción a términos historiológicos de una realidad que los contemporáneos simbolizaron en una palabra que no toleraba matizaciones: «el desastre». En nuestro sentir, resumiendo —y matizando en algunos casos— las conclusiones de los especialistas aludidos, podríamos definir así la fisonomía de la expresada «crisis»:

— en primer lugar, no procede en absoluto hablar, en la transición del XIX al XX, de «crisis económica». Aun con las justas reservas que perfilan su afirmación al respecto, los datos aducidos por Tuñón de Lara son, en el sentido apuntado, concluyentes [235, 9-10, 35-37]. Más aún: la interpretación del «Desastre» como una especie de *finis Hispaniae*, como una catástrofe nacional que afectaba y significaba al conjunto de la nación española, del pueblo español, fue, para José Luis Abellán, una simplificación de la oligarquía, que identificó con el derrumbamiento o las dificultades de algunos de sus sectores y con el derrumbamiento fulminante de toda una ideología justificativa, el fracaso histórico de todo un pueblo.

— en segundo lugar (seguimos un orden puramente enumerativo, que no expresa prioridades), la certera observación de Abellán no debe empañarnos la visión del *desastre real* sufrido por el pueblo español en sus capas económicamente más débiles en ocasión de la guerra y como consecuencia de la misma (familias diezmadas por el envío, irremisible, del hijo a Ultramar; bajas en la contienda; crisis de subsistencias en la Península; situación sanitaria y merma de la capacidad laboral en buena parte de los repatriados); todo ello recayendo sobre unas condiciones de vida que, en lo que se refiere al Madrid de fin de siglo, han sido plásticamente esbozadas por Carmen del Moral [141]. En suma: hubo un Desastre-mito encuadrado en unas coordenadas ideológicas. Pero hubo un Desastre-realidad social, multiplicado innumerables veces a escala personal y familiar, que no ha sido, hasta la fecha, suficientemente analizado.

— en tercer lugar, ya quedó dicho, no hay quiebra política. «La oligarquía sufre un rudo golpe, pero las fuerzas sociales que le son hostiles actúan en orden disperso y carecen de madurez. La vieja estructura social entrará en crisis a partir de 1917; las instituciones políticas también [...]» [235, 15]. Si olvidamos la historia total, y circunscribimos nuestra atención a la clásica historia política, no hay razones para dar por terminada la época de la Restauración ni en 1898 ni en 1902.

— en cuarto lugar —y aquí sí que es preciso hablar de crisis—, hay una compleja y honda ruptura que afecta al campo ideológico e intelectual: «la burguesía "no integrada", la pequeña burguesía y la clase obrera irrumpen ideológicamente al nivel de distintas tomas de conciencia»; en tanto los intelectuales, o sostienen «la tesis burguesa del Estado democrático liberal y de Derecho» (como Azcárate o Posada), o pasan a expresar «la protesta irritada, sentimental, de la pequeña burguesía» [235, 37], o habrán asumido más o menos circunstancialmente posturas socialistas o anarquistas, como será el caso de la «juventud del 98» [19].

Ahora bien, en lo relativo a este último punto —aspectos de la ruptura ideológica e intelectual—, es preciso aducir un par de observaciones críticas que aquí no pueden ser sino enunciadas, sin perjuicio de la exposición más detenida que de ellas nos proponemos hacer en otro lugar. Si aceptamos que el 98 no comporta una quiebra política y que el sistema sólo entrará en crisis a partir de 1917, es preciso reconocer que el «desarme ideológico» experimentado por este último en la crisis de fin de siglo es muy relativo, ya que no transcurrirá una década sin que el planteamiento de la cuestión marroquí —de la guerra de África: otra guerra colonial— venga a reactivar, claro está que sobre nuevos supuestos, los grandes temas de la ideología presuntamente quebrada en el 98.

> Estamos en tiempos de guerra. Nada hay más alto, más supremo que la fuerza. Seamos fuertes. Brillen las espadas y retumbe largamente el cañón,

escribirá Azorín en *ABC*, once años exactamente después del Desastre (3 de agosto de 1909). La otra observación tendería a poner de relieve que la erosión ideológica del sistema canovista no comienza en el 98, ni siquiera en el 90: basta un repaso de la temática de la novela de los años ochenta (y es obvio advertir que la novela no actuaba exenta de todo un contexto ideológico y social) para constatar cómo tal erosión estaba en marcha desde bastante antes que regeneracionistas y jóvenes noventayochistas comenzaran su tarea.

Como contrapartida de estas dos observaciones, quizá cupiera formular otra: la necesidad de insistir sobre el «desarme moral» del sistema que, efectivamente, sí cuenta en el 98 con un jalón decisivo. Hasta entonces nunca se había puesto de manifiesto tan brutalmente la insolidaridad de la oligarquía y de la clase política que la representaba con el pueblo por ella regido. Agudamente se ha referido Abellán a la motivación ética que impulsara a los jóvenes del 98: fue «su sentido de la justicia» el que les impulsó al socialismo o al anarquismo. En cuanto al pueblo, es bien sabido que la guerra de África será asumida con un talante bien distinto al del 95 o al del 98.

En fin, es preciso detener la atención, antes de concluir estas páginas, en determinados aspectos de la crisis de fin de siglo que cobran especial relieve en la transición de la España de la Restauración a la España de Alfonso XIII; de la España del XIX a la España del XX. Tales son: el *regeneracionismo*, en su doble vertiente sociopolítica e ideológica; la actitud crítica asumida por un conjunto de *jóvenes intelectuales* desde posiciones socialistas o anarquistas, viniendo así a reforzar ideológicamente —aunque, por lo general, de manera circunstancial— la posición del movimiento obrero tanto ante el «desastre» como ante la «regeneración»; la transformación cultural significada por el *modernismo* y, paralelamente, por las corrientes irracionalistas y vitalistas que van prevaleciendo, desde finales del siglo XIX, al otro lado de los Pirineos. Por lo demás, todo ello transcurre sobre una España que, desde 1898, ha visto radicalmente subvertidos los fundamentos de su posición internacional; entre el 98 y la integración en la esfera de la *entente* franco-británica, el Estado español atraviesa una etapa de inseguridad en el orden apuntado. Inseguridad e incertidumbre que, aunque no se explicite socialmente ni cale mucho en la opinión pública del país, no por ello deja de ser uno de los componentes fundamentales en el proceso histórico de la transición aludida.

Inexorables razones de espacio nos impiden analizar aquí, siquiera fuera someramente, los tres últimos aspectos de la transición del XIX al XX que acaban de ser mencionados. Parece obligada, sin embargo, una breve referencia al regeneracionismo, aunque sólo sea por su fundamental encuadramiento dentro de los límites cronológicos convencionales propuestos para esta colaboración.

Impreciso y ambiguo, el término «regeneracionismo» cubre con su realidad social, con su carga utópica e incluso con su adulteración desde el poder, buena parte de la vida pública española de finales del XIX y comienzos del XX. Una realidad social: la actitud de una burguesía media, disconforme con el sistema y con la praxis política de la Restauración. Una corriente ideológica, de orientación reformista, de impostación predominantemente positivista —aunque no exenta de sólidas aportaciones krausistas, historicistas y tradicionales—, estrechamente conectada con la realidad social recién aludida e impregnada, como ella, de una fuerte carga utópica. Y, a partir del 98, un determinado «rejuvenecimiento de imagen» por parte de la misma clase política, que asumirá desde el poder temas y actitudes formalmente regeneracionistas. Tales son los aspectos principales del complejo fenómeno acogido a tal designación. Bajo todos ellos, un sustrato común: la percepción de que «el sistema no funciona», o no funciona como debiera; percepción que es un hecho de psicología colectiva que se irá intensificando a lo largo de los años noventa y que se convertirá en clamor a partir del 98.

En un nivel socio-económico, «el problema se percibió como la modernización política y económica de una sociedad capitalista subdesarrollada. El enfrentamiento se produjo entre la clase política en control de un Estado considerado ineficiente [...] y ciertos grupos que no se percibían como dueños de ese Estado, pero sí con derecho a serlo» [248, 214]. Varela Ortega ha analizado cuidadosamente los orígenes del regeneracionismo castellano —ya a lo largo de los años ochenta— poniendo de relieve su fundamentación en el proteccionismo de los agricultores trigueros frente al liberalismo económico profesado o aceptado por la clase política. Por lo demás, tanto el autor recién citado como Tuñón de Lara o Alfonso Ortí —este último partiendo de un profundo análisis de las motivaciones psicológicas y sociales que hubieron de confluir en el costismo [159]— han puesto de relieve las contradicciones en que se debatió el movimiento regeneracionista. En efecto, el alcance netamente político de sus objetivos —reforma, saneamiento, democratización del Estado—, quedó inhibido por su repulsa a la intervención efectiva en la vida política a través de un partido; repulsa motivada, en última instancia, por cierta tendencia a identificar el concepto mismo de democracia parlamentaria con las formas nada edificantes que, de hecho, revestía el funcionamiento de la vida política en la España contemporánea. La repulsa ética del sistema conducía, paradójicamente, a no entrar en él para sanearlo; el rechazo de las formas parlamentarias formalmente vigentes podía conducir —y de hecho condujo en algún momento— a un peligroso desvío del parlamentarismo en sí; la constatación de que la revolución burguesa del 68 no había hecho —por su frustración— verdaderamente libres a los españoles podía conducir a una apelación campesina que frecuentemente queda más cerca de una fisiocracia idealizada (llamada a trascender, incluso, al campo de la literatura, como lo hiciera en el XVII al de la comedia —Noël Salomon—) que de un enfrentamiento radical con el dramático problema del campesinado español.

La personalidad de Joaquín Costa (n. en Monzón, Huesca, 1846) es, con mucho, la más egregia del regeneracionismo, al que puede simbolizar —incluso en sus contradicciones—, pero al que, al mismo tiempo, desborda por la complejidad de su formación, por la amplitud de su obra e incluso por su misma biografía pública [40; 159]. Sin perjuicio de su genial coherencia personal, uno es, en efecto, el Costa de *Colectivismo agrario en España* (1898), otro el de la encuesta del Ateneo madrileño sobre *Oligarquía y caciquismo* (1901-1902) —las dos más importantes y significativas entre las 35 obras que dejó publicadas—; y aún cabría decir que otro es el Costa que protagoniza la que Tuñón ha llamado «praxis del regeneracionismo», a través de una actividad iniciada en la Cámara Agrícola del Alto Aragón (1892) que dará lugar a que, con motivo de una campaña electoral frustrada —1896—, el mismo Costa redacte un manifiesto que constituye, quizá, la más sobria y perfilada síntesis de la utopía regeneracionista. Tras la derrota del 98, esta inquietud, hasta entonces minoritaria, trascenderá a distintos sectores de una burguesía media insatisfecha y ávida de renovación. Y da comienzo la «historia externa» de un movimiento regeneracionista jalonado por la Asamblea Nacional de Productores (Zaragoza, 1899), convocada por la Cámara de Comercio de Zaragoza secundando una iniciativa de Costa, en la que se darán cita diversos grupos de agricultores y comerciantes; por la Liga Nacional de Productores —constituida en la Asamblea de Zaragoza—, que asumirá el programa expuesto por Costa en el 96; por la Asamblea de Valladolid (1900), indicativa del contacto establecido ya en Zaragoza por los cerealistas castellanos —representados por el joven Santiago Alba— con el variado conjunto de fuerzas económicas allí representadas; por la Unión Nacional nacida en la asamblea últimamente mencionada por fusión de la Liga Nacional de Productores (Cámaras Agrarias), presidida por Costa, con las Cámaras de Comercio. Es entonces cuando las organizaciones agrarias —es decir, Costa— quedan en minoría dentro de la Unión, imponiéndose la orientación apolítica de los sectores mercantiles representada por Basilio Paraíso. El cual, «no queriendo hacer política, la hizo sin querer, lo cual resultó la peor de las políticas posibles», por cuanto este apoliticismo artificial vino a convertirse, de hecho, en fuerza propicia a su instrumentalización por parte de los políticos profesionales [248, 325]. La Unión Nacional —cristalización circunstancial de una conciencia burguesa— se desintegrará al doblar el cabo del nuevo siglo; Costa gravitará hacia el republicanismo.

Pero subsistirá el costismo bajo el mismo signo —«perplejidad y contradicción» registradas por Tierno Galván [230, 135]— que parece reflejar la personalidad de su protagonista. La clase política asumirá en cambio, de manera inmediata, no solo las pugnas internas del movimiento regneracionista; sino también —herencia no deleznable— sus temas, sus motivos, su retórica movilizadora de una burguesía y unas clases medias convencidas efectivamente, tras el 98, de que algo y aun mucho debía cambiar. El regeneracionismo iniciaba su andadura en calidad de algo que Joaquín Costa no pudo prever: prolongada coartada de una oligarquía.

En la medida en que el movimiento regeneracionista responde, principalmente, a una manifestación de la conciencia burguesa, no será errado buscar precisamente en la recepción del positivismo las raíces de sus manifestaciones intelectuales: tal sería el criterio para distinguir la literatura específicamente «regeneracionista» en el variopinto contexto de las críticas al sistema de la Restauración. No en vano ha visto Diego Núñez un anticipo de aquella en un texto de Estasén publicado en 1878 («La crisis», artíc. en *Revista Contemporánea*), en que se plantea la necesidad de sustituir la retórica de la libertad por un planteamiento positivista de los problemas de España [156, 132-133]. En este surco se instala la obra del ingeniero de minas Lucas Mallada sobre *Los males de la patria*, aparecido en 1890; libro que venía a dinamitar la vieja leyenda blanca de la España rica en toda clase de bienes, poniendo de manifiesto la realidad de nuestra pobreza económica y de nuestro atraso cultural. Sería sugestivo, pero prolijo y de difícil delimitación, esbozar las grandes líneas que sigue la literatura regeneracionista a lo largo de los años noventa; dentro del inventario quedaría, por cierto, cuanto de afán de conocimiento «positivo» de la realidad española entrañan las encuestas de Reformas Sociales. Pero el hecho evidente es que, en el 98 y en los años que le siguen de cerca, la literatura regeneracionista se agolpa hasta el punto de inducir al benemérito bibliógrafo Benito Sánchez Alonso a agrupar algunas de sus obras más características bajo la rúbrica común de «la literatura "del Desastre"» [206, III, 382-383], como una consecuencia inmediata de la guerra con los Estados Unidos. En efecto, de 1899 son las obras de Ricardo Macías Picavea (*El problema nacional. Hechos. Causas. Remedios*), de J. Rodríguez Martínez (*Los desastres y la regeneración de España. Relatos e impresiones*) y de Rafael María de Labra (*El pesimismo de última hora*); de 1900 las de Luis Morote (*La moral en la derrota*) [171 bis] y Damián Isern (*Del desastre nacional y sus causas*). Y en 1903 el Dr. Madrazo, ahondando en la cuestión planteada cinco años antes por Francisco Silvela en un artículo resonante (*Sin pulso*), publicaba unas «impresiones sobre el estado actual de la sociedad española» tituladas así: *¿El pueblo español ha muerto?* La respuesta del escritor montañés intenta enfrentarse con el pesimismo ambiente a partir de un vitalismo radical («presiento el alumbramiento de una patria más grande que la que he conocido»). En el fondo, pesimismo y vitalismo —tan presentes en la literatura de los años noventa y particularmente en la del 98— son actitudes referibles a una filosofía que no es ya la del positivismo. Esta inflexión irracionalista de la cultura española es, según quedó apuntado, una de las características del cambio de siglo.

Hay un movimiento regeneracionista, hay una literatura regeneracionista; hay, también, un adueñamiento del mito y de la retórica regeneracionistas —con su enorme fuerza sugestiva en el contexto del pesimismo nacional de finales de siglo— por parte de la clase política: ya quedó advertido. En términos muy generales cabe afirmar que esta apropiación fue obra, principalmente, de los conservadores. Ello se explica por razones tácticas y circunstanciales: la clásica imputación al gobierno de todo evento catastrófico —aunque se trate de una mala cosecha— hizo recaer sobre la imagen de Sagasta y, en general, del partido liberal las negras tintas del Desastre; ya que a ellos cupo la mala fortuna de «ser gobierno» en el 98. Pero es preciso recordar también otros factores menos coyunturales. Por ejemplo, el rejuvenecimiento de imagen que aportan al Partido Conservador —tras la muerte de Cánovas— tanto Silvela como, posteriormente, Antonio Maura; por evidente que sea la integración de ambos políticos en la oligarquía, también lo es la honestidad personal con que se plantearon en serio el problema de la autenticidad del sufragio. Cuenta también la seriedad y racionalidad relativas con que la prensa conservadora (*La Época*) acertara a abordar la guerra con los Estados Unidos —en contraste con la, a la sazón, gubernamental—; y, por supuesto, el aire de «modernidad» que confería a los políticos conservadores, en la coyuntura de fin de siglo, el hecho de haber acertado a ser, en su momento, los pioneros de dos principios políticos a la sazón en boga: el proteccionismo y la «reforma social» —es decir, en suma, la intervención del Estado en la vida económica y social—. Quizá sea este el telón de fondo adecuado para entender iniciativas «regeneracionistas» tales como las de Silvela, con su artículo citado del 16 de agosto del 98; del general Polavieja —respaldado por buena parte de la burguesía catalana— con su manifiesto, publicado dos semanas después, redactado al parecer por Ricardo Gasset y en el que se dan cita los tópicos del regeneracionismo... En marzo de 1899 hubo de dimitir el gobierno Sagasta como consecuencia de la grave disidencia gamacista, que había arrastrado, en el otoño anterior, cerca de noventa parlamentarios liberales. Le sucede Francisco Silvela con un gobierno en que «por primera vez, la monarquía restaurada ensayaba una alianza de fuerzas diversas, si bien bajo la hegemonía del partido de turno» [60, III, 219]: el conservador. En él figuran Durán y Bas —representante del regionalismo catalán en su versión conservadora— y el general Polavieja, Dato y Fernández-Villaverde, el marqués de Pidal... «No cabía mayor ponderación de elementos históricos y renovadores en el seno de un gobierno de Unión conservadora», apostilla el mismo Fernández Almagro. En el primer discurso de Silvela a las nuevas mayorías parlamentarias (31 de mayo de 1899) se hablará de la «obra de exculpación y de redención [...] a la que están y deben estar llamadas y a las que deben consagrarse las clases directoras de la sociedad española», de «reformas radicales», de «verdadera revolución desde arriba», de «austeridad», de «penitencia»... El intento de ordenar la hacienda pública tras el Desastre, acometido por Fernández-Villaverde, constituye el aspecto más relevante en la obra de este equipo ministerial y, al mismo tiempo, el más significativo: la contribución por riqueza rústica permanecía inalterable, en tanto se encargaba de enjugar el déficit a la riqueza inmobiliaria urbana y a la industrial, así como a profesionales y funcionarios a través del «impuesto de utilidades». En suma: el gobierno «buscaba los 300 millones de pesetas que necesitaba en la burguesía y clases medias, y de ninguna manera en los propietarios agrarios» [235, 76]. Política muy poco en línea con la significación social del regeneracionismo, que suscitará la oposición de la Liga de Productores, de la Unión Nacional, del Fomento del Trabajo; que acarreará la dimisión de Polavieja y de Durán y Bas. En octubre de 1900 el gobierno Silvela dará paso a un «gobierno-puente» presidido por el general Azcárraga; el cual, a su vez, será sustituido en marzo de 1901 por un nuevo gobierno Sagasta. Rudo contrapunto de la «regeneración»: las elecciones de mayo para diputados a Cortes arrojarán nada menos que un 70 % de abstenciones, sin que ello sirva precisamente para avalar la autenticidad del 30 % de votos expresados. Un nuevo gobierno Sagasta, tras la crisis de marzo de 1902, aportará un único signo de renovación: la presencia en el mismo, con significación propia, de José Canalejas. Tal será el último gobierno de la Regencia. El 17 de mayo de 1902, al cumplir los 16 años de edad, Alfonso XIII (que, recuérdese, ya había sido proclamado rey el mismo día de su nacimiento) asumía personalmente la plenitud de sus funciones, jurando la Constitución.

Como es sabido, el advenimiento del nuevo reinado no iba a significar la desaparición del mito regeneracionista. Carlos Seco ha subrayado los motivos de este último que jugaron en el pensamiento y en los impulsos del entonces joven monarca. Por lo demás, si en el general Primo de Rivera —dictador desde 1923— pudo verse un trasunto del «cirujano de hierro» de Costa, las ideas y las incitaciones de este último se manifestarán, desde su radical ambivalencia, en las más antagónicas posiciones presentes en la atormentada historia de nuestro siglo XX.

BIBLIOGRAFÍA

1. Abad de Santillán, Diego, *Contribución a la historia del movimiento obrero en España desde sus orígenes hasta 1905*, México, 1960.

2. Abellán, José Luis, «Claves del 98. Un acercamiento a su significado», en Manuel Tuñón de Lara y aa.vv., *Sociedad, política y cultura en la España de los siglos XIX y XX*, Madrid, 1973, pp. 151-172.

3. Abellán, José Luis, «La guerra de Cuba y los intelectuales» en *Historia 16*, núm. 27, julio 1978; pp. 90-95.

4. Almirall, Valentí, *L'Espagne telle qu'elle est*, Albert Savine Editeur, París, 1887.

4 bis. Alonso Baquer, Miguel, *El Ejército en la sociedad española*, Madrid, 1971.

5. Álvarez Junco, José, *La Comuna en España*, Madrid, 1971.

6. Álvarez Junco, José, *La ideología política del anarquismo español (1868-1910)*, Madrid, 1976.

7. Aller, Domingo Enrique, *Las grandes propiedades rústicas en España. Efectos que producen y problemas jurídicos, económicos y sociales que plantean*, Madrid, 1912.

8. Antequera, José María, *La codificación moderna en España*, Madrid, 1887.

9. Antón del Olmet, Luis y Arturo García Carraffa, *Los grandes españoles. Maura*, Madrid, 1913.

10. Aranguren, José Luis L., *Moral y sociedad. Introducción a la moral social española del siglo XIX*, Madrid, 1965.

11. Argan, Giulio Carlo, *El arte moderno, 1770-1970*, 2 vols., Valencia, 1976 (2.ª ed.).

12. Aróstegui Sánchez, Julio, *El carlismo alavés y la guerra civil de 1870-1876*, Diputación Foral de Álava, Vitoria, 1970.

13. Artola, Miguel, *Partidos y programas políticos, 1808-1936*, 2 vols., Madrid, 1974-1975.

14. Ayala Pérez, José, «Un político de la Restauración: Romero Robledo» (extracto de tesis doctoral), en *Anales de la Universidad de Murcia*, XXIX, núm. 3-4, Murcia, 1971, pp. 155-181.

15. Azcárate, Gumersindo de, *El self-government y la monarquía doctrinaria*, Alejandro de San Martín, Madrid, 1877.

16. Baroja, Pío, *Escritos de juventud (1890-1904)*. Prólogo y selección de Manuel Longares. Madrid, 1972.

17. Bécker, Jerónimo, *Historia de las relaciones exteriores de España durante el siglo XIX (Apuntes para una historia diplomática)*, tomo III (1868-1900), Madrid, 1926.

18. BENOIST, CHARLES, *Cánovas del Castillo. La restauración renovadora*, Madrid, 1931.

19. BLANCO AGUINAGA, CARLOS, *Juventud del 98*, Barcelona, 1978 (2.ª edic.).

20. BRENAN, GERALD, *El laberinto español. Antecedentes sociales y políticos de la guerra civil*, s.l., 1962.

21. CÁNOVAS DEL CASTILLO, ANTONIO, *Problemas contemporáneos*, 3 vols., Imprenta de A. Pérez Dubrull, Madrid, 1884-1890.

22. CARR, RAYMOND, *España, 1808-1939*, Barcelona, 1969.

23. CASTILLO, HOMERO (ed.), *Estudios críticos sobre el modernismo*, Madrid, 1974.

24. CASTILLO, SANTIAGO, «La influencia de la prensa obrera francesa en "El Socialista": (1886-1890). Datos para su estudio», *Revista de Trabajo*, núm. 56, Madrid, 1976 [1978], pp. 85-136.

24 bis. CASTRO, ROSALÍA, *Obra poética.* Estudio y selección de Augusto Cortina. Madrid, 1975 (8.ª ed.).

25. *Censo de la población de España según el empadronamiento hecho en 31 de diciembre de 1877*, 2 vols., Instituto Geográfico y Estadístico, Madrid, 1883-1884.

26. *Censo de la población de España según el empadronamiento hecho en 31 de diciembre de 1887*, 2 vols., Instituto Geográfico y Estadístico, Madrid, 1891-1892.

27. *Censo de la población de España según el empadronamiento hecho en la Península e islas adyacentes en 31 de diciembre de 1900*, 3 vols., Instituto Geográfico y Estadístico, Madrid, 1902-1907.

28. CEPEDA ADÁN, JOSÉ, «La figura de Sagasta en la Restauración», en *Hispania*, XCII, Madrid, 1963; pp. 3-24.

29. CLEMESSY, NELLY, *Emilia Pardo Bazán romancière (la critique, la théorie, la pratique)*, 2 vols., París, 1973.

29 bis. *Código Civil español, conforme a la edición oficial reformada con arreglo a lo dispuesto en la ley de 26 de mayo de 1889, anotado y concordado con el derecho vigente a su publicación, por la Redacción de la Revista General de Legislación y Jurisprudencia*, Madrid, 1889.

30. COLE, G. D. H., *Historia del pensamiento socialista*, Fondo de Cultura Económica, México, 1964, 3.ª ed.

31. COMELLAS, JOSÉ LUIS, *Cánovas*, Barcelona, 1965.

32. *Comisión de Reformas Sociales. Información oral y escrita practicada en virtud de la Real Orden de 5 de diciembre de 1883*. 4 vols., Madrid, 1889-1892.

32 bis. COMTE, AUGUSTO, *Recuerdos de un diplomático*, 3 vols., Madrid, 1901.

33. CONTRERAS, JUAN DE, marqués de Lozoya, *Historia del arte hispánico*, tomo V., Barcelona, 1949.

34. CORWIN, ARTHUR F., *Spain and the abolition of slavery in Cuba, 1817-1886*, University of Texas Press, Dallas, 1967.

35. COSTA, JOAQUÍN, *Oligarquía y caciquismo como la forma actual de gobierno en España. Urgencia y modo de cambiarla.* Estudio introductorio de Alfonso Ortí; ed. del mismo, que incluye los «informes o testimonios» presentados al Ateneo de Madrid, 2 vols., Madrid, 1975.

36. CUCÓ, ALFONS, *El valencianisme polític, 1874-1936*, Valencia, 1971.

37. CUENCA TORIBIO, JOSÉ MANUEL, *Aproximación a la historia de la Iglesia contemporánea en España*, Madrid, 1978.

38. CUENCA TORIBIO, JOSÉ MANUEL, *Estudios sobre la Iglesia española del XIX*, Madrid, 1973.

39. CUENCA TORIBIO, JOSÉ MANUEL, *Sociología de una elite de poder de España e Hispanoamérica contemporáneas: la jerarquía eclesiástica (1789-1965)*, Córdoba, 1976.

39 bis. CHAMORRO Y BAQUERIZO, P., *El consultor del rey Alfonso XII. Biografías. Semblanzas de las personas más notables existentes en España*, 2 vols., Barcelona, 1876-1886.

40. CHEYNE, J. J. G., *Joaquín Costa, el gran desconocido*, Barcelona, 1971.

41. CHICOTE, CÉSAR, *La vivienda insalubre en Madrid*, Ayuntamiento de Madrid, Madrid, 1914.

42. CHIDSEY, DONALD BARR, *La guerra hispano-americana, 1896-1898*, Barcelona, 1973.

43. CHUECA GOITIA, FERNANDO, *Breve historia del urbanismo*, Madrid, 1968.

44. DARDÉ MORALES, CARLOS, *El Partido Liberal de la Restauración, 1875-1890.* Tesis doctoral dactilografiada. Universidad Complutense de Madrid, Facultad de Filosofía y Letras, 1973, 2 vols. (cortesía del autor).

45. DARDÉ MORALES, CARLOS, «Los partidos republicanos en la primera etapa de la Restauración (1870-1900)», en José María Jover Zamora y aa.vv., *El siglo XIX en España: doce estudios*, Barcelona, 1974, pp. 433-463.

46. DÍAZ, ELÍAS, *La filosofía social del krausismo español*, Madrid, 1973.

47. DÍAZ DEL MORAL, JUAN, *Historia de las agitaciones campesinas andaluzas. Córdoba (antecedentes para una reforma agraria)*, Madrid, 1967.

48. DÍAZ-PLAJA, GUILLERMO, *Modernismo frente a Noventa y ocho. Una introducción a la literatura española del siglo XX*, Madrid, 1966 (2.ª ed.).

49. DÍEZ BORQUE, JOSÉ MARÍA (direc.), *Historia de la literatura española*, planeada y coordinada por..., vol. III: Siglos XIX y XX, Madrid, 1974.

50. DÍEZ DEL CORRAL, LUIS, *El liberalismo doctrinario*, Instituto de Estudios Políticos, Madrid, 1956 (2.ª ed.).

51. *Documentos presentados a las Cortes en la legislatura de 1898 por el ministro de Estado*, 3 vols., Madrid, 1898-1899.

52. DOLLÉANS, ÉDOUARD, *Historia del movimiento obrero*, 3 vols., Algorta, 1969.

53. DURÁN, J. A., *Agrarismo y movilización campesina en el país gallego (1875-1912)*, Madrid, 1977.

54. ENSEÑAT KUFMÜLLER, CARMEN, *Las clases trabajadoras y su reflejo en la pintura española de la Restauración (1874-1910).* Tesis doctoral dactilografiada. Facultad de Filosofía y Letras, Valencia, 1959 (cortesía de la autora).

55. EOFF, SHERMAN H., *El pensamiento moderno y la novela española. Ensayos de literatura comparada: la repercusión filosófica de la ciencia sobre la novela*, Barcelona, 1965.

56. ESPADAS BURGOS, MANUEL, *Alfonso XII y los orígenes de la Restauración*, CSIC, Escuela de Historia Moderna, Madrid, 1975.

57. *Estadística del personal y vicisitudes de las Cortes y de los ministerios de España desde 29 de septiembre de 1833... hasta el 24 de diciembre de 1879 en que se suspendieron las sesiones.* Imprenta y fundición de la Viuda e Hijos de J. A. García, Madrid, 1880.— Hay un *Apéndice primero que comprende desde el 24 de diciembre de 1879 hasta el 29 de diciembre de 1890* (Madrid, 1892), y un *Apéndice segundo* que cubre hasta el 30 de marzo de 1907, (Madrid, 1907).

58. FABIÉ, A. M., *Cánovas del Castillo*, Barcelona, 1928.

59. Fernández Almagro, Melchor, *Cánovas. Su vida y su política*, Madrid, 1951 (2.ª ed.).
60. Fernández Almagro, Melchor, *Historia política de la España contemporánea*, 3 vols., Madrid, 1968.
61. Fernández Almagro, Melchor, «Las Cortes del siglo xix y la práctica electoral», *Revista de Estudios Políticos*, V, Madrid, 1943, pp. 383-416.
62. Fernández Bastarreche, Fernando, *El Ejército español en el siglo xix*, Madrid, 1978.
62 bis. Fernández de la Huerta, Manuel, *Ministerios y ministros que hubo en España (...) desde la revolución de septiembre de 1868 hasta la conclusión del siglo xix*, Santander, 1901.
63. Fernández de los Ríos, Ángel, *Guía de Madrid*, La Ilustración Española y Americana, Madrid, 1876.
64. Fiestas Loza, Alicia, *Los delitos políticos (1808-1936)*, Salamanca, 1977.
65. Foner, Philip S., *La guerra hispano-cubano-americana y el nacimiento del imperialismo norteamericano, 1895-1902*, 2 vols., Madrid, 1975.
66. Fusi, Juan Pablo, *Política obrera en el País Vasco (1880-1923)*, Madrid, 1975.
67. *Galicia. Cuatro documentos sociopolíticos (1887-1897-1899-1918)*, Madrid, 1974.
68. García-Nieto, María Carmen, Javier M.ª Donézar y Luis López Puerta, *Restauración y Desastre, 1874-1898* (tomo IV de la colec. «Bases documentales de la España contemporánea»), Madrid, 1972.
69. García Venero, Maximiano, *Historia del nacionalismo catalán*, 2 vols., Madrid, 1967 (2.ª ed.).
70. García Venero, Maximiano, *Historia del nacionalismo vasco, 1793-1936*. Madrid, 1945.
71. Gil Cremades, Juan José, *El reformismo español. Krausismo, escuela histórica, neotomismo*, Barcelona, 1969.
72. Gómez Casas, Juan, *Historia del anarco-sindicalismo español*, Madrid, 1969 (2.ª ed.).
72 bis. Gómez-Ferrer Morant, Guadalupe, *La obra de Armando Palacio Valdés como testimonio histórico de la España de la Restauración*, tesis doctoral mecanografiada, 2 vols., Universidad Complutense de Madrid, Facultad de Geografía e Historia, 1979.
73. Gómez Molleda, María Dolores, *Los reformadores de la España contemporánea*, CSIC, Escuela de Historia Moderna, Madrid, 1966.
74. Guerra y Sánchez, Ramiro, José M. Pérez Cabrera, Juan J. Remos y Emeterio S. Santovenia, *Historia de la Nación Cubana*, publ. bajo la dirección de...; tomo VI: *Autonomismo. Guerra de Independencia*, La Habana, 1952.
75. Hauser, Ph., *Estudios médico-topográficos de Sevilla*, Librería de Tomás Sanz, Sevilla, 1882.
76. Hauser, Ph., *Madrid bajo el punto de vista médico-social*, 2 vols., Madrid, 1902.
77. Hayes, Carlton J. H., *Una generación de materialismo (1871-1900)*, Madrid, 1946.
78. Herr, Richard, *España y la revolución del siglo xviii*, Madrid, 1964.
79. Hidalgo, Jacinto, *Ideario histórico de la Restauración española*, Sevilla, 1955.

80. HINTERHÄUSER, HANS, *Los «Episodios Nacionales» de Benito Pérez Galdós*, Madrid, 1963.
81. HOUGHTON, A., *Les origines de la restauration des Bourbons en Espagne*, París, 1890.
82. IGLESIAS, MARÍA DEL CARMEN, y ANTONIO ELORZA, *Burgueses y proletarios. Clase obrera y reforma social en la Restauración (1884-1889)*, Barcelona, 1973.
83. IGLESIAS, MARÍA DEL CARMEN, y ANTONIO ELORZA, «La fundación de la Comisión de Reformas Sociales», en la *Revista de Trabajo*, 25, Madrid, 1969; pp. 73-105.
84. IGLESIAS, PABLO, *Escritos (1). Reformismo social y lucha de clases y otros textos*. Ed. a cargo de Santiago Castillo y Manuel Pérez Ledesma, Madrid, 1975.
85. INMAN FOX, E., *La crisis intelectual del 98*, Madrid, 1976.
86. ISERN, DAMIÁN, *Del desastre nacional y sus causas*. Imprenta de la Vda. de M. Minuesa de los Ríos, Madrid, 1899.
87. JIMÉNEZ-LANDI, ANTONIO, *La Institución Libre de Enseñanza*, vol. I: *Los orígenes*, Madrid, 1973.
88. JOBIT, P., *Les éducateurs de l'Espagne contemporaine. Les Krausistes*, París, 1936.
89. JOLL, JAMES, *La Segunda Internacional, 1889-1914*, Barcelona, 1976.
90. JOVER ZAMORA, JOSÉ MARÍA, «De la Ilustración al 98: cambio político y cambio generacional», en José María Jover y aa.vv., *Cambio generacional y sociedad*, Madrid, 1978.
91. JOVER ZAMORA, JOSÉ MARÍA, «Edad Contemporánea», en Antonio Ubieto, Juan Reglá, José María Jover y Carlos Seco, *Introducción a la Historia de España*, Barcelona, 1977 (11.ª edic.), pp. 507-927.
92. JOVER ZAMORA, JOSÉ MARÍA, *Política, diplomacia y humanismo popular. Estudios sobre la vida española en el siglo XIX*, Madrid, 1976.
93. JOVER ZAMORA, JOSÉ MARÍA, «Sobre los conceptos de monarquía y nación en el pensamiento político español del siglo XVII», *Cuadernos de Historia de España*, XIII, Buenos Aires, 1950, pp. 101-150.
94. JOVER ZAMORA, JOSÉ MARÍA, *1898. Teoría y práctica de la redistribución colonial*, Fundación Universitaria Española, Madrid, 1979.
95. JUTGLAR, ANTONI, «Actitudes conservadoras ante la realidad obrera en la etapa de la Restauración» en la *Revista de Trabajo*, 25, Madrid, 1969, pp. 45-71.
96. JUTGLAR, ANTONI, *Els burgesos catalans*, Barcelona, 1966.
96 bis. JUTGLAR BERNAUS, ANTONIO, *Federalismo y revolución. Las ideas sociales de Pi y Margall*, Universidad de Barcelona, Barcelona, 1966.
97. JUTGLAR, ANTONI, *Ideologías y clases en la España contemporánea. Aproximación a la historia social de las ideas*, 2 vols., Madrid, 1968-1969.
98. JUTGLAR, ANTONI, *La era industrial en España*, Barcelona, 1963.
99. JUTGLAR, ANTONI, *Pi y Margall y el federalismo español*, 2 vols., Madrid, 1975-1976.
100. KAPLAN, TEMMA, *Anarchists of Andalusia, 1868-1903*, Princeton University Press, 1976.
101. *La clase obrera española a finales del siglo XIX*, Algorta, 1970. (Se trata de una selección del t. I de la *Información oral y escrita...* de la Comisión de Reformas Sociales, relativo a Madrid.)
102. «La Defensa de la Sociedad. Revista de intereses permanentes y fundamentales contra las doctrinas y tendencias de la Internacional, ajena por comple-

to a todo partido político». Madrid, 1872-1879 (antología presentada por Antonio Elorza en la *Revista de Trabajo*, 23, núm. 3, Madrid, 1968, pp. 319-426).

103. LACOMBA, JUAN ANTONIO, *Introducción a la historia económica de la España contemporánea*, Madrid, 1972 (2.ª ed.).

104. LAFUENTE FERRARI, ENRIQUE, *Breve historia de la pintura española*, Madrid, 1953 (4.ª ed.).

105. LAÍN ENTRALGO, PEDRO, *Historia de la medicina moderna y contemporánea*, Barcelona, 1963 (2.ª ed.).

106. LAÍN ENTRALGO, PEDRO (direc.), *Historia Universal de la Medicina*, t. VI. Barcelona, 1973.

107. LAÍN ENTRALGO, PEDRO, *La generación del Noventa y ocho*, Buenos Aires, 1947.

108. LAÍN ENTRALGO, PEDRO, *Menéndez Pelayo*, Buenos Aires, 1952.

109. LAMBERET, RENÉE, *Mouvements ouvriers et socialistes (chronologie et bibliographie). L'Espagne (1750-1936)*, París, 1953.

110. LANGER, WILLIAM L., *The Diplomacy of Imperialism, 1890-1902*, Nueva York, 1951 (2.ª ed.).

111. LASALA Y COLLADO, FERMÍN, *Última etapa de la unidad nacional. Los fueros vascongados en 1876*, 2 vols., Real Academia de Ciencias Morales y Políticas, Madrid, 1924.

112. LE SOC, *Vademecum del propagandista de Sindicatos Agrícolas*. Zaragoza, 1909 (3.ª ed.).

113. LEMA, MARQUÉS DE, *De la Revolución a la Restauración*, 2 vols., Madrid, 1927.

114. LIDA, CLARA E., *Anarquismo y revolución en la España del XIX*, Madrid, 1972.

115. LINZ, JUAN J., *Parties, elections and elites under the Restoration Monarchy in Spain, 1875-1923* (VII World Congress International Political Science, Brussels, 1967).

116. LINZ, JUAN J., «The party system of Spain. Past and future», en Lipset & Rokkan (ed.), *Party systems and voter alignments*, 1967, pp. 197-282.

117. LÓPEZ-CORDÓN, MARÍA VICTORIA, *El pensamiento político-internacional del federalismo español (1868-1874)*, Barcelona, 1975.

118. LÓPEZ-CORDÓN, MARÍA VICTORIA, «La Comuna de París vista desde España», en José María Jover Zamora y aa.vv., *El siglo XIX en España: doce estudios*, Barcelona, 1974, pp. 323-395.

119. LÓPEZ MORILLAS, JUAN, *El krausismo español. Perfil de una aventura intelectual*, Fondo de Cultura Económica, México, 1956.

120. LÓPEZ MORILLAS, JUAN, *Hacia el 98. Literatura, sociedad, ideología*, Barcelona, 1972.

121. LÓPEZ PENA, ISIDORO, «Los orígenes del intervencionismo laboral en España: el Instituto de Reformas Sociales», en la *Revista de Trabajo*, 25, Madrid, 1969, pp. 7-44.

122. LÓPEZ PIÑERO, JOSÉ MARÍA, «La literatura científica en la España contemporánea», *Historia general de las Literaturas hispánicas*, t. VI, Barcelona, 1968.

123. LÓPEZ PIÑERO, JOSÉ MARÍA, *Medicina moderna y sociedad española (siglos XVI-XIX)*, Cátedra e Instituto de Historia de la Medicina, Valencia, 1976.

124. LÓPEZ PIÑERO, JOSÉ MARÍA, LUIS GARCÍA BALLESTER y PILAR FAUS SEVILLA, *Medicina y sociedad en la España del siglo XIX*, Sociedad de Estudios y Publicaciones, Madrid, 1964.

125. Llorens, Montserrat, «El P. Antonio Vicent, S. I. (1837-1912). Notas sobre el desarrollo de la acción social católica en España», *Estudios de Historia Moderna*, IV, Barcelona, 1954, pp. 395-439.
126. Mainer, José-Carlos, *La Edad de Plata*, Madrid, 1975.
127. Mainer, José-Carlos, *Literatura y pequeña burguesía en España (Notas 1890-1950)*, Madrid, 1972.
128. Mallada, Lucas, *Los males de la patria y la futura revolución española. Consideraciones generales acerca de sus causas y efectos. Primera parte (...)*, Madrid, 1890.
129. Martí, Casimiro, *Orígenes del anarquismo en Barcelona*, Barcelona, 1958.
130. Martínez Albiach, Alfredo, *Religiosidad hispana y sociedad borbónica*, Publicaciones de la Facultad Teológica del Norte de España, Burgos, 1969.
131. Martínez Cuadrado, Miguel, *Elecciones y partidos políticos de España (1868-1931)*, 2 vols., Madrid, 1969.
132. Martínez Cuadrado, Miguel, *La burguesía conservadora (1874-1931)*, Madrid, 1973 (t. VI de la *Historia de España Alfaguara*, dirigida por Miguel Artola).
133. Marvaud, Ángel, *La cuestión social en España*, Ediciones de la Revista de Trabajo, Madrid, 1975.
134. Massa Sanguinetti, Carlos, *Historia política del... Sr. D. Práxedes Mateo Sagasta*, Madrid, 1876.
135. Mateo del Peral, Diego, «Aproximación a un estudio sociológico de las autoridades económicas en España (1868-1915)», en Gabriel Tortella Casares (direc.) y aa.vv., *La Banca española en la Restauración*, Servicio de Estudios del Banco de España, Madrid, 1974; t. I, pp. 15-106.
136. Mateo del Peral, Diego, «Autoridades económicas. Presidentes del Consejo de Ministros, ministros de Hacienda, de Fomento y Gobernadores del Banco de España de 1868 a 1915», en Gabriel Tortella Casares (direc.) y aa.vv., *La Banca española en la Restauración*, Servicio de Estudios del Banco de España, Madrid, 1974; t. II, pp. 75-97.
137. Maura Gamazo, Gabriel, *Historia crítica del reinado de don Alfonso XIII durante su menoridad bajo la regencia de su madre doña María Cristina de Austria*, 2 vols., Barcelona, 1919-1925.
138. Menéndez Pelayo, Marcelino, *Historia de los heterodoxos españoles*, CSIC, Santander, 1948 (Edición Nacional de las Obras Completas, t. VI).
139. Mesonero Romanos, Ramón de, *Manual de Madrid. Descripción de la Corte y de la Villa (...)*, Imprenta de Burgos, Madrid, 1883.
140. Montesinos, José F., *Galdós*, 3 vols., Madrid (imp. en Valencia) 1968-72.
141. Moral Ruiz, Carmen del, *La sociedad madrileña fin de siglo y Baroja*, Madrid, 1974.
142. Morato, Juan José, *Líderes del movimiento obrero español (1868-1921)*. Selección, presentación y notas de Víctor Manuel Arbeloa, Madrid, 1972.
143. Morato, Juan José, *Pablo Iglesias Posse, educador de muchedumbres*, Barcelona, 1968 (2.ª ed.).
144. Moret, Segismundo, *Memoria sobre política internacional* (1888). Apéndice núm. 8 de la tesis doctoral de Julio Salom, *España en el sistema europeo de Bismarck*, cortesía del Sr. Salom.

145. Moya Valgañón, Carlos, «Las elites económicas y el desarrollo español», en Manuel Fraga Iribarne, Juan Velarde Fuertes y Salustiano del Campo Urbano (codirectores), *La España de los años 70*, Madrid, 1972-74; vol. I, pp. 431-591 (espec. pp. 487-496: «La Aristocracia española y la Restauración»).

146. Mumford, Lewis, *La ciudad en la historia. Sus orígenes, transformaciones y perspectivas*, 2 vols., Buenos Aires, 1966.

147. Murguía, Manuel, *Política y sociedad en Galicia*, Madrid, 1974.

148. Navascués Palacio, Pedro, *Arquitectura y arquitectos madrileños del siglo xix*, Instituto de Estudios Madrileños, Madrid, 1973.

149. Nettlau, Max, *La Première Internationale en Espagne, 1868-1888*. Internationaal Institut voor Sociale Geschiedenis (Amsterdam), Dordrecht, 1969.

149 bis. Nicolau D'Olwer, L., *Resum de Literatura catalana*, Barcelona, 1927.

150. Nido y Segalerva, Juan del, *Historia política y parlamentaria del... Sr. D. Antonio Cánovas del Castillo*, Madrid, 1914.

151. Nido y Segalerva, Juan del, *Historia política y parlamentaria del... Sr. D. Práxedes Mateo Sagasta*, Madrid, 1915.

152. Noreña, María Teresa, *Canarias: política y sociedad durante la Restauración*, 2 vols., Excmo. Cabildo Insular de Gran Canaria, Santa Cruz de Tenerife, 1977.

153. Noreña, María Teresa, «La prensa obrera madrileña ante la crisis del 98», en José María Jover Zamora y aa.vv., *El siglo xix en España: doce estudios*, Barcelona, 1974; pp. 571-611.

154. Núñez de Arenas, Manuel, y Manuel Tuñón de Lara, *Historia del movimiento obrero español*, Barcelona, 1970.

155. Núñez, Diego (ed.), *El darwinismo en España*, Madrid, s.a., 1977.

156. Núñez Ruiz, Diego, *La mentalidad positiva en España: desarrollo y crisis*, Madrid, 1975.

157. Olivar Bertrand, Rafael, *Prat de la Riba*, Barcelona, 1964.

158. Ortega y Rubio, Juan, *Historia de la Regencia de María Cristina Habsbourg Lorena*, 5 vols., Madrid, 1905-1906.

159. Ortí, Alfonso, «Estudio introductorio» a la edic. de Joaquín Costa, *Oligarquía y caciquismo*... Ediciones de la Revista de Trabajo, Madrid, 1975; 2 vols. (t. I, pp. XIX-CCLXXXVII).

160. Pabón, Jesús, *Cambó* (t.I.: 1876-1918), Barcelona, 1952.

161. Pabón, Jesús, «El 98, acontecimiento internacional» en *Días de ayer. Historias e historiadores contemporáneos*, Barcelona, 1963, pp. 139-195.

161 bis. Palacio Atard, Vicente, *La España del siglo xix, 1808-1898*, Madrid, 1978.

162. Pardo Bazán, Emilia, *La cuestión palpitante*, prólogo de «Clarín», Madrid, 1883.

163. Pattison, Walter T., *El naturalismo español. Historia externa de un movimiento literario*, Madrid, 1965.

164. Payne, Stanley G., *Los militares y la política en la España contemporánea*. Ruedo Ibérico (impr. en Alençon), 1968.

165. Pérez de la Dehesa, Rafael, *El pensamiento de Costa y su influencia en el 98*. Sociedad de Estudios y Publicaciones, Madrid, 1966.

166. Pérez de la Dehesa, Rafael, *Política y sociedad en el primer Unamuno, 1894-1904*, Madrid, 1966.

167. Pérez Galdós, Benito, *Cánovas*, Perlado, Páez y Compañía, Madrid, 1912 (*Episodios Nacionales*, serie final).

168. PÉREZ GALDÓS, BENITO, *El amigo Manso*, Madrid, 1972.
169. PÉREZ GALDÓS, BENITO, *Las novelas de Torquemada*, Madrid, 1967.
170. PÉREZ GALDÓS, BENITO, *La de los tristes destinos*, Perlado, Páez y Compañía, Madrid, 1907. (*Episodios Nacionales*, cuarta serie).
171. PÉREZ GALDÓS, BENITO, Prólogo a *El sabor de la tierruca* de José María de Pereda (1882); en Pereda, op. cit., Madrid, 1906 (t. X de *Obras Completas*), 3.ª ed.
171 bis. PÉREZ GARZÓN, JUAN SISINIO, *Luis Morote. La problemática de un republicano (1862-1913)*, Madrid, 1976.
172. PÉREZ GUTIÉRREZ, FRANCISCO, *El problema religioso en la generación de 1868*, Madrid, 1975.
173. PÉREZ LEDESMA, MANUEL, *La Unión General de Trabajadores. Ideología y organización (1888-1931)*. Tesis doctoral dactilografiada. Universidad Autónoma de Madrid, Facultad de Filosofía y Letras, 1976 (2 vols.). Utilizada por cortesía del autor.
174. PÉREZ PICAZO, MARÍA TERESA, *Oligarquía urbana y campesinado en Murcia, 1875-1902*, Academia Alfonso X el Sabio, Murcia, 1979.
175. PÉREZ PUJOL, EDUARDO, *La cuestión social en Valencia*, Valencia, 1972.
176. PESET Y VIDAL, J. B., *Topografía médica de Valencia y su zona*, Valencia, 1879.
177. PI Y MARGALL, FRANCISCO, *Las Nacionalidades*, Imprenta y librería de Eduardo Martínez, Madrid, 1877 (2.ª ed.).
178. PI Y MARGALL, FRANCISCO, & FRANCISCO PI Y ARSUAGA, *Historia de España en el siglo XIX*, 8 vols., Miguel Seguí Editor, Barcelona, 1902.
179. PIRALA, ANTONIO, *España y la Regencia. Anales de diez y seis años (1885-1902)*, 3 vols., Madrid, 1904-1907.
180. PIRALA, ANTONIO, *Historia contemporánea. Segunda parte de la guerra civil. Anales desde 1843 hasta el fallecimiento de don Alfonso XII*, Tomos IV, V y VI. Felipe González Rojas Editor, Madrid, s.a.
181. POLAVIEJA, MARQUÉS DE, *Relación documentada de mi política en Cuba. Lo que vi, lo que hice, lo que anuncié*, Madrid, 1898.
182. PORTUONDO DEL PRADO, FERNANDO, *Historia de Cuba*. Editorial Minerva, La Habana, 1953 (5.ª ed.).
183. POSADA, ADOLFO, *Evolución legislativa del régimen local en España (1812-1909)*, Madrid, 1910.
184. PRADA VELASCO, MARÍA DEL CARMEN, *La guerra de Yara, 1868-1878. Aspectos políticos, sociales y económicos de su repercusión en la Península*. Tesis doctoral dactilografiada. Universidad Complutense de Madrid, 1978, 2 vols., (cortesía de la autora).
185. PRUGENT, ENRIQUE, *Los hombres de la Restauración. Autobiografías dirigidas y redactadas con la cooperación de distinguidos colaboradores*, 5 vols., Madrid, 1884-1885.
186. PUÉRTOLAS, SOLEDAD, *El Madrid de «La lucha por la vida»*, Madrid, 1971.
187. PUGÉS, MANUEL, *Cómo triunfó el proteccionismo en España (La formación de la política arancelaria española)*, Barcelona, 1931.
188. RAMOS-OLIVEIRA, ANTONIO, *Historia de España*, 3 vols., México, 1952.
189. REEMTSEN, R., *Spanisch-deutsche Beziehungen zur Zeit des ersten Dreibundvertrages, 1882-87*, Berlín, 1938.
190. RICHARD, BERNARD, «Étude sur les gouverneurs civils en Espagne de la

Restauration à la Dictadure (1874-1923)», en *Mélanges de la Casa de Velázquez*, VIII, París, 1972.

191. Richard, Bernard, «Notas sobre el reclutamiento del alto personal de la Restauración (1874-1923): El origen geográfico de los gobernadores civiles y su evolución», en Manuel Tuñón de Lara y aa.vv., *Sociedad, política y cultura en la España de los siglos XIX y XX*, Madrid, 1973, pp. 101-110.

192. Romanones, Conde de (Álvaro de Figueroa y Torres), *Biología de los partidos políticos*, Madrid, 1892.

193. Romanones, Conde de (Álvaro de Figueroa y Torres), *Doña María Cristina de Habsburgo y Lorena, la discreta Regente de España*, Madrid, 1933.

194. Romanones, Conde de (Álvaro de Figueroa y Torres), *Sagasta o el político*, Madrid, 1930.

195. Romero Maura, Joaquín, «El caciquismo: tentativa de conceptualización», en *Revista de Occidente*, núm. 127, Madrid, octubre 1973, pp. 15-44.

196. Romero Maura, Joaquín, *La Rosa de Fuego. Republicanos y anarquistas: la política de los obreros barceloneses entre el Desastre colonial y la Semana trágica, 1899-1909*, Barcelona, 1975.

196 bis. Romeu Alfaro, Fernanda, *Las clases trabajadoras en España (1898-1930)*, Madrid, 1970.

197. Rosal, Amaro del, *Los Congresos obreros internacionales en el siglo XIX*, Barcelona, 1975.

198. Rovira i Virgili, Antoni, *El nacionalismo catalán*, Barcelona, s.d.

199. Rovira i Virgili, Antoni, *Els corrents ideològics de la Renaixença catalana*, Barcelona, 1966.

200. Ruiz González, David, *El movimiento obrero en Asturias: de la industrialización a la segunda República*, Oviedo, 1968.

201. Sáinz de Varanda, Ramón (edit.) y colaboradores, *Colección de leyes fundamentales*, Zaragoza, 1957.

202. Salcedo, Emilio, *Vida de Don Miguel*, Salamanca, 1970.

203. Salom Costa, Julio, *España en la Europa de Bismarck. La política exterior de Cánovas (1871-1881)*, CSIC Escuela de Historia Moderna, Madrid, 1967.

204. Salom Costa, Julio, *España en el sistema europeo de Bismarck (1871-1888)*. Tesis doctoral mecanografiada. Universidad de Valencia, Facultad de Filosofía y Letras, 1960 (2 vols. Por cortesía del autor hemos podido utilizar el vol. II, que permanece inédito).

205. Sánchez Agesta, Luis, *Historia del constitucionalismo español*, Instituto de Estudios Políticos, Madrid, 1955.

206. Sánchez Alonso, Benito, *Fuentes de la historia española e hispanoamericana*, Publicaciones de la Revista de Filología Española (CSIC), vol. III, Madrid, 1952 (3.ª ed.).

207. Sánchez Jiménez, José, *El movimiento obrero y sus orígenes en Andalucía*, Madrid, 1967.

208. Sánchez Jiménez, José, *Vida rural y mundo contemporáneo. Análisis sociohistórico de un pueblo del sur*, Barcelona, 1976.

209. Sánchez Ortiz, Modesto, y Fermín Berástegui, *Las primeras Cámaras de la Regencia. Datos electorales, estadísticos y biográficos*. Imprenta de Enrique Rubiños, Madrid, 1886.

210. Sánchez de los Santos, Modesto, y Simón de la Redondela, *Las Cortes españolas: las de 1910*, Madrid, 1910.

211. Sanchis Guarner, Manuel, *La ciutat de València. Síntesi d'història i de geografia urbana*. Publicacions del Cercle de Belles Arts, Valencia, 1972.
212. Santamaría de Paredes, Vicente, *Curso de derecho administrativo*, Ricardo Fe, Madrid, 1885.
213. Santamaría de Paredes, Vicente, *Curso de derecho político*, Ricardo Fe, Madrid, 1883 (2.ª ed.).
213 bis. Saurín de la Iglesia, María Rosa, *Apuntes y documentos para una historia de Galicia en el siglo xix*, Diputación Provincial de La Coruña, La Coruña, 1977.
214. Sebastià Domingo, Enrique, *La transición de la cuestión señorial a la cuestión social en el País Valenciano*, tesis doctoral dactilografiada, dirigida por el Dr. Juan Reglá Campistol, 3 vols., Universidad de Valencia, Facultad de Filosofía y Letras, curso 1970-1971 (cortesía del autor).
215. Sebastià, Enric, *València en les novel·les de Blasco Ibáñez. Proletariat i burgesia*, Valencia, 1966.
216. Seco Serrano, Carlos (ed.), *Asociación Internacional de los Trabajadores. Actas de los Consejos y Comisión Federal de la Región Española (1870-1874)*, transcripción y estudio preliminar por..., 2 vols., Universidad de Barcelona, Barcelona, 1969.
217. Seco Serrano, Carlos, «España en la Edad Contemporánea», en J. R. de Salis, *Historia del mundo contemporáneo*, tomos I y II; Ediciones Guadarrama, Madrid, 1966 (2.ª ed.), pp. 301-356 y 321-363 respect.
218. Sevilla Andrés, Diego, *Constituciones y otras leyes y proyectos políticos de España*, 2 vols., Editora Nacional. Madrid, 1969.
219. Silvela, Francisco, *Artículos, discursos, conferencias y cartas*, 2 vols., Madrid, 1933.
220. Sobejano, Gonzalo, *Nietzsche en España*, Madrid, 1967.
221. Solé Villalonga, Gabriel, *La reforma fiscal de Villaverde, 1899-1900*, Madrid, 1967.
222. Solé-Tura, Jordi, *Catalanisme i revolució burgesa. La síntesi de Prat de la Riba*, Barcelona, 1967.
223. Solé-Tura, Jordi y Eliseo Aja, *Constituciones y períodos constituyentes en España (1808-1936)*, Madrid, 1977.
224. Sorel, Jorge, *Reflexiones sobre la violencia*, Madrid, 1934 (2.ª ed.).
225. Tapia, Enrique de, *Francisco Silvela, gobernante austero*, Madrid, 1968.
225 bis. Tedde de Lorca, Pedro, «La Banca privada española durante la Restauración (1874-1914)», en Gabriel Tortella Casares (direc.) y aa.vv., *La Banca española en la Restauración*, Servicio de Estudios del Banco de España, Madrid, 1974, t. I., pp. 217-455.
226. Termes Ardévol, José, *Anarquismo y sindicalismo en España. La Primera Internacional (1864-1881)*, Barcelona, 1977.
227. Termes Ardévol, José, *El movimiento obrero en España. La Primera Internacional (1864-1881)*, Universidad de Barcelona, Barcelona, 1965.
228. Terrón, Eloy, *Sociedad e ideología en los orígenes de la España contemporánea*, Barcelona, 1969.
229. Thomas, Hugh, *Cuba. La lucha por la libertad, 1762-1970*, 3 vols., Barcelona, 1973.
230. Tierno Galván, E., *Costa y el regeneracionismo*, Barcelona, 1961.
231. Tomás Villarroya, Joaquín, *Breve historia del constitucionalismo español*, Barcelona, 1976.

232. TORTELLA, GABRIEL, y aa.vv., *La Banca española en la Restauración*, 2 vols., Confederación de Cajas de Ahorro, Madrid, 1974.
233. TORRES BALBAS, L., L. CERVERA, F. CHUECA y P. BIGADOR, *Resumen histórico del urbanismo en España*, Instituto de Estudios de Administración Local, Madrid, 1954.
234. TRÍAS VEJARANO, JUAN J., *Almirall y los orígenes del catalanismo*, Madrid, 1975.
235. TUÑÓN DE LARA, MANUEL, *Costa y Unamuno en la crisis de fin de siglo*, Madrid, 1974.
236. TUÑÓN DE LARA, MANUEL, *El movimiento obrero en la historia de España*, Madrid, 1972.
237. TUÑÓN DE LARA, MANUEL, *Estudios sobre el siglo XIX español*, Madrid, 1971.
238. TUÑÓN DE LARA, MANUEL, *Historia y realidad del poder (El poder y las «elites» en el primer tercio de la España del siglo XX)*, Madrid, 1967.
239. TUÑÓN DE LARA, MANUEL, *La España del siglo XIX*, Barcelona, 1973 (4.ª ed.).
240. TUÑÓN DE LARA, MANUEL, «La superación del 98 por Antonio Machado», en *Bulletin Hispanique*, LXXVII, Burdeos, 1975, pp. 34-71.
241. TUÑÓN DE LARA, MANUEL, *Medio siglo de cultura española (1885-1936)*, Madrid, 1970.
242. TURIN, YVONNE, *L'éducation et l'école en Espagne de 1874 à 1902. Libéralisme et tradition*, Presses Universitaires de France, Paris, 1959.
243. TUSELL GÓMEZ, JAVIER, *Oligarquía y caciquismo en Andalucía (1890-1923)*, Barcelona, 1976.
244. *Un segle de vida catalana, 1814-1930*, t. II: De la Restauració al desastre colonial (1874-1898), Barcelona, 1961.
245. UNAMUNO, MIGUEL DE, *Escritos socialistas. Artículos inéditos sobre el socialismo, 1894-1922*, edic. a cargo de Pedro Ribas, Madrid, 1976.
246. VALLE, FLORENTINO DEL, *El Padre Antonio Vicent, S. J. y la acción social católica española*, Madrid, 1947.
247. VARELA, JOSÉ LUIS, *Poesía y restauración cultural de Galicia en el siglo XIX*, Madrid, 1958.
248. VARELA ORTEGA, JOSÉ, *Los amigos políticos. Partidos, elecciones y caciquismo en la Restauración (1875-1900)*, Madrid, 1977.
249. VARELA ORTEGA, JOSÉ, «Los amigos políticos: funcionamiento del sistema caciquista», en *Revista de Occidente*, núm. 127, Madrid, octubre 1973, pp. 45-74.
250. VÁZQUEZ CUESTA, PILAR, «Un "noventa y ocho" portugués: el Ultimátum de 1890 y su repercusión en España», en José María Jover Zamora y aa.vv., *El siglo XIX en España: doce estudios*, Barcelona, 1974, pp. 465-569.
251. VIADA Y VILASECA, SALVADOR, *Código Penal reformado de 1870, con las variaciones introducidas en el mismo por la ley de 17 de julio de 1876 [...] con una multitud de ejemplos y cuestiones prácticas extractadas de la jurisprudencia del Tribunal Supremo [...]*. Imprenta y Librería de E. Martínez, Madrid, 1877.
252. VICENS VIVES, JAIME, *Historia social y económica de España y América*, tomo IV, vol. II *(Burguesía, industrialización, obrerismo)*, Barcelona, 1959.
253. VICENS VIVES, JAIME, *Manual de Historia Económica de España*, Barcelona, 1977.
254. VICENS I VIVES, JAUME & MONTSERRAT LLORENS, *Industrials i polítics del sègle XIX*, Barcelona, 1958.

255. Vilar, Pierre, *La Catalogne dans l'Espagne moderne. Recherches sur les fondements économiques des structures nationales*, 3 vols., París, 1962.
256. Zabala y Lera, Pío, *Edad Contemporánea* (tomo V, en dos vols., de la *Historia de España y de la civilización española* de Rafael Altamira), Sucesores de Juan Gili, Barcelona, 1930.
257. Zavala, Iris M., *Ideología y política en la novela española del siglo* XIX, Madrid, 1971.

CUARTA PARTE

LA ECONOMÍA ESPAÑOLA ENTRE 1900 y 1923

por

José Luis García Delgado

Introducción (1900-1913) por M. Tuñón de Lara

INTRODUCCIÓN

El despuntar del siglo XX

Al despuntar el siglo xx España cuenta con una población de 18 594 000 habitantes, que serán 19 527 000 en 1910. Población todavía mayoritariamente rural y también mayoritariamente agraria en cuanto población activa (66 % del total de esta). Sin embargo, los procesos migratorios van a desarrollarse en ese primer decenio, que marcará netamente la absorción de población por Madrid y Barcelona —absorción que se hará mucho más rotunda en el segundo decenio del siglo—, así como la de todo el conjunto catalán, el País Vasco, Asturias y el sur occidental de Andalucía (Sevilla).

La producción agraria venía sufriendo la crisis cerealística de finales del siglo; un relativo progreso de técnicas agrícolas, tales como el arado de vertedera y la utilización de abonos, producirán un aumento de la producción del trigo —con excepción de dos cosechas muy malas, las de 1904 y 1905—; pero el atraso estructural y la falta de estímulo que suponía la barrera arancelaria —reforzada en 1906—, mantienen un ritmo de estancamiento, hasta el punto de que el crecimiento demográfico es mayor en porcentaje que el de la producción triguera. La vid no se había repuesto del golpe de la filoxera y había perdido, sin remedio, la mayoría de los mercados externos; el olivar continuó sujeto a las variaciones meteorológicas, sosteniéndose sus exportaciones. Parece más importante la progresión fulgurante del cultivo y exportación de frutos (cítricos y almendras) en la zona de Castellón a Murcia y la producción de remolacha azucarera (cuya transformación industrial estaba altamente monopolizada) en las vegas de Granada y el Genil, expandiéndose hasta el Ebro aragonés. Sin embargo, la nota dominante de crisis agraria acentúa la emigración masiva hacia Iberoamérica, estimándose en más de un millón el saldo total negativo de emigración entre 1888 y 1913.

Por el contrario, se asiste a una progresión de la producción carbonífera, sobre todo en las cuencas asturianas y leonesas, aunque siguen pendientes los problemas estructurales de este sector, que ahora emplea más de 120 000 obreros.

El mineral de cobre de Riotinto (en manos extranjeras) vio igualmente aumentar su producción, destinada mayoritariamente a ser exportada; paradójicamente, los agricultores se quejaban en 1913 —como señala Jordi Nadal— de carencia de sulfato de cobre. En cuanto al mineral de hierro, también creció en producción y exportación; pero sólo el 8,83 % de lo producido se dedicó a la siderurgia española (que, sin embargo, vio también aumentar su producción, así como su carácter monopolístico, tanto por el arancel proteccionista de 1906, como por la constitución de un *cartel*, la Central Nacional de Ventas, en 1907). El proceso de concentración de empresas siderúrgicas, empezado en el decenio de los ochenta, parece culminar con la creación, en 1902, de Altos Hornos de Vizcaya, producto de la fusión de Altos Hornos y fábricas de hierro y acero, La Vizcaya y la Iberia de hojalata. También en Asturias la Duro y Cía. se amplía al transformarse en sociedad anónima, Sociedad Metalúrgica Duro-Felguera, en 1900.

En la producción de bienes de consumo, la industria textil había sufrido (a diferencia de las industrias de cabecera) un duro golpe con la pérdida de Cuba y Puerto Rico, donde gozaba de un mercado de monopolio. Sin embargo, las consecuencias no se produjeron hasta cuatro o cinco años más tarde. A partir de ahí, una demanda rígida en el mercado interno condenará al estancamiento a la producción textil (con los vaivenes correlativos a la coyuntura agraria, en alza o en baja) hasta que llegue la guerra mundial.

Este panorama debe completarse con el incremento de la construcción naval, la energía eléctrica y el papel, entre las ramas importantes. La realización del programa naval de 1907, si por un lado dio lugar a una fuerte penetración en España de la empresa Vickers, entre ese capital y el de los «grandes» de Bilbao, Gamazo Mora, los Satrústegui y el inevitable mercader internacional de armamentos Basil Zaharoff, surgió la Constructora Naval (1902). La Euskalduna de fabricación y reparación de buques, creada en 1900 en vinculación con la compañía naviera Sota y Aznar, montó sus astilleros en 1902, en Bilbao, ocupando inmediatamente un papel de primer plano (27 buques construidos hasta 1913).

Al mismo tiempo, presencia el primer decenio del siglo un proceso creciente de instalación y producción de energía eléctrica, con la consiguiente concentración en plantas y empresas, que supera la dispersión del período inicial de este sector en el último cuarto del siglo XIX. En estrechísima vinculación con la gran banca van apareciendo entre 1901 y 1912 la Hidroeléctrica Ibérica, la del Chorro, la de Santillana (con fuerte dominio de la familia Maura, duque del Infantado, etc.), la Electra de

Viesgo, la Hidroeléctrica Española, las Eléctricas Reunidas de Zaragoza, la Unión Eléctrica Madrileña, así como la famosa empresa extranjera que monopolizará el suministro eléctrico en Cataluña, la Barcelona Traction. Entre 1904 y 1911, la potencia instalada de las centrales eléctricas españolas pasa de 50 000 a 300 000 caballos de fuerza. Una vez más las «grandes familias» de los Oriol, Urquijo, Ussía, Ybarra, Allendesalazar, de la Mora, Basagoiti, etc., y con ellos los grandes bancos, protagonizaban esta concentración industrial y empresarial. También en la industria papelera, se constituyó en 1901 La Papelera española, por fusión de once fábricas, bajo el impulso de Picavea y N. M. de Urgoiti; pero en 1908 creó la Federación de Fabricantes del Papel donde era mayoritaria, con la presidencia de Fernando Merino, yerno de Sagasta y cacique leonés, que sería ministro de la Gobernación un año después.

Como ha escrito Jordi Nadal (en su libro *El fracaso de la revolución industrial en España*), «Productora de buques metálicos y de toda clase de material fijo y móvil para ferrocarriles, la España de principios del siglo XX podía sugerir la imagen de un país plenamente industrializado. Esa imagen no corresponde a la realidad. El comercio exterior de la nación seguía basándose, en 1913, en la venta de productos del suelo y del subsuelo y en la compra de bienes manufacturados. La gama de artículos industriales ofrecida por las fábricas del país encubría una debilidad congénita en la mayoría de ellas».

En realidad, para su industria ligera España se ve obligada a importar maquinaria en progresión creciente en los años que preceden a la primera guerra mundial. Como siguen siendo partidas básicas de su importación la hulla, el algodón como materia prima y los productos químicos.

El desarrollo de la vía ferroviaria no fue grande; apenas los 10 989 km de línea férrea de 1901 llegaron a 11 983 en 1914; en 1907 se contaba con 1898 locomotoras, 38 485 vagones y 4925 coches de viajeros; en 1913 las locomotoras eran 2273, los coches de viajeros 5247 y los vagones 49 638. Estas cifras de moderado crecimiento ocultan que el desgaste de material y de infraestructura no se fue reponiendo (en algunos sectores como el de la Cía. de Ferrocarriles Andaluces el problema llegó a ser muy grave); las compañías ferroviarias no tuvieron nunca una inversión suficiente y ya en vísperas de la guerra civil tenían un importante déficit tecnológico (pese a las inversiones que, con fondos del Estado, se hicieron entre 1925 y 1929).

En cuanto a la estructura bancaria, tan decisiva en toda la economía del país a partir de aquel período, precisa recordar que los principales bancos privados eran el de Bilbao, creado en 1857; el Hispano Colonial (creado en 1876 de Comillas, Girona, etc., que aunque se resiente con la pérdida de las colonias, también hace un lucido negocio con las conversiones de deudas hipotecarias de Cuba y Filipinas); y luego, los recién creados: Banco Español de Crédito, creado en 1902, que es una transformación del Crédito Mobiliario con algunas otras aportaciones más (con 40 % la Banque de Paris et des Pays Bas), figurando entre sus primeros consejeros españoles Raimundo Fernández Villaverde. En 1901 se crea el Banco Hispano Americano, con capitales repatriados de Iberoamérica: Zaldo, Basagoiti, B. de Quirós; y el de Vizcaya (formado a base de la acumulación minera y también, en parte, de remesas de ultramar): Zubiria, Ibarra, Aresti...

Se precisa en los diez primeros años del siglo el proceso de debilitación de la banca catalana y robustecimiento de la del Norte, iniciado a finales del XIX.

El Banco de Oviedo (luego llamado Asturiano), el de Gijón, el Guipuzcoano, el Crédito de la Unión Minera de Bilbao, el de Valencia, se crean todos en esa misma coyuntura.

Como ha explicado Pedro Tedde (en *La banca privada española en la Restauración*), «en conjunto, la economía española no sufre ningún retroceso fuerte con la guerra de Cuba. Antes bien, esta da lugar (mejor dicho, su desenlace: MT) a una política económica que evita la depresión y provoca el fenómeno de repatriación de capitales...» Además, el pago del servicio de deuda interior y exterior en poder de españoles y el aumento de demanda de bienes y servicios por parte del Estado, aumentaron los ingresos del sector capitalista privado en España. Los ingresos permanecen en forma líquida mientras dura la contienda y luego, en los cuatro o cinco años que siguen al llamado «desastre» (que, por lo visto, no lo fue para todos), esos ingresos se traducen en forma de inversiones, así como los que provenían de las ventajosas condiciones de suscripción del empréstito y, desde luego, las ulteriores repatriaciones del capital. Todo ello hace recordar el diagnóstico del ya clásico libro de Juan Sardá, según el cual el conjunto de la economía española no sufrió gran retroceso con la guerra de Cuba y Filipinas. Por añadidura, la política deflacionista de Villaverde se proseguirá en los primeros años del siglo.

Pero el escaso poder de compra de la población agraria (mayoritaria) seguirá limitando hasta el borde del raquitismo al mercado interior, sostenido por un proteccionismo creciente y a merced de los vaivenes de las cosechas, más debidos a los condicionamientos atmosféricos que a las técnicas humanas. Y España llegará a la época de la concentración industrial (imperativo tecnológico) y la concentración de empresa (imperativo económico) sin haber vivido previamente la fase de un desarrollo industrial de libre competencia; su capacidad de exportación quedará reducida a los productos del suelo y del subsuelo, su bajo nivel de inversión justificará la presencia del capital extranjero en posiciones clave, su excedente de fuerza de trabajo sin empleo será la causa de la incontenible riada emigratoria. Su producción progresará lentamente, resguardada por un proteccionismo cada vez mayor —que, a su vez, aviva el «despegue» del monopolismo—, con ligeros y desiguales aumentos de demanda.

El rasgo esencial de la producción a comienzos del siglo será la formación de grandes industrias de cabecera, muchas de ellas con carácter premonopolista y siempre integradas o conectadas a un grupo financiero o a capitales extranjeros (las inversiones extranjeras en 1914 alcanzaban, según la estimación de Juan Sardá, 3500 millones de pesetas, habiendo sido invertidos ochenta millones en el período 1910-1914).

Los primeros años del siglo contemplan la utilización en gran escala de la energía eléctrica, la generalización de las modernas técnicas siderúrgicas, el desarrollo de empresas importantes del sector químico.

Ciertamente, junto a la presencia de grandes empresas subsiste una muchedumbre de medianas y pequeñas, un género que podría denominarse de «miniindustria», que se da en el sector de alimentación, la pequeña metalurgia, el textil, la perfumería y otros productos químicos, etc., que tiene que soportar mayores costos por cada unidad producida. También la «miniempresa» estrictamente familiar, se presenta en los servicios (comercio, transporte, etc.).

Los salarios nominales de los obreros de industria y minería muestran cierta elevación en el transcurso de los primeros años del siglo; por ejemplo, un oficial de la construcción que ganaba en Madrid, hasta 1906, 0,50 pesetas por hora, gana 0,53 a partir de dicha fecha y hasta 1909; en el mismo tiempo, el peón de mano pasa de 0,31 a 0,34; un picador de mina asturiano gana 4,50 pesetas al día en 1902, y 5 o hasta 5,50 en 1909; estos datos hay que contrastarlos con los índices del coste de la vida para lograr una aproximación a los salarios reales. Los índices de precios referentes a este período (Bernis, Sardá, Malerbe) coinciden en mostrar un alza pronunciada en 1905 (segundo año de malas cosechas), una tendencia decreciente a partir de 1907, y una nueva subida en 1910.

La condición obrera dependía también de la jornada de trabajo, muy variable durante este período y siempre en función de la correlación de fuerzas obreros-patronos, de la oferta y demanda de trabajo, de las huelgas ganadas o perdidas e incluso de los rasgos socioeconómicos de cada zona. Desde los canteros y los carpinteros de Madrid, que ya habían conseguido las ocho horas (y también los estuquistas y albañiles de la capital consiguieron la jornada de ocho horas y media), hasta las once horas de la textil algodonera catalana, de tranviarios y ferroviarios, etc., e incluso las catorce horas de los panaderos, hay toda una gama intermedia en la que están los mineros, la metalurgia, etc., etc. En los escritos sindicales de la época se observa que el objetivo perseguido de jornada de ocho horas se orienta, más que al aumento de la retribución por hora de trabajo, a conseguir más tiempo para reposo y formación cultural, y también a la creencia de que la disminución de la jornada implicaría un aumento del empleo, evitando así el fantasma del paro forzoso. Porque ya se habla, y mucho, del paro; no solamente en la industria textil, sino también en la construcción (Alberto Aguilera llama la atención del gobierno sobre el paro en la construcción madrileña en noviembre de 1903) y, desde luego, en el campo, donde tiene rasgos estructurales, pero donde se agrava en coyunturas de sequía y malas cosechas como la de 1905. En una intervención parlamentaria de Rafael Gasset, del 22 de febrero de 1906, se dice que la suma de parados en aquel momento en Andalucía oscila entre los noventa y cien mil obreros agrícolas.

En realidad, la condición del obrero del campo es durísima; los salarios (según una pluralidad de fuentes, desde las Memorias del concurso sobre el problema agrario en el Mediodía, hasta las informaciones y otros datos del Instituto de Reformas Sociales) oscilaban entre 1,25 y 2,00 pesetas en Andalucía y Extremadura, llegando a 3,50 e incluso más en épocas de la cosecha (cálculo aproximado, pues en las cosechas se solía trabajar al destajo). En muchos casos los salarios bajos, sobre todo los de los gañanes, eran completados por «el avío», consistente en pan, aceite y vinagre y ajos, habas, etc., según los lugares. La dieta alimenticia de la mayor parte de obreros de la ciudad era limitada; pan en abundancia, patatas, leguminosas, bacalao, algo de tocino y a veces un poco de carne de segunda clase para el «cocido» o «puchero»; aceite, vino, azúcar, un poco de leche.

Con los primeros años del siglo aparecen también algunas necesidades que antes no existían, pero que ahora se convierten en indispensables para reproducir la fuerza de trabajo; el alumbrado eléctrico, un mínimo de instrucción o simple lectura del periódico, el esparcimiento del domingo, consecuencia de la aprobación de la ley de descanso dominical en 1904; con el crecimiento de las aglomeraciones urbanas aparece la necesidad del transporte al lugar de trabajo en las grandes ciudades.

En las condiciones someramente expuestas de despegue lento y vacilante, semiparalizado el crecimiento por el retraso estructural del sector agrario que limitaba la demanda en un mercado artificiosamente protegido por los aranceles, la economía española vivía en la paradójica contradicción de latifundio-minifundio y de empresa cuasimonopolista y pequeña industria, con bajos niveles de producción, tecnológicos y de retribución de la fuerza de trabajo. Todo ello sería violentamente sacudido por la irrupción de la guerra que entonces llamaron europea, que colocaría a España en posición privilegiada dentro del rarificado mercado internacional, pero que agravaría así los antagonismos internos de la formación social española y llevaría al endurecimiento de la réplica de clase frente a la desbocada carrera en pos de pingües beneficios de empresarios, financieros y especuladores. Se avecinaban nuevos tiempos en que los moldes decimonónicos quedarían hechos trizas para siempre.

M. T. de L.

A la memoria de Juan Falces Elorza

CAPÍTULO PRIMERO

Las bases de partida: la economía española a comienzos del siglo XX

En el proceso de formación de la sociedad industrial en España, y a medida que se profundiza en el conocimiento de la España contemporánea, destaca cada vez con mayor entidad el período que transcurre entre 1914 y 1923. Puede afirmarse que ese decenio, marcado hasta cierto punto todo él por la influencia —actual o diferida— de la primera guerra mundial, presenta una trascendencia capital en la configuración de la estructura económica española de toda la primera mitad del siglo XX. Esto es lo que se trata de ilustrar en las páginas que siguen,[1] comenzando por destacar los principales rasgos que definen la economía española en el umbral de la primera guerra mundial, a fin de mejor comprender después las alteraciones que en esas bases de partida van a registrarse durante el decenio inmediatamente posterior, dejando así abierta la posibilidad, desde ahora, de establecer un balance final de la incidencia de dicho acontecimiento. Quizá un desglose sectorial ayude a presentar esta esquemática síntesis.

1. El «peso de los *condicionamientos agrarios*»[2] ha sido ya subrayado anteriormente en esta misma obra, al examinar la política conservadoramente proteccionista que se adopta como «salida» de la gran crisis agraria finisecular. No estará de más, sin embargo, poner el acento de nuevo ahora en algunos puntos.

Aun cuando la agricultura española está marcada por una gran diversidad y se resiste a caracterizaciones generales, sí puede sostenerse que los cambios efectuados en el marco institucional a lo largo del siglo XIX (abolición del régimen señorial, disolución de los mayorazgos, desamortización de bienes eclesiásticos y municipales), tiene como resultado la cristalización de una estructura agraria relativamente estable durante un dilatado período de tiempo. Estabilidad contradictoria, frágil, forzada, pero estabilidad al fin, que ha logrado la permanencia de los componentes básicos de toda la sociedad rural española durante muchos años, al menos hasta las fechas que aquí nos interesan: los primeros lustros del siglo XX.

Los elementos que combinadamente han hecho posible esa continuidad son bien conocidos. En primer lugar, una abundancia tal de fuerza de trabajo que, al presionar los salarios agrícolas a la baja, se convierte en un factor regresivo: por una parte, porque actúa como freno a la introducción de maquinaria y de mejoras técnicas, en general; por otra, porque permite la subsistencia de explotaciones marginales solo viables en esas circunstancias; y, por último, porque desestimula la formación de un mercado para la industria, dada la escasa capacidad adquisitiva de la inmensa mayoría de la población rural. En segundo lugar, la debilidad crónica del propio mercado interior (con una demanda reducida y poco diversificada de productos alimenticios, típica de un país subdesarrollado) que esa misma estructura productiva condiciona, a la vez, en gran medida. Y en tercer lugar, toda una política agraria que, en la mayor parte de los casos, con el pretexo de apoyar y defender al pequeño agricultor, ha concedido de hecho un trato privilegiado a la gran explotación, la cual se ha beneficiado así secularmente de las condiciones fijadas con carácter global e indiscriminado para acogerse a la protección oficial, tanto por la vía de los precios, como por la vía del crédito y de la desgravación fiscal.

La historia contemporánea española no ha podido por ello escapar al doble y negativo desafío que concitaba esa situación, como lo prueba la larga serie de conflictos y dramáticas convulsiones que se han sucedido con reiterada frecuencia. De un lado, la consolidación de una gran propiedad latifundista, segregadora de un conservadurismo social y político extremadamente reaccionario. Y de otro, el penoso mantenimiento de millones de explotaciones minifundistas, en las que la sobreexplotación de la mano de obra familiar sirve de elemento compensador de la falta de rentabilidad, y cuya condición económica y social se ve agravada lenta pero irreversiblemente, hasta alcanzar puntos límite, como durante los tres primeros quinquenios del siglo XX, que arrojan una emigración campesina a Ultramar de cerca de un millón y medio de españoles, «empujados por el hambre y la miseria».[3]

2. Por lo que se refiere al *sector industrial*, a comienzos del siglo son perfectamente reconocibles los cinco rasgos que J. Vicens Vives señaló como definidores del proceso histórico de industrialización en España.[4]

El primero es la fuerte regionalización de los grupos industriales o, si se prefiere, de las actividades productivas de ese género. Fuerte regionalización que es sinónimo hasta cierto punto también de una más que notoria especialización sectorial, con los «focos» de Cataluña y el País Vasco como máximos exponentes.

El segundo de esos rasgos es la dependencia de las realizaciones industriales con respecto a las inversiones y a las iniciativas empresariales extranjeras. Y si es cierto que al despuntar el siglo XX a la excepción que en dicho ámbito venía suponiendo desde sus propios orígenes la industria textil, se suma la ya importante industria siderometalúrgica vasca, también lo es que en los primeros lustros del siglo la presencia de capitales y empresarios extranjeros es abrumadora en sectores tales como la minería, la industria eléctrica, la industria química y en empresas de servicios públicos.

Con el comienzo del novecientos, cobra un relieve sobresaliente la orientación proteccionista de la política económica española y, en particular, de la política industrial (Arancel de 1906, ley de 1907 de fomento de la industria, etc.), hasta convertirse en el rasgo más destacado —si se considera la pluralidad de sus manifestaciones— en la evolución del capitalismo español de la primera mitad del siglo XX.

En cuarto lugar, es igualmente manifiesta la dependencia del exterior en que se encuentra la aún incipiente industria española por lo que se refiere a materias primas, equipo e innovaciones técnicas. Dependencia que obedece tanto a una determinada dotación de recursos naturales (con escasez máxima de productos energéticos líquidos y gaseosos, y con notoria insuficiencia de algunos productos mineros de importancia crucial para el desarrollo industrial), como al propio retraso de la industrialización en España, con lo que esto último supone en términos de servidumbre tecnológica respecto a los países más adelantados y que con mayor fuerza han consolidado una estructura industrial equilibrada. De ahí el papel tan decisivo que históricamente desempeñan las exportaciones de productos primarios (agrícolas y mineros) españoles, pues estas últimas tienen un carácter compensador de las necesarias, imprescindibles importaciones que requiere la industria —fuertemente protegida y con el mercado interior como casi único destinatario de sus productos— para garantizar la continuidad y el desarrollo de sus actividades.

En quinto término, por último, cuando comienza el siglo es bien notoria la sumisión de la industria a las fluctuaciones de la actividad agraria, centro de gravedad aún indiscutido (si se atiende a la composición de la Renta Nacional, a la distribución sectorial de la población activa o a la distribución por productos de las exportaciones) de la economía española.

Rasgos todos ellos, en definitiva, que, sumados a la primacía que todavía a la altura de 1913 ostenta en España, en términos de producto neto, la industria algodonera (representativa de la de bienes de consumo) sobre la industria siderúrgica (exponente de la productora de bienes de capital),[5] son bien ilustrativos del carácter profundamente desequilibrado, inarmónico y desintegrado del proceso de industrialización en España, repleto aquí de asincronías y discontinuidades.

3. Del sector terciario, merecen destacarse, sobre todo, las *innovaciones bancarias* de los primeros lustros del siglo xx.[6] En efecto, la repatriación de capitales americanos en los últimos años del ochocientos y las medidas de estabilización económica que van unidas al nombre de Villaverde (aunque la política de estabilización es mantenida hasta casi el final del primer decenio del nuevo siglo), constituyen un destacado hito en la historia de la formación de la sociedad capitalista en España. Para la banca española, en particular, representa el inicio de una nueva etapa, definida, entre otros, por los siguientes hechos: a) un cambio en la política del Banco de España, que cada vez más deja de ser un simple Banco del Estado para asumir las funciones propias de un banco central, con una predilección creciente por las actividades industriales y comerciales; b) la expansión de la gran banca mixta vasca y madrileña, así como el auge de determinados establecimientos bancarios asturianos, con una ya decidida política de ampliación de la red de sucursales, y c) una cierta «rectificación funcional» de la banca catalana (barcelonesa, principalmente), con transformación de casas de banca tradicionales en sociedades anónimas y dedicación de una mayor proporción de sus recursos al crédito a corto y largo plazo.

La economía española del primer decenio del presente siglo cuenta ya, pues, con un sistema bancario propio en proceso de modernización y desarrollo, el cual, aunque todavía delate graves problemas de organización y funcionamiento, estará, hasta cierto punto, en condiciones de afrontar el desafío de las nuevas circunstancias desencadenadas por el conflicto bélico mundial. Lo que no puede decirse, por ejemplo, de otra actividad terciaria fundamental en la economía de comienzos del siglo: el transporte y, en particular, el *transporte ferroviario.* Ya que si hasta el umbral de 1914 el sistema ferroviario en España «había logrado superar sin ruptura el tradicional enfrentamiento con los sectores industriales y mercantiles en lo que respecta a tarifas y servicios [...], la nueva coyuntura encontró al sistema ferroviario en situación difícil por lo limitado de su margen de acción. La renovación de la red, que se llevó a cabo en la década de los noventa de la anterior centuria, no había sido lo suficientemente profunda como para que, al cabo de un cuarto de siglo de constante expansión del transporte, subsistiese capacidad desempleada».[7]

Este esquemático inventario permitirá ahora comprender mejor la incidencia de la primera guerra mundial sobre la economía española: esto es, sobre un sistema económico todavía muy frágil, en el que aún no se ha consolidado una firme e integrada estructura industrial, en el que el peso de una agricultura atrasada e ineficaz sigue siendo decisivo, en el que el poder de las empresas y los capitales extranjeros es muy notorio, a pesar de las ya claras tendencias proteccionistas y nacionalistas; y sobre un sistema económico que, a la puerta ya del cuarto lustro del nuevo siglo, está agotando el margen de maniobra que ha conseguido merced a la coyuntura finisecular y la política de saneamiento financiero introducida por la reforma fiscal de Villaverde y la estabilización de los primeros años del novecientos.

NOTAS DEL CAPÍTULO PRIMERO

1. En la elaboración de estas páginas utilizo ampliamente textos propios anteriores, en particular los siguientes:

— *Orígenes y desarrollo del capitalismo en España. Notas críticas,* Madrid, 1975.
— «Sobre "El fracaso de la Revolución industrial en España"», *Investigaciones Económicas,* núm. 1, sept.-dic. 1976.

También me sirvo del contenido de dos capítulos de la obra escrita en colaboración con Julio Segura, *Reformismo y crisis económica. La herencia de la dictadura,* Madrid, 1977.

Pero, fundamentalmente, las páginas que siguen son tributarias de la obra mía, de Santiago Roldán López y de Juan Muñoz García, *La formación de la sociedad capitalista en España, 1914-1920,* tomos I y II, Madrid, 1973, obra de la que se dispone también en una versión reducida —y en parte revisada— bajo el título *La consolidación del capitalismo en España, 1914-1920,* tomos I y II, Madrid, 1974, cuyo texto he seguido literalmente aquí en bastantes puntos del capítulo II, apartado 1, y del capítulo III.

Por lo demás, a esta última obra remito —en cualquiera de sus dos versiones— para la consulta de amplias referencias bibliográficas, estadísticas y documentales sobre los temas aquí tratados, de forma que en el presente trabajo me limitaré en las notas de capítulo a ofrecer las referencias más ineludibles u obligadas, prestando especial atención, como es lógico, a las aportaciones bibliográficas posteriores a la realización del trabajo de base citado.

A los profesores Elvira Martínez Chacón y Juan Vázquez García quiero agradecer su generosa ayuda en la obtención de algunos datos y en la presentación del original.

2. Estos son los expresivos términos que se utilizan en un excelente trabajo sobre el tema: Josep Fontana, «Transformaciones agrarias y crecimiento económico en la España contemporánea», en *Cambio económico y actitudes políticas en la España del siglo* XIX, 2.ª ed. revisada, Barcelona, 1975, pp. 147 a 213, en particular 191 ss.

3. Como recuerda textualmente Fontana, *op. cit.,* p. 190, al hablar de «la secuela de la crisis agraria» finisecular, principalmente entre los cultivadores de cereal de Castilla la Vieja y de León.

4. Me refiero al trabajo de J. Vicens Vives titulado «La industrialización y el desarrollo económico de España de 1800 a 1936», texto publicado póstumamente en 1960, por primera vez, e incluido en el volumen *Coyuntura económica y*

reformismo burgués y otros estudios de historia de España, 4.ª ed., Barcelona, 1974, pp. 145 ss.

5. Punto subrayado y documentado por Jordi Nadal, *El fracaso de la Revolución industrial en España,* Barcelona, 1975, especialmente pp. 226 ss. Un análisis de esta obra, contribución muy importante al estudio de la génesis del capitalismo español, lo he efectuado en «Sobre "El fracaso de la Revolución industrial en España"», *Investigaciones Económicas,* núm. 1, septiembre-diciembre, 1976, pp. 225 a 245, donde me detengo también sobre el tema aludido aquí en el texto.

6. Tema ampliamente estudiado por Rafael Anes Álvarez, Diego Mateo del Peral, Pedro Tedde de Lorca y Gabriel Tortella Casares en la obra (dirigida por este último): Servicio de Estudios del Banco de España, *La Banca Española en la Restauración;* t. I, *Política y finanzas;* t. II, *Datos para una historia económica,* Madrid, 1974. Un extenso análisis de dicha obra lo he efectuado en *Orígenes y desarrollo del capitalismo en España. Notas críticas,* Madrid, 1975, pp. 49 a 110.

7. Miguel Artola, «La acción del Estado», en la obra por él dirigida y realizada en colaboración con Ramón Cordero, Diego Mateo, y Fernando Menéndez, *Los ferrocarriles en España 1844-1943. I, El Estado, los ferrocarriles,* Madrid, 1978, p. 409.

CAPÍTULO II

La incidencia de la primera guerra mundial: expansión y crisis económica entre 1914 y los primeros años veinte

Delimitado en las páginas anteriores el marco en el que debe inscribirse la economía española del período ahora estudiado, puede pasarse ya a realizar —de acuerdo con el plan trazado— el análisis, aunque también muy resumido, de las principales fases y características que definen el ciclo económico a que da lugar la incidencia de la primera guerra mundial.

1. ASPECTOS GENERALES

Ante todo, conviene indicar que en España, país neutral, pueden, no obstante, delimitarse también claramente las tres fases del ciclo económico que —como ha estudiado con detalle Akerman[1]— caracterizan la evolución de las economías de los diferentes países beligerantes durante la primera guerra mundial. Pero la cronología con que aquí se producen y desarrollan dichas fases no se ajusta al ritmo detectado en otros ámbitos. En efecto, la fase inicial de desconcierto y desorganización económica, que se prolonga en gran parte de los países beligerantes desde la apertura de las hostilidades hasta bien entrado el primer semestre de 1915, en España se acorta sensiblemente para buen número de actividades y sectores económicos, principalmente por lo que respecta a algunos subsectores de la industria transformadora y al transporte marítimo.

Por el contrario, la segunda fase de auge y expansión —que en los países beligerantes se corta entre 1917 y 1918— se prolonga aquí, prácticamente con carácter de generalidad, no sólo durante 1917 y 1918, sino también, en muchos sectores productivos, durante 1919. Por lo que la tercera y última fase, conocida como la «crisis del armisticio» en los países beligerantes, solo se deja sentir en España a partir de 1920 en la mayor parte de los sectores económicos. Y esas diferencias en los ritmos y cronologías comparativas todavía se acentúan si se analiza sólo la evolución del sector crediticio, pues, por una parte, las actividades bancarias inician su proceso de expansión con cierto retraso sobre las actividades industriales —hacia 1916 y 1917— y, por otra, conocen una mayor prolongación de la fase alcista, registrándose todavía, por ejemplo, en 1920, fuertes incrementos en algunas de las partidas más significativas de los balances de las principales entidades financieras.

De ahí, entre otros puntos que pueden destacarse, el error en que se incurre cuando, aplicando rígidos esquemas miméticos, se pretende interpretar, por ejemplo, la crisis española de 1917 en función de un supuesto cambio a la baja del ciclo económico; por el contrario, el núcleo conflictivo de ese año hay que explicarlo más bien —o, al menos, ponerlo en relación— con el propio proceso expansivo del capitalismo español, que es el que potencia y pone abiertamente de manifiesto diversos desajustes y contradicciones hasta entonces latentes en el seno de la sociedad española de comienzos de siglo.

Pero deben marcarse con un poco más de detenimiento los hitos fundamentales de esa trayectoria del ciclo.

Como señalara el profesor Bernis, en España, al igual que en otros países, «la sacudida de agosto de 1914 y las consecuencias inmediatas de la guerra se sintieron principalmente en la Bolsa, el crédito y la circulación internacional»,[2] dando lugar a que diversas entidades económicas —en su mayor parte de carácter financiero— atravesaran unos momentos críticos durante los primeros meses del conflicto, en el entorno de una situación que venía definida por la ambigüedad y el desconocimiento de los efectos últimos que los acontecimientos bélicos podrían generar. A este respecto, la evolución durante la segunda mitad de 1914 del mercado de valores y de algunas importantes entidades bancarias es suficientemente ilustrativa. Baste señalar aquí, como puntos de referencia, el cierre de los centros de contratación bursátil de Bilbao y Barcelona y la resonante suspensión de pagos de Crédito de la Unión Minera. De ahí que, por ejemplo, no obstante recuperarse antes de finales de año tanto la banca bilbaína como la de Madrid y Cataluña, en el balance total de 1914 la mayor parte de las entidades bancarias vean disminuir sus beneficios en relación con los obtenidos en 1913, consecuencia inevitable de la reducción de la actividad económica durante esa primera fase de incertidumbre y desorganización.

Pronto, sin embargo, se ven surgir los efectos de una coyuntura y de una situación económica, en general, con rasgos bien diferentes. En síntesis, es el nuevo diseño de la demanda exterior el que da lugar a un proceso de auge de las exportaciones de muchos productos, cuyo destino habitual ha sido hasta entonces el mercado interior. De esta forma se alteran, aunque solo sea de forma transitoria y excepcional, los principales mecanismos tradicionales de equilibrio de la economía española ya descritos. En todo caso, este hecho, relacionado con la demanda externa, es, a lo largo de todo el conflicto bélico, una de las fuerzas primarias que, actuando desde el exterior, genera cambios y modificaciones sensibles en las variables del sistema económico, dado el carácter acumulativo de sus efectos. Pero al mismo tiempo que se abren nuevos mercados exteriores, se experimentan dificultades en las importaciones, lo que da lugar a un proceso de sustitución de las mismas, posibilitándose así la acentuación de una «industrialización forzada» que venía ya perfilándose desde las últimas décadas del siglo XIX. La fase de auge del ciclo se delimita así con toda claridad a partir de 1915, dando lugar a una situación en la que la elevación de los precios actúa como la principal fuerza motriz. Son especialmente elocuentes a este respecto diversos indicadores —algunos de los cuales se examinarán a continuación—, cuya significación está hoy —recuérdense, por ejemplo, los tempranos trabajos del profesor Schumpeter[3]— fuera de toda duda: creación de nuevas empresas, evolución de las inversiones de capital, índices de beneficios empresariales, desarrollo de los procesos de concentración e integración empresariales, etc. etc., bien expresivos todos ellos, en definitiva, del desarrollo de las fuerzas productivas registrado durante esos años.

Ahora bien, cuando desaparecen las circunstancias excepcionales derivadas de la guerra, cambia de nuevo, lógicamente, el decorado. La inflación de costes en que acaba derivando a partir de 1918 el proceso antes apuntado, gravita intensamente sobre los márgenes de beneficios y, en definitiva, al empeorar las expectativas empresariales con la finalización del conflicto, sobre las propias posibilidades de expansión de la economía española al iniciarse los años veinte. En algunos casos, como por ejemplo en el de la minería del carbón, tanto las condiciones en que se realiza la fuerte expansión del sector hullero durante la guerra, cuanto la incapacidad de la política económica para introducir aquellas reformas necesarias para garantizar la continuidad del proceso productivo a un nuevo nivel —en términos cuantitativos y también cualitativos—, van a dar lugar, al desaparecer las circunstancias extraordinarias provocadas por el conflicto bélico, a la acentuación de una serie de rasgos y limitaciones que, desde el comienzo del proceso de industrialización, eran ya característicos. En general, puede decirse también que, así como la guerra equivale a un sistema de primas a la exportación y supone un eficaz sistema de proteción automática o «espontánea» para la producción nacional, la terminación de aquella marca el punto de partida para una nueva y reforzada campaña, por parte de las entidades y grupos patronales más importantes, para conseguir más altos niveles de protección a través de medidas de política arancelaria, fiscal, crediticia, etc., con objeto, antes de nada, de frenar el acelerado proceso de liquidación de las muy numerosas empresas creadas en los años inmediatamente anteriores, empresas en condiciones de marginalidad económica muchas de ellas, aunque no todas. La última fase del ciclo, esto es, la crisis de los primeros años veinte, queda así apuntada: en ella, enseguida se hace patente, como supo captar lúcidamente el profesor Bernis, «el ánimo de los empresarios y capitalistas enriquecidos de liquidar las existencias a precio de guerra y mantener una política de altos precios en España».[4]

Con objeto de ofrecer una mínima precisión cuantitativa de todo ello, se relacionan a continuación algunos de los datos que con más eficacia ilustran la evolución del ciclo industrial descrito someramente hasta aquí:

1. Por lo que se refiere a la *Balanza Comercial,* el cuadro 1 es bien elocuente de los cambios que experimenta en la cuantía y el signo de su saldo durante el período acotado.

Destaca, en primer lugar, el cambio de signo —en relación con lo que es la regla tradicional: por eso se inicia la serie de datos en 1910— de la Balanza Comercial española entre 1915 y 1919, arrojando saldos favorables durante esos cinco años, lo que constituye sin duda una excepción en la historia de la economía española contemporánea. Ese cambio

Cuadro 1

BALANZA COMERCIAL ESPAÑOLA

	Millones de pesetas			Índices cuánticos ajustados (BASE 1935 = 100)	
Años	Importaciones	Exportaciones	Saldo	Importaciones	Exportaciones
1910	999,3	970,1	— 29,1	70,6	122,2
1911	994,5	976,0	— 18,5	75,9	121,4
1912	1 051,1	1 045,4	— 5,6	80,6	141,2
1913	1 308,8	1 078,5	— 230,3	96,2	179,2
1914	1 025,5	880,7	— 144,8	74,8	108,2
1915	976,7	1 257,9	281,1	66,9	153,2
1916	945,9	1 377,6	431,6	65,0	167,5
1917	735,5	1 324,5	589,0	49,4	157,6
1918	590,0	1 009,0	418,9	39,6	121,0
1919	900,2	1 310,6	410,4	60,6	173,5
1920	1 423,3	1 020,0	— 403,3	95,9	122,2
1921	2 835,9	1 579,6	—1 256,2	86,5	102,2
1922	2 716,1	1 319,3	—1 396,8	90,6	92,1
1923	2 926,4	1 526,3	—1 400,1	94,0	105,2

Fuente: INE, *Comercio Exterior de España. Números índices (1901-1956),* Madrid, 1958, pp. 25 y 29.

es el resultado, como ya se ha dicho, de una doble tendencia. Por una parte, de la *tendencia a la expansión de las exportaciones*, debida bien a las necesidades en los países beligerantes de ciertas mercancías de las que anteriormente se autoabastecían o adquirían en los mercados de los propios países ahora implicados directamente en el conflicto, bien al aprovisionamiento de mercados de países neutrales, anteriormente abastecidos por los países beligerantes. Así, se asiste, a partir de 1914 y hasta que se restablecen de nuevo —hacia 1920— las condiciones de normalidad en el mercado internacional, a un fuerte incremento de las exportaciones de muchos productos cuyo destino tradicional era el mercado interior, y de otros que, aun contando con cierta tradición exportadora, no rebasaban hasta este momento unos niveles de producción y venta muy reducidos. Durante ese breve período las exportaciones de productos textiles de lana, algodón y yute, de metales y sus manufacturas, de cueros y calzados, de papel y sus manufacturas, de maquinaria, de productos químicos y, también, de productos alimenticios —aun con merma del consumo interior—, tienen ese origen y responden a aquella explicación. Sin desconocer, por lo demás, la brusca caída que, a su vez, experimentan algunas exportaciones tradicionales de productos agrícolas (crisis de la exportación de agrios) y minerales, debido, por una parte, a la propia naturaleza de la demanda de algunos de estos productos, y, por otra, a las dificultades del transporte, tanto interior como especialmente el de la navegación marítima (estrategia de bloqueos, etc.). Así, pues, también a partir de este último hecho se registran cambios importantes en las tradicionales relaciones con el exterior de la economía española, ya que gran parte de los últimos productos mencionados constituían hasta ese momento una pieza clave, al procurar mediante su exportación una cierta capacidad de compra en el exterior, imprescindible para permitir la continuidad de otros sectores fuertemente protegidos (agrícolas e industriales).

Por otra parte, el cambio de signo aludido de la Balanza Comercial española entre 1915 y 1919 es producto, asimismo, de la *tendencia a la disminución de las importaciones*, debido tanto al control que sobre determinados productos básicos ejercen durante la guerra los propios países productores, cuanto a las dificultades y al encarecimiento del transporte marítimo. Son especialmente significativos los descensos experimentados en las importaciones de bienes de equipo, maquinaria, productos químicos de base, pasta de papel, carbones minerales y algunos productos alimenticios, provocando fuertes tensiones, desequilibrios y estrangulamientos en muchas actividades productivas, que contribuyen de forma decisiva a la elevación de los precios en el mercado interior. Asimismo, los descensos en las importaciones dan lugar a un intenso proceso de sustitución de las mismas, asistiéndose, por tanto, también por esta razón, a la creación de nuevas empresas o ampliación de actividades ya existentes, si bien con una marcada tendencia al empeoramiento de la estructura de costes, ya que gran parte de las nuevas inversiones, ante las dificultades de importación de bienes de equipo, se apoyan en la utilización de una mano de obra excedentaria con bajos niveles salariales, lo que es posible sobre todo teniendo en cuenta la adaptación de los movimientos demográficos, en una sociedad en la que aún tienen un peso decisivo las zonas rurales, a las exigencias del sistema productivo.[5]

Ahora bien, de igual manera que es bien visible en los datos del cuadro 1 el saldo positivo entre 1915 y 1919 en la Balanza Comercial Española, es bien claro el nuevo cambio que tiene lugar a partir de 1920, cuando se restablecen las condiciones normales del mercado internacional a la vez que los mecanismos habituales de equilibrio de la economía española. En 1920 y años posteriores vuelven a incrementarse las importaciones de maquinaria, bienes de equipo, maderas, carbón, metales y sus manufacturas, productos químicos, etc. —hecho que se refleja perfectamente a través de los índices cuánticos ajustados con el índice de precios del comercio exterior de España: veánse las dos últimas columnas del cuadro 1—; importaciones que contribuyen a paliar la aguda descapitalización de algunos sectores y empresas por las dificultades de comprar en el exterior durante el transcurso de la guerra, y a dar salida a una parte, al menos, de la fuerte acumulación de capital registrada durante ese mismo período. En definitiva, las principales líneas de fuerza del sistema vuelven entonces a centrarse en el mercado interior.

2. En cuanto a las *Sociedades constituidas* —uno de los índices más relevantes para ponderar las oscilaciones del ciclo—, se ha considerado

Cuadro 2

Sociedades Mercantiles creadas de 1901 a 1925

Años	(I) Número total de sociedades (*)	(II) Número de S. A.	% de II sobre I	(III) Capital total (*) (en millones de pesetas)	(IV) Capital de S. A. (en millones de pesetas)	% de IV sobre III
De 1901 a 1905	6 549	1 077	16,4	2 133,13	1 718,28	80,5
De 1906 a 1910	5 918	967	16,3	1 773,76	1 471,88	82,9
De 1911 a 1915	6 273	1 370	21,8	1 218,68	987,79	81,1
De 1916 a 1920	12 484	3 492	27,9	5 159,91	4 589,60	89,0
De 1921 a 1925	7 605	2 258	29,7	4 470,36	3 938,08	88,1

(*) Comprende sociedades colectivas, comanditarias y anónimas.
Fuente: Elaboración propia a partir de los datos del Registro Mercantil contenidos en José G. Ceballos Teresí, *Economía, Finanzas, Cambios. Historia Económica, Financiera y Política de España en el siglo xx, Tomo Séptimo, 1929-1930. Estadística 1901-1930*, p. 387. Reproducido de *La consolidación del capitalismo en España...*, *op. cit.*, t. 1, p. 122.

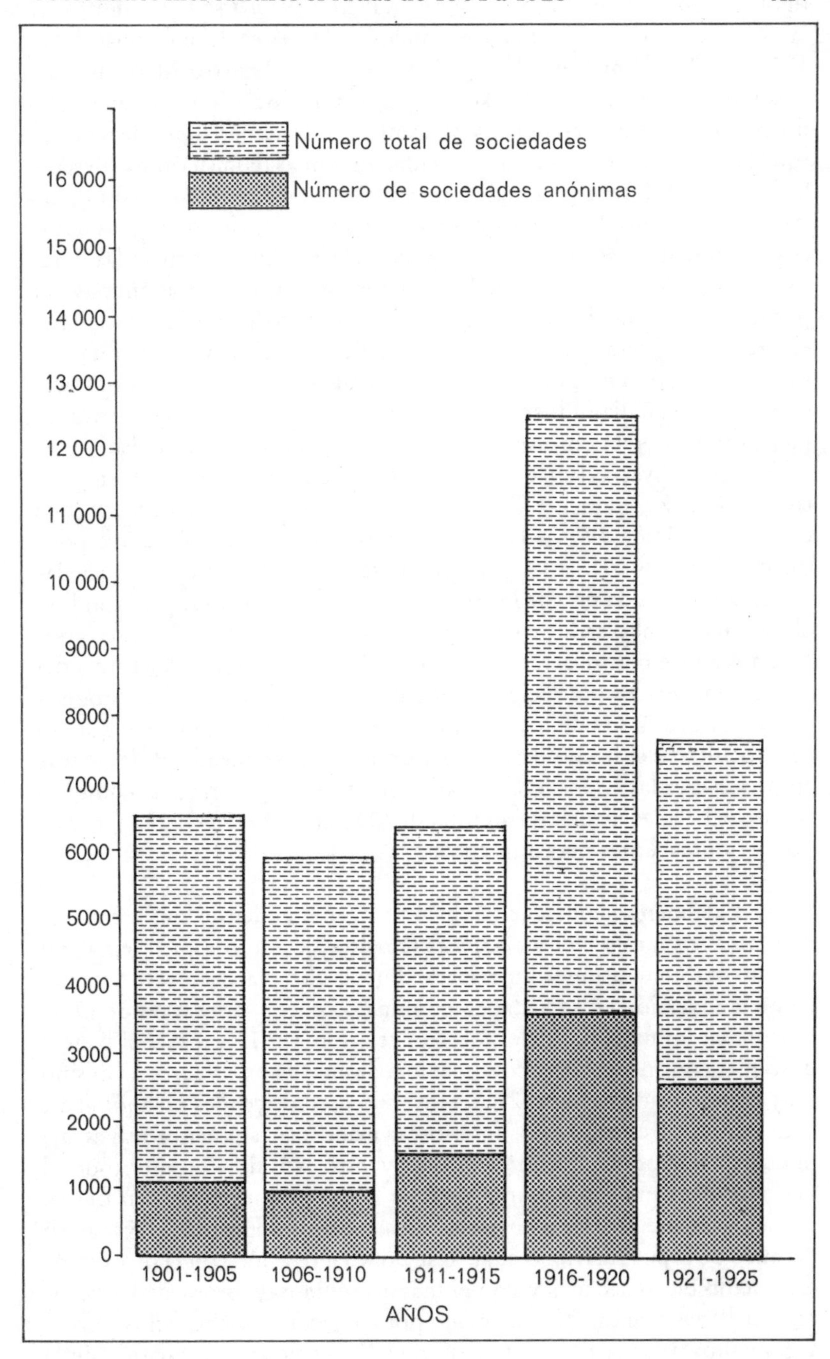

Fuente: véase cuadro 2.

oportuno ofrecer en el cuadro 2 y el gráfico XIV una serie estadística en la que se recoge, en agrupaciones quinquenales, la evolución anual desde 1901 a 1925 del número de inscripciones en el Registro Mercantil correspondiente a nuevas sociedades, en general, y del capital desembolsado por las mismas, recogiéndose asimismo el número que dentro del total anterior corresponde a sociedades anónimas (con su capital desembolsado, igualmente). Puede observarse inmediatamente cómo, en cuanto al número de sociedades creadas o inscritas, en general, las cifras correspondientes al primer quinquenio del siglo no son superadas hasta 1916-1920. Por lo que respecta al número de sociedades anónimas, en particular, la evolución es similar, si bien su porcentaje sobre el total (en el que se considera también a las sociedades colectivas y comanditarias) tiende a elevarse en 1916-1920, signo elocuente de que las nuevas inversiones van canalizándose progresivamente hacia fórmulas jurídico-mercantiles más en correspondencia con una sociedad capitalista.

En definitiva, agrupados los datos por quinquenios, se distinguen tres períodos claramente delimitados: uno, anterior a la guerra, que comprende desde 1901 a 1915, con escasos altibajos; otro, correspondiente a los años 1916 a 1920, en el que se duplica el número de sociedades creadas en cada uno de los tres quinquenios anteriores, triplicándose el capital desembolsado; y otro, por último, a partir de 1921, que supone un reajuste con relación al inmediatamente anterior, si bien se sitúa ya en unos niveles (de sociedades constituidas y de capital desembolsado) superiores a los de los tres primeros lustros del siglo. Aunque no debe ocultarse el hecho de que casi un número semejante al de nuevas empresas creadas en los iniciales años veinte es el que arroja el cómputo de las sociedades disueltas (un total de 6162 entre 1919 y 1923, el período de liquidaciones más numerosas).[6]

3. Finalmente, conviene también recoger el índice de las *inversiones de capital en sociedades y en fincas* (cuadro 3), que completa en algún aspecto las conclusiones anteriores. Puede observarse, efectivamente, cómo la inversión en sociedades anónimas, a partir sobre todo de 1917, se sitúa en un nivel muy elevado con relación a 1913 y 1914, si bien el descenso considerando la cota máxima alcanzada en 1920 es asimismo muy pronunciado desde 1921. La inversión en sociedades no anónimas, con valores absolutos muy inferiores, evidencia también a través del índice su menor dinamismo, en uno y otro sentido, durante todo el período. Y es muy interesante apreciar cómo las inversiones en fincas, particularmente en fincas urbanas, alcanzan sus cotas más elevadas en los años de la posguerra, lo cual, si se pone en relación con el proceso de disolución de sociedades y con el mayor número de propiedades rústicas y urbanas que cambian de mano por compras en dichos años, ofrece argumentos a favor de quienes subrayan el carácter especulativo de la

Cuadro 3

ÍNDICE DE LA INVERSIÓN DE CAPITALES EN SOCIEDADES Y FINCAS, 1913-1923
(1913 = 100)

Años	En sociedades anónimas	En sociedades no anónimas	En fincas rústicas	En fincas urbanas
1913	100	100	100	100
1914	74	113	226	86
1915	135	99	87	89
1916	120	118	94	105
1917	503	234	113	109
1918	658	242	119	156
1919	434	355	138	199
1920	1 255	321	175	206
1921	864	220	165	199
1922	452	193	137	225
1923	338	195	146	172

Fuente: Índices calculados sobre los datos en millones de pesetas ofrecidos por CEBALLOS TERESÍ, *op. cit.*, t. VII, p. 418.

acumulación de capital durante la primera guerra mundial y la sustracción de beneficios de la industria y otras actividades productivas para comprar fincas y construir nuevos edificios.[7] Opinión esta que sin carecer, como se ve, de fundamento, no puede ser llevada hasta el extremo de negar que dicha acumulación de capital encuentra también aplicación, en medida muy importante, en inversiones productivas —sociedades anónimas industriales y terciarias, especialmente—, permitiendo entre otras cosas, como ya se ha dicho anteriormente, la recuperación de los niveles de importación de la economía española.

2. ALGUNAS PARTICULARIDADES SECTORIALES

a) Por lo que respecta a la *agricultura*, el período ahora examinado contribuye a hacer aún más crónica la situación inicialmente descrita. Por una parte, se registra un apreciable aumento de la producción agrícola, consecuencia, más que de un crecimiento de los rendimientos, de la rápida expansión de la superficie cultivada (cuadro 4), incremento que en medida considerable compensa la disminución de las importaciones necesarias en años anteriores para cubrir las necesidades del consumo nacional. Por otra parte, se acusa asimismo un encarecimiento fuerte de esos productos, objeto central del problema y la política de subsistencias durante todo el período.

Ahora bien, la caída de las importaciones determinada por las circunstancias bélicas, no es suficiente para explicar por sí sola el encarecimiento de dichos productos. Este debe ponerse también en relación con

Cuadro 4

TASAS DE INCREMENTOS QUINQUENALES MEDIOS DE LA SUPERFICIE CULTIVADA Y DE LA PRODUCCIÓN, 1910-1924

Superficie	Arroz	Avena	Cebada	Centeno	Maíz	Trigo	Judías	Lentejas	Garbanzos	Olivar	Viñedo
1915-19/1910-14	11,5	13,2	15,3	—6,8	3,1	6,37	13,7	61,9	15,9	3,4	1,0
1920-24/1915-19	9,35	8,3	7,4	—1,5	0,1	1,34	—4,2	24,3	8,4	5,9	1,9
Producción	**Arroz**	**Avena**	**Cebada**	**Centeno**	**Maíz**	**Trigo**	**Judías**	**Lentejas**	**Garbanzos**	**Aceite**	**Mosto**
1915-19/1910-14	9,1	17,1	15,9	6,2	—1,4	13,0	21,6	72,8	32,7	47,6	32,2
1920-24/1915-19	13,3	6,3	7,8	2,0	—	—2,3	—17,0	7,0	—4,2	—	14,9

Fuente: Índices calculados sobre datos de INE, *Principales actividades de la vida española en la primera mitad del siglo XX. Síntesis estadística*, Madrid, 1952, pp. 31 a 37.
— Sin datos.

las condiciones de especulación a que dan lugar la naturaleza y las características del sistema de producción y distribución de mercancías; así como en relación con las exportaciones toleradas o fraudulentas que se realizan durante los años de la guerra. Todo lo cual, en definitiva, remite a la misma cuestión: los mecanismos de poder y los centros de interés predominantes. De hecho, el aumento de la producción, al ir acompañado de incrementos muy fuertes de su valor (como indican las elevaciones de los precios), pone de manifiesto un proceso de acumulación de capital especialmente importante en las grandes explotaciones, que se benefician —al menos en determinadas zonas— de rentas diferenciales, como consecuencia de la puesta en cultivo de tierras marginales.

No es extraño, pues, que, durante el período ahora estudiado, las tensiones y conflictos que conlleva una realidad tan bipolarmente contrapuesta como la de la agricultura tradicional española, alcancen un punto de máxima intensidad, muy especialmente en las zonas de latifundio, como en un estudio ya clásico se puso de relieve al señalar que «la elevación de los precios al por menor redujo los salarios reales en las regiones agrícolas de más extenso proletariado en términos que, en el invierno de 1917-1918, hicieron la situación insostenible. El hambre y la desesperación abonaron el campo para la propaganda radical y el espíritu de la lucha de clases adquirió en los campos una extensión que jamás se había registrado en nuestra historia».[8] Hasta el punto, como es bien conocido, de dar lugar al denominado «trienio bolchevique» (1918-

1921) en los campos andaluces, sin que ningún proyecto de reforma agraria llegase tan siquiera a ser aprobado por las Cortes (Proyectos patrocinados por Alba, Ossorio y Gallardo, Lizárraga y Maura, presentados entre el 30 de septiembre de 1916 y el 2 de marzo de 1922).[9]

Una observación adicional merecen los productos con tradición exportadora que, por las características de su demanda y las dificultades del tráfico marítimo, ven reducidas fuertemente sus ventas en el exterior durante los años de la guerra. Los ejemplos más elocuentes los ofrecen la crisis de la exportación de la naranja del País Valenciano, la crisis de la industria vinícola exportadora gaditana, así como la caída de las exportaciones de uva de Almería. Muy particularmente en el primero de los casos mencionados, la caída de las exportaciones tiene una repercusión de gran alcance, sobre todo en la provincia de Valencia, que conoce una situación depresiva de bastante intensidad a partir de la depreciación de la naranja.

b) En el *sector industrial*, el panorama es más diversificado.

Como ejemplo más representativo de actividad favorecida por la escasez de la oferta exterior puede tomarse la *minería del carbón* y, en particular, de la hulla. A la muy pronunciada caída de las importaciones (cuadro 5), que suponían cerca del 40 % del consumo nacional de hulla en los años inmediatos anteriores a la primera guerra mundial, sucede una expansión de la producción interior (cuadro 5), debida a la puesta en explotación de nuevos yacimientos o la reapertura de viejos pozos abandonados antes por su falta de rentabilidad. El aumento de la producción nacional no es suficiente, sin embargo, para cubrir el descenso de las importaciones, máxime al producirse toda una serie de estrangulamientos y desajustes, principalmente en los transportes, que van a incidir sobre la distribución final del producto. Lógicamente, el precio del carbón experimenta en esas circunstancias una elevación progresiva (cuadro 5), con fuerte repercusión en el encarecimiento general del coste de la vida. En general, pues, es acertada la conclusión a que llegará en 1935 Román Perpiñá: «durante el período de la guerra europea y trasguerra la situación del mercado cambió radicalmente. La oferta quedó prácticamente limitada a la producción española de carbones, perdió elasticidad. La demanda, al aumentar y ser elástica, pagó cualquier precio y soportó enormes elevaciones de las cotizaciones del carbón, puesto que la oferta (la producción española), debido a su inelasticidad, no podía seguir el ritmo de crecimiento de la demanda, y los grandes aumentos de precios no provocaban más que débiles aumentos relativos de cantidad producida».[10] Dadas todas estas circunstancias, se comprende que el sector de la minería de la hulla sea uno de los más favorecidos por las condiciones excepcionales provocadas por el conflico bélico, lo que se refleja en las igualmente excepcionales tasas de ganancia (así, los be-

Cuadro 5

CONSUMO NACIONAL DE HULLA

Años	Producción nacional de hulla en millones de toneladas	Producción nacional de hulla %	Hulla importada %	Índice general de precios al por mayor de carbones nacionales (Base: 1913 = 100)
1911	3,4	61,54	38,46	
1912	3,6	60,95	39,05	
1913	3,8	58,33	41,67	100
1914	3,9	60,09	39,91	106,0
1915	4,1	68,46	31,54	138,0
1916	4,8	69,26	31,74	277,1
1917	5,0	81,20	18,80	353,4
1918	6,1	91,25	8,75	562,3
1919	5,3	86,82	13,18	376,3
1920	4,9	93,68	6,32	446,2
1921	4,7	82,29	17,71	269,2
1922	4,1	70,94	29,36	187,0
1923	5,7	83,20	16,80	201,6

Fuentes: Las cifras de consumo están tomadas del *Dictamen oficial sobre la industria hullera en Asturias que, cumpliendo Real Orden de la Presidencia del Directorio Militar, emitió en 1924 el Ministerio de Trabajo, Comercio e Industria,* Presidencia del Consejo de Ministros, Consejo Nacional de Combustibles, Madrid, 1926, p. 80. Y el índice de precios está transcrito de INE, *Principales actividades...*, *op. cit.*, p. 146.

neficios anuales de la Sociedad Duro-Felguera, que no habían sobrepasado antes de 1914 los 2,5 millones de pesetas, se elevan a 15,9 millones en 1917 y a 17,6 en 1918; por su parte, la Sociedad Fábrica de Mieres, que solo alcanza durante los años inmediatamente anteriores a la guerra unos beneficios anuales en torno a 0,6 millones de pesetas, a partir de 1916-1917 registra un beneficio anual superior a 9,3 millones) y en la creación de nuevas empresas (en Asturias, concretamente, el número de minas en explotación pasa de 129 en 1913 a 314 en 1918). Por lo demás, este sector es asimismo bien representativo de las tensiones renovadas que se suscitan en la estructura industrial española al finalizar la fase expansiva que provoca la primera guerra mundial. Al no emprenderse decididamente una estrategia de transformación de las estructuras productivas, al no introducirse mejoras necesarias en las explotaciones de mayor interés, al no renovarse suficientemente la infraestructura de transportes, la minería del carbón saldrá de esta etapa con un futuro comprometido y problemático, que va a desembocar en la larga y profunda crisis del sector durante los años veinte, frente a la cual los intereses patronales y la política económica, en general, no harán sino articular una cada vez más compleja trama de procedimientos y medidas de protección.

Algo similar podría decirse de la *industria química*, otro sector favorecido por el cese de la competencia extranjera, que conoce un auge extraordinario durante los años de la conflagración mundial, no obstante las dificultades para asegurarse el aprovisionamiento de algunas materias primas. Y también en este sector, a la puesta en funcionamiento de múltiples instalaciones al amparo de circunstancias excepcionales, sucede después una fuerte ola de crisis y liquidaciones empresariales. Aunque, en todo caso, el sector, de desarrollo muy escaso antes de los años aquí considerados, consiga durante el período de la guerra un avance importante: en resumen, como se ha afirmado, la química pesada española comienza, de verdad, durante el período 1914-1918.[11]

Entre las actividades productivas que más se benefician del incremento de la demanda exterior merece destacarse el *sector textil*, tanto la industria algodonera como la industria lanera. En efecto, la industria textil catalana, fundamentalmente, no sólo va a suministrar «pedidos de guerra» a Francia, Italia y otros países europeos beligerantes, sino también a muchas repúblicas americanas que antes compraban en Inglaterra. El esfuerzo por aumentar la producción es importante, dado que la demanda exterior compensa sobradamente la reducción del mercado interior durante esos años (por descenso de los salarios reales, efecto inmediato del proceso inflacionista, como apuntaremos más adelante). En general, pues, el período de la guerra depara a este sector una excelente coyuntura, que acaba también con el final de las circunstancias excepcionales, no obstante aminorarse en esta actividad el impacto de la crisis de la posguerra, conforme se recupera la capacidad de compra del mercado interior.[12]

La *industria siderúrgica* es, a su vez, representativa de aquellos sectores que se aprovechan tanto del incremento de la demanda exterior (doblándose en 1914-1918 la, por otra parte, reducida exportación de hierro y acero en bruto del período 1910-1913), cuanto del debilitamiento en la competencia extranjera (produciéndose paralelamente un notable proceso de sustitución de importaciones y, lo que es aún más relevante, un avance en procedimientos de fabricación, con algunas innovaciones técnicas de interés). Y aunque no es sólo el capitalismo vasco el que protagoniza y se beneficia de dicha expansión, sí puede decirse que es el más favorecido por el incremento de la producción y de la productividad, y del todavía mayor aumento del precio de los productos obtenidos, hasta que al comienzo de los años veinte también la situación de crisis alcance a esta actividad y se recurra, asimismo, al reforzamiento de los niveles previos de protección —no sólo arancelaria— como arma casi exclusiva de política económica.

Ahora bien, la práctica generalización de una fase expansiva en la industria española durante el cuarto lustro del siglo, no debe ocultar las situaciones de signo contrario que se producen también en ciertas ramas de la producción fabril. El ejemplo más destacable es el de la *industria minera*, cuyas dificultades contrastan con la prosperidad —efímera, si se quiere, pero espectacular, en cualquier caso— de la minería del carbón, ya que, como en el caso de otros productos de exportación, las restricciones y el colapso en el tráfico internacional suponen un grave quebranto para la minería española.[13] Igualmente, dificultades de transporte y de aprovisionamiento de materias primas se esgrimen para explicar la crisis de la *industria corchotaponera* y de otros subsectores (industria del mobiliario y del libro, por ejemplo) durante los años del conflicto bélico. Y la carestía de los materiales se ofrece como elemento explicativo primordial de la crisis, durante algunos años de la primera guerra mundial, de la *industria de la construcción*.

c) En el *sector terciario* destaca, ante todo, la extraordinaria acumulación de beneficios que registran las *empresas navieras*, a la cabeza de las actividades favorecidas por las excepcionales condiciones creadas por la gran guerra. El principal factor que explica dicho fenómeno no es un aumento de la demanda efectiva (durante toda la guerra se repiten las manifestaciones de protesta por la venta de buques al extranjero), sino el alza de los fletes en una situación caracterizada por alteraciones en las líneas regulares de tráfico marítimo, por cambios en los centros tradicionales de abastecimiento y en las condiciones de navegación y, muy principalmente, por la condición neutral del pabellón español. Un auténticamente «fantástico boom de los fletes»[14] se produce, así, desde muy tempranas fechas a partir de la iniciación del conflicto bélico. Los beneficios de las sociedades navieras se multiplican por cifras difíciles de creer: el montante de los obtenidos por las seis principales empresas del sector (Cía. Vasco Cantábrica de la Navegación, Cía Naviera Vascongada, Cía. Naviera Bachi, Naviera Sota y Aznar, Cía. Marítima Unión y Cía. Marítima del Nervión) pasa de un índice 100 en 1910 a 1250 en

Cuadro 6

BENEFICIOS (DIVIDENDOS EN %) DE ALGUNAS SOCIEDADES NAVIERAS

	1910	1911	1912	1913	1914	1915	1916	1917	1918	1919	1920
Sota y Aznar	6	8	15	16	15	70	112	64	95	72	52
Naviera Vascongada	4	7	12	16	15	100	80	90	150	105	52
Vasco-Cantábrica	—	4	10	10	6	40	100	110	100	92	—
Trasatlántica	2,4	2,4	2,4	2,4	5	9,8	10	10	10	10	10
Marítima Euskalduna	6	8	4	16	13	70	150	180	520	170	130
Marítima Unión	—	—	5	3	2	6	200	260	60	70	35
Naviera «Bachi»	2,5	5	6,5	9	7	60	85	75	355	40	25

Fuente: *Anuario Financiero y de Sociedades Anónimas de España*, Madrid, 1922, Cuadro tomado de *La consolidación del capitalismo en España...*, *op. cit.*, II, p. 31.

Cuadro 7

La expansión de la banca privada española, 1915-1922

Años	Núm. de bancos	Recursos propios	Recursos ajenos	Cartera de valores y efectos	Beneficios
1915	100	100	100	100	100
1916	90,4	102,6	125,2	123,9	125,9
1917	107,7	111,1	166,2	147,0	199,3
1918	138,5	162,8	260,6	189,7	299,9
1919	140,4	210,8	322,6	262,7	402,0
1920	175,0	318,1	384,4	332,9	470,0
1921	178,8	330,4	394,4	415,1	494,3
1922	178,8	339,2	482,1	439,8	511,3

Fuente: Elaborado a partir de datos del *Anuario Financiero y de Sociedades Anónimas de España, 1923*. Reproducido de *La consolidación del capitalismo en España...*, *op. cit.*, t. 2, pp. 235 ss.

1915, a 2729 en 1916, a 3236 en 1917 y a 5618 en 1918, año en el que se alcanzan las cotas más altas (véase también el cuadro 6). Y la extraordinaria prosperidad a que ello da lugar se refleja igualmente en la creación de nuevas sociedades navieras (aunque con capital muy escaso, pues en la mayor parte de las ocasiones también aquí se trata de aprovechar la excepcional coyuntura, sin perspectivas de continuidad a largo plazo), sumando un total de 58 empresas nuevas en el período 1916-1920; en la expansión de la construcción naval; en las cotizaciones de las acciones de las sociedades navieras; y, también, en un no poco notorio proceso de concentración e integración de empresas, mediante la progresiva configuración de vínculos y conexiones entre diversos grupos económicos, con intereses plurisectoriales. Será a partir de 1919, una vez finalizada la coyuntura bélica, al restablecerse las condiciones de normalidad en el tráfico marítimo y en el abastecimiento de productos, y al compás de la reducción del precio de los fletes, cuando también en este sector cambie el decorado completamente, hasta generalizarse una situación de crisis aguda durante los primeros años veinte.

Junto con el de la marina mercante, es el *sector bancario* el más espectacularmente beneficiado dentro de las actividades terciarias. Los datos del cuadro 7 son elocuentes por sí mismos. El número de bancos locales españoles casi se duplica entre 1916 y 1920, pasándose de los 47 iniciales a 91 (entre los nuevos merecen mención especial los Bancos Urquijo y Central), a la vez que se produce un salto extraordinario en la ampliación de la red de sucursales. Y la evolución de las principales partidas de los balances (recursos propios, recursos ajenos, cartera de valores y efectos, beneficios: cuadro 7) ofrece la imagen inequívoca de una expansión de excepcionales proporciones, mantenida en este caso hasta 1922. No debe olvidarse, además, el dato quizá más importante: la participación muy acrecentada de la banca privada en la industria española a partir de esos años, pudiéndose afirmar que es en este período cuando se consolida la Gran Banca mixta española, como habrá más adelante ocasión de subrayar de nuevo. Consolidación que será definitiva cuando la política bancaria, enfrentada a las exigencias de readaptación de los primeros años veinte, dado el desafío organizativo que plantea la mayor capacidad y complejidad que ha ganado el sector durante la fase de expansión descrita (exigencias cuyo coste recaerá de manera muy especial sobre la banca catalana, que contempla la espectacular desaparición del ya casi centenario Banco de Barcelona a finales de 1920),[15] cuando la política económica, repito, ponga algunas de las bases definitivas, con la Ley de Ordenación Bancaria de 28 de diciembre de 1921, de la que ha sido durante medio siglo la estructura del capitalismo financiero español. Por eso puede concluirse que el proceso de acumulación de capital durante la guerra —más aún que la repatriación de capitales y otros factores que coinciden a finales de siglo— proporciona a la banca grandes posibilidades en las tareas de promoción y financiación industrial, posibilidades ampliadas todavía más a partir de 1917 por la instrumentación de un nuevo procedimiento de monetización (indirecto) de la Deuda pública. Así, durante el período estudiado —especialmente, durante los primeros años de la posguerra—, la banca privada mixta refuerza de forma decisiva su participación en la promoción y control de la industria, lo que supone, a la vez, un apuntalamiento decisivo de la denominada vía nacionalista de desarrollo del capitalismo español.[16] Concretamente, en una gran parte de los casos la gran banca mixta va a financiar con créditos a corto plazo —renovados de forma sucesiva— inversiones en capital fijo, dirigiendo sus inversiones principalmente hacia determinadas ramas de la producción, en particular hacia aquellas ramas de la industria en las que las oportunidades de cartelización son mayores, es decir, hacia la industria básica: carbón, siderurgia, producción química de base, electricidad, etc., dando lugar, en definitiva, a la concentración más importante de poder económico que se conoce en la España contemporánea.

Para terminar este apartado, es preciso añadir unas breves líneas sobre una actividad terciaria que, en contraste con las dos anteriores, conoce durante la Gran Guerra dificultades sumamente graves en su funcionamiento y organización: se trata del *transporte ferroviario*. Ya se dejó antes dicho que, si bien hasta 1914 el sistema ferroviario había conseguido en España atender con cierta suficiencia la demanda de transporte, siendo la explotación de los ferrocarriles un negocio rentable, ante la nueva coyuntura los ferrocarriles españoles evidenciaron pronto disponer de escaso margen de maniobra. De hecho, el estrangulamiento en el sistema de transporte ferroviario español durante el cuarto lustro del siglo es uno de los hechos más relevantes del período aquí considerado. Estrangulamiento que debe ponerse en relación con diversos factores: entre otros, el incremento de los salarios de los trabajadores del sector (al compás del encarecimiento de las subsistencias); la subida aún mayor, aunque con menor incidencia en el costo de explotación, del precio del carbón; el crecimiento de la demanda de transporte ferroviario por las alteraciones que sufre el transporte marítimo (también el de cabotaje); y, sin tratar de ser exhaustivos, las modificaciones registradas en la localización de los mercados de origen y destino de diversos productos durante los años de la guerra. Factores todos ellos que tienen una virtualidad fundamental: poner de manifiesto la incapacidad de las empresas ferroviarias para responder adecuadamente al aumento de la demanda y, en general, a las nuevas necesidades de transporte interior desencadenadas por el conflicto mundial. Prueba elocuente de ello será la situación crítica que a partir de entonces conocen las compañías ferroviarias. Situación de crisis frente a la cual se irán articulando progresivamente, desde 1920, a partir de las iniciativas de Cambó, medidas y fórmulas de política económica que tendrán todas (desde las *Bases* de Ortuño en 1920, o los trabajos y Proyectos de La Cierva y Flores de Lemus, hasta la creación en 1922 del Consejo Superior Ferroviario y la Caja Ferroviaria del Estado) una orientación inequívoca: ampliar las funciones supletorias del Estado en el sector, poniendo así las bases y sentando los precedentes de lo que va a ser no solo la resolutiva política de la Dictadura al respecto, sino también la nacionalización posterior. En definitiva, como se ha apuntado con acierto, «el trastorno económico causado por el conflicto internacional que el Estado pretendió ignorar en tanto duraron las hostilidades, forzó su intervención coincidiendo con el final de estas. La crisis bélica había hecho saltar los supuestos en que se basaba el sistema ferroviario. La existencia de un amplio margen entre las tarifas que se practicaban y las legales había permitido continuados saldos positivos que resultarían más que dudosos si para cubrir gastos era necesario someterse a la autorización de nuevas subidas de tarifas más o menos difíciles de obtener, según fuese el gobierno. El negocio se hacía inseguro en un momento en que el clamor por la renovación de material era más intenso y justificado en el país. Invertir sin garantía de obtener beneficios resultaba poco atractivo y por esta razón las compañías empezaron a encontrar tremendamente cercano el vencimiento de las concesiones. En estos términos la situación era insalvable y si el gobierno no aceptaba la solución nacionalizadora, cualquiera que fuese el procedimiento, no cabía otra cosa que negociar con las compañías los términos en que estas aceptasen continuar la explotación».[17]

NOTAS DEL CAPÍTULO II

1. Johan Akerman, *Estructuras y ciclos económicos,* Madrid, 1960, pp. 407 y ss. Una clara delimitación de las dos primeras fases de este ciclo puede encontrarse también en el muy interesante trabajo de C. Eckert, *La situación de España en la economía mundial,* recogido por Fabián Estapé, *Textos olvidados,* Madrid, 1973, pp. 625 a 666.

2. Francisco Bernis, *Consecuencias económicas de la guerra. Las Teorías y la enseñanza de los hechos desde 1914 respecto a: I, el ciclo económico; II, producción, distribución, renta y consumo; III, los precios; IV, dinero y Bancos,* obra publicada por la Junta de Ampliación de Estudios e Investigaciones Científicas, Madrid, 1923, p. 95.

3. Véase Joseph A. Schumpeter, *Teoría del desenvolvimiento económico. Una investigación sobre ganancias, capital, crédito, interés y ciclo económico,* 4.ª ed. en español, México, 1967, en especial capítulo VI, pp. 213 ss. La primera edición original de la obra data de 1912.

4. F. Bernis, *op. cit.*, p. 111. De este autor es asimismo inexcusable consultar otro trabajo al abordar el tema ahora planteado: *La capacidad de desarrollo de la economía española,* versión española de la conferencia leída en Bonn el 26 de febrero de 1925, Madrid, 1925.

5. La intensidad y el alcance geográfico de los movimientos migratorios interiores durante el cuarto quinquenio del siglo se ha estudiado con algún detalle en *La formación de la sociedad capitalista..., op. cit.*, t. I, pp. 401 ss., destacándose sobre todo el predominio durante ese período de las emigraciones de carácter o alcance nacional, esto es, que rebasan los límites provinciales y hasta regionales en bastantes casos.

6. Sobre este punto debe consultarse Tomás Jiménez Araya, «Formación de capital y fluctuaciones económicas. Materiales para el estudio de un indicador: creación de Sociedades mercantiles en España entre 1886 y 1970», *Hacienda Pública Española,* núm. 27, 1974, pp. 175 a 177 en especial.

7. Así lo sostienen Josep Fontana y Jordi Nadal, «Spain 1914-1970», «España 1914-1970», *Historia Económica de Europa. Economías contemporáneas. Segunda parte,* Carlo M. Cipolla, editor. Barcelona, 1980, p. 105. En dicho trabajo se acota también el período 1914-1923 como unidad de análisis en un solo apartado muy bien planteado («Contradicciones y límites de una expansión»), pp. 95 a 107. Sobre la «naturaleza especulativa del auge», (o «beneficios especulativos» o «factores especulativos») insiste reiteradamente también Jiménez Araya, *art. cit.*, pp. 175, 176 y 177, por citar tan solo dos trabajos recientes.

8. A. Flores de Lemus, «Sobre una dirección fundamental de la producción rural española», en *Bodas de plata de «El Financiero»*, Madrid, *El Financiero,* 1926, p. 407, citado también por Josep Fontana, *Cambio económico..., op. cit.*,

p. 193. Entre los estudios recientes sobre la intensísima conflictividad en el campo andaluz durante el final de la segunda década del siglo, pueden consultarse Antonio M. Calero, *Movimientos sociales en Andalucía*, Madrid, 1976 y M. Tuñón de Lara, *Luchas obreras y campesinas en la Andalucía del siglo* XX. *Jaén (1917-1920). Sevilla (1930-1932)*, Madrid, 1978.

9. Edward Malefakis, *Reforma agraria y revolución campesina en la España del siglo XX*, Barcelona, 1971, en especial *Apéndice V: Propuestas de reforma agraria anteriores a la República*, pp. 488 a 502.

10. Román Perpiñá, *Memorándum sobre la política del carbón*, publicado por las entidades económicas valencianas bajo los auspicios del Patronato del Centro de Estudios Económicos Valencianos, Valencia, 1935, p. 40.

11. Así se subraya por Fontana y Nadal, «España 1914-1970...» *op. cit.*, p. 99.

12. Véase también en este punto Fontana y Nadal, *op. cit.*, pp. 99 y ss. La crisis del sector durante los primeros años veinte cuenta, entre otros, con dos conocidos estudios contemporáneos a los acontecimientos: Guillermo Graell, *La crisis algodonera. Su relación con la general de España. Obras públicas indicadas como remedio*, Barcelona, 1923, y Joaquín Aguilera, *Informe sobre la crisis industrial de Cataluña*, Barcelona, 1923.

13. Este contraste ha sido también subrayado por Fontana y Nadal, *op. cit.*, pp. 97 y 98.

14. Esta y otras expresiones análogas utiliza Rafael Ossa Echaburu, *El Bilbao del novecientos. Riqueza y poder de la ría, 1900-1923*, Bilbao, 1969, pp. 27, 73, 84, 91, 115 y 303, entre otras.

15. La crisis del Banco de Barcelona es el objeto central de la tesis doctoral de Juan A. Muñoz García, *Crisis y estructuración de la Banca española en los años veinte*, Madrid, 1977, copia mecanografiada, tomos I, II y III.

16. Esta es la expresión que se utiliza en S. Roldán y J. L. García Delgado (en colaboración con J. Muñoz), *La formación de la sociedad capitalista..., op. cit.*, cuyo Capítulo V («La consolidación de la vía nacionalista del capitalismo español») está dedicado al tema. Una ampliación de dicho capítulo es, de hecho, la obra firmada por J. Muñoz, S. Roldán y A. Serrano, «La involución nacionalista y la vertebración del capitalismo español», *Cuadernos Económicos de ICE*, publicados por *Información Comercial Española*, núm. 5, 1978.

17. Miguel Artola, *Los ferrocarriles en España..., op. cit.*, I, p. 417. Sobre los problemas del transporte ferroviario en España en el período aquí estudiado es asimismo conveniente la consulta del trabajo de Rafael Anes Álvarez, «Relaciones entre el ferrocarril y la economía española (1865-1935)», en *Los ferrocarriles en España, 1844-1943. II. Los ferrocarriles y la economía*, Madrid, 1978, (dirección: Miguel Artola), pp. 355 a 512, así como el firmado por Pedro Tedde de Lorca, «Las compañías ferroviarias en España (1855-1935)», *Ibidem* pp. 9 a 354.

CAPÍTULO III

Proceso inflacionista y política económica. Algunas conclusiones

Como complemento de lo señalado hasta aquí, conviene presentar a continuación —en un apretado resumen, que siempre resultará parcial— algunas de las conclusiones más importantes que se deducen del análisis global y sectorial de la economía española durante el período marcado por la influencia de la primera guerra mundial.

1. INFLACIÓN Y TENSIONES SOCIALES

Los índices de *precios* al por mayor y al por menor de que se dispone para el período estudiado —del Instituto de Reformas Sociales, del Museo Social y de la Cámara de Comercio de Barcelona, de la Dirección General de Estadística—, revelan fuertes incrementos desde la iniciación del conflicto; alzas de precios que se agudizan en la segunda mitad de 1917 y 1918 y no se detienen hasta finales de 1920, cuando se generaliza una tendencia a la baja que acompaña a la evolución de otras variables económicas (cuadro 8 y gráfico XV). Estas alzas son siempre más importantes en los pueblos que en las capitales.

El origen de las alzas de precios se conecta, por una parte, con el desplazamiento de la demanda exterior y, por otra, con las dificultades de todo tipo, a las que no son ajenas determinados intereses y grupos de presión, para realizar importaciones de productos deficitarios.

Pero, como se sabe, cualquier desplazamiento de la demanda exterior genera también ingresos y rentas suplementarias (beneficios, salarios, etc.) que se traducen, a la vez, en una creciente demanda interior, dando lugar a un salto en la demanda efectiva.

Cuadro 8

ALGUNAS VARIABLES EXPLICATIVAS DEL PROCESO INFLACIONISTA 1913-1921: NÚMEROS ÍNDICES

Años	A Precios	B Volumen total de circulación fiduciaria	C Salarios	D Beneficios
1913	100,0	100,0	100,0	100,0
1914	99,7	101,7	98,2	86,8
1915	109,2	108,7	107,4	116,7
1916	128,8	122,2	107,8	153,5
1917	150,1	144,9	110,6	187,8
1918	218,2	172,6	125,6	223,4
1919	222,7	200,2	146,7	206,7
1920	227,6	224,0	179,3	214,0
1921	183,4	219,7	207,1	189,6

Fuentes:

A) Índice de precios al por mayor de la Cámara de Comercio de Barcelona, tomado del «Dictamen de la Comisión nombrada por Real Orden de 9 de enero de 1929 para el estudio de la implantación del Patrón Oro», reedición de *Información Comercial Española*, núm. 318, febrero, 1960, pp. 52 ss.

B) Calculado a partir de los datos contenidos en INE, *Principales actividades..., op. cit.*, p. 113. Datos primarios: Balances del Banco de España.

C) Índice de los jornales de varones contenido en Instituto de Reformas Sociales, *Movimiento de los precios al por menor en España durante la Guerra y la posguerra 1914-1922*, Madrid, 1923, p. 36.

D) Índice de los beneficios de 85 empresas representativas de 17 grupos de actividad industrial y terciaria calculado en *La consolidación del capitalismo en España..., op. cit.*, I, pp. 127 a 131, obra de donde se ha reproducido este cuadro.

Algunas variables explicativas del proceso inflacionista, 1913-1921 (en números índices) **XV**

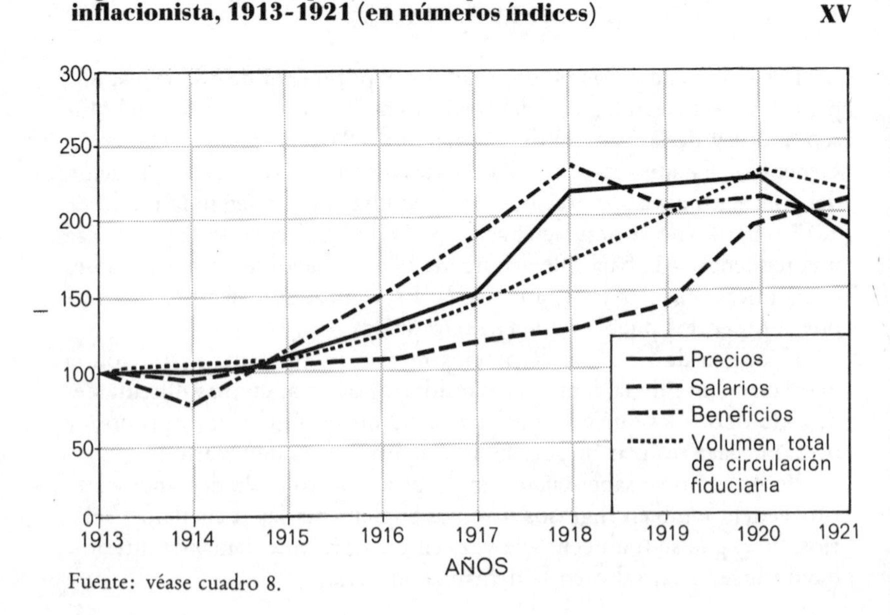

Fuente: véase cuadro 8.

Este salto de la demanda efectiva no es compensado por el aumento de las disponibilidades reales: pues, aunque se asiste a un crecimiento de la producción real de bienes y servicios, no puede olvidarse el recorte que experimenta la oferta de muchos productos como consecuencia de las exportaciones mantenidas a lo largo de toda la guerra. Ello da lugar a la formación de un «gap inflacionista» entre una demanda creciente y un nivel de disponibilidades limitado; desfase que se agrava sensiblemente a partir de 1917.

En cualquier caso, los *beneficios* obtenidos en la mayor parte de actividades y sectores económicos entre 1915 y 1920 son extraordinariamente importantes, superando ampliamente las tasas de crecimiento de cualquier otra variable explicativa del proceso inflacionista (véase cuadro 8). Si las alzas de beneficios se hacen especialmente sensibles desde 1915, las elevaciones de *salarios* se dejan sentir especialmente a partir de 1917-1918, planteadas como respuesta a las alzas de precios, en una coyuntura propicia a las reivindicaciones sindicales obreras (véanse cuadros 8 y 9).

Ahora bien, un examen cuidadoso de la evolución de los salarios revela la hetereogeneidad e irregularidad con que se manifiestan las tendencias al alza de estos durante el período aludido. A pesar de las reservas con que deben examinarse las fuentes disponibles,[1] se puede afirmar que el movimiento alcista de salarios da lugar a una redistribución de la Renta Nacional. Esta redistribución es favorable a los trabajadores de algunas de las zonas más industrializadas, donde las nuevas relaciones

Cuadro 9

MOVIMIENTO DE HUELGAS EN EL PERÍODO 1913-1924

	1913	1914	1915	1916	1917	1918	1919	1920	1921	1922	1923	1924
1. Número total de huelgas (*).	201	140	91	178	176	256	403	424	233	429	411	155
2. Número de huelgas motivadas total o parcialmente por reivindicaciones salariales.	100	59	41	128	125	199	328	315	139	200	200	61
3. % de 2 sobre 1.	50	42	45	72	71	78	81	74	58	47	49	39
4. % de huelgas ganadas sobre el total (sobre 1).	55	59	58	66	71	84	83	74	66	65	58	54
5. % de huelgas por motivaciones salariales ganadas (sobre 2).	60	75	73	70	73	86	86	78	58	65	62	62

(*) Número total de huelgas de las que se obtuvo información completa.
Fuente: Ministerio de Trabajo, Comercio e Industria, *Estadística de los salarios y de jornadas de trabajo referida al período 1914-1925*, Madrid, 1927 y Dirección General de Trabajo, *Estadísticas de salarios y jornada de trabajo referida al período 1914-1931*, Madrid, 1931.

de producción, que suponen la concentración de la mano de obra y del capital en diversos centros urbanos, por una parte, y la fuerte demanda de trabajo, por otra, permiten una respuesta más contundente de la clase trabajadora a la elevación de los precios y a la crisis de subsistencias.

Por el contrario, en las zonas agrícolas el proceso de acumulación —que se genera por las alzas de precios y la extensión de la superficie cultivable, como ya se ha dejado apuntado— tiende a agravar, aún más, las condiciones de existencia de la población campesina, asistiéndose a un trasvase de rentas hacia las zonas industriales y registrándose alzas de salarios muy inferiores que no llegan a compensar las alzas de precios. En este contexto debe explicarse la explosión del movimiento revolucionario que tiene lugar, a partir de 1918, en las zonas agrícolas ligadas al modo de producción latifundista, movimiento que alcanza una dimensión y tiene una dinámica conflictiva muy distinta de la manifestada en las luchas obreras urbanas e industriales de 1916 y 1917. En definitiva, los trabajadores de algunas zonas industriales (Asturias, Vizcaya, principalmente) logran arrancar alzas de salarios importantes en una coyuntura fuertemente expansiva (hasta 1920), lo que contrasta con la fuerte pérdida de salarios reales a que se asiste en algunas otras zonas y regiones del país.

El resultado final de todo este proceso no es solo una redistribución de rentas a escala nacional, sino también la agravación progresiva de las tensiones campo-ciudad; la emigración forzada y masiva de la población campesina a los nuevos centros industriales donde se concentra el capital; el mayor contraste, producto de la división social del trabajo, entre la industria y una agricultura atrasada en la que se reproducen relaciones de producción que limitan fuertemente el crecimiento; y, asimismo, la agudización de la contradicción centro-periferia que también caracteriza, como se sabe, la formación de la sociedad industrial en España.

Pero todo ello no puede comprenderse sin tener en cuenta que, en esa coyuntura alcista, los empresarios están dispuestos a tolerar alzas de salarios que pueden repercutir sobre los precios dadas las tendencias esperadas en la demanda. Así, no sólo se registra un fuerte incremento en el número de conflictos promovidos por cuestiones relacionadas con el salario —lo que se liga al movimiento alcista de los precios—, sino también en el porcentaje sobre el total de *huelgas* ganadas o transigidas por los empresarios (véase cuadro 9, sobre el que se volverá más adelante).

A partir de 1917 —y sobre todo en los inmediatos años posteriores— se asiste, como ya se ha indicado, a la agravación del proceso inflacionista. Se trata ya de una inflación de costes, epílogo, por otra parte previsible, de una inflación que tiene su origen, como se ha dicho, en la demanda: cuando desaparecen las condiciones excepcionales, las elevaciones habidas en los costes de las empresas ya no pueden repercutirse en los precios, gravitando sobre los márgenes de beneficios. Pero como los empresarios pretenden mantener los precios, presionan, a partir de 1920, sobre los salarios y el empleo, al mismo tiempo que se aseguran la defensa del mercado interior a través del instrumento arancelario.

2. ORIENTACIONES Y LÍMITES DE LA POLÍTICA ECONÓMICA

Ante todo, cabe señalar cómo la *política monetaria* contribuye decisivamente a la agudización del proceso inflacionista durante la segunda mitad de los años diez: por una parte, autorizando sistemáticamente la ampliación del tope de emisión del Banco de España; y, por otra, a través de la ampliación y monetización de la Deuda pública, resultado de la agravación del déficit presupuestario. Este último mecanismo, como se sabe, guarda una estrecha correlación con la expansión de la circulación fiduciaria. A partir de 1917, la monetización de la Deuda pública se realiza a través de un procedimiento indirecto, con efectos inflacionistas que han sido ya estudiados en numerosas ocasiones.

A través de todo lo ya expuesto, se comprende la existencia, de manera especial hasta 1920, de toda una serie de estrangulamientos y rigideces en el sistema productivo, así como la agravación de las tensiones sociales durante la segunda década del siglo. En estas circunstancias, la denominada «*política de subsistencias*» de los diferentes gobiernos —«conservadores», «liberales», o «de concentración»— se orienta en varias direcciones: por una parte, hacia el control o gravamen de las exportaciones de bienes considerados de primera necesidad (entre ellos, el carbón); por otra, como complemento de lo anterior y tratando de asegurar el suministro del mercado interior, hacia la rebaja o supresión de los derechos arancelarios a la importación y hacia un determinado control de los medios de transporte marítimo; por último, la política económica intenta también hacer frente a las elevaciones de precios de las subsistencias mediante determinados expedientes y medidas de toda índole encaminados a la tasación de los precios y a la organización de la producción y distribución de los bienes de primera necesidad.

Pues bien, cuando se intenta la valoración global de ese conjunto de orientaciones y medidas de política económica, lo primero que destaca, sin lugar a ninguna duda, es su falta de operatividad, encontrando sucesivas y contradictorias series de disposiciones y la proliferación de diversos organismos (Consorcios, Comisarias, Consejos, Comisiones, Comités, Juntas, etc., etc.), que tratan de imponer una hipotética regulación en el ámbito de la oferta o de la demanda de los productos más importantes. Falta de operatividad que de modo arquetípico se refleja en la política de tasas, ineficaz ante la imposibilidad de disponer de una información estadística adecuada sobre consumo, producción y precios; ineficaz ante la incapacidad real de controlar las exportaciones fraudulentas; ineficaz ante la insuficiencia y encarecimiento de los medios de transporte; ineficaz, asimismo, ante la resistencia, en una u otra medida, de los diversos grupos patronales navieros a facilitar los medios materiales necesarios; política inoperante, en fin, ante la ausencia de facultades ejecutivas y medios coactivos para controlar los diversos escalones del proceso de distribución y comercialización de las mercancías sujetas a la política de subsistencias.

Esa falta de operatividad define también la *política fiscal* del período estudiado, durante el cual se van a ver frustrados diversos intentos de reforma del cada vez más insuficiente, escasamente flexible y regresivo sistema impositivo español. Fracasa el Proyecto de Alba (1916) gravando los beneficios extraordinarios, pero fracasan también los intentos de Bugallal de establecer un Impuesto general sobre el Patrimonio (1915), o un Impuesto general sobre la Renta de carácter progresivo (1919), o un Impuesto extraordinario sobre los aumentos de fortuna (también de 1919, como el anterior, acompañando al proyecto de Presupuestos para 1920-1921). Y si es cierto que se logra —como avance quizá más relevante en una dirección ya apuntada desde bastantes años antes— implantar el principio de progresividad impositiva en el gravamen sobre los dividendos y los beneficios de las sociedades, a través de la modificación de la Tarifa III de la Contribución de Utilidades (1920), también lo es que durante el período ahora acotado la Hacienda Pública española evidencia inequívocamente su incapacidad para participar en el proceso de auge económico del cuarto lustro del siglo y para beneficiarse razonablemente de la acumulación de capital que tiene entonces lugar, de forma que durante los años veinte los principales recursos del Estado seguirán siendo los obtenidos a través de los impuestos indirectos y a través de las emisiones de Deuda pública.

Mayor significación que cualquier otra actuación de la política económica durante el período estudiado, tienen las medidas adoptadas entonces con el objetivo de reforzar la orientación nacionalista que desde las últimas décadas del siglo XIX marca el desarrollo del capitalismo en España. En efecto, primero serán las excepcionales circunstancias promovidas por la Gran Guerra las que, al abrir posibilidades y perspectivas nuevas, promuevan una activa campaña, doctrinal y práctica, contra el fuerte control de actividades muy importantes de la economía española por parte del capital extranjero y contra el endeudamiento exterior del Estado: contra la «desnacionalización», en suma, según la terminología entonces en boga. Pero, después, una vez finalizado el conflicto, la recuperación del comercio internacional dará pie, asimismo, a una intensísima presión a favor de aumentar las barreras de protección del mercado nacional.

Las medidas concretas de política económica guardan una correspondencia muy marcada con todo ello. Desde muy pronto se suceden las medidas tendentes a facilitar el *rescate* de la mayor parte de la *Deuda Exterior,* autorizándose su adquisición por españoles y su localización en España, con facilidades para su conversión en Deuda Interior (1914, 1915, 1916), o promoviendo la amortización de la Deuda Exterior no domiciliada en España (a partir de 1918); así como las medidas tendentes a la *nacionalización de valores industriales,* impulsadas sobre todo a partir de 1917 al establecer la exención de derechos reales de todas las domiciliaciones en España de títulos de empresas establecidas aquí. Y los resultados son, en ambos casos, notorios: la Deuda Exterior se nacionaliza en una buena parte —hasta culminarse el proceso con los primeros años de la Dictadura—, y la nacionalización de los valores en poder de extranjeros afecta sobre todo a empresas ferroviarias y a sociedades bancarias.

Las medidas de *auxilio, fomento y apoyo crediticio a la industria nacional* tampoco se hacen esperar. Iniciada la denominada política directa de fomento de la industria en 1907, y proseguida con la Ley de Fomento de las comunicaciones marítimas de 1914, es durante el período ahora considerado cuando registra un reforzamiento muy considerable, anticipando lo que también se consumará definitivamente durante la Dictadura de Primo de Rivera. Es este el sentido de la Ley de Protección a las industrias nuevas y desarrollo de las ya existentes de 1917, de la creación del Banco de Crédito Industrial, que abre sus puertas en 1921, y de la Ley de Ordenamiento y Nacionalización de industrias relacionadas con la Defensa Nacional, de 1922, como medidas fundamentales, a las que habría que añadir aquellas por las que se crean muy numerosos Comités, Consorcios, Juntas y organismos reguladores diversos, que evidencian una acentuación también del *intervencionismo estatal,* con una creciente participación del Estado en el control y en la reordenación de la producción industrial, lo cual guarda una estrecha relación con las aspiraciones nacionalistas de la época.

Por último, y de acuerdo con lo antes señalado, se procede a la elevación de las barreras arancelarias, pues el intento de sostener determinadas industrias y actividades que han conocido durante los años de la primera guerra mundial un rápido proceso de expansión y el objetivo de preservar o garantizar para la propia producción nacional el mercado interior, obligan finalmente, cuando aquella termina, y dada la escasa eficacia práctica de otro tipo de auxilios y de las medidas directas de fomento, a reforzar la *protección arancelaria,* reafirmando, de esta forma, las pautas esenciales de una política económica ya orientada abiertamente hacia el proteccionismo desde varias décadas antes. Mayor protección arancelaria perfilada en una rápida secuencia que va desde 1919 hasta el arancel definitivo de 1922 (Arancel Cambó), y que también con la Dictadura conocerá su consolidación definitiva.

Así pues, el proteccionismo —en el contexto de un reforzamiento de las posiciones nacionalistas, tanto a escala doctrinal como en la práctica, en el seno del capitalismo español de los años veinte— vuelve a articularse como única estrategia de defensa de las posiciones adquiridas bajo supuestos diferentes y excepcionales; sobre todo, cuando la otra alternativa posible —la expansión del mercado interior— exigiría cambios y transformaciones que, sin duda, pondrían en cuestión el tradicional equilibrio de fuerzas que, hasta fechas bien recientes, ha caracterizado la evolución de la sociedad española.

NOTAS DEL CAPÍTULO III

1. Esta cuestión se ha examinado con detalle en *La formación de la sociedad capitalista en España..., op. cit.*, pp. 170 a 200. A esta misma obra remito para el análisis crítico de fuentes y datos disponibles sobre precios (pp. 128 a 144).

CAPÍTULO IV

Epílogo: hacia la Dictadura

Si se hubiera acertado en el planteamiento de lo expuesto en las páginas precedentes, se estaría ahora en condiciones de comprender no sólo las principales líneas de fuerza y los factores fundamentales que determinan la evolución de la economía española en el período que transcurre entre 1914 y 1923, sino también de avanzar una interpretación del sentido último de la etapa inmediatamente posterior en la historia española del siglo XX, esto es, la Dictadura de Primo de Rivera, ya que el desenlace final de los hechos aquí estudiados proporciona una perspectiva privilegiada para explicar la política dictatorial.

No es que la crisis económica de posguerra hubiera alcanzado en el umbral del otoño de 1923 su estadio más grave. Diversos indicadores, algunos de los cuales ya se han visto (comercio exterior, precios, etc.), expresan, por el contrario, que hacia 1923 la situación de crisis económica comienza a remontarse, recuperándose sensiblemente los niveles de la demanda interior.[1] No es una interpretación burdamente mecanicista la que aquí se está apuntando. Es en las tensiones profundas desencadenadas dentro del sistema económico español por el intenso y singular proceso de crecimiento y crisis descrito donde hay que fijar la atención. Tensiones profundas que reclaman imperiosamente medidas que el deteriorado régimen parlamentario de comienzos de los años veinte no es capaz de arbitrar.

Los cambios que ha registrado la economía española durante esa década que va de 1914 a 1923 tienen, en efecto, la suficiente amplitud para plantear exigencias de actuación política inmediata que difícilmente pueden ser satisfechas por un régimen que desde 1917 hasta 1923, con la excepción de 1920, conoce tres gobiernos por año —doce gabinetes presididos por ocho hombres diferentes— y una descomposición interna casi sin precedentes, si se atiende al enfrentamiento declarado entre y dentro de sus propios centros e instancias de poder (Corona, Parlamento, Ejército...).

Iniciados los años veinte, la situación de una gran parte del campesinado se ha agravado. Los reajustes en la distribución espacial de la población impulsados por el crecimiento industrial durante la guerra, con fuerte avance en el proceso de urbanización, han puesto aún más de manifiesto la incapacidad de la agricultura española no sólo para impulsar vigorosamente, vía la demanda, la producción industrial, sino también para atender con suficiencia y adecuación las nuevas necesidades, diferentes en cantidad y en calidad, que una población más concentrada espacialmente en núcleos urbanos requiere de productos alimenticios. Por su parte, los problemas de los sectores industriales más afectados por las alteraciones producidas durante los años estudiados, plantean la conveniencia de avanzar más en la orientación de la política económica ya previamente delineada (nacionalismo económico, intervencionismo estatal, protección arancelaria, fundamentalmente). Por otro lado, el apuntalamiento inicial de determinadas actividades, como la del transporte ferroviario, exige nuevas actuaciones del sector público. Y sobre todo ello, las muy numerosas y mantenidas luchas obreras y campesinas, ya no tan directamente ligadas a reivindicaciones salariales como en los años precedentes (véase más arriba, de nuevo, el cuadro 9), con un espontaneísmo creciente, salpicado además de terrorismo... He aquí un conjunto más que suficiente de condiciones para promover el cambio de régimen político, en una sociedad en la que, por otra parte, la prosperidad derivada de la guerra ha impulsado nuevos grupos de poder económico que reclaman también un nuevo reparto de competencias y parcelas de dominio social.

Por todo ello, lejos de quienes afirman que el régimen dictatorial corta en su raíz un «nuevo esfuerzo de apertura liberalizadora de la clase política de la Restauración»,[2] arruinando así una posibilidad de reforma, como punto final de estas páginas se quiere insistir en la explicación de la Dictadura como medida de emergencia, como solución extrema, aunque provisional, que se adopta con el apoyo de una gran parte de los sectores sociales hegemónicos —oligarquía terrateniente, diversas entidades patronales de carácter industrial y financiero— para garantizar la continuidad de unos intereses y relaciones sociales amenazados. Y ante la impotencia de los gobiernos parlamentarios al comienzo de los años veinte para hacer frente a la magnitud y la violencia del conflicto social, para dar pasos resolutivos en la política económica y, en definitiva, para asegurar la permanencia y ampliación de los mecanismos de acumulación de capital. Desde este ángulo de observación, la Dictadura sí adquiere una significación precisa. Su virtualidad más inmediata, respecto a los intereses que la respaldan, estriba en su severa política de orden público (con efectos inmediatos: obsérvese la columna correspondiente a 1924 del cuadro 9, particularmente el descenso del número total de huelgas) y en la aprobación y aplicación de viejos proyectos (de política ferroviaria y crediticia, de política de fomento y protección de la industria, etc. etc.), obstaculizados hasta entonces por la propia descomposición de los resortes parlamentarios.

El enlace del período aquí considerado con el inmediatamente posterior —objeto de estudio del tomo IX— queda así apuntado: no otra ha sido la intención de las breves líneas de este epílogo.

NOTAS DEL CAPÍTULO IV

1. Como lo demuestra, por ejemplo, el hecho de que a partir de 1922 exista ya «un claro incremento en las mercancías transportadas por los ferrocarriles», aumento del tráfico ferroviario que es consecuencia de la recuperación de la economía española después de la crisis posbélica, como apunta Rafael Anes, *Los ferrocarriles en España...*, *op. cit.*, II, pp. 441 ss. y 477.

2. Por utilizar los mismos términos que emplea Carlos Seco al referirse a los sostenedores —Salvador de Madariaga y Raymond Carr, entre otros— de esa interpretación: *Alfonso XIII y la crisis de la Restauración*, Barcelona, 1969, p. 153.

QUINTA PARTE

ESPAÑA 1902-1923: VIDA POLÍTICA, SOCIAL Y CULTURAL

por
David Ruiz

CAPÍTULO PRIMERO

España y Europa en el primer cuarto del siglo XX

La presencia en el plano social de un protagonismo de masas, esto es, la movilización creciente de asalariados y capas populares, la adopción de una serie de fórmulas encaminadas a superar los trastornos de la Restauración en el orden político, y la aparición de un movimiento cultural renovador y crítico del sistema de valores dominante en el período precedente constituyeron, en síntesis, las principales líneas de fuerza en torno a las que se vertebraron los acontecimientos registrados entre la proclamación de Alfonso XIII y los comienzos de la primera dictadura española del siglo XX.

La reflexión sobre el primero de los rasgos apuntados conduce a una valoración de la movilización social observada en el sentido de atribuirla a un nivel desproporcionado en relación con las transformaciones económicas operadas durante el mismo período. Porque si estas últimas cubrieron, efectivamente, una etapa decisiva en el crecimiento del capitalismo español contemporáneo —particularmente desde el comienzo de la guerra mundial—, el incremento de población y la modernización de las estructuras sociales solo se correspondieron parcialmente con aquel.

Al crecimiento demográfico habido —18,5 millones en 1900, 21,5 en 1923— no se le puede, en rigor, calificar de espectacular y ajustado a la expansión económica general, máxime cuando se sabe que desde fines del siglo XIX habíase erradicado la peste (viruela, cólera morbo) sin que la mortalidad provocada por la «gripe española» de 1918, levemente superior al promedio de las dos últimas décadas, constituya un factor explicativo determinante del crecimiento relativo del período que examinamos. Más bien al contrario, la tendencia demográfica observada encuentra su explicación, por un lado, en la reducción de la mortalidad ordinaria —sobre todo infantil— provocada por el proceso de urbanización acaecido en la segunda década del siglo, y, por otro, en el descenso de natalidad (34,5 en el período 1901, 29,8 en 1920). Ambas variables introducirán a España en la órbita demográfica europea, quedando para ulteriores etapas la homologación de los índices de fecundidad y de envejecimiento [28 bis].

Combinando la evolución del reparto ocupacional por sectores de la población activa a través de las dos primeras décadas del siglo (63,16, y 18% en 1900 frente al 57,22 y 21 en 1920), con los datos proporcionados por los censos electorales que en 1915 asignaban casi la mitad del mismo al sector agrario sin computar en él los braceros, algo más de la tercera parte del conjunto de los asalariados, y la sexta parte de las clases altas y medias —conviene recordar que en la década del ochenta la restricción del sufragio afectaba al ochenta por ciento de la población masculina—, es posible percibir el ritmo que caracterizó la transición a la sociedad industrial durante aquel período. Asimismo, sin agotar el análisis cuantitativo de la sociedad española de la época —tarea aún pendiente de acometer— ya es factible, sin embargo, registrar el fortalecimiento económico de la burguesía —clase que tuvo la oportunidad de beneficiarse de la excepcional coyuntura de la guerra mundial—, el crecimiento numérico y en el nivel de conciencia de la clase obrera, así como la presencia, en absoluto desdeñable, de una capa social intermedia llamada a desempeñar un papel de relativa importancia en el seno de las formaciones republicanas, y plenamente hegemónica en el brillante movimiento cultural conocido como «Edad de Plata».

Institucionalmente al margen, pero en contacto real con amplios sectores de la sociedad, la Iglesia y el Ejército reforzarán su presencia estructural al convertirse circunstancialmente en el centro de la atención nacional. Pero si con respecto a la Iglesia podría concluirse que se asiste entonces a un proceso de lenta laicización —las propias cifras del clero se movieron en torno a los cien mil individuos entre 1900 y 1920 rebajándose en algunas décimas su participación en el conjunto de la población, lo cual podría confirmar esta tendencia más visible desde otros ángulos—, en el caso del Ejército acontecerá el fenómeno contrario y ello no tanto en función del crecimiento cuantitativo de los efectivos militares, prácticamente inalterables (471 generales y 24 750 jefes y oficiales en 1900; 517 generales y 24 000 oficiales en 1920), sino como resultado de la dinámica seguida por la lucha de clases en España en la época del imperialismo, trayectoria que culminará creando las condiciones favorables para un retorno al pretorianismo en 1923.

En el orden formalmente político, el estudio de las dos primeras décadas del siglo XX permite desvelar un esfuerzo continuado —aunque salpicado de antagonismos personales y de grupo—, encaminado a superar la crisis heredada del siglo precedente a lo largo de un proceso que cristalizó en dos tentativas de largo aliento: en primer lugar la renovación, pero no transformación, del sistema bipartidista mediante la eliminación del sistema de las adherencias más groseras evidenciadas antes de 1898, tarea esta que, contra todo tipo de resistencia, se logrará cumplir hacia 1913; en segundo lugar al procederse a la revisión crítica del turno pacífico, a la sustitución de la «vieja por la nueva política» en expresión de Ortega, orientada a la modernización del sistema canovista a partir de los años de la neutralidad bélica. Pero este empeño, surgido con retraso respecto del vigoroso movimiento ascensional experimentado por la clase obrera organizada, solamente servirá para testimoniar la endeblez de la fracción más dinámica de la burguesía al revelarse incapaz de desplazar a la oligarquía de la dirección del bloque de poder. Por todo ello la formación de gobiernos de concentración a los que se asiste tras la ruptura del turno, solamente servirán para realimentar las contradicciones propias de la clase dominante progresivamente permeable a la influencia del ejército. El golpe de Estado del general Primo de Rivera en 1923 arrumbaba por segunda vez —la primera ocasión la había protagonizado Martínez Campos en 1874— las cautelas constitucionales imaginadas por Cánovas como garantía generadora de una estabilidad política de larga duración.

Los grandes sobresaltos que acompañaron los primeros veinte años de la monarquía de Alfonso XIII fueron inseparables, a su vez, de las vicisitudes de la política exterior. En este capítulo el aislamiento practicado en el último tercio del siglo XIX se tornará posteriormente en neutralidad, en cuanto que será esta posición la que efectivamente se adopte entre 1914 y 1918. Ahora bien, en un contexto internacional definido por la transición del colonialismo al imperialismo en *sentido estricto*, en el que, tras el reparto de vastas extensiones territoriales asiáticas y africanas durante el último cuarto del siglo XIX, se asiste al cambio de dueño de una porción considerable de los mismos en los comienzos del siglo XX, la participación española en aquel proceso se vería seriamente limitada. Si, por un lado, y en función del mantenimiento del equilibrio en el Mediterráneo la diplomacia española tuvo la oportunidad de verse respaldada por Inglaterra y Francia —aquella interesada, como es sabido, en continuar asegurando el estrecho de Gibraltar, esta última en garantizar el dominio sobre Argelia— y abrigar la esperanza de participar en las postrimerías del reparto africano materializado en la opción marroquí, la debilidad de la posición negociadora, por otro lado, sumada a la ineficacia de la que dio repetidas muestras el ejército en la empresa imperialista, relativizó evidentemente la neutralidad mantenida ante la «gran guerra», entendida aquella como una decisión emanada de la voluntad de los partidos dinásticos, al mismo tiempo que comportó la renuncia posterior a la participación en la redacción de las cláusulas territoriales de Versalles.

Contrariamente, la resistencia ofrecida por los indígenas a la dominación española, la perseverancia en los errores cometidos por militares y políticos, determinarán una prolongación imprevista del conflicto más allá de 1918, abocándose a la *problematización* de la guerra de África. Será precisamente en este trance cuando surjan a escala nacional las más favorables condiciones objetivas del período para llevar a cabo una profunda revolución social; sin embargo, la alteración sufrida por la correlación de fuerzas en los comienzos de los años veinte permitirá, en última instancia, el triunfo del pronunciamiento conservador de 1923.

La explicación, finalmente, de la fecundidad cultural tampoco es posible remitiéndonos en exclusiva a la producción específica de la formación social española, por más que esta se viera ampliada con el aporte de las capas intermedias a las que anteriormente aludimos.

En el umbral del siglo XX, a las minorías que en Europa estaban en posesión de las cotas más altas del saber les cupo la posibilidad de presenciar los comienzos de la revolución científica y técnica contemporánea. Los esfuerzos llevados a cabo por una nómina relativamente numerosa de investigadores —los Curie, Thompson, Rutherford, Plank, Einstein, entre otros— tuvieron no solo la virtualidad de alumbrar simultáneamente la teoría atómica y la de la relatividad entre 1895 y 1905 y con ella la superación de la concepción clásica del universo (Copérnico, Galileo, Newton, Laplace), sino la de abrir una profunda polémica acerca del valor de la ciencia, discusión que inevitablemente se trasladará a la esfera del pensamiento filosófico contemporáneo.

La publicación en 1906 de la *Teoría física, su objeto y estructura* de Pierre Duhem, en la que concluía sobre la imposibilidad de explicar la realidad prescindiendo de la metafísica, venía a desarrollar en gran medida la reflexión de Henri Poincaré sobre el valor de las ciencias y el carácter convencional del espacio matemático y de las propiedades de la fuerza mecánica, insertándose en el proceso que condujo a la restauración de la primacía del espíritu [16]. La puesta en cuestión de las certezas científicas de la física clásica en beneficio de la probabilidad se configurará, pues, como un movimiento que acabará erosionando fuertemente la sólida fortaleza del positivismo decimonónico; a través de la ruptura que significó el rechazo al dogmatismo cientifista se abrían paso nuevas corrientes de pensamiento tales como el intuicionismo, la filosofía de la acción y el irracionalismo vitalista.

Contemporánea de la teoría de los *quanta*, la filosofía bergsoniana expuesta en la transición al siglo XX (*Materia y memoria,* 1896, *Ensayo sobre los datos inmediatos de la conciencia,* 1899, *La evolución creadora,* 1907), al negar al positivismo la posibilidad de rendir cuenta fiel de la realidad —incluyendo en esta *todo lo que es vital*—, contribuirá a la renovación de los supuestos conceptuales y metodológicos susceptibles de informar desde entonces el horizonte de la investigación.

Pero si bien el progresivo debilitamiento del positivismo favoreció al renacimiento del sentimiento religioso beneficiando, naturalmente, al cristianismo, que encontró en la literatura de la época su expresión más acabada, probablemente correspondió la mayor influencia a los postulados vitalistas desde el momento en que alimentaron las ideologías nacionalistas que se difundieron antes de 1914. Orientadas a la defensa y exaltación de las comunidades europeas aunque partiendo de diferentes concepciones, como en el caso francés —integrismo de Maurras, cristianismo de Peguy, socialismo de Jaurés—, o bien postulando el eclecticismo, como en Alemania, de una serie de influencias —predestinación y determinismo biológico, y algún otro componente— darán lugar al nacimiento de una literatura belicista como expresión, en este campo, del pangermanismo agresivo que sobrepasará los límites cronológicos de la primera guerra mundial. La presencia de la corriente nacionalista en esta etapa tenderá a cumplir, además, la misión de justificar tanto la práctica imperialista llevada a cabo por las grandes potencias pioneras —Rudyard Kipling en el caso británico— como la de aquellas otras de rango inferior que se sumaron ulteriormente al reparto colonial —Gabriel D'Annunzio en el caso italiano—.

Pero el multiforme pensamiento que sirvió de cobertura intelectual al imperialismo no se agotó en la producción de filósofos, narradores y poetas que se movieron en el seno de la clase dominante. La publicación por Bernstein de la obra cumbre del revisionismo marxista (*Postulados del socialismo*, 1899) se vinculaba objetivamente a los intereses de aquella al coronar ideólogicamente la práctica reformista seguida por amplios sectores del movimiento obrero centroeuropeo y británico y por la Internacional Socialista. Permanecía, sin embargo, la voluntad de transformar el orden establecido como lo ponía de relieve la búsqueda afanosa de instrumentos válidos para lograr la emancipación de los trabajadores. En esta dirección cabría al ruso Vladimir Ilich Ulianov, Lenin, el honor de ser el primero en insistir sobre la importancia del análisis teórico —«no hay movimiento revolucionario sin teoría revolucionaria»— como parte integrante de un partido de nuevo tipo que neutralizara la influencia ideológica emanada de la socialdemocracia (*¿Qué hacer?*, 1902), prosiguiendo ulteriormente en un vigoroso y lúcido esfuerzo de adaptación del marxismo a las condiciones de la Rusia y Europa de su tiempo (*El imperialismo fase superior del capitalismo*, 1916; *El estado y la Revolución*, 1918).

Finalmente, bajo la doble influencia del vitalismo bergsoniano y del auge que experimenta el sindicalismo, George Sorel planteaba la movilización del sector más consciente de las masas organizadas como la única alternativa revolucionaria. Pero, al contrario que el marxismo-leninismo, la «huelga general» de inspiración soreliana presentada como un mito activador de los trabajadores en oposición a los mitos alimentados por la revolución liberal-burguesa —progreso, igualdad política, libertad— estaría llamada, como es sabido, a tener una vigencia efímera y restringida a determinadas áreas geográficas del Mediterráneo occidental.

La contribución hispana al panorama cultural que acabamos de esbozar en sus líneas maestras podría calificarse de reducida, a la par que desigual. Y ello con independencia de la progresiva elevación del grado de receptividad experimentada en Europa hacia alguna de las manifestaciones españolas desde los comienzos de siglo.

Reducida, en primer lugar, por cuanto la hegemonía detentada por la oligarquía en el bloque de poder obstaculizó el desarrollo de la investigación —la concesión del premio Nobel a Ramón y Cajal en 1906 sería la excepción que confirma la regla— y permaneció incluso ajena a la revolución científica que se fraguaba más allá de los Pirineos. El mismo factor se encontrará entre los generadores de la penuria que en el ámbito de la literatura de justificación acompañó la experiencia colonial norteafricana, y que se manifestará también en el dominio cultural de las grandes opciones ideológicas orientadas a la clase obrera y popular. Porque si bien es cierto que las transformaciones socioeconómicas, la difusión del marxismo y los progresos de la socialdemocracia en las últimas décadas del XIX en Europa permitieron, junto a otra serie de factores, que el movimiento anarquista construyera en la franja mediterránea peninsular los enclaves más vigorosos hasta 1939 a escala mundial, el pensamiento emanado de su seno, en cambio, se verá frecuentemente distorsionado en su aplicación por la acción de las masas.

El marxismo seguirá, asimismo, una trayectoria peculiar definida a grandes rasgos por la escasa incidencia del revisionismo centroeuropeo en las primeras etapas de las organizaciones (PSOE, UGT) y por la recepción relativamente tardía y fragmentaria del leninismo en la dirección de aquellas. La línea dominante en el plano teórico, pese a la aparición de núcleos renovadores como la Escuela Nueva en la segunda década del siglo, continuadora en cierta medida de las aportaciones anteriores debidas a Jaime Vera y García Quejido, permanecería en alto grado dependiente de la producción editorial europea de carácter divulgador. La acogida dispensada a *El Capital* de Gabriel Deville —versión que llegó a cubrir las necesidades de cuadros del Partido Socialista— ilustra acerca de la penuria en que se desenvolvía la producción teórica marxista peninsular.

La desigualdad, segunda de las características que atribuimos a este tramo de la cultura, se relaciona estrechamente con la brillante ruptura que en el plano estético significó el modernismo desde finales del siglo XIX. La superación en el arte del costumbrismo regionalista representado por Sorolla, Romero de Torres, y Zubiaurre, entre otros, por la irrupción de la arquitectura de Gaudí, la escultura de Gargallo, la pintura de Picasso, los dibujos de Castelao, etc., significó en cierto modo un retorno a la época de Goya en cuanto al nivel artístico alcanzado.

En la misma línea, si bien mediatizados en mayor grado por las corrientes de pensamiento venidas de fuera —D'Annunzio, Gorki, Nietzsche— y por acontecimientos nacionales de relevancia indudable —desastre colonial, agudización de las contradicciones de la oligarquía—, se asiste desde principios de siglo a la irrupción de un elenco de escritores cuya producción alcanzará una calidad indiscutible logrando la cota más elevada en el campo de la narrativa. Se trata, naturalmente, de la generación del 98 que circunstancialmente agrupará la producción de Unamuno, Azorín, Baroja, Machado, Valle Inclán, Juan Ramón Jiménez, Maeztu..., constituyendo uno de los capítulos fundamentales de la historia de la literatura española del siglo XX.

* * *

Sin hacer abstracción de la influencia ejercida por la instancia económica, pese a que solamente se hagan las precisiones ineludibles de la misma dado que se halla incluida en capítulo aparte del presente volumen, la articulación de los acontecimientos correspondientes a la actividad política, social y cultural del período 1902-1923 se dividirá en tres capítulos separados entre sí por los acontecimientos de la Semana Trágica (1909) y por la huelga general de agosto (1917). Esta división obedece simplemente a que se parte del supuesto de una asimilación mecánica entre el reinado de Alfonso XIII y la crisis de la Restauración. No rinde cuenta fehaciente de la trayectoria del sistema en el primer cuarto del siglo XX, puesto que admitir aquella nos llevaría, en el supuesto más favorable, a operar con la categoría de *larga duración* en un período de indiscutibles convulsiones a escala internacional y nacional, e incluso a aceptar implícitamente el «estado de crisis permanente», como alternativa al enfoque de los acontecimientos en términos de *proceso*. Es, pues, esta última perspectiva la única posibilidad para introducir el máximo coeficiente reductor al formalismo inherente a la periodización histórica.

za de Picasso, los dibujos de Castelao, etc.— [illegible] en cierto modo un referente a la época de Goya [illegible] al nivel literario [illegible].

[illegible] la misma [illegible], si bien mediatizada [illegible] por las corrientes de pensamiento [illegible] (Unamuno, Ganivet, [illegible] Maeztu...) y por acontecimientos nacionales de [illegible] —desastre colonial, [illegible] de las contradicciones de la [illegible] dida—, se siente desde principios de siglo la irrupción de un nuevo [illegible] cuya introducción alcanzará una calidad [illegible] elevada en el terreno de la narrativa [illegible], naturalmente, de la generación del 98 [illegible] Unamuno, Azorín, Baroja, Machado, Valle-Inclán [illegible] Maeztu [illegible], constituyendo uno de los capítulos [illegible] de la historia de la literatura española del siglo XX.

[illegible] hacer abstracción de [illegible] para que solamente [illegible] de la última etapa, que se halla [illegible] en la articulación de los acontecimientos [illegible] actividad política, social y cultural [illegible] separados entre sí por los acontecimientos de la Semana Trágica (1909) y por la huelga general de agosto (1917). Esta división [illegible] complementaria [illegible] del supuesto de una [illegible] contemporáneo del [illegible] XIX [illegible] más favorable [illegible] conflictos sociales [illegible] el estado de [illegible] de la [illegible] Por [illegible] para [illegible] el [illegible] literaria [illegible].

CAPÍTULO II

1902-1909. Problemas de la oligarquía, impotencia de la oposición

Si hasta una época reciente el año 1902 no ha logrado figurar como punto de partida en la periodización del siglo XX español, ello ha sido motivado, probablemente, por la impregnación ideológica del 98 que llegó a afectar hasta la propia historiografía tradicional a raíz de la derrota colonial. Superada aquella situación ha sido posible discernir el significado de los acontecimientos acaecidos dos o tres años después, entre los que podrían seleccionarse, por ejemplo, la proclamación del rey Alfonso XIII, el comienzo de las negociaciones con Francia sobre Marruecos, la huelga general de Barcelona, y la publicación de la obra de Joaquín Costa (*Oligarquía y caciquismo como forma actual de gobierno: urgencia y modo de cambiarla*), memoria de la que, como es sabido, había informado un año antes en el Ateneo de Madrid.

Podrían añadirse otros hechos referidos a la esfera del pensamiento y de la producción literaria, como la publicación de *La voluntad* de Azorín, *Amor y pedagogía* de Unamuno, *Camino de perfección* de Baroja, *Sonata de Otoño* de Valle Inclán, etc. Pero si la fecha propuesta adquiere relevancia ello es debido a que, junto a las circunstancias señaladas, fue precisamente entonces cuando se entrelazaron el comienzo y el ocaso de dos fenómenos aparentemente contradictorios, a saber: la recuperación de la actividad económica motivada por el debilitamiento del mercado exterior, y el agotamiento de las primeras corrientes regeneracionistas surgidas a raíz del desastre de 1898.

Continuando el camino emprendido en la última década del siglo XIX por Lucas Mallada, Macías Picavea, Damián Isern y el joven Unamuno, en el umbral del siglo XX se evidenciaba efectivamente el fracaso de los movimientos encabezados respectivamente por un militar, el general Polavieja, y por Joaquin Costa, el notario recluido en Graus. Los postulados contenidos en el programa de aquel: erradicación del caciquismo, explotación de los recursos nacionales, arribada al poder de los industriales, etc., se vieron en cierta medida complementados por la llamada de Costa a los pequeños propietarios de la tierra y a los comerciantes, todo ello acompañado de una denuncia incesante de la administración vigente.

Pero ninguno de los dos movimientos será capaz de cristalizar en instituciones renovadoras durables. El «polaviejismo», después de suscitar un cierto grado de adhesión inicial entre los fabricantes catalanes y en otras áreas, acabará integrándose en el Partido Conservador. Esta actitud favorecerá de rechazo el deslizamiento hacia el catalanismo de masas protagonizado por el triunfo de la Lliga sobre los partidos dinásticos en 1901. El «costismo» de aquella hora —movilizador de las Asambleas de Cámaras de Comercio y Liga Nacional de Productores— se decantaría ulteriomente en influencia doctrinal de la que se reclamarán junto a la política hidráulica y forestal, las más dispares especulaciones teóricas y justificaciones de signo antidemocrático debidas a la manipulación de categorías políticas tan ambiguas como la del «cirujano de hierro» silenciándose, en cambio, las posiciones republicanas y reformadoras mantenidas por el último Costa [25].

1. LA INCAPACIDAD DE LOS GOBIERNOS

El alto grado de inestabilidad política y el fraccionamiento de los partidos turnantes se presentan como dos de las manifestaciones más visibles de la crisis del sistema canovista en la primera década del siglo.

El primero de los rasgos dominantes apuntados adquiere posibilidades de verificación cuando, aunque de un modo sumario, es susceptible de medición mediante la observación de la frecuencia de los cambios de gobierno o bien, cuando en el supuesto de producirse el derrumbamiento del sistema, el objeto demanda naturalmente un análisis cualitativo. Al no haberse registrado esta última situación en los años que comprende nuestro estudio, únicamente cabe examinar aquel fenómeno subrayando la fugacidad que aquejó a los gabinetes ministeriales estableciendo comparaciones con el período precedente. Si en este —más concretamente bajo la regencia de María Cristina— la duración promedio de cada gobierno alcanzó los veintidós meses, bajo la monarquía de Alfonso XIII las variaciones también serán notables: ciñéndonos al período que se extiende entre la coronación del rey y la Semana Trágica (1902-1909), y no incluyendo en el cómputo el gobierno «largo» de Maura, se contabiliza un gobierno cada cinco meses, movilidad que solamente será igualada ulteriormente en los años 1917-1923, fase en la que ya se percibe con meridiana claridad la *descomposición* del sistema.

En estrecha relación con la celeridad en la que se suceden los relevos en la presidencia de los consejos, se observa la presencia de corrientes en el seno de los partidos que conducirán al fraccionamiento de los mismos. Tras la desaparición de los líderes históricos —Cánovas había sido asesinado en 1897 y Sagasta había fallecido en 1903, si bien la muerte política de este databa del verano de 1898— se asiste a la aparición de una copiosa serie de aspirantes al liderazgo de las viejas formaciones políticas. La correlación de fuerzas existente, junto con los méritos personales de los candidatos, seleccionarán finalmente a una decena de personalidades tales como Francisco Silvela, Raimundo Villaverde, Antonio Maura y Eduardo Dato entre los conservadores, y a Segismundo Moret, Montero Ríos, Canalejas y Romanones, entre los liberales. Todos ellos desfilaron ante la opinión pública como principales detentadores del poder, por un lado, en el seno de los respectivos gabinetes ministeriales, y como cabezas de fila, por otro, en la mayoría de los casos, al frente de las clientelas formadas en cada uno de los partidos.

Ahora bien, atribuir la fragilidad del sistema a las frecuentes mutaciones ministeriales, y las tendencias que cuartearon los partidos dinásticos a la inexistencia de líderes capaces de proseguir la acción política llevada a cabo por los *«arquetipos»* de la Restauración (Cánovas y Sagasta), implicaría minimizar el papel ejercido por la monarquía dentro del sistema al permitir situarla por encima del mismo exonerándola, en consecuencia, de cualquier responsabilidad en su funcionamiento. La presencia de Alfonso XIII al frente del Estado desde 1902 significará precisamente la apertura de una nueva época en la que la intervención regia, aprovechando las imprecisiones que ofrecía el texto constitucional vigente —el de 1876—, se tornará en injerencia progresiva en los asuntos de gobierno reservados hasta entonces a la presidencia del Consejo de Ministros, a las Cortes, al Ejército y a otras instituciones, contribuyendo con ello a lastrar aún más el ritmo de la vida política propiamente dicha.

Pero aun teniendo en cuenta la permeabilidad de la Constitución a la extralimitación del poder ejecutivo y la propensión del monarca a participar en determinadas tareas de gobierno —son reveladoras a este respeto las notas de su Diario redactadas en vísperas de la coronación, cuando plantea la eventualidad de ser relegado a mera figura decorativa por los ministros, «y por fin, puesto en la frontera»—, la contribución de Alfonso XIII al descrédito y al colapso ulterior del sistema de partidos que le había posibilitado el acceso al trono, solamente cobra sentido conociendo el marco en el que se generaba el poder político a partir de 1902.

La práctica electoral vigente, que continuaba arrojando cifras de abstencionismo superiores al 30% del censo, había traspasado sin alteraciones sensibles también la barrera de 1898 y los primeros tiempos del nuevo reinado al no haber sido «descuajado» el falseamiento electoral que los regeneracionistas, y sobre todo Costa, acababan de denunciar. Permanecían las relaciones triangulares que protagonizaban el cacique nacional —el oligarca—, el gobernador civil y el cacique local, relaciones que reflejaban las contradicciones de los partidos dinásticos al verse forzados, una convocatoria tras otra, a reincidir en el «encasillado» y otros procedimientos cuya aplicación había dado los resultados previstos para la oligarquía en la fase de plenitud de la Restauración.

Pero ni el rechazo mediante la acción política continuada, dada la debilidad orgánica de las fuerzas opuestas al sistema, ni la timidez de los intentos modernizadores llevados a cabo «desde dentro», como la promulgación de la Ley Electoral de 1907 que tendrá, por otro lado, la virtud de provocar aún mayores trastornos en la representatividad legislativa desde su aplicación en 1910, serán capaces de convertirse en resortes movilizadores de las masas. Si la atonía política dominante menguó desde los comienzos del siglo, ello se debió a factores externos, a la pérdida de influencia experimentada por los partidos turnantes en los núcleos de mayor población, en donde la presencia de republicanos, socialistas y grupos regionalistas incidiría sobre los vicios electorales logrando producir una quiebra relativa y paulatina de la tradición caciquil.

De todos modos, los resultados alcanzados fueron escasos; razón por la cual la clase dirigente no se arriesgará a modificar su forma de dominación dando lugar a que la experiencia anterior, esto es, la del «turno pacífico», se prolongara mal que bien diez años más, permitiendo el fortalecimiento del poder oligárquico circunstancialmente puesto en tela de juicio por la agitación que prendió en sectores determinados de la burguesía industrial, y entre los pequeños propietarios agrícolas y del comercio a raíz de la crisis colonial.

Cabe afirmar que la reanudación del turno fue inaugurada oficialmente desde el momento en que el monarca —a finales de 1902— relegaba de sus funciones a Sagasta y encargaba a Silvela la formación de un nuevo gobierno; desde aquella fecha hasta el verano de 1909 la alternancia en la presidencia del Consejo de Ministros fue la siguiente:

1903-1905 —Partido Conservador
1905-1907 —Partido Liberal
1907-1909 —Partido Conservador

La obra de gobierno orientada a dotar al conjunto del sistema de una mayor racionalización —actualización de la Hacienda por Villaverde, reforma de la Administración Local emprendida posteriormente por Maura— se vio incrementada por la adopción de una serie de medidas que deben figurar en el haber de las conquistas alcanzadas por la presión de los trabajadores; de ningún modo entre las «anticipaciones» debidas a una clase dirigente, en alto grado expresión de los intereses de la oligarquía. Las de mayor importancia entre aquellas fueron la creación del Instituto de Reformas Sociales en 1903, entidad destinada a conocer la situación socioprofesional del país y al asesoramiento del gobierno en materia de disposiciones legislativas a promulgar, y la fundación en 1908 del Instituto Nacional de Previsión. Entre la puesta en funcionamiento de ambas instituciones fueron promulgadas medidas, que regularon el descanso dominical y la jornada laboral de mujeres y niños.

En contrapartida a esta moderada preocupación por las condiciones de trabajo de los asalariados, la intangibilidad de la estructura agraria meridional fue la nota dominante del período. Una encuesta sobre la situación de Andalucía promovida por el Instituto de Reformas Sociales y llevada a cabo entre 1903 y 1905 encontraría obstáculos infranqueables a la hora de traducirse en eventuales reformas, en el supuesto de que se califique de este modo la concesión de dos mil hectáreas de tierras públicas e incultas a repartir en medio millar de lotes —colonización meramente testimonial (Ley González Besada, 1907) —y en la propuesta fallida de redención de foros, cometido este en el que desplegaría una hostilidad notable el conde de Romanones, delfín entonces del Partido Liberal.

Si el conservadurismo fue, en última instancia, el factor determinante de la parálisis que aquejó a los gobiernos del turno pacífico en lo que a la elusión de los problemas interiores concernía, idéntica actitud impregnaba la esfera de las relaciones internacionales. En este orden, el aislamiento, la estrategia del «recogimiento» preconizada e impuesta por Cánovas, había calado tan hondo bajo el período precedente que fue capaz de resistir el embate antillano y el subsiguiente Tratado de París de 1898. La torpeza de que dio muestras la diplomacia hispana al no percatarse de la brusca aceleración experimentada en la práctica imperialista de las grandes potencias europeas secundará, además, aquel principio decimonónico que informó las relaciones internacionales desdeñando, en consecuencia, la obtención de las ventajas que la revalorización experimentada por la península Ibérica en la nueva coyuntura podía proporcionar.

Finalmente, dada la influencia ejercida por la creciente tensión internacional, se replanteará la polémica entre los «intervencionistas», para quienes —como el general Polavieja— prolongar la situación anterior equivalía a «una absurda protesta contra el sentido moderno del derecho internacional, el mayor peligro de los estados débiles», y los «neoaislacionistas», que justificaban la inhibición española ante la imposible participación en el reparto colonial. En todo caso, en aquella tesitura se abría camino la idea de un retorno a la arena internacional a escala geográfica reducida —en el norte de África— y diplomáticamente pobre, a la colaboración con Francia.

El período 1902-1909, comprendido en la fase diplomática o de «penetración pacífica», según la expresión de Delcassé, en un Mogreb sobre cuya población tribal el sultán no parecía ejercer otra autoridad que la puramente nominal, es susceptible de dividirse a su vez en dos breves fases separadas por la Conferencia de Algeciras.

Durante la primera, el prejuicio prevalerá ante la carencia de una información adecuada sobre los intereses que movían los hilos de la política exterior de las grandes potencias. De otro modo no se explica satisfactoriamente que el jefe de gobierno Silvela, en función de una hipotética oposición británica, se negara a suscribir los acuerdos negociados en París por León y Castillo, acuerdos que colocaban bajo el protectorado español un territorio con centro en Fez y que se extendía desde la costa hasta la orilla derecha del Sebú. Aquella actitud del gobierno conservador condicionará a renglón seguido el acuerdo anglofrancés en el que, a pesar de la débil posición negociadora española y de la hegemonía gala en el norte de África, ambas potencias continuarán reconociendo los «legítimos derechos de España en la costa norte de Marruecos».

Este reconocimiento, sumado a la gestación de las perspectivas mercantiles que ofrecía el sultanato de Marruecos después de la pérdida de Cuba, originará la ruptura del africanismo decimonónico que se reclamaba aún de testamento de Isabel la Católica e influirá en la aparición de los Centros Comerciales Hispano-Marroquíes (1904) y en la aparición de la revista *España en África* (1903), facilitando la creación de una atmósfera propicia a la celebración por primera vez en suelo español de uno de los cónclaves internacionales que jalonaron las negociaciones del imperialismo de la preguerra.

La Conferencia de Algeciras (1906), forzada, como es sabido, por las exigencias alemanas en el estrecho de Gibraltar —principalmente por la visita del Kaiser a Tánger en 1905—, presenciará la confrontación franco-germana sobre Marruecos, preconizando Francia el reparto del territorio en dos áreas de influencia, a lo que Alemania opondría la tesis de un Marruecos libre de tutelas políticas y económicas; finalmente se llegará a una solución de compromiso que contemplará la dualidad del protectorado franco-español y la internacionalización de aquel espacio en el orden económico.

Con anterioridad a la delimitación definitiva de las respectivas zonas de influencia —acuerdos que no se producirán hasta 1911 tras la crisis de Agadir— ya se habían celebrado cuatro congresos africanistas y un sector del capital hispano se sentía, al fin, atraído por los recursos del Atlas y fundaba las primeras sociedades mineras. Precisamente la celeridad de los trabajos emprendidos por la Compañía Española de Minas del Rif para evacuar el mineral de hierro hacia el puerto de Melilla, actuaría como detonante movilizador de las cábilas afectadas contra la presencia española. La decisión del gobierno de Madrid de llamar a los reservistas para sofocar la rebelión en las proximidades de Melilla en el verano de 1909, provocaría a su vez los acontecimientos de la Semana Trágica de Barcelona. La «penetración pacífica» tocaba a su fin.

2. LA IMPOTENCIA DE LA OPOSICIÓN

Marginando deliberadamente el carlismo al considerarlo una fuerza irrelevante, puesto que durante este período ni recurrió a la acción armada ni rebasó en las urnas el 3% de los votos, la oposición al sistema comprende una corriente de pensamiento minoritario, unas fuerzas republicanas fragmentadas y, en algunos casos, con propósitos cargados de ambigüedad, y un movimiento obrero definido principalmente por el bajo nivel de vida y una organización desigual.

Sinteticemos, en primer lugar, el papel desempeñado por los componentes de la generación del 98 y el aporte cultural y científico de la institución universitaria.

Como anteriormente se ha apuntado, tanto la cantidad como, sobre todo, la calidad de la producción de los escritores del 98 —escritores a quienes la correlación de fuerzas en el contexto de la crisis transformó en intelectuales— se tornó, en una proporción difícilmente mensurable, en una revisión racional y crítica del orden establecido. Ahora bien, si por un lado aquel grupo, vinculado por la extracción social de la mayoría de sus miembros a la pequeña burguesía y clase media, fue capaz de generar rupturas en el plano estético mediante la renovación enriquecedora de la narrativa tradicional, su influencia fuera de aquel marco se debilitará progresivamente desde el momento en que la primitiva diagnosis que realizaron sobre los «males de España» difundidos por diversos medios de expresión (libros, revistas, diarios importantes) no fue secundada por la presentación coherente de una alternativa social y nacional que fuera asumida por las capas más progresivas.

Es en este sentido como cabría situar, dentro de la formación social española, a los hombres del 98 como intelectuales que romperán con la estructura dominante sin que ello signifique integrarse en la opuesta [41]. Este fenómeno será verificable desde el momento en que la relativa recuperación económica y política que siguió a 1902, coincidiendo con la superación de la crisis juvenil en algún caso, evidenció la progresión del individualismo que caracterizó a la mayoría de los componentes de aquella generación que se desligaron del compromiso político y social —el caso de Antonio Machado constituirá la excepción más notoria—, a la búsqueda del éxito personal concebido como gratificación de la creación artística.

El legado de aquella generación presidida por un indudable componente crítico probablemente no hubiera alcanzado la relevancia adquirida en la historia de la cultura española, de haber coincidido su quehacer con la reactivación de la Universidad. Pero esta, a pesar de la creación del Ministerio de Instrucción Pública en 1901, fue probablemente una de las instituciones menos favorablemente influida por la regeneración. Proseguirá funcionando «como una oficina de expedición de títulos basados en la exigencia irracional del examen y en la opresiva presencia de tal cual manual remedia-vagos», según denunciaba Giner de los Ríos en el Congreso de Universidades celebrado en Valencia en 1902.

Dejando a salvo la aportación de algunas figuras ilustres del profesorado cuyo esfuerzo individual superó ocasionalmente las adversas condiciones que imponía la oligarquía a la investigación, los logros más importantes conseguidos durante lustros en torno a la Universidad fueron la creación de la *Junta de Ampliación de Estudios*, el *Centro de Estudios Históricos* y el *Institut d'Estudis Catalans* entre 1907 y 1909. La puesta en marcha de la Junta, cuya presidencia ocuparía Ramón y Cajal un año después de haberle sido otorgado el premio Nobel de Medicina, permitirá desde entonces el acceso a los centros de investigación extranjeros de una serie de jóvenes estudiantes españoles. El Centro de Estudios Históricos impulsaría, bajo la dirección de Ramón Menéndez Pidal, la obra de una serie de filólogos (Navarro Tomás), historiadores de la literatura (Américo Castro), medievalistas (M. Pidal y Sánchez Albornoz), arqueólogos (Gómez Moreno), historiadores del Arte (Sánchez Cantón), entre otros, si bien la aportación de alguno de ellos como la del propio Menéndez Pidal y Sánchez Albornoz se verá limitada en su fecundidad por la utilización de una metodología subsidiaria en alto grado de la ideología liberal-nacionalista.

Sin haberse agotado el tema, es posible afirmar que el comportamiento de la Universidad española a raíz del desastre también fue heterogéneo y desigual. Como ha sido subrayado recientemente, «la reforma del carácter nacional, la revitalización de las formas primarias de la sociedad frente a la falsificación de la política, la voluntad pedagógica, la búsqueda de la verdadera tradición española, fueron unos lemas que posibilitaban por igual una reacción conservadora (donde Menéndez Pelayo cubriría la misión de Taine) que un reformismo pequeñoburgués de izquierdas» [22].

Si en la Universidad de Zaragoza la innovación adquirió un carácter conservador que no reaccionario —actividad desplegada por un grupo de juristas en una línea católico-social y por el arabista Julián Ribera, entre otros—, en Oviedo, en cambio, la Universidad protagonizará una de las experiencias más originales llevadas a cabo en España en el campo de la transmisión del saber fuera del recinto tradicional al ponerse en marcha la Extensión Universitaria. La coincidencia en el claustro de la universidad asturiana de un grupo de profesores de filiación gineriana,

Altamira, González Posada, Leopoldo Alas, Álvarez Buylla, Sela y algún otro, en un momento en que el proceso de industrialización regional conocía una fase de reactivación relacionada con la repatriación de capitales ultramarinos, determinó la orientación de aquel grupo de profesores que se reclamó del utopismo educativo como remedio insoslayable a la regeneración y, en este caso, centrando su actividad pedagógica mediante la impartición de conferencées y de cursos variados a las capas populares y proletariado de las minas y las fábricas entre 1900 y 1909, aprovechando desde sus comienzos la instalación de la luz eléctrica para la enseñanza nocturna.

Pero dadas las condiciones regionales en las que debió desarrollarse aquella experiencia —escasos efectivos entre el profesorado dispuesto a llevar a cabo la tarea, pasividad cuando no obstrucción abierta de las fuerzas reaccionarias, mínimo apoyo de la burguesía industrial y financiera, y progresiva penetración del marxismo y anarquismo entre la clase obrera—, el movimiento de aquellos reformistas sociales no alcanzó los resultados previstos. Si, por un lado, la elevación del nivel cultural de la clase obrera constituía una labor encomiable, por otro, el contenido de sus enseñanzas resultaba en última instancia paternalista; en todo caso, aquella experiencia revelaba a la vanguardia obrera las limitaciones de la cultura en sí como motor de las transformaciones necesarias, al mismo tiempo que contribuyó a incrementar la preocupación y la sensibilización por los problemas sociales en determinados sectores intelectuales y del profesorado. No obstante, se había llevado a cabo la mayor aproximación de la Universidad a la sociedad en la España contemporánea y, en algunos casos, el contacto con la clase trabajadora permitirá comprender cómo aquel grupo de profesores políticamente independientes y, por supuesto, sin vinculación sindical, colaboró en la tarea de borrar las fronteras que separaban la impronta elitista que caracterizó a la Institución Libre de Enseñanza del siglo XIX, con el tono más pragmático que informó el Instituto de Reformas Sociales a principios del siglo XX; organismo en el que algunos de aquellos —principalmente Álvarez Buylla— colaborarían ulteriormente.

En segundo lugar, entre 1902 y 1909 la oposición republicana tampoco se presentará entonces como un serio peligro para la monarquía de Alfonso XIII. Ello se debió, en síntesis, también a la carencia de una alternativa reformadora y democrática y a la división existente en el seno de los ya de por sí escasos efectivos del republicanismo activo.

La reducida importancia que las reformas sociales ocupaban en los diferentes programas, en contraste con el énfasis atribuido al incremento de la laicización de la vida española —y también de la muerte, por lo que atañe a la secularización de los cementerios—, explica el escaso atractivo ejercido sobre la clase obrera al mismo tiempo que la sensibilización ideológica de determinados sectores de las capas medias urbanas, entre los que se encontraban los más fieles seguidores del movimiento republicano en su conjunto.

Las divergencias doctrinales, por otro lado, no se extinguieron a medida que el republicanismo histórico era suplantado por el nuevo. Como es sabido, las corrientes que se reclamaban de la experiencia de 1873, o bien habían abocado al colaboracionismo con el régimen de la Restauración —tal es el caso de la fracción acaudillada por Castelar— o se desvanecían paulatinamente al empezar el nuevo siglo, situación esta última a la que llegaron los federales de Pi y Margall, los centralistas de Salmerón y los progresistas de Ruiz Zorrilla; y ello con independencia de que el ideario federal pervivirá hasta los años treinta, y de que las «huestes» de Salmerón colaborarán activamente en la erección y triunfo de la Solidaridad Catalana en 1907.

El republicanismo de pretendida nueva planta que nace a comienzos del siglo evidenciará, asimismo, la fragilidad y la división que caracterizó el antiguo, puesto que entre ambos no se había producido la ruptura total. Si el movimiento democrático que surge en Asturias a principios de siglo encabezado por Melquíades Álvarez encontró una acogida favorable entre la burguesía no oligárquica y entre profesionales e intelectuales, no solo se debió a la imposible recuperación de la clase obrera en trance de adscripción al socialismo y al anarquismo —e incluso al catolicismo social— sino también a la influencia de la filosofía de la Institución Libre de Enseñanza en los principios programáticos de aquel. Resulta significativo a este respecto que el líder de aquel republicanismo moderado fuera un profesor de la Universidad de Oviedo en los comienzos de la Extensión —aunque no participó en ella al volcarse a la actividad política propiamente dicha— y que fuera Gumersindo de Azcárate quien patrocinara el acto fundacional del Partido Reformista en 1913.

La formulación radical de republicanismo expresado a través de Alejandro Lerroux, también desde principio de siglo, enlazaba por su lado con el progresista Ruiz Zorrilla desde la escisión que en 1895 se produjo en aquella corriente. Desde entonces hasta la fundación del Partido en 1908, el crecimiento del movimiento radical no puede disociarse de la aportación levantina del «blasquismo», y sobre todo del auge que experimenta en Cataluña. A pesar de la división política y del desigual reparto geográfico y sociológico de la influencia republicana, puede afirmarse que esta fuerza se convirtió en el principal adversario político del sistema de turno, llegando casi a duplicar el número de representantes en el Parlamento en el período que estudiamos (19 escaños en 1901; 34 escaños en 1907).

Por lo que se refiere al comportamiento del movimiento obrero, es preciso empezar por conocer sumariamente al menos las condiciones de vida y su nivel de organización. Dentro del conjunto de una población asalariada que al final de la primera década ya se aproxima a dos millones —computando en esta cifra a los braceros del campo— podrían distinguirse los siguientes rasgos:

1.° Que subsistía el paro agrícola e industrial mientras se registraba una tendencia a disminuir la jornada laboral, que oscilaba entonces entre las ocho horas alcanzadas por los canteros de Madrid y los albañiles de Gijón en 1900, y las doce horas que seguían laborando, por ejemplo, los operarios del gas, también de la capital de España.

2.° Que ya había cristalizado, sin embargo, la gradación de las diversas categorías laborales en base a la cualificación profesional, dando lugar a la desigualdad de retribución salarial, siendo el sector industrial el más favorecido —aunque con notables diferencias internas, según ramas y oficios— y el trabajo agrícola y el femenino, por este orden, el menos beneficiado.

3.° Que permanecía un alto grado de analfabetismo —60% en el campo, 40% en las ciudades—, mientras la voluntad de adquirir instrucción se incorporaba como una necesidad histórica de las capas populares.

4.° Que en tanto se hace cada vez más visible la influencia del socialismo y del anarquismo, perviven el societarismo, las sociedades de resistencia y se apunta, dentro de la influencia católica, una superación que trasciende el ámbito propiamente confesional.

Distribución geográfica de las huelgas, 1900-1905 **XVI**

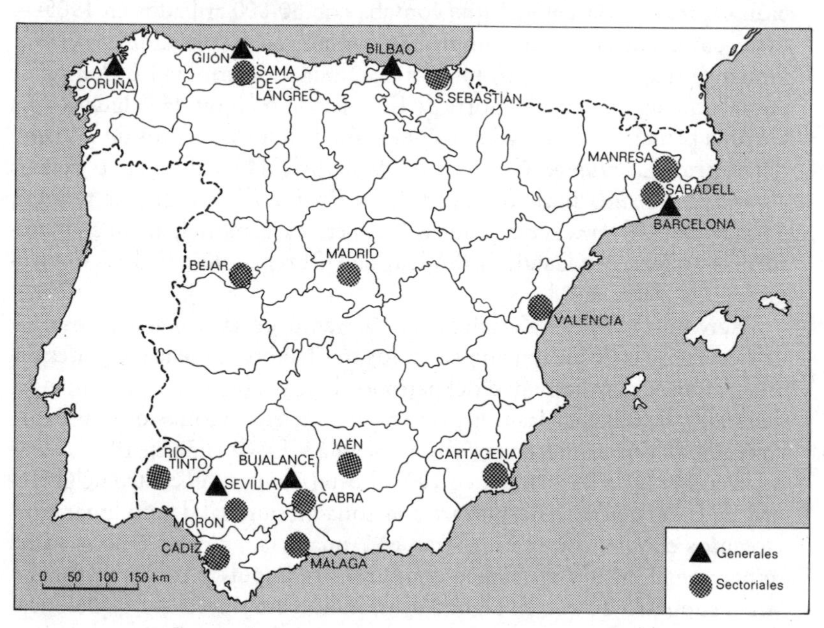

El crecimiento del socialismo es cuantificable por los votos obtenidos en las elecciones generales —oscilarán entre veinticinco y treinta mil durante el período—, con la presencia en los ayuntamientos —el máximo de concejalías ocupadas será de 75 en 1905—, la fundación de las Juventudes Socialistas el mismo año y el incremento de órganos de expresión del partido —junto a *El Socialista*, fundado en 1886, circularon entonces *La Lucha de Clases* en Vizcaya, *La Aurora Social* en Asturias, *El Obrero Balear* en Mallorca y algún otro—. Dada la afinidad ideológica con el sindicato e incluso la confusión organizativa en aquel período, también sirve para este fin el número de afiliados a la UGT, que es mejor conocido: cerca de treinta y tres mil afiliados en 1902, cincuenta y siete mil en 1904 y cuarenta y cuatro mil en la primavera de 1909. Otro foco de irradiación que habría que sumar a los anteriores sería la «Casa del Pueblo», inaugurada en Madrid en 1908. En cuanto a la expansión geográfica, a los bastiones tradicionales (Madrid, Vizcaya, Asturias) habría que sumar en este período su presencia en Jaén, Pontevedra y Béjar.

Más difícil de precisar es el área de influencia anarquista dadas las dificultades de discernir entre las organizaciones obreras que asumieron aquella doctrina —al menos a nivel de dirección— de las asociaciones meramente defensivas, de resistencia, en una etapa caracterizada por la efervescencia de la «huelga general» y la transición hacia el sindicalismo que culminará en la fundación de la CNT en 1910.

A falta de cifras globales —se conocen, entre otras, las de la Federación Obrera de Barcelona, que contaba con 30 000 afiliados en 1905—, otros datos que permiten comprobar la importancia que adquiere el movimiento fueron el arraigo, junto a Cataluña y determinados puntos de Andalucía, en núcleos del norte de España como Gijón, la Felguera y La Coruña principalmente, y la proliferación de nuevos medios de difusión del ideario (*La Huelga General*, en 1902, dirigida por Francisco Ferrer, *Tierra y Libertad*, diario desde 1903, *La Revista Blanca*, órgano teórico, *Solidaridad Obrera*, semanario en 1907, etc.) y la participación en plataformas unitarias en Cataluña (Solidaridad Obrera, 1907; Federación Regional Catalana, 1908).

Reivindicaciones salariales, acortamiento de la jornada laboral, y protesta ante la desocupación serán los tres factores desencadenantes del alto grado de conflictividad del período. Este se abre con cuatro huelgas generales, localizadas las tres primeras en núcleos urbanos que las experimentaban por primera vez (Gijón, Sevilla y La Coruña en 1901), siendo la cuarta la de Barcelona, en 1902. Posteriormente el centro de gravedad de la agitación se desplazará a la zona meridional dando lugar a los violentos choques que se registran en Andalucía, en cuya génesis ya no se percibe el influjo mesiánico como resorte impulsor de los disturbios (en el supuesto de que en alguna ocasión hubiera sido el factor desencadenante) sino la coyuntura económica condicionada por las crisis agrarias de los años 1903 y 1905 principalmente, para retornar de nuevo la agitación, tras el reflujo campesino, al norte industrial y minero (ría del Nervión y cuenca del Caudal: la «huelgona» de Mieres en 1906) y culminar aquel período de disturbios sociales el proceso en la «Semana Trágica» de Barcelona.

Con la excepción de Galicia, en donde la publicación a fines de siglo de la obra de Alfredo Brañas, *El Regionalismo*, y del periódico *La Patria Gallega*, ambos aparecidos en 1899, no significaba que el movimiento galleguista hubiera superado la fase de los juegos florales, la oposición al centralismo oligárquico se reforzará en aquella fase con la llegada a la mayoría de edad del nacionalismo vasco y, sobre todo, del catalanismo.

Las transformaciones económicas y sociales registradas en el País Vasco antes y después de 1898 conducirán al Partido Nacionalista desde la ortodoxia originaria a la manifestación abierta de su contradicción central, evidenciada por vez primera antes de la Semana Trágica.

La necesidad de salir del aislamiento en que se hallaba sumido debido a la valoración idealizada que había efectuado Sabino Arana del mundo rural y las capas medias urbanas, de la etnia y la cultura vasca amenazadas por la inmigración «maketa», del catolicismo tradicional y del irredentismo foral, visión que concluía en la aspiración a la independencia de Euzkadi, se verá modificada desde el momento en que el fundador del PNV se planteó la incorporación de la nueva burguesía a la causa nacional vasca. Las exigencias específicas de esta clase, es decir, la prosecución de su actividad empresarial en el conjunto del mercado español, determinará, no obstante, la aparición de una corriente que propugnará la sustitución del proyecto independentista de la ortodoxia sabiniana por la más pragmática reivindicación autonómica. En esta dirección apuntaba el proyecto de la Liga Vasco-españolista en 1902, si bien la autonomía postulada por aquella la presentaba efectivamente como «la más radical posible dentro de la unidad del Estado Español».

Situada frente al «bizkaitarrismo» tradicional, esta corriente posibilista o desviación «euskalerriaca» se manifestará a través del semanario *Euskalduna* y se aproximará al conservadurismo maurista entre 1907 y 1909. Mientras tanto, la pequeña burguesía ortodoxa mantendrá la hegemonía en la dirección del PNV tras la muerte del fundador, logrando aplazar apenas una década el predominio euskalerriaco en el seno del nacionalismo vasco.

En todo caso el problema que anteriormente apuntamos quedaba planteado desde el momento en que, si por un lado se había producido un viraje en el pensamiento sabiniano, este fue más estratégico que doctrinal, limitación que determinará «la coexistencia de una práctica posibilista, no independentista, con el mantenimiento de ideas centrales que en el primer Sabino abocaban indefectiblemente a la separación de España» [13].

Exento de dogmatismos confesionales y étnicos y más evolucionado culturalmente, el catalanismo deberá afrontar, además, los efectos negativos de la crisis colonial que en el País Vasco se presentaron de forma más amortiguada.

Con una tercera parte de población inmigrada, la ciudad de Barcelona, antes que el conjunto de las provincias catalanas, se convertirá en el escenario en donde entre 1901 y 1909 se desarrolla una de las experiencias más singulares e ilustrativas de las contradicciones del régimen monárquico en la España del siglo XX. Arraigado el sentimiento nacional en importantes sectores de población, no llegaría hasta 1906, fecha de la publicación de *La Nacionalitat Catalana* de Prat de la Riba, el momento en el que se lograba al fin, tras los esfuerzos teóricos del siglo XIX, la síntesis requerida entre el nacionalismo radical y el conservadurismo en los demás órdenes. Paralelamente la crisis que padeció la industria catalana había cooperado previamente a la articulación de la Lliga Regionalista, el primer partido catalán que, apenas formalizado, alcanzaba el triunfo electoral reduciendo a la mínima expresión en Cataluña, desde 1901, a los representantes del centralismo dinástico.

Pero la especificidad catalana del período no se definió únicamente en función del éxito político de la Lliga. La crisis económica ya aludida, originada por el estrechamiento del mercado, será la responsable en alto grado de la intransigencia patronal, que no vacilará en decidir unilateralmente rebajas salariales e incluso recurrir al *lock-out*. Esta realidad, sumada a la represión que siguió a la huelga de 1902 —conflicto que, por cierto, el PSOE desaprobó—, a las aspiraciones teñidas de mesianismo de una mano de obra de aluvión y escasamente cualificada, a la débil implantación del socialismo en Cataluña explicable, en parte, por la carencia de una alternativa marxista a la existencia de nacionalidades dentro del Estado —el traslado a Madrid, a fin de siglo, de la sede central de la UGT sería una prueba más de ello—, explican el marasmo y el confuso itinerario que el proletariado barcelonés recorrió durante esa década.

De todo modos, ni la escisión de la Lliga a la altura de 1904, que dio lugar al Centre Nacionalista Republicá de Jaume Carner, ni la victoria de todos los grupos políticos catalanes —desde los carlistas a los federales— coaligados en Solidaritat Catalana en las elecciones de 1907 en las que asestaron un nuevo golpe al centralismo, ni, por supuesto, la creación de Solidaridad Obrera, se produjeron al margen de los trabajadores. Pero, si bien ha podido verificarse que una parte del censo obrero votó a Solidaritat Catalana, con lo cual queda invalidada la tesis de la asunción colectiva del apoliticismo anarquista, y que la constitución de Solidaritat Obrera de Barcelona en 1908 se debió a iniciativa de los socialistas, en concreto al núcleo discrepante de la línea oficial del PSOE y de la UGT que giraba en torno a Fabra Ribas y Badía Matamala, también se ha confirmado que una parte del voto de los trabajadores sirvió para incrementar el radicalismo pequeño-burgués difundido en Barcelona por el grupo de Alejandro Lerroux. Ahora bien, ¿cómo se explica el fenómeno?

Si la adhesión de las capas medias a aquel movimiento se infiere del conservadurismo de la Lliga y del desgaste de los republicanos históricos, la génesis de la impregnación lerrouxista entre un amplio sector de la clase obrera barcelonesa se enmarca en la desorientación que caracterizó a esta a raíz de la represión de la huelga de 1902. Sostener que el éxito electoral descansaba en la existencia de un pacto secreto Lerroux-Moret —con independencia de que la situación favoreció objetivamente al centralismo oligárquico— implica asumir la tesis puesta en circulación por la burguesía de la Lliga y también por la Esquerra.

En el plano político la penetración radical en Barcelona se acentuó tras la ruptura definitiva con el grupo republicano de Salmerón, al inclinarse este a la opción que presentaba Solidaridad Catalana. Las elecciones parciales celebradas en 1908, motivadas por la renuncia de Macià, testimoniaron el ascenso de los radicales hasta el punto de que fue Alejandro Lerroux quien se alzó con el escaño de diputado. Unos meses después sería asimismo el grupo lerrouxista quien se erigía en vencedor en las elecciones municipales celebradas en Barcelona.

El hecho de que en las elecciones parciales al Congreso se arguyera como atenuante del triunfo de Lerroux el error cometido por Solidaridad Catalana al presentar una candidatura situada más a la izquierda del electorado-base, no permite calificar de fortuito el avance de los radicales, que tendría plena confirmación ulterior en las municipales.

Las razones que permiten explicar aquel comportamiento se encontraban, como anteriormente se ha apuntado, en la desorientación ideológica y en la carencia de organización en el seno del movimiento obrero y popular barcelonés. En este trance encontrará amplias posibilidades de desarrollo la demagogia lerrouxista, tanto en su conocida versión anticlerical de los «jóvenes bárbaros», como en la de contenido socializante, vehiculadas ambas a través de sus propios órganos de expresión periódica (*El Progreso, La Rebeldía*). En última instancia, la acción del lerrouxismo deparará al centralismo oligárquico una fórmula innovadora destinada a frenar el avance del catalanismo y a desviar la lucha de los trabajadores de sus objetivos específicos.

3. LA SEMANA TRÁGICA

La Semana Trágica, el hito más significativo acaecido en los comienzos de la contrarrevolución española del siglo XX, ha sido uno de los temas objeto de la preocupación historiográfica reciente, tendente a superar la clásica descripción de los dramáticos acontecimientos registrados en Barcelona en los últimos días de julio de 1909.

En esta dirección, frente a una explicación de aquellos hechos basada en el arraigo progresivo del ideario republicano radical en el seno de las clases populares barcelonesas, programa que comprendía desde la repulsa a la Iglesia como institución hasta la hostilidad a las actividades coloniales en Marruecos [33], J. Connely Ullman ha puesto de relieve, en cambio, los fundamentos socieconómicos del anticlericalismo de la época, así como la utilización oportunista del fenómeno por liberales y republicanos ávidos de crecer en las urnas con el voto de los trabajadores [43].

Situados en esta perspectiva, las propias formulaciones anticlericales de Canalejas, que hipotéticamente tendían a remover el obstáculo que suponía para la modernización del país la persistencia de la poderosa y multiforme influencia de la Iglesia, quedarán reducidas a un mero ejercicio retórico desde el momento en que —a partir del comienzo de siglo, mientras permanecía casi estabilizada la cifra correspondiente al clero secular— el incremento del clero regular llegó a superar el 12% entre 1900 y 1910. La repatriación de frailes y monjas procedentes de las últimas colonias americanas y de Filipinas, y la entrada en España de eclesiásticos fugitivos de la legislación dictada por la Tercera República francesa, explican aquella plétora de religiosos.

Si a este crecimiento se añade el hecho de que, como ha sido también subrayado, la Iglesia española era ya entonces predominantemente urbana en el marco de una sociedad predominantemente rural, aquella se hallaba en una situación problemática no tanto en el plano ideológico —el estreno de *Electra* de Galdós en 1901 y las soflamas radicales ulteriores no tendrán la consistencia suficiente para crear un reflejo defensivo, de asedio, en el clero— cuanto en el sostenimiento económico de algunas órdenes religiosas tras la repatriación. En este terreno ha podido verificarse cómo la presencia de miembros del clero, bien ocupando puestos en las ciudades tradicionalmente reservados a las capas medias en escuelas, reformatorios, asilos y prisiones, o bien ocupándose las monjas en oficios de costura y lavandería, entrando en competencia laboral con las mujeres de los asalariados.

Así, pues, la incidencia política del lerrouxismo, la urbanización del clero y la recesión económica que atravesaba la industria figuraban entre los nuevos componentes incorporados al complejo entramado catalán, en el momento en que se producía la llamada del gobierno a los reservistas para repeler la agresión marroquí a las obras del ferrocarril de Melilla.

La formación de un comité de huelga integrado por socialistas y anarquistas, al que se adhirieron obreros lerrouxistas, y la declaración de la huelga general dos días después marcaron el comienzo de una insurrección que desembocó en cinco días de quema de conventos y escuelas regentadas por religiosos.

Rechazada la insurrección por los republicanos catalanistas y también por los radicales, el movimiento seguirá un ritmo desigual. Mientras en Sabadell y otros núcleos industriales fueron cortadas las comunicaciones para impedir el traslado de los reservistas y los insurrectos se alzaron con el poder local, en Barcelona destacaba la presencia de minorías de activistas incendiarios junto a masas de huelguistas que levantaban barricadas, por un lado, mientras por otro la disposición de efectivos policiales que el gobierno distribuyó en torno a fábricas y edificios oficiales, contrastaba con la ausencia de análoga protección en los inmuebles religiosos. El balance de las destrucciones registradas: 80 dependencias eclesiásticas (iglesias, escuelas, conventos, instituciones benéficas, etc.) contrasta asimismo con los nueve muertos habidos en el conjunto de las fuerzas de seguridad (Ejército, Guardia Civil, Guardia de Seguridad y Guardia Municipal) y con la inexistencia de ataques a personas y entidades vinculadas a la clase económica dominante.

El ala izquierda del Partido Radical había logrado efectivamente desviar aquel movimiento potencialmente revolucionario. La represión, en cambio, culminará en la ejecución de tres obreros, un guardia de seguridad que había hecho causa común con los insurrectos y, sobre todo, en la figura de Francisco Ferrer, maestro laico, fundador de la Escuela Moderna y partidario de emplear el método racionalista en la enseñanza. Era el gobierno conservador de Maura y el propio rey Alfonso XIII quienes atribuyeron responsabilidad a Ferrer y se negaron a reconocer las causas económicas y sociales que motivaron aquellos acontecimientos al airear el proceso y permitir su fusilamiento en octubre de 1909.

CAPÍTULO III

1909-1917. De la Semana Trágica a la huelga general

La difícil coexistencia de viejos problemas con marcada tendencia a estabilizarse, junto a la agudización de antagonismos heredados, caracterizan de manera esquemática aquel breve período que supuso, también para España, el comienzo de la *aceleración histórica* de nuestro tiempo. En líneas generales, durante aquellos años, la sociedad española en su conjunto se verá afectada tanto por las secuelas de la Semana Trágica como, y sobre todo, por la incidencia de la guerra mundial. La crisis general de 1917 y su desenlace en la huelga de agosto se convertirán, a su vez, en referencia tan significativa como insustituible a la hora de perfilar las diversas posiciones de clase a escala nacional en la historia contemporánea.

I. LAS CONSECUENCIAS DE LA SEMANA TRÁGICA

Hasta los comienzos de la guerra europea, las repercusiones sobre el sistema parlamentario y las fuerzas regionales, sobre el movimiento obrero e incluso sobre la educación y el pensamiento se reclamarán todas ellas, en alguna medida, de la Semana Trágica.

En el plano político, dos situaciones prevalecen sobre las demás: el relieve que por un momento cobra el Partido Liberal, y el acuerdo electoral establecido por republicanos y socialistas. La apertura de las Cámaras dos días después del fusilamiento de Ferrer, bajo la presión de la campaña europea en favor de la libertad de pensamiento, forzará al monarca la separación de Antonio Maura y el retorno de los liberales al gobierno. Tras un breve período consumido por el gabinete Moret en el que tuvo que habérselas, por un lado, con una mayoría en las Cortes al negarle Alfonso XIII el correspondiente decreto de disolución y, por otro, con la obstinada resistencia de los republicanos a sumarse a los liberales con la finalidad de constituir un «bloque» de izquierda parlamentaria, tendría lugar el acceso de Canalejas a la presidencia del Consejo de Ministros.

El trienio Canalejas (comienzos del 1910, finales del 1912) estuvo marcado por un reforzamiento numérico de adhesiones al liberalismo determinado por una explicitación programática relativamente progresista en el plano ideológico, hábilmente combinada con una práctica de contención en el orden social. Un amplio indulto y la toma de posición oficial en favor de la instrucción pública que traslucía ante la opinión la incorporación de algunas facetas anticlericales, se reflejaron en el primero de los enunciados. Pero este, que culminó en el proyecto de la Ley de Asociaciones, más conocida como «ley del Candado», en la que se contemplaba la prohibición de la entrada en España de nuevas órdenes religiosas, se verá prácticamente truncado. En primer lugar, su efectividad debería limitarse a dos años de duración en una fecha en la que ya eran escasas las congregaciones que no disponían de establecimientos; en segundo lugar, porque la creciente hostilidad de conservadores y reaccionarios contra el proyecto facilitará al conde de Romanones su retirada definitiva a la muerte de Canalejas.

Una incapacidad semejante mostraría Canalejas a la hora de aplicar, de hacer cumplir, no ya un proyecto de expropiación de tierras cultivadas con indemnización, o de las incultas, que fue bloqueado, sino algunas normas laborales emanadas durante su mandato, tales como la fijación en nueve horas de jornada en las minas, de setenta y dos semanales en el sector textil incluyendo el descanso dominical, la prohibición del trabajo nocturno de la mujer, etc. Cuando, además, recurrió a la represión clásica de la huelga de 1911 y a la militarización de los ferroviarios en una huelga posterior —decisiones ambas a las que no fue ajena su muerte violenta en la Puerta del Sol de Madrid—, se configuraba la impotencia de los liberales en 1912, con rasgos semejantes a los que Maura había reflejado tres años antes a la cabeza de los conservadores. El conde de Romanones, abogado, terrateniente, hombre de negocios y notable cronista heredará inicialmente la jefatura del partido y del gobierno que dejó vacante Canalejas, aunque recogiendo la tradición liberal encarnada por Moret. Pero si la muerte de Canalejas precipitó el final del turno, ello se debió no solo a las contradicciones internas dentro del bloque de poder sino a las nuevas posiciones alcanzadas por las organizaciones periféricas al sistema político; principalmente a la actividad de los republicanos y a la acción del movimiento obrero.

Una de las repercusiones inmediatas de la Semana Trágica fue la «conjunción» republicano-socialista, es decir el acuerdo suscrito por aquellas dos fuerzas en noviembre de 1909 que se traducirá, no tanto en una mayor presencia de ambos en los ayuntamientos y en las Cortes —pese a la importancia de haber conseguido Pablo Iglesias el acta de diputado en 1910— como en la virtualidad con que la alternativa republicana se presentaba frente al desprestigio y la corrupción del régimen monárquico.

En este orden, mientras decrecía la influencia de los radicales en Barcelona y se cargaba de ambigüedad el reformismo de Melquíades Álvarez, se reforzaba el liberalismo democrático en Madrid al encontrarse respaldado por una corriente intelectual renovadora.

La antorcha del pensamiento crítico antioligárquico en los medios intelectuales será recogida no tanto por Manuel Azaña, secretario entonces del Ateneo madrileño y funcionario del Ministerio de Gracia y Justicia, como por José Ortega y Gasset, joven y brillante catedrático de filosofía que en 1913 fundaba la Liga de Educación Política (que, en puridad, estaba bajo la égida del partido reformista, y en la que colaboraban, entre otros, Azaña, F. de los Ríos, G. Morente, B. de Quirós y A. Viñuales), cuyo primero y único acto fue la conferencia del propio Ortega en el madrileño teatro de la Comedia, con el tema *Vieja y nueva política*, pronunciada el 25 de marzo de 1914. De ahí vino la formulación orteguiana de reemplazar la España «oficial» por la España «vital» moderna y europeizante, reflejo de las aspiraciones de la fracción más dinámica de la burguesía que, tras el fracaso sucesivo de las gestiones de Maura y Canalejas, significaba entonces un cierto replanteamiento de la actitud costiana, encaminado al relevo de los órganos de acción sobre las bases sociales (los partidos de turno) del bloque dominante, e incluso a reemplazar dentro de ese bloque la hegemonía de la fracción terrateniente-financiera por la de otra más «moderna» no implicada en el reciente pasado oligárquico.

A esa tendencia corresponde igualmente la publicación de la revista *España*, también dirigida por Ortega y Gasset, el 29 de enero de 1915. El editorial de ese primer número es inequívoco:

> El desprestigio radical de todos los aparatos de la vida pública es el hecho soberano, el hecho máximo que envuelve nuestra existencia cotidiana

Pero *España* fue pronto expresión de una extensa pléyade de intelectuales, muy críticos para con la oligarquía, planteándose opciones más radicalizadas; ese talante lo representa la dirección de la revista por Luis Arasquistain desde febrero de 1916. A él pertenece un Antonio Machado, que colabora en *España* desde su primer número con el significativo poema *A una España joven*, que es una de las más hermosas y punzantes críticas de la política oligárquica desde 1898. Machado enunciaba por aquellas fechas un diagnóstico más preciso de la fluidez de correlación de fuerzas del momento, superando la ya vieja dicotomía de las «dos

Españas» cuando se refería a la de *ayer* («de charanga y pandereta, /cerrado y sacristía/devota de Frascuelo y de María»), a la *contemporánea* («que pasó y no ha sido/esa que hoy tiene la cabeza cana») y a la que entonces alumbraba («la España de cincel y de la maza/España de la rabia y de la idea»). La ulterior deserción hacia la oligarquía de otra fraccción de la burguesía —sobre todo a partir de 1917— arrastrará también a Ortega a continuar oficiando de portavoz intelectual de esa fuerza social «que debió ser y no fue». Aquella sería la circunstancia específica del filósofo y en ella residiría su drama personal.

La constitución de la CNT y el crecimiento numérico de la UGT fueron las innovaciones más relevantes acaecidas en el movimiento obrero entre la Semana Trágica y los comienzos de la guerra mundial. Sin ser una consecuencia directa de los acontecimientos de 1909 —sí influyó, en cambio, en su orientación—, la transformación de Solidaridad Obrera en Confederación Nacional del Trabajo (CNT) tuvo lugar en Barcelona en el Congreso que celebró aquella organización catalana en el otoño de 1910. Como acabamos de apuntar, la filiación ideológica anarquista que dominó en la nueva central sindical estuvo determinada por la retirada previa de socialistas y radicales a consecuencia de la represión que siguió a la Semana Trágica. La nueva organización sindical aspiraba

[...] a conseguir la emancipación económica integral de clase obrera mediante la expropiación revolucionaria de la burguesía tan pronto como el sindicalismo, o sea, la asociación obrera, se considerase lo bastante fuerte numéricamente y bastante capacitada intelectualmente para llevar a efecto la expropiación de aquellas riquezas sociales que arbitrariamente detente la burguesía...

y acordaba en su primer congreso rechazar todo tipo de alianzas con la burguesía, contemplando únicamente la posibilidad de unión en la UGT cuando alcanzara un número similar de afiliados; inicialmente se habían adherido 136 sindicatos con un total de 26 000 afiliados de Cataluña y Aragón la mayoría, descendiendo a 15 000 a la altura de 1914, después de haber sido reducida hasta entonces a la clandestinidad.

Mientras tanto, el Partido Socialista alcanzaba los 14 000 afiliados en 1914; y la UGT, tras haber perdido la ocasión de implantarse definitivamente en Cataluña, incrementaba espectacularmente sus efectivos en el resto del país, triplicando las cifras de afiliación entre 1910 (40 984) y 1914 (127 804) y prosiguiendo la expansión en el dominio agrario extremeño (Badajoz) y andaluz (Jaén). El ingreso en aquella central de las dos más poderosas federaciones existentes, la de mineros y la de ferroviarios, la inauguración de la actividad parlamentaria y la afiliación de intelectuales al PSOE explican, entre otros factores, el relativo crecimiento cuantitativo registrado.

Durante la segunda década del siglo XX, las relaciones entre pequeños grupos de intelectuales, miembros de profesiones liberales, etc. y la clase trabajadora se establecieron de manera inversa a como había ocurrido en la primera. La «ida al pueblo» de los primeros apóstoles del socialismo se sustituía en cierta medida por la entrada paulatina en el partido.

Aunque coyunturalmente el contacto con las clases populares de profesores universitarios todavía fue un hecho aislado, como lo prueba la preocupación suscitada por la grave situación de los campesinos castellanos durante la crisis agraria de 1912-1913 que propició una breve «extensión universitaria» en Salamanca, en la que participaron Miguel de Unamuno, Francisco Bernis y otros, la tendencia dominante, sin embargo, fue la aproximación de un núcleo de escritores e intelectuales al Partido Socialista. En este sentido, las vicisitudes acaecidas en torno a la Semana Trágica y la alianza electoral de republicanos y socialistas, facilitarán las cosas desde el punto y hora en que la «conjunción» se perfiló como algo más que una táctica, y dio lugar a un cambio estratégico en la línea seguida por el socialismo español. Al «posibilismo» dominante, es decir, a la convicción mantenida por el fundador del partido de que la superioridad moral de los obreros, ligada a la lucha cotidiana en talleres y fábricas, elevaba la conciencia de clase de las masas pero que, sin embargo, debido al atraso económico nacional ese mismo conocimiento impedía plantearse posiciones revolucionarias, se añadía desde entonces la idea de la necesaria «consumación» de la revolución burguesa como etapa previa insoslayable para acceder al socialismo. Este nuevo enfoque implicaba, obviamente, la colaboración de la clase trabajadora con la burguesía democrática en el proceso hacia la instauración de la República.

Ahora bien, si por un lado la llegada del socialismo español a esta posición gradualista se reflejaba en algunas situaciones concretas, como los recelos de la UGT hacia la huelga general en el período anterior a la guerra mundial, tampoco dejará de influir en el atractivo ejercido por el PSOE sobre un grupo de intelectuales, quienes, si por un momento todos ellos reforzaron la corriente revisionista de la dirección, algunos contribuirán, sin embargo, poco después, a mantener el componente crítico en el seno de la organización.

La trayectoria seguida por la Escuela Nueva ilustra sobre el fenómeno que acabamos de apuntar. Fundada en Madrid en 1911, por ella desfilarán decenas de intelectuales y profesionales preocupados por la situación de los trabajadores impartiendo cursos, conferencias y otras actividades. La Escuela Nueva, de ser inicialmente «mitad centro socialista, mitad órgano de extensión cultural a la manera gineriana» [41], pasará a desempeñar la función de ágora socialista en donde tendrá lugar la confrontación de posiciones ideológicas —reformista y revolucionaria— en el seno del partido. La evolución experimentada por el propio

Manuel Núñez de Arenas, promotor de la institución, ilustra a su vez sobre el abandono del fabianismo «a la española» que impregnó la Escuela inicialmente y la sustitución del mero ejercicio intelectual socializante que en ella se practicaba por el compromiso revolucionario, cambio que, por otro lado, no se explica al margen de la observación de la práctica del movimiento obrero y popular y de la aportación marxista difícilmente retenida por socialistas ya veteranos como Antonio García Quejido y Jaime Vera, este ya en su «segunda época».

Así, pues, la repulsa del obrerismo arraigado en la base del PSOE y la exigencia de proporcionarle educadores de masas teóricamente clarificados («la ciencia ni es proletaria ni es burguesa, es profundamente revolucionaria porque es creadora», escribía Jaime Vera en 1912) fue probablemente la aportación más valiosa del pensamiento socialista español al movimiento obrero internacional antes de la guerra mundial.

2. EL IMPACTO DE LA GUERRA

Con anterioridad a las repercusiones económicas y sociales provocadas por el conflicto, el comienzo de la guerra incidirá sobre las conciencias y sobre las decisiones políticas estrechamente vinculadas al hecho consumado de la conflagración; ambas se relacionarán en la adopción de posiciones favorables u opuestas, naturalmente, a alguno de los dos bloques contendientes. Así, mientras por un lado se decantaban actitudes colectivas y pronunciamientos de individualidades notorias, polarizándose las corrientes de opinión correspondientes que no llegarían a incidir en el curso de los acontecimientos nacionales ni, por supuesto, en los internacionales, el gobierno presidido por el conservador Eduardo Dato declararía oficialmente la neutralidad española.

La sustitución, a finales de 1913, del conde de Romanones por Eduardo Dato, miembro del Consejo de administración de la sociedad ferroviaria Madrid-Zaragoza-Alicante (MZA) y «abogado de grandes empresas y ricos señores que le vinculaban al servicio del capitalismo y de la aristocracia», según Fernández Almagro, además de testimoniar probablemente la primera situación en que la oligarquía accedía directamente, esto es, sin intermediarios, al ejercicio del poder político, certificaba la inoperancia de la tentativa de las Juventudes Mauristas y el desplazamiento de Antonio Maura de la jefatura del Partido Conservador después del descalabro sufrido por el político mallorquín en 1909.

Se configuraba desde entonces la formación del «grupo maurista» el cual, como fracción disidente del conservadurismo, facilitó la crisis ministerial de diciembre provocada por la presión conjunta de la Lliga y de los radicales; aquella, interesada en reformas económicas parciales que Dato, el «idóneo» de tiempo atrás, no asumió, y ambas fuerzas tras el éxito alcanzado en elecciones municipales.

Con el nuevo gobierno presidido por el conde de Romanones se registran los primeros problemas políticos derivados de la favorable coyuntura económica. Frente a las exigencias de la burguesía catalanista, que proseguía reclamando una actuación del gobierno favorable al desarrollo industrial y comercial —la petición de zonas francas en el puerto de Barcelona se inscribía entre ellas—, el gobierno centralista asumirá la reacción de los propietarios castellanos que el nuevo ministro de Hacienda Santiago Alba transformará en un proyecto de ley sobre «beneficios extraordinarios de la guerra», en el que no figuraban gravámenes sobre los obtenidos por campesinos ni ganaderos.

Pero más influencia que el proyecto fiscal de S. Alba —del que no se llegó a aprobar el primer artículo—, más importancia que la protesta catalana y que el debate parlamentario originado por el torpedeamiento de un barco español por submarinos de la flota alemana que precipitó la crisis, la caída de Romanones se debió a la presión social ejercida por las centrales sindicales desde que en diciembre de 1916 habían suscrito el primer acuerdo unitario. Unos meses más tarde, en la primavera de 1917, Romanones procedía a suspender las garantías constitucionales bajo el pretexto de una reunión de dirigentes obreros en la Casa del Pueblo de Madrid, abriéndose la crisis del gabinete. García Prieto, cabeza de fila de la fracción liberal más próxima a la línea de Canalejas, asumiría la jefatura de gobierno en el momento en que se agudizaban los problemas militares y sociales.

Neutralidad ante la guerra mundial e intervención militar en el norte de África serán los dos ejes en torno a los cuales girará la política exterior del período que examinamos.

A los efectos de calibrar las repercusiones en el interior, es preciso subrayar las diferencias derivadas de la adopción de aquellas posiciones. Frente a una sociedad beligerante y dividida en «aliadófilos» y «germanófilos», en la que, con excepciones notables, la corriente de opinión democrática y socialista sintonizaba con el bloque aliado y la extrema derecha —tipo Vázquez Mella— no ocultaba sus simpatías hacia los imperios centrales, la neutralidad efectiva mantenida tanto por los gobiernos conservadores como liberales procurará ventajas indudables.

Beneficios económicos en primer lugar, ya reseñados, posibilidades innegables de intensificar las relaciones con los países no beligerantes —baste señalar el volumen creciente de intercambios que registró en relación con las antiguas colonias americanas durante el período 1914-1918 y la reanudación de lazos no estrictamente comerciales con aquella comunidad— y elevación del prestigio que como potencia neutral adquirió España, como se pondrá de manifiesto desde la constitución en Ginebra de la Sociedad de Naciones al final de la contienda.

La «obra» de España en África, en cambio, cobrará perfiles menos favorables al convertirse en un auténtico problema nacional en el que se imbricaron la ocupación formal del territorio, por un lado, y los antagonismos que la empresa concitó en el interior, por otro, motivados bien por la modalidad en que fue abordada aquella o, en última instancia, por el rechazo de principio por parte de algunos sectores a la misma intervención.

Entre 1909, fecha del primer descalabro sufrido por las tropas españolas en el Barranco de El Lobo, y 1917, año en que se articularon definitivamente las Juntas de Defensa, los gobiernos de la Monarquía se habrían visto obligados a combinar la intervención militar con la reanudación de las negociaciones, con la finalidad de ultimar la delimitación geográfica de la zona del Protectorado atribuida a España. Al fin, en el Tratado hispano-francés de 1912 se adjudicaban a España dos áreas territoriales, una al norte del Imperio marroquí y otra en el extremo suroriental, espacios que en conjunto habían sido recortados sensiblemente en relación con los acuerdos establecidos anteriormente —el de 1904—, vulnerándose además el espíritu de la Conferencia de Algeciras de 1906. Así, a España le correspondió el 5 % del territorio marroquí, poblado por algo menos de un millón de habitantes; la zona del protectorado francesa, en cambio, contaba con cinco millones y medio.

La necesidad de transformar la intervención en Marruecos en un proceso irreversible, aparte de responder a cuestiones de orden estratégico y político, e incluso de prestigio, del que tan necesitada se hallaba la diplomacia española obedecía también a la defensa de intereses económicos ligados a la oligarquía, insuficientemente precisados por los contemporáneos y olvidados o subestimados por la historiografía posterior. Desde el comienzo de la guerra mundial, las favorables perspectivas que ofrecía la explotación de los recursos del Rif constituyó un poderoso estímulo para permanecer a toda costa sobre el terreno. El crecimiento que experimenta, por ejemplo, la exportación de mineral de hierro a los países beligerantes, principalmente a Alemania, entre 1914 y 1920, años en los que se pasó de 6 100 a 419 700 t, corrobora la importancia del factor económico en aquella fase de la ocupación [28].

En contrapartida, los problemas que procuró la intervención no fueron todos ellos exportables fuera de la Península. Principalmente los que afectaban de lleno al estamento militar, dadas las condiciones humanas y técnicas en que la empresa africana se intentaba llevar a término.

Un ejército sumido en una crisis moral como el español después de la derrota antillana, con un escalafón saturado de oficiales y generales, que en 1906 todavía mantenía una proporción insólitamente reducida entre jefes y soldados (18 000 oficiales y casi medio centenar de generales para 80 000 soldados), con deficientes establecimientos cuartelarios y mal alimentados, no ofrecían sólidas garantías para la clase dirigente y ejercía escaso atractivo en los sectores más jóvenes de la población. Pero superar la desmoralización y evitar simultáneamente el aventurismo castrense que aspiraba a encontrar en las victorias africanas la compensación de la humillación de la derrota americana, implicaba una profunda reforma, o en todo caso, una mayor atención presupuestaria al ejército. La progresiva intervención del generalato y de la oficialidad en la vida política española —penetración a la que cooperaron, cada uno por su lado, tanto el radicalismo nacionalista como los halagos del propio monarca desde el momento mismo de su coronación— no culminó, como podía haber sido previsible, en una modernización de la institución. Cuando, después de la guerra colonial americana, en plena crisis económica, Raimundo Fernández Villaverde rebajó el presupuesto militar debiendo mantenerse, no obstante, la retribución del generalato y la oficialidad, se reanudaba el deterioro agravándose incluso las dificultades técnicas padecidas en el pasado, sobre todo con la puesta de nuevo en vigor, en 1910, de la ascensión por méritos de guerra, requisito suspendido desde 1899 por los abusos cometidos en Cuba. Así, pues, sería necesario esperar a 1912 para que el propio general Luque, ministro de Guerra con Canalejas, lograra elevar a 135 000 el número de soldados mediante una disposición legal que combinaba la permanencia obligatoria en filas durante cierto tiempo con el mantenimiento de la redención en metálico.

De todos modos, superadas las dificultades que la oposición de las kábilas presentó en julio de 1909 —dificultades que saldaron con un millar de bajas españolas—, la ocupación siguió adelante aunque de forma lenta y penosa. A la resistencia que en la etapa anterior había opuesto El Roghi sucedió ahora la que mantendrá Muley Hamed, El Raisuni, máxima autoridad en la zona occidental (la Yebala) en torno a la cual se producirá el enfrentamiento entre el general Silvestre, partidario de reducirle, de acabar con su influencia mediante la derrota militar, y la de otras instancias como la Marina y el alto comisario, favorables a establecer acuerdos, opción esta que triunfará en aquel período.

La otra vertiente de la guerra africana se planteará en el interior y vendrá dada no tanto por la existencia de una fuerte corriente de opinión arraigada en las masas populares como por los trastornos y el malestar que se generaba en el seno de la propia institución militar. Todo ello cristalizará en la aparición de Juntas de Defensa, insólitas asociaciones de militares de media y baja graduación que surgen en Barcelona entre oficiales de Infantería y Caballería y que exigirán corporativamente del gobierno cambios sustanciales en la organización militar.

Aunque formulado vagamente, el programa inicial de las Juntas

—en el que se mostraban opuestos a los ascensos por méritos de guerra denunciaban a la camarilla palaciega mantenida por el favoritismo regio, a los africanistas, y a los políticos parlamentarios, a quienes achacaron la mayor responsabilidad en la desorganización del ejército, etc.— se corresponde con el deterioro de la situación económica producida por los efectos de la inflación entre aquellos funcionarios, previamente disconformes con la autorización de los ascensos por méritos en campaña reintroducida por el general Luque en 1910. El problema de la modernización, como ha sido subrayado, quedaba subordinado a las demandas anteriores cuando no olvidado [30].

Al proceso inflacionario y no al militarismo africanista cabe achacar en primer término el malestar creciente de los trabajadores desde el comienzo de la guerra. Porque sí, efectivamente, durante aquellos años se observó un alza de los salarios nominales —elevación que en algunas categorías y regiones presentó incluso una apariencia espectacular—, los precios les desbordaron con facilidad, sobre todo desde el alza brutal de 1916 hasta los comienzos de la década del veinte. Jornaleros agrícolas y peones de la construcción, por un lado, metalúrgicos vascos y mineros asturianos, por otro, figuraron en los extremos del abanico salarial simbolizando en cierto modo la diferencia existente entre la miseria y la pobreza en aquella fase alcista.

Sin embargo, la reacción encaminada a contener la espiral inflacionaria se planteará con retraso. El Partido Socialista, que experimentó entonces un crecimiento importante de afiliados (de 14 332 en 1915 pasará a 30 630 en 1917), se sentirá más preocupado por debatir en el X Congreso las cuestiones relacionadas con la incidencia ideológica del conflicto europeo que las repercusiones económicas acarreadas; la corriente aliadófila que previsiblemente se presentaba como dominante no sería, sin embargo, explicitada por la dirección del partido hasta que las tropas alemanas invadieron Bélgica y Francia. Estos acontecimientos serán los que decidan a los socialistas españoles al abandono del pacifismo inicial por la «aliadofilia», decisión que impedirá al conjunto de la organización, con la excepción de algunos sectores juveniles que se manifestaron en publicaciones locales (*Adelante* de Valladolid y *La Justicia Social* de Reus) interesarse por la conferencia de Zimmerwald y, en consecuencia, colaborar objetivamente desde la neutralidad en la crisis de la Internacional.

La CNT, recién salida de la clandestinidad, condenará prácticamente en bloque la guerra responsabilizando a los dos beligerantes, a pesar de que personalidades influyentes, como Kropotkin y algún otro, se habían anticipado inclinándose hacia los aliados, posición que en España solamente encontrará cierto eco en las órbitas gallega y asturiana, influenciadas por Ricardo Mella y Eleuterio Quintanilla respectivamente. En última instancia, la condena reiterada del colonialismo y del militarismo llevará al movimiento anarquista a contemplar el desencadenamiento de la revolución como la única guerra admisible.

En la práctica del movimiento obrero hasta el verano de 1917 se observará, en cambio, la incorporación de nuevas aunque débiles organizaciones sindicales al tiempo que aparecerán ciertos fenómenos contradictorios en las viejas siglas.

Ocupado el espacio sindical de clase por la UGT y la CNT, la aparición en las vísperas de la guerra no solo de la Federación Patronal Española sino de organizaciones obreras católicas y de los vascos, respondería objetivamente a frenar la potencialidad de aquellas. Es preciso, no obstante, establecer las diferencias pertinentes entre los sindicatos confesionales supeditados en líneas generales a la defensa de los intereses patronales tales como el sindicato minero de la cuenca del Aller en Asturias, la Confederación Nacional Católica Agraria (que es de pequeños propietarios, pero no de asalariados) que se constituye en 1917 con 18 federaciones, y los de orientación cristiano-nacionalista, como los solidarios vascos (SOV) propiciados por el PNV y partidarios de introducir correctivos en el comportamiento españolista de la burguesía, tendiendo a conciliar la fórmula «capital más patria».

La disminución de efectivos tanto en la UGT como en la CNT entre 1914 y 1916, en acusado paralelismo con un incremento de la toma de conciencia sindical reflejado en hechos tales como el de que, en 1913, la cuarta parte de las huelgas se plantearon como exigencia del reconocimiento de personalidad sindical, ha permitido abrir la hipótesis de explicar el retroceso de afiliación en aquella coyuntura achacando el fenómeno al desaliento provocado por la falta de unidad de las centrales [39].

Al fin, el acuerdo UGT-CNT tendría lugar en Zaragoza, a mediados de 1916, sobre la base de forzar la intervención del gobierno en la contención de los precios y utilizando a tal fin la declaración de huelga general. Esta se llevaría a cabo, por vez primera en la historia de España, el día 18 de diciembre tras un período de «precalentamiento» salpicado de mitines contra la carestía de la vida y contra la guerra de Marruecos. El gobierno —Romanones— reaccionará suspendiendo las garantías constitucionales y ordenando la detención de los firmantes del pacto.

3. LA CRISIS DE 1917

La presión multiforme y acumulada a que estuvo sometida la sociedad y principales instituciones españolas desde 1914 desembocará en el verano de 1917, como es sabido, en una situación en la que los contemporáneos más lúcidos ya pudieron distinguir las tres vertientes o dimensiones de la misma que la historiografía posterior convertirá en clásicas: crisis militar, crisis política, huelga general.

El malestar de un sector de jefes y oficiales del Ejército al que anteriormente aludimos se agudizó desde el momento en que, a factores económicos de orden general —la inflación que devoraba los sueldos de los funcionarios—, se añadió la aplicación de medidas específicas que fueron interpretadas como agravios comparativos entre las diferentes armas y cuerpos. La protesta realizada por las primeras juntas en el invierno de 1916 a 1917 culminará en la orden gubernamental, a finales de mayo de 1917, de detención y arresto en el castillo de Montjuich de dos tenientes, tres capitanes, un comandante, un teniente coronel y el coronel Benito Márquez, todos ellos miembros de la Unión y Junta de Defensa del Arma de Infantería de Barcelona. Esta medida, lejos de intimidar a los oficiales de otras guarniciones, precipitará la adhesión del estamento que mostró pruebas de solidaridad con los detenidos no solo en Artillería e Ingenieros —armas privilegiadas en relación con la Infantería—, sino que esta reacción fue contemplada con simpatía por la Guardia Civil. La impresión de que esta actitud se había generalizado se vio contrastada cuando una junta suplente de Barcelona «suplicaba respetuosamente» al gobierno la libertad de los detenidos, la garantía de que no se tomarían represalias y el reconocimiento real de la Junta de Defensa. Planteada esta petición como ultimatum, doblegó la voluntad inicial del gobierno, que dará satisfacción a los «junteros», liberando a detenidos, reconociendo legalmente las juntas y prometiendo, además, elevar los sueldos, regularizar los ascensos y acabar con el favoritismo.

La idea de que en el seno del movimiento militar subyacía, como también se ha indicado, un rechazo contra los generales, la camarilla regia y la política vigente explica que contaran con el apoyo de los catalanistas de la Lliga, de Maura incluso, y de un sector de los republicanos que confundieron la rebeldía coyuntural de los oficiales con la vanguardia de un proceso revolucionario en marcha.

Si las Juntas de Defensa simbolizaron la existencia de una profunda crisis militar, la Asamblea parlamentaria reunida en Barcelona a instancias de la Lliga será el organismo que realice la tentativa de capitalizar la suspensión de garantías y la confusión política reinante en Madrid.

Reunidos a primeros de julio en el Ayuntamiento de Barcelona todos los diputados y senadores de Cataluña, a excepción de los dinásticos, acordarán solicitar al gobierno central la inmediata apertura de unas Cortes Constituyentes que decidieran el establecimiento de una nueva organización del Estado sobre bases autonómicas y resolvieran los problemas militar y económico. Suscrita esta proposición por 46 parlamentarios, el gobierno presidido por Dato declarará sediciosa a la Asamblea, suspendió periódicos en Cataluña y ocupó militarmente la ciudad de Barcelona. De todos modos, la protesta política prosiguió: quince días más tarde, cerca de 68 parlamentarios de toda España se reunían de nuevo en el Salón de Juntas del Palacio de la Ciudadela y procedían a la formación de tres comisiones (Autonomía, Defensa y Enseñanza, Economía y Cuestiones Sociales) y aprobaban una moción formada por catalanistas (Cambó), reformistas (M. Álvarez), republicanos (Lerroux) y socialistas (P. Iglesias), en la que expresaban de nuevo la urgencia de resolver los problemas que aquejaban al Estado mediante la reunión de Cortes Constituyentes convocadas por un gobierno representativo «de la voluntad soberana del país», considerando indispensable que «el acto realizado por el Ejército el primero de junio vaya seguido de una profunda renovación de la vida pública española, emprendida y realizada por elementos políticos».

El gobierno de Madrid, informado a su vez de que para las Juntas de Defensa los reunidos no eran otra cosa que separatistas e izquierdistas y de las tensiones internas de los convocados —excesiva coloración catalanista, mayor preocupación de los dirigentes de la Lliga por impedir a toda costa eventuales brotes de subversión social que por el logro de la renovación política—, ordenó la entrada de la fuerza pública y la disolución de los asambleístas. La proyectada reunión en Oviedo, fijada para el 16 de agosto, no tendría lugar, entre otras razones, porque tres días antes habríase iniciado la huelga general.

Pese a las evidentes limitaciones, la revuelta de los militares y políticos fomentó ilusiones y contribuyó a ensanchar el foso que separaba el gobierno de la oposición hasta un punto en el que ya no será determinante la coyuntura económica como referencia inmediata, desencadenante de la huelga general. Durante la primavera y el verano de 1917, efectivamente, pudo comprobarse que las condiciones de vida de los trabajadores no empeoraron de modo sensible ni, por supuesto, alcanzaron la gravedad del invierno siguiente.

Desde el pacto de Zaragoza y, sobre todo, desde la huelga de diciembre de 1916, las relaciones mantenidas entre la UGT y la CNT pusieron de relieve, aparte de la presión unitaria de la base, las diferencias existentes acerca de la función a desempeñar por el movimiento obrero en aquella coyuntura. Frente a los cenetistas, que confiaban en que la caída del régimen se produciría tras breves jornadas de insurrección popular abriéndose las puertas de la revolución social, los socialistas se mostraban partidarios de utilizar a fondo la movilización como fuerza de choque contra el gobierno e impulsar la revolución democrático-burguesa.

Esta concepción del movimiento había arraigado en la dirección del PSOE y la UGT a través de un proceso relativamente lento, en el que al reformismo práctico que propició el «pablismo» se sumó el revisionismo ideológico aportado por intelectuales, como anteriormente hemos señalado. Pero será ante los acontecimientos de 1917 cuando aquellas ideas cobraron difusión e influencia al ser asumidas por Julián Besteiro, principal portavoz del reformismo; para el profesor de Lógica de la

Universidad de Madrid, la dirección de la clase obrera en aquella coyuntura —teniendo en cuenta que el obstáculo principal era la oligarquía— no debía ser otra que colaborar en el acceso al poder de la burguesía moderna. Sin el cumplimiento de este requisito, situación que permitiría al capitalismo español agotar sus posibilidades —concepción que hacía abstracción del control del poder durante decenios por la burguesía, esto es, por la fracción oligárquica de la misma—, no se crearían las condiciones necesarias para dar el salto a la sociedad socialista.

Así pues, en función de este peculiar análisis de las condiciones objetivas, conclusiones que recordaban la posición de los mencheviques en 1905, los socialistas establecieron alianzas simultáneamente con la CNT, por un lado, y con los grupos republicanos y reformistas, por otro.

Las conversaciones con los cenetistas concluyeron con el acuerdo firmado en Madrid a finales de marzo de 1917, en el que participaron Largo Caballero y Besteiro por la UGT, y Salvador Seguí y Ángel Pestaña por la CNT, y en la publicación de un extenso manifiesto en que, tras denunciar la situación, declaraban:

> [...] en vista del examen detenido y desapasionado que los firmantes han hecho de la situación actual y de la actuación de los gobernantes en el Parlamento; no encontrando, a pesar de sus buenos deseos, satisfechas las demandas formuladas por el último congreso de la Unión General de Trabajadores y Asamblea de Valencia, y con el fin de obligar a las clases dominantes a aquellos cambios fundamentales del sistema que garanticen al pueblo el mínimo de condiciones decorosas de vida y de desarrollo de sus actividades emancipadoras, se impone que el proletariado español emplee la huelga general, sin plazo definido de terminación, como el arma más poderosa que posee para reivindicar sus derechos.

Las negociaciones con los republicanos (Lerroux) y reformistas (Melquíades Álvarez) concluyeron acordando la formación de un gobierno provisional del que M. Álvarez será el presidente y Pablo Iglesias el ministro de Trabajo, organismo que presidirá la apertura de un proceso constituyente que definiera democráticamente el régimen ulterior. Esta aproximación provocará los naturales recelos de los anarquistas, que se negarán a suscribirlo, máxime figurando Lerroux entre los signatarios; su participación quedaba asegurada, no obstante, a nivel sindical.

Ante los progresos unitarios se producirá una situación tensa y compleja que provocará inicialmente la tosca reacción del gobierno de Dato: encarcelamiento de los firmantes del manifiesto y clausura de la Casa del Pueblo, decisiones que acarrearán la caída de aquel al declararse en Valladolid una huelga general de protesta y, finalmente, las maniobras más sofisticadas de García Prieto, que culminarán con la precipitación del

Crisis de 1917. Paralización laboral en las áreas y núcleos en que alcanzó mayores niveles **XVII**

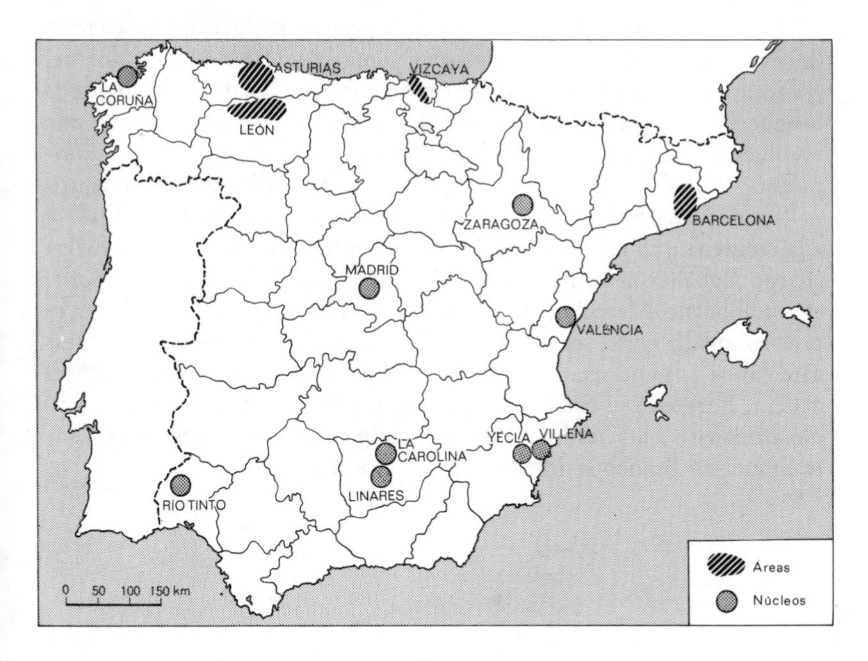

movimiento a partir de la huelga declarada en Valencia, y encarcelando al comité de huelga.

De esta manera, actuando oportunamente sobre el voluntarismo de trabajadores y cuadros sindicales, el gobierno conseguirá neutralizar el esfuerzo de la dirección de la UGT por evitar huelgas parciales y locales previas que podrían esterilizar el movimiento. En todo caso, el comportamiento del gobierno solo hizo añadir confusión a un proyecto insuficientemente perfilado en cuanto al método y la finalidad, dado que se anunció como huelga revolucionaria inicialmente, mientras que la última instrucción emanada de los comités —consignas que por otro lado no llegaron a todas partes— se pronunciaban por la huelga pacífica. El proyecto socialista de colapsar la industria mediante el cierre de las minas de Asturias y hacer triunfar la huelga ferroviaria para evitar el abastecimiento desde el exterior, que testimonia la correspondencia de Acevedo a Pablo Iglesias, tampoco llegaría a cumplirse por el fracaso de dicha huelga.

A pesar de la incidencia desigual, pese a que no logró incorporar a los campesinos (los grandes ausentes de 1917, como se ha subrayado), la huelga tendrá una resonancia indiscutible como lo prueba la práctica paralización de la vida nacional durante una semana y la prolongación de los enfrentamientos entre las fuerzas del orden y los huelguistas durante casi un mes en algunas zonas, tal como aconteció en la cuenca minera asturiana.

Fue la declaración de la «ley marcial» y la resuelta actitud del ejército (incluyendo a las, poco ha, rebeldes Juntas de Defensa) en favor del gobierno, más que las vacilaciones de republicanos y la deserción de la burguesía catalana —todos ellos aterrados ante la perspectiva de una revolución social triunfante— la fuerza que truncó las aspiraciones populares. Al balance de las víctimas ocasionadas por los enfrentamientos —71 muertos, 156 heridos, en torno a los dos millares de detenidos— y a la condena a cadena perpetua de los miembros del Comité de Huelga (Largo Caballero, Daniel Anguiano, Julián Besteiro y Andrés Saborit; el republicano Marcelino Domingo será indultado en noviembre), es preciso añadir otras secuelas como los despidos laborales, las torturas carcelarias y las persecuciones, principalmente en Asturias, en donde el general Burguete se hacía tristemente popular al proponerse «cazar como alimañas» a los huidos, al mismo tiempo que el entonces comandante Francisco Franco se iniciaba en la represión social.

Capítulo IV

1917-1923. De la huelga general a la dictadura militar

Tiempo de violencia, de descomposición del sistema político, de escisiones ideológicas y de rupturas sociales, caracterizan el último período de la monarquía constitucional.

Si la entrada de los Estados Unidos en la guerra y la ofensiva aliada desvanecía los restos de beligerancia en la opinión española antes de que se firmara el armisticio, la huelga de agosto de 1917 había sido el aldabonazo que ponía fin a su vez a las vacilaciones de la burguesía no oligárquica y a la integración de esta en el bloque de poder. Esfumada desde entonces la perspectiva de una eventual alianza entre esta última, las capas medias y la clase obrera, se asistió en su lugar a un breve período en que la lucha de clases, alentada por el ejemplo de la revolución pasa a alcanzar una frontalidad y una cota de intensidad desconocida hasta entonces en la historia contemporánea española.

Pero el poderoso movimiento obrero y popular del «trienio bolchevique» (1918-1920), capaz de forzar al poder al empleo de nuevos medios de coacción y de escindir la burguesía de las nacionalidades con mayor grado de desarrollo económico (Cataluña, País Vasco), no lo fue, sin embargo, de ofrecer una alternativa revolucionaria; más bien al contrario, será víctima a su vez de disensiones y rupturas internas. En un período de aguda más que prolongada crisis económica, la unidad de acción sindical se debilitará; la experiencia revolucionaria de los soviets, poco ha estimulante, se tornará polémica en los órganos de dirección del Partido y las centrales y, en consecuencia, la unidad política del movimiento obrero también se romperá. Se creaban, pues, las condiciones objetivas para que el golpe de Estado de Primo de Rivera en 1923 se llevara a cabo sin riesgo ni sobresalto alguno para la clase dominante.

1. LA DESCOMPOSICIÓN DEL SISTEMA DE GOBIERNO

El planteamiento y desenlace de una docena de crisis totales y más de treinta parciales son datos en sí harto reveladores del progresivo desgaste del sistema, hasta su extinción, a lo largo del último sexenio de la monarquía constitucional.

Sin que consideremos que el empeño revista especial interés, una visión pormenorizada de los sucesivos gabinetes ministeriales permite, sin embargo, introducir matizaciones que corroboran las razones de la descalificación con que se ha enjuiciado tradicionalmente el período. En líneas generales podrían distinguirse dos etapas, la que se corresponde con los gobiernos de concentración en sentido estricto, es decir cuando en su composición figuraron personalidades de dos o más partidos sin computarse, a estos efectos, las cabezas de fracción, y la de los gobiernos de gestión, generalmente pergeñados a partir del otorgamiento de la confianza regia a un político determinado y de la distribución de las responsabilidades, basada preferentemente en criterios de fidelidad personal. Ocasionalmente también se ha denominado a estas peculiares prácticas políticas —y no sin ironía— gobiernos de «concentración» de liberales y conservadores respectivamente.

Conjurado el peligro de subversión social, la oposición al gobierno conservador de Dato en las semanas posteriores a la huelga general servirá de pórtico a los gobiernos de concentración. Para que se llegara a aquella situación no ejercerá tanta presión la segunda reunión de los parlamentarios disidentes de 1917, celebrada en el Ateneo de Madrid, desguarnecida prácticamente del flanco que cubría la burguesía catalana, como el retorno, después del paréntesis de la represión, de las reivindicaciones de los militares. El envío de las Juntas al rey de un escrito que contenía un duro ataque a los políticos de turno, sería suficiente para provocar la caída de Dato y la apertura de una serie de consultas que culminarían con la designación de García Prieto.

La composición del nuevo gobierno, si bien este era mayoritariamente conservador, incluía a «romanonistas» (A. Gimeno), a representantes de la Lliga (Ventosa, el hombre de confianza de Cambó), a liberal-demócratas (Alcalá Zamora) e incluso, por un momento, contaría con la adhesión de Rodés, del catalanismo republicano. Se había consumado, pues, el fin del turno después de casi cuarenta años de vigencia oficial.

El nuevo gobierno se encontraría, en primer lugar, con una oposición política menos débil de lo previsible debido a que en las elecciones de febrero de 1918, en las que, naturalmente, el gobierno prosiguió alcanzando la «mayoría que había menester», los socialistas engrosaron su representación parlamentaria al pasar de uno a seis diputados (Iglesias y Besteiro por Madrid, Largo Caballero por Barcelona, Anguiano por

Valencia y Saborit por Asturias); los republicanos alcanzaron quince escaños con la significativa derrota de Lerroux, y los reformistas nueve, entre los que tampoco se encontraría su líder Melquíades Álvarez, asimismo derrotado. Serían elegidos además veintisiete catalanistas, en su mayoría de la Lliga, y siete nacionalistas vascos. Pero es la más inmediata oposición extraparlamentaria de los militares y de los funcionarios modestos del Estado, de Correos y Telégrafos, que también constituyen «Juntas», la que forzará la dimisión del ministro de la Gobernación, Juan de la Cierva, que arrastrará al conjunto del gabinete a una nueva crisis.

Los cronistas han testimoniado cómo bajo la amenaza de abdicación del rey y con el concurso del conde de Romanones pudo formarse, a duras penas, un nuevo gabinete presidido por Maura en el que formaron Eduardo Dato, García Prieto, Santiago Alba y Francisco Cambó, conglomerado que en cierta manera justificaba la denominación de gobierno de «concentración nacional», último de aquella especie. Ahora bien, la presencia de Cambó en modo alguno significó el cambio de rumbo de la oligarquía centralista y la modernización económica. Esta se redujo a poco más que la electrificación del puerto de Pajares y se considera que el apoyo que prestó a las compañías ferroviarias tendió a beneficiar a sectores económicos muy concretos, como determinadas compañías mineras, y a Altos Hornos de Vizcaya. En todo caso los planes de Cambó, aunque mínimamente audaces, fueron lo suficiente para que renaciera el enfrentamiento en el gabinete con Santiago Alba, quien veía postergado su proyecto de instrucción pública ante la iniciativa adquirida por el dirigente de la Lliga, mientras el gobierno se veía obligado a liberar al comité de huelga encarcelado en Cartagena a instancias de una continuada presión popular. El resultado será la dimisión de Alba, primero, y de Maura una semana después.

En una atmósfera enrarecida, en la que el fin de la guerra mundial tenía como contrapunto peninsular la propagación de la mal llamada «gripe española» y la zozobra del final de la fase alcista, rodaba un gobierno García Prieto que duró menos de un mes, con el que se clausuraba el breve ciclo de concentración a finales de 1918.

Un gobierno de incondicionales bajo la jefatura de Romanones tendrá que habérselas durante cuatro meses con el crescendo del movimiento autonomista de catalanes y vascos —aquellos, en asamblea conjunta de diputados y senadores y con el apoyo de la nueva mayoría en ayuntamientos habían aprobado un proyecto de estatuto y exigían el reconocimiento de un gobierno catalán—, el nerviosismo de la diplomacia francesa ante la premiosidad hispana en la pacificación de Marruecos y, finalmente, con la agitación social que en este período simbolizó, mejor que ningún otro conflicto, la huelga de la «Canadiense». Desbordado por los nacionalismos —el jefe del gobierno ofrecerá un proyecto más restringido que chocaba con la «autonomía integral» que planteaban los catalanistas—, impotente en los asuntos africanos y desbordado también en el problema laboral catalán, en donde la patronal optó resueltamente por el gobernador militar desconociendo a las autoridades civiles, Romanones en absoluto se plantearía escrúpulos a la hora de presentar la dimisión.

El bienio que transcurre entre la caída de Romanones y el asesinato de Eduardo Dato —primavera de 1919-marzo de 1921— presencia nuevas tentativas fallidas de los líderes veteranos, como Maura y Dato, y la llegada a la presidencia de nombres nuevos, como Sánchez Toca y Allende-Salazar.

La nueva experiencia de Maura o gobierno «de fuerza» coincide con un empeoramiento de la situación económica, con un recrudecimiento de la agitación social en Andalucía y con la reanudación de las hostilidades de El Raisuni, en Marruecos. Ante la gravedad de los problemas únicamente cabe reseñar la solución parcial del descontento militar recogiendo las peticiones de las Juntas en relación con los ascensos e incrementando el presupuesto militar y los efectivos del Ejército.

Los gobiernos de Sánchez Toca y Allende-Salazar, hombre de negocios e ingeniero agrónomo respectivamente, se revelaron también incapaces de imponer su autoridad no solo sobre el movimiento obrero, que consiguió la aplicación de la jornada laboral de las ocho horas, sino que tampoco logró doblegar la intransigencia de la patronal catalana, que recurría casi de manera sistemática al *lock-out*. La adhesión a la Sociedad de Naciones, la creación del Tercio de Extranjeros en África —la Legión— y el no reconocimiento de la Unión Soviética figuran entre las decisiones adoptadas en política exterior y militar por el primer gobierno Allende-Salazar.

La formación del último gobierno Dato coincidió con la renovación de los métodos de represión. Al empleo sistemático en este cometido de la Guardia Civil, y la utilización circunstancial del Ejército, a los despidos y al *lock-out* patronal, sucedió el terrorismo de Estado que contó con el apoyo de la burguesía regionalista, visible primero a través del comportamiento violento de los Sindicatos Libres y, finalmente, de la puesta en práctica de la «ley de fugas» en Valencia y Barcelona en la última semana de enero de 1921. El respaldo solidario del presidente del gobierno en el Congreso al celo represor del gobernador de Barcelona Martínez Anido, no será una conducta ajena al asesinato de aquel en Madrid en los primeros días de marzo de 1921.

2. LA PROTESTA AUTONOMISTA

Previsiblemente la integración en el poder central del movimiento regionalista hubiera retrasado la descomposición del sistema político y hecho innecesaria la intervención militar en septiembre de 1923; probablemente una política orientada en aquella dirección hubiera permitido aliviar las tensiones acumuladas después de la huelga general a cambio, naturalmente, de una reforma constitucional. Pero la incomprensión continuada de los «hechos diferenciales» permitía evidenciar desde este ángulo cómo dentro del bloque de poder la hegemonía del mismo seguía siendo detentada por la oligarquía centralista a la que se incorporaba, precisamente en este período, una nueva fracción, la alta burguesía industrial de la periferia catalana, vascongada y, en parte, también asturiana. Este giro estratégico determinado por la ofensiva de la clase obrera originará, a su vez, rupturas en el seno de los movimientos regionalistas más evolucionados —como en el País Vasco y Cataluña—, de las que se desprenderán las izquierdas nacionalistas; en aquellas áreas administrativas en las que alumbraba penosamente una conciencia regional como producto de la crisis económica, la pequeña burguesía se mostrará incapaz de elaborar una alternativa que fuera asumida por las capas populares. El resultado será un planteamiento frontal, sin mediaciones, de la lucha de clases, tal como aconteció en Asturias y en Andalucía, regiones en las que el autonomismo incipiente apenas adquirió entonces el carácter de un confuso testimonialismo

En Asturias, la reacción de un sector de la patronal ante el retorno inevitable a la situación de la preguerra, en la que las importaciones de carbón inglés de nuevo se perfilaban en el horizonte desplazando a la hulla regional del mercado vizcaíno, alentó por un trienio un movimiento reivindicativo de carácter proteccionista encabezado por Nicanor de las Alas Pumariño, promotor de la *Liga pro-Asturias* y, más tarde, de la *Junta de Fomento y Defensa de los intereses de Asturias*..

Del alto grado de dependencia económica y política que seguía experimentando Andalucía, motivado por el balance latifundistas que arroparon las transformaciones jurídicas de la propiedad agraria en el siglo XIX, por las inversiones extranjeras en los yacimientos mineros y por el fracaso de la industrialización, brotará en la segunda década del siglo XX una ideología regionalista que tiene su primera manifestación en los Juegos Florales de 1907 celebrados en Sevilla, y que soñará con un país de pequeños propietarios, frente a los grandes, y con unos municipios autónomos frente al caciquismo. Esta sería, en síntesis, la aportación doctrinal de Blas Infante, el autor de *El Ideario de Andalucía* (1915), influido por la ideología conciliadora de clases que rezumaba la obra de Henry George, y promotor del movimiento asambleario que se registra en los años inmediatos: Congreso de Ronda en 1918, en el que se pronunciaba el regionalismo andaluz por un fórmula federal actualizada y por los colores de la bandera (verde y blanca), y la Asamblea de Córdoba del año siguiente, en la que se aprueba el Manifiesto regionalista y se perfilaba cierta aproximación a los trabajadores socialistas. El Centro Andaluz de Sevilla será el testimonio más relevante que permanecerá de aquel movimiento en su fase de declive hasta su desaparición, bajo la dictadura de Primo de Rivera.

Como resultado de la peculiar situación que atravesó la región levantina durante la guerra y de la ofensiva anticentralista emprendida por los dirigentes de la Lliga en las postrimerías del conflicto, surgirá en 1918 la *Unió valencianista regional* y la *Joventut republicana nacionalista*, organizaciones políticas que recogían una larga tradición que se remontaba a finales del siglo XIX (asociación *Lo rat penat*) y primera década del XX, (publicación de *De Regionalisme y valenticulture* del doctor Barberá en 1909, celebración de la primera asamblea regionalista en 1907, etc.). Situado ante la necesidad de definirse frente al centralismo y frente al catalanismo, el valencianismo figurará entre los movimientos más radicales del momento. Así, mientras la Unió se situaba en posiciones más avanzadas que la Lliga, la Joventut daba un paso más en sus formulaciones, pronunciándose por la articulación del federalismo y los cambios sociales populares en sentido colectivista partiendo de la soberanía municipal.

En la órbita de las nacionalidades peninsulares también es posible observar un diferente ritmo en la elevación de su grado de conciencia durante este período. El área económica más retrasada, Galicia, no conseguirá hasta 1918, fecha en que tiene lugar la primera Asamblea de las *Irmandades da Fala* en Lugo, la redacción de un «manifiesto» en el que se reconoce como nación, «Xa que a verba rexionalismo non recolle todas las aspiracios ni encierra toda a intensidade dos nosos problemas», exige la autonomía integral, la cooficialidad del gallego y castellano, la igualdad de derechos para la mujer, parlamento gallego elegido por sufragio universal, protección a pequeños campesinos, soberanía estética de la nación gallega etc., programa que será suscrito no solo por los representantes de todas las «Irmandades» sino también por 67 sociedades, cinco federaciones agrarias, once concejos y cinco centros culturales. La fundación de la revista de *Estudios gallegos* en Madrid, en 1915, el dinamismo del grupo coruñés que había logrado publicar *A Nosa Terra* y el fracaso de los candidatos galleguistas en las elecciones de 1918 explican el éxito de la asamblea de Lugo y el paso dado por la federación de las hermandades, al transformarse al año siguiente en Partido Nazonalista Galego.

No obstante, el movimiento seguirá fluctuando como consecuencia del escaso respaldo rural. Si en la primera década del siglo Acción Gallega había fracasado en la lucha emprendida contra las anacrónicas estructuras agrarias y la influencia del caciquismo, experiencia aquella que orientó el galleguismo a la acción política, desde la Asamblea de Monforte (1922), en cambio, la mayoría de la organización se pronunciará por el apoliticismo con la finalidad de preservar la pureza del movimiento. El partido cambiaba su denominación por el de *Irmandade Nazionalista Galega* y elegía a Vicente Risco *conselleiro supremo*.

En el País Vasco, en cambio, el éxito electoral del Partido Nacionalista a escala provincial, al conseguir la mayoría de los diputados en la Diputación de Vizcaya de 1917 y todos los escaños del Congreso y del Senado, con la excepción del conseguido por Indalecio Prieto, en 1918, tampoco será una garantía contra la división interna del movimiento.

Sobre el telón de fondo de las transformaciones económicas producidas por la neutralidad y que de modo tan espectacular beneficiaron a la industria vizcaína, se agravarán las disensiones internas de aquel conglomerado interclasista, forzado a realizar una tentativa tras otra a fin de cohonestar la ortodoxia doctrinal con la práctica política en un contexto social extraordinariamente lábil como el que estamos examinando.

La oposición al proyecto fiscal de Santiago Alba sobre los beneficios extraordinarios de la guerra deparó la ocasión de articular las aspiraciones de la burguesía vasca con la catalana, presentándose ambas como el eje de las fuerzas destinadas a culminar la recuperación de las nacionalidades. Esta y no otra era la idea que animaba el proyecto de Cambó, que este expuso paladinamente en abril de 1917 en el teatro Bellas Artes de San Sebastián:

> Ver cómo en Cataluña, por ejemplo, los que dirigimos el movimiento nacionalista catalán no somos hombres de negocios, no somos ni industriales, ni comerciantes; y, no obstante, nos dedicamos con más ahínco que los representantes de los intereses materiales, a velar por la prosperidad económica de nuestra tierra. Y nosotros, en nuestra campaña no esperamos que estimulen nuestra acción los industriales ni los comerciantes. Somos nosotros los que a veces, sin que ellos lo sepan, casi siempre sin que ellos nos lo agradezcan, trabajamos por el desarrollo y el engrandecimiento de sus negocios. Porque ya sabéis, como os decía en Bilbao, que ellos son únicamente los depositarios transitorios de la riqueza de nuestro pueblo.

Unos meses más tarde, sin embargo, cuando las Diputaciones de Álava, Vizcaya y Guipúzcoa solicitaban la autonomía, la dirección del movimiento vasco se encontrará de nuevo en la encrucijada: el gobierno central se negaba a considerar la petición al mismo tiempo que era tachada de maniobra «españolista» por los aberrianos. En realidad la génesis inmediata de la escisión que se consumará en 1921 arrancaba de cinco años antes, cuando el Partido Nacionalista Vasco decidió sustituir esta denominación por la de *Comunión Nacionalista Vasca* en un deseo de anteponer la restauración nacional vasca, de recuperar el «alma nacional» alentada por las fuerzas integristas, a la parcialidad programática inherente a un partido «exotista». La Comunión, sin embargo, había iniciado resueltamente la apertura de una vía posibilista de incorporación pactada a la monarquía de Alfonso XIII poniendo sordina a los dogmas originarios, relegando a Sabino Arana a la condición de precursor, y reforzando el carácter urbano del movimiento.

La reacción contra el aburguesamiento galopante de la Comunión procederá, como anteriormente apuntamos, de los núcleos juveniles de la ría del Nervión encabezados por Elias Gallástegui, los cuales en 1919 se declaraban «franca y esencialmente separatistas» y dos años después ponían de nuevo en pie el Partido Nacionalista.

Pero la debilidad numérica de los jóvenes aberrianos, explicable en una fase en que la oligarquía había recuperado sus posiciones políticas al reagruparse en la «Piña» monárquica para contener la presión electoral autóctona, en la que permanecían además otras opciones «sucursalistas» de las capas medias y de la clase obrera —si bien, esta última, escindida entre socialistas y comunistas—, llevará al nuevo partido a acentuar su radicalismo inicial, a desenmascarar al capitalismo vasco incrustado en la Comunión, por un lado, y a conectar con el sector obrero antimarxista de los «solidarios», por otro. Defendiendo la pequeña propiedad, el PNV se había erigido de nuevo, a la llegada de la Dictadura, en el portavoz de la burguesía no monopolista que seguía aspirando a la emancipación nacional [13].

El balance de realizaciones que presentaba el catalanismo al fin de la guerra era más favorable. A pesar de las escisiones políticas que se registraron entre 1910 y 1914, de las que saldrían nuevos grupos como el Partit Republicà dirigido por Layret, M. Domingo y Gabriel Alomar, que naturalmente contribuyeron a debilitar a la Lliga, esta aún tuvo la posibilidad de conseguir del gobierno el decreto por el que se creaba en 1914 la Mancomunidad. Sin ser otra cosa que la mera unión administrativa de las cuatro diputaciones catalanas, la Mancomunidad impulsaría notablemente las obras públicas, la enseñanza y la cultura en la década durante la cual se mantuvo en vigor, primero bajo la presidencia de Prat de la Riba y, después, de Puig i Cadafalch. La extensión de la red telefónica y la reactivación del Institut d'Estudis Catalans, en el que Pompeu Fabra promovió la normalización de la lengua catalana, constituyen el legado principal de la actividad de la Mancomunidad.

Pero la defección de la Lliga de la Asamblea de Parlamentarios y la condena de la huelga de 1917, al mismo tiempo que facilitó la entrada de la burguesía catalanista en el gobierno, primero con Ventosa y después con Cambó, como ya vimos, le restará prestigio e influencia en la propia Cataluña hasta el punto de aparecer como traidora a la causa nacionalista. Los esfuerzos que la Lliga realiza entonces presentando un programa conciliador que recoge conjuntamente postulados de reforma social y de defensa de la autonomía en una campaña en favor del estatuto y que, naturalmente, fracasó, no lograron impedir las deserciones de grupos importantes de aquel conglomerado: en 1919 se desgajaba la Federación Democrática Nacionalista con Francesc Macià al frente, al año siguiente Companys organizaba sindicalmente a la Unió de Rabassaires, en 1922 era la propia juventud de la Lliga, opuesta a la nueva participación de Cambó en el gobierno de concentración que se urdió a raíz del desastre de Annual, la que promovía el nacimiento de Acció Catalana encabezada por un grupo de intelectuales (J. Bofill, Nicolau d'Olwer, Rovira i Virgili); finalmente, también en 1922, aparecía Estat Català, el grupo políticamente más avanzado y de más acusado nacionalismo dirigido por Macià.

* * *

Coincidiendo con la «diada» catalana en 1923 (11 de septiembre), se inauguraba en Barcelona una conferencia contra la guerra de Marruecos promovida por Acció Catalana, a la que se sumaron delegaciones de las otras dos nacionalidades (Partido Nacionalista Vasco, Partido Nazonalista Galego e Irmandades da Fala). Desautorizada por el gobierno y disuelta por la policía, la hostilidad al centralismo monárquico alcanzaba su cenit: se oyeron *mueras* a Castilla, a España, y al rey. Dos días después se pronunciaba Primo de Rivera y los más caracterizados dirigentes de la «triple alianza» cruzaban los Pirineos hacia el exilio.

3. EL DECLIVE REPUBLICANO

Si la coyuntura económica alcista y la inercia del gobierno oligárquico galvanizó en origen la protesta regional y de las nacionalidades, el desenlace imprevisto de la crisis de 1917 conducirá, en cambio, a la esterilidad e impotencia a los grupos republicanos centralistas. Una prueba fehaciente de su declive se reflejará en la disminución de su influencia política: 29 diputados elegidos en 1918, solamente 11 en 1923.

Al producirse la deserción de los nacionalistas ante el proyecto de revisión constitucional, al registrarse asimismo el abandono de la conjunción por los socialistas, y al acentuarse las contradicciones de los reformistas de Melquíades Álvarez, partido que se enajenará un sector de la patronal minera y financiera asturiana al secundar aquel el movimiento de agosto de 1917, apenas tendrá eco popular la constitución en el Ateneo de Madrid, en 1918, de la Federación Republicana, en cuyo comité figuraron, entre otros, H. Giner de los Ríos, Marcelino Domingo y Alejandro Lerroux. De aquella solamente cabe destacar, por un lado, la publicación de una manifiesto en el que se anticiparon contenidos programáticos que serán aplicados en los años treinta, tales como la reforma agraria, la autonomía de Cataluña y la reforma educativa, y por otro, el oportunismo de Lerroux —frente a la honestidad de M. Domingo— para capitalizar en su beneficio, a partir de la celebración del Congreso de la Democracia en 1920, la nueva opinión republicana.

Sin embargo, esta y, en general, la opinión liberal y democrática se hallaba menos desasistida cultural que políticamente en los años de la crisis orgánica. La aparición entre 1917 y 1923 del diario *El Sol,* de la *Revista de Occidente,* la fundación en 1918 del Instituto-Escuela, e incluso la publicación de *Farsa y licencia de la reina Castiza, Luces de Bohemia* y *Divinas Palabras* de Valle Inclán y la concesión del premio Nobel a Jacinto Benavente, fueron los principales hechos culturales que incidieron sobre un público cada vez más amplio, dentro de un país en el que todavía en 1920 se elevaba el 52,3 % el número de analfabetos (1900 = 63,8). En el ámbito científico tuvo especial relevancia la fundación, en 1922, del Instituto Cajal de Madrid por el prestigioso histólogo español, a quien le había sido concedido el premio Nobel de Medicina en 1906.

La trayectoria seguida por *El Sol* —la publicación diaria de más alta calidad de la época— desde su fundación a finales de 1917, ilustra sobre los progresos y límites de la fracción más avanzada de la burguesía, así como de su principal mentor e ideólogo, Ortega y Gasset. Porque fue efectivamente en aquel diario en donde aparecería un día de noviembre de 1930 «El error Berenguer», artículo firmado por Ortega que acababa con el *Delenda est monarchia,* provocando un impacto considerable en las postrimerías de la Dictadura; era el mismo órgano de prensa que aprobaba inicialmente el régimen de Primo de Rivera [12] y el que insertaba por capítulos la obra *España invertebrada* (1921), en la que Ortega pronosticaba las catastróficas consecuencias que pueden acarrearse a un país cuando la sociedad se desmembra y «la masa se niega a ser masa, esto es, a seguir a la minoría directora» anticipando el grave mal que significaría alzarse contra los mejores (*La rebelión de las masas,* 1930).

Esta concepción elitista de la historia y del papel del intelectual en la sociedad no solamente encuentra explicación en la influencia que la filosofía germánica ejerció sobre Ortega sino en la «circunstancia» hispana del período —incluyendo en ella, naturalmente, la huelga de 1917 y el trienio «bolchevique»—, circunstancia que contribuyó decisivamente al abandono de las posiciones mantenidas en la revista *España* en el período inmediatamente anterior. La «España que nace» cantada por Machado —quien, por su lado, continuará manteniendo posiciones similares a la etapa anterior— contrastaba con la frustración y la integración en el bloque de poder de la fracción de la burguesía que «velis nolis» llegó a encarnar Ortega.

4. OFENSIVA Y REFLUJO DEL MOVIMIENTO OBRERO

Mientras proseguía el proceso de acumulación en algunos sectores del capitalismo hispano durante algún tiempo desués de terminada la guerra, merced al respiro que le deparó la reconstrucción de las potencias beligerantes, las condiciones de vida de los trabajadores no empeoraron sensiblemente en relación con los años anteriores. Las secuelas inmediatas de mayor significación se debieron a la desaparición de las industrias marginales (de las explotaciones nuevas, de coyuntura) y a la disminución de las horas extraordinarias.

Mayor importancia que la reaparición de los síntomas negativos referidos a la situación económica revistió, probablemente, la desmoralización experimentada por el movimiento obrero organizado a raíz del fracaso de la huelga general de 1917. Crisis moral que se vería compensada, sin embargo, pocos meses después al tener conocimiento de la victoriosa revolución de los soviets en la Rusia zarista.

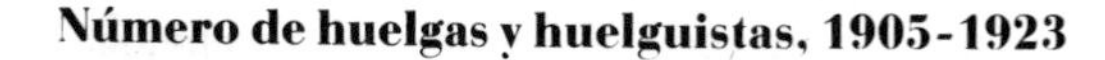
Número de huelgas y huelguistas, 1905-1923 **XVIII**

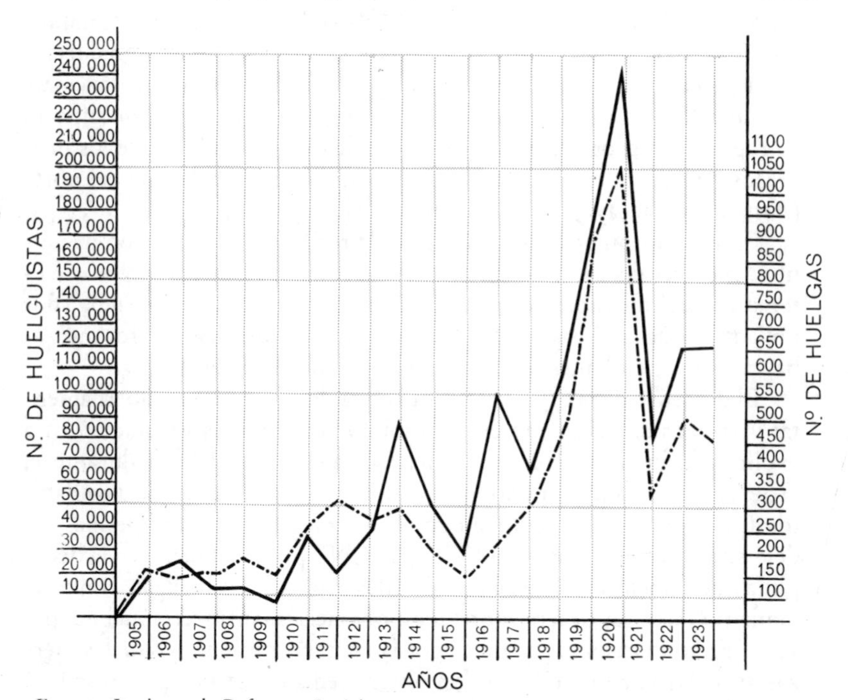

Fuente: Instituto de Reformas Sociales.
Las cautelas normales a tomar sobre el conjunto de las cifras recogidas por el IRS deben extremarse en 1909 y 1917, dado que no se contabilizó el número de huelguistas por tratarse de movilizaciones de carácter político.

En líneas generales, la práctica del movimiento obrero de aquel período permite distinguir con claridad dos fases, una de ascenso y otra de declive, situándose en 1921 el punto de inflexión de la curva, justamente cuando se consolidaba la recuperación económica en Europa y se acentuaba la recesión en España. Así lo corroboran el número de huelgas y de huelguistas en crecimiento constante desde 1918 a 1920, y la caída brusca de la cota de conflictividad en 1921 y, de forma más paulatina, durante el bienio posterior.

Otros datos permiten confirmar, asimismo, que la intensificación de las luchas potenciaban numéricamente a las organizaciones políticas y sindicales de clase; el Partido Socialista llegó a cuatriplicar el número de afiliados entre 1915 y 1921, aumentó de uno a seis el número de diputados a Cortes, como ya vimos, conseguía elevar a 144 el número de concejales en 1918, disponía de un diario y trece semanarios, al mismo tiempo que la UGT doblaba sus efectivos entre 1918 y el año en que se consuma la escisión. La CNT, organización alérgica a la precisión estadística, con ocasión del Congreso de 1919 celebrado en el Teatro de la Comedia de Madrid consideraba representados a más de setecientos mil obreros, y en la *Memoria* del mismo, con su tradicional proclividad a redondear cifras, estimaba en 550 000 el número de afiliados. Cataluña con más de la mitad de los afiliados, la región levantina, Andalucía y Asturias continuaban siendo las principales zonas de implantación anarcosindicalista. La expansión socialista, sin embargo, había modificado su repartición geográfica tradicional desde el momento en que los progresos realizados en el sur colocaban a Andalucía por delante del norte (Asturias y Vizcaya), y, por supuesto, el centro.

En los años inmediatos a la guerra la renovada movilización de amplios sectores del campesinado se perfila como otro de los rasgos característicos del movimiento obrero español; la agitación se extendía, por un lado, a nuevas áreas como Levante y Aragón mientras se profundizaba, por otro, en baluartes tradicionales como Andalucía.

El descenso de la capacidad adquisitiva, la paralización gubernamental y la peculiar recepción en el dominio agrario de la revolución rusa explican la intensidad de las luchas sociales en Andalucía durante el «trienio bolchevique»; período en el que, junto a la pervivencia de hábitos tradicionales que acompañaron a las motivaciones campesinas, se dejó sentir la influencia de la UGT y la CNT principalmente en la disciplina que caracterizó la declaración y desarrollo de las huelgas, comportamiento que prevalecerá sobre el espontaneísmo insurreccional del pasado. En todo caso, la patronal agraria contará con el apoyo de las fuerzas armadas y, aunque la presión obrera cedía desde 1920, no respirará aliviada hasta tres años después, cuando Primo de Rivera ocupe el poder.

En las regiones industriales del norte, la conflictividad fue en general menos intensa e incluso sectorialmente desigual. En Asturias los metalúrgicos se vieron más tempranamente afectados por la crisis que los mineros, quienes mantuvieron una retribución relativamente elevada hasta 1920. Esta situación explica que en 1919 los obreros del metal de Gijón sostuvieran una huelga de seis meses contra la rebaja salarial mientras la Federación Nacional de Mineros, impulsada por el sindicato asturiano, y este por el grupo encabezado por Manuel Llaneza, presionaran únicamente por la reducción de la jornada laboral hasta lograr las siete horas «de bocamina a bocamina». Pero la correlación de fuerzas sufrirá profundas alteraciones cuando la crisis económica afecte de plano a la minería dos años después y la dirección del Sindicato Minero —uno de los baluartes de la UGT— se deslice hacia posiciones reformistas, coincidiendo con la toma del poder por Primo de Rivera en 1923.

En Vizcaya, en cambio, en donde la huelga de agosto había alcanzado menor duración y dramatismo que en Asturias y la prosperidad económica logró prolongarse hasta 1921, la derrota de la corriente sindicalista y de clase que encarnaba Facundo Perezagua, a manos del socialismo electoralista y conciliador impulsado por Indalecio Prieto [15], preludiaba el comportamiento peculiar del movimiento obrero vasco en etapas ulteriores.

En Cataluña las repercusiones de la guerra, aparte de generar acumulación de capitales e inflación como en el resto de las áreas de producción, determinaron la llegada de una nueva oleada de inmigrantes que se vería afectada más seriamente por la intransigencia de una patronal que no se ha adaptado a la situación posbélica mediante la correspondiente modernización técnica, y que teme al fantasma comunista; sobre todo, por las tensiones y desgarros registrados en el seno de la CNT, convertida prácticamente en la central sindical única de la región. La diferente estructura industrial y la débil implantación del sindicalismo de inspiración marxista permiten diferenciar —más que la presencia de fuerzas políticas nacionalistas— la peculiar trayectoria de violencia registrada en aquel período en Cataluña y el hecho inédito de que la ciudad de Barcelona viviese prácticamente durante tres años (1919-1922) bajo el estado de excepción.

La decepción, una vez más, de los políticos y de la huelga de 1917 llevará a la sindical catalana en el congreso de Sans, en 1918, a romper definitivamente con el radicalismo lerrouxista y a la adopción del sindicato único como instrumento más idóneo para la acción directa, es decir, al rechazo de intermediarios en las relaciones con el gobierno y la patronal; aquellos cambios contribuirán también a la inestabilidad interna de la organización.

Antes de que llegara el invierno de 1919 y estallara la huelga de la «Canadiense» (Barcelona Traction, Light & Power) ya se habían perfilado las dos principales corrientes dentro de la confederación: la anarcosindicalista, mayoritaria, que tendía a incorporar el componente mesiánico del pasado en la nueva organización sindical centralizada, y la sindicalista propiamente dicha, minoritaria y con una dosis más elevada de pragmatismo en el planteamiento de la lucha de clases. El sindicato único y la división ideológica se pondrán de manifiesto durante el mencionado conflicto, iniciado al proceder la empresa citada al correspondiente «reajuste de personal» en febrero de 1919, decisión que condicionará la adhesión solidaria de otros sectores hasta llegar a la huelga general. La intervención de la autoridad militar cuando justamente el líder sindicalista Salvador Seguí (el «Noi del Sucre») estaba a punto de conseguir la normalización, no solo hará estériles los esfuerzos de este y acentuará la división interna del movimiento, sino que tendrá el efecto de envalentonar a la patronal y enrarecer aún más las relaciones laborales en Cataluña. Cuando en el otoño del mismo año los patronos, con el apoyo del gobierno y de los políticos catalanistas, decidieron clausurar las empresas y dejar en la calle a 200 000 obreros, se iniciaba una etapa en la que la acción terrorista desplazaba a la lucha sindical del escenario barcelonés.

Frente a la violencia estructural y a la intervención gubernamental en apoyo de la patronal catalana, los grupos de acción anarquista responderán organizando atentados contra patronos y obreros esquiroles o amarillos. La reacción patronal en la primera fase se orientará a la contratación a sueldo de bandas terroristas, como la del aventurero alemán Koening, colaborando después en la creación de sindicatos libres anticenetistas como los fundados por Ramón Sales en 1919, a pesar de que estos se presentaban formalmente dispuestos a defenderse de «la tiranía de los patronos y de los matones de los sindicatos únicos».

La segunda espiral de violencia se iniciaba cuando, en el otoño de 1920, Eduardo Dato, jefe del gobierno, de acuerdo con la patronal, nombraba a Martínez Anido gobernador civil de Barcelona; la dureza de las medidas represivas tomadas por aquel general, que comenzó con destierros y encarcelamientos de líderes sindicales y continuó con la aplicación de la «ley de fugas», acabarían provocando que la CNT segregara de sí un grupo de comunistas sindicalistas (A. Nin, J. Maurín), que el control de la organización pasara a manos del grupo anarquista-terrorista de los Solidarios (Durruti, Ascaso, G. Oliver, Sanz Escartin) y que la violencia y la muerte alcanzaran a personalidades políticas y sindicales interesadas en la pacificación laboral urbana (Layret, Seguí). El balance de víctimas que entre 1917 y 1922 presentaba el área barcelonesa era aterrador: más de ochocientos atentados, de los cuales la mitad fueron cometidos contra los trabajadores, la cuarta parte contra la patronal y sus administradores, y el resto contra las fuerzas del orden público y autoridades; cuando llegó la Dictadura la CNT se encontraba, pues, sin dirigentes experimentados, prácticamente clausurados ya sus centros y extremadamente mermada en sus efectivos sindicales [2].

En aquella coyuntura especialmente fluida, en el fondo de la depresión que se sitúa entre los últimos impulsos de la onda expansiva de la guerra y los comienzos de la recuperación económica de 1923, el movimiento obrero español se verá también sometido al vendaval ideológico desencadenado por la revolución rusa.

Con la finalidad de sintetizar el apretado y prolijo proceso que culminó en la escisión y en la formación del Partido Comunista de España, distinguiremos en él dos fases, subrayando en la primera la incidencia de la revolución *stricto sensu,* y la segunda el impacto de las secuelas organizativas de ella derivadas a escala mundial, es decir, la actitud del movimiento obrero ante el llamamiento inaugural y las condiciones de ingreso en la nueva Internacional.

La repercusión de la revolución en la órbita influenciada por la CNT osciló entre la esperanza mesiánica que despertó entre el campesinado andaluz, situación que llevaría a un líder agrario a eslavizar su apellido (Cordón = Cordoniev), la vaga adhesión de los «anarquistas puros» de Cataluña, motivada por una recepción fragmentaria y una valoración confusa de los acontecimientos que les hizo entrever la posibilidad de conciliar el pensamiento leninista sobre la transitoriedad del Estado con la idea anarquista, y, finalmente, la atracción más relativizada en los sindicatos de las zonas industriales, desbordados por las tareas apremiantes de la lucha interior e inmersos en la euforia que producía la afluencia masiva de afiliados a la CNT.

La receptividad socialista de la revolución será, en líneas generales, menos cálida y más tardía; a ello contribuirá la convicción de que el triunfo bolchevique solamente se había traducido en la separación de la guerra mediante el acuerdo firmado por Lenin con los alemanes (Brest-Litovsk), tratado de paz calificado inicialmente de «traición al frente democrático de los aliados» y la preocupación electoral justificada por el triunfo obtenido en 1918. Sin embargo, por otro lado, será en el seno del socialismo en donde surgirá tempranamente una minoría especialmente interesada, ligada a la revista *Nuestra Palabra,* en abandonar el reformismo y convertir al PSOE en una organización marxista-leninista. Pero cuando en noviembre de 1918 el Partido Socialista celebraba su XI Congreso, en el que se comprobaba el incremento experimentado en la afiliación, se acordaba la abolición de la monarquía y se ofrecían alternativas a los problemas agrario y de las nacionalidades cubriendo, al fin, los dos flancos más desguarnecidos del programa socialista hasta entonces, las esperanzas de los «leninistas» de la primera hora parecían esfumarse.

La segunda ofensiva pro comunista en el seno del movimiento obrero español se desató a raíz de la fundación de la Komintern en Moscú, en 1919. En esta ocasión el entusiasmo sindicalista que presidió la celebración del Congreso del Teatro de la Comedia —triunfalismo que llevó entonces a los cenetistas a emplazar a la UGT a ingresar en bloque en la CNT, so pena de declararla «amarilla» —será uno de los factores que impedirá una definición matizada ante la nueva situación. Las conclusiones del Congreso preludiaron el rumbo que siguió la CNT poco tiempo después; se aprobó una resolución en la que, junto a la adhesión condicionada a la Internacional Comunista, se hacía una defensa a ultranza de la AIT y se convocaba a un Congreso Obrero Universal. La incógnita se despejaría finalmente en el Pleno Nacional celebrado en Zaragoza en la primavera de 1922, en el que después del viaje a la Unión Soviética de Pestaña se rechazó definitivamente el ingreso en aquella.

La respuesta socialista al llamamiento de la Komintern fue más debatida y problemática. A ello contribuyeron tanto las reticencias apriorísticas de Besteiro y de Pablo Iglesias como la impaciencia del grupo que giraba en torno a *Nuestra Palabra,* reforzado con la adhesión de las Juventudes Socialistas (GES), todos ellos de Madrid, a quienes se sumaron también en 1919 un grupo asturiano encabezado por Isidoro Acevedo y otro vizcaíno capitaneado por Perezagua y Leandro Carro. Sin embargo, la escisión no se formalizará sino después de prolongadas confrontaciones a lo largo de dos congresos de las Juventudes, tres del PSOE, y otros dos de la UGT.

Las Juventudes fueron las primeras en romper el fuego al pronunciarse favorablemente al ingreso de la Internacional en abril de 1920, dando lugar a la fundación del Partido Comunista Español. Esta opción, arropada de una manifiesto en el que los jóvenes «moscutistas» aspiraban al establecimiento del «régimen soviético» en España, sería revalidada un año después, cuando triunfó la aceptación de las veintiuna condiciones por abrumadora mayoría (3344 votos favorables, 346 en contra). Las organizaciones de los «mayores», en cambio, se mostrarán más equilibradas en sus posiciones. Mientras, por un lado, la UGT reiteraba su adhesión a la Federación Sindical de Amsterdam, los debates más intensos se libraban en el seno del Partido. Tras una votación favorable al ingreso en la III Internacional en 1920, pero en la que la resolución definitiva se aplazaba a resultas de los informes que caracterizados portavoces de las dos tendencias, Fernando de los Ríos por la «segunda» y Daniel Anguiano por la «tercera», realizarían de la experiencia soviética, acabó por rechazarse el ingreso por 8854 votos contra 6094, en abril de 1921. La notable actividad desplegada por Pablo Iglesias, quien, aunque ausente del congreso por enfermedad, se esforzó por controlar las delegaciones a través de la UGT y publicó, además, un artículo en *El Socialista* en el que se oponía al ingreso justamente en la fecha en que se iniciaba el Congreso, es un factor no desdeñable en la correlación de fuerzas y en el resultado final del escrutinio.

De aquel congreso extraordinario del PSOE saldría, sin embargo, el segundo Partido Comunista, el Partido Comunista Obrero Español, encabezado por Quejido, Anguiano, Núñez de Arenas, Pérez Solís, Virginia González, etc., quienes convocarán la primera reunión en la Escuela Nueva.

La fusión de los dos partidos, de la que emergerá el definitivo Partido Comunista de España, se efectuaría poco tiempo después mediante la intervención de un delegado de la Komintern (Graziadei) en espera del congreso de reunificación celebrado en 1922, en el que se fijaron los estatutos y se aprobaron las tesis sobre el «frente único proletario» que la Internacional Comunista acababa de asumir. *La Antorcha* sería el nuevo órgano de expresión, y se elige un Comité Ejecutivo con García Quejido, Lamoneda, Virginia González, Núñez de Arenas y otros más.

Si bien en origen no cabría calificar de grupúsculo al nuevo partido dado que los efectivos del PSOE habían descendido a poco más de veintiún mil, sí se ajustará a aquella calificación en los años inmediatos. La extremada debilidad numérica que caracterizará hasta niveles de raquitismo al PCE, no solo es observable por referencia contrastada con el PSOE en aquel período sino que resulta más sorprendente aún comparándolo con la fuerza con que irrumpieron el Partido Comunista Italiano y, sobre todo, el francés, que llegó a contar con 130 000 afiliados en 1921 y con 26 diputados en 1924. La neutralidad mantenida por España durante la primera guerra mundial, preservando al PSOE de votar los créditos militares y de ser involucrado entre los que contribuyeron a la «bancarrota» de la II Internacional, junto con la reorganización y el espectacular crecimiento que registra la CNT desde 1917 incorporando al sector más radicalizado del proletariado, explica la excepción española en los países mediterráneos de Europa occidental. Un pequeño partido, en suma, cuya primera toma de posición sería la declaración de la huelga general como respuesta política al desastre de Annual.

5. LA OFENSIVA CONTRARREVOLUCIONARIA

Efectivamente, el derrumbamiento de las guarniciones militares españolas en la zona oriental del Protectorado a mediados de 1921 renovará la crispación social en el momento en que declinaba acusadamente la conflictividad laboral y cristalizaba, como acabamos de examinar, la división del movimiento obrero.

La intervención en África, abocada desde 1912 a una penosa y lenta ocupación militar, volverá a deparar, después de un período relativamente tranquilo que coincidió con los años de la guerra mundial, una nueva catástrofe que superó ampliamente la tragedia de 1909. En el origen de la misma se hallaban tanto motivaciones análogas a las registradas diez años antes —estado lastimoso en que seguía el ejército— como la incapacidad técnica y política del régimen para afrontar una guerra modernamente concebida.

En plena época imperialista, la monarquía de Alfonso XIII conducía la ocupación siguiendo el ya anacrónico «estilo» colonial. A esta concepción se ajustaba desde la inexistencia de reformas en el estamento militar, puesto que aún continuaba pletórico de oficiales y generales y la vigencia de la distribución presupuestaria en la que los gastos militares detraían en torno a la mitad del presupuesto, hasta la indisciplina y despilfarro de los mandos superiores y la fisonomía urbana de Melilla infestada de burdeles, según testimoniara ulteriormente el expediente Picasso.

Ante esta situación, de poco servirá la fundación del Tercio de la Legión en 1920 por Millán Astray y que, en el mismo año, se incrementaran los efectivos de las fuerzas armadas alcanzando el cuarto de millón. Examinando el fenómeno desde otra perspectiva, cabría decir que la guerra del Rif engendraba un verdadero ejército en un país que no lo tenía a causa de la debilidad de su nacionalismo, de su modernidad, y de su imperialismo [26 bis].

La innovación de mayor importancia adoptada por los gobiernos de concentración en orden a revisar la política africana seguida hasta entonces por la Monarquía será el nombramiento del general Berenguer como Alto Comisario, en 1918, por el conde de Romanones. Pero el plan que este concibe para ultimar la dominación del protectorado arrojaría un balance netamente desigual: si en la zona occidental la campaña emprendida por el propio general Berenguer desde Tetuán contra El Raisuni logró alcanzar la ciudad de Xauen en 1920, la campaña iniciada en el este por el general Fernández Silvestre desde Melilla tendrá un signo totalmente adverso. La tentativa de ensanchar el hinterland de Melilla —avanzó sin asegurarse la retaguardia hasta el corazón del Rif— chocará con la hostilidad de la kábila de las Beni-Urriagel al frente de la cual se encontraba Abd-el-Krim; más propenso a tolerar la explotación de las concesiones mineras que la ocupación del territorio, acabó en la catástrofe de Annual ya apuntada. Las víctimas que ocasionó aquella aventura —en la que se cometió el error, además, de enfrentar a los regulares con las kábilas— fueron estimadas en más de doce mil muertos y se sufrieron cuantiosas pérdidas en material de guerra: 14 000 fusiles, 100 ametralladoras y 117 piezas de artillería; la ciudad de Melilla consiguió salvarse de la ocupación marroquí gracias a los refuerzos llegados de Ceuta pero, en todo caso, la derrota echaba por tierra diez años de guerra en la susodicha zona oriental. Mientras Abd-el-Krim levantaba un ejército regular y proclamaba el Emirato del Rif a comienzos de 1922, el general Silvestre se suicidaba.

La conmoción que el nuevo desastre norteafricano provocó en la

Península se traduciría a corto plazo en la caída de Allende-Salazar, la formación de un nuevo gobierno por Maura y el nombramiento de una comisión de responsabilidades presidida por el general Picasso. En el bienio siguiente, mientras perdían terreno los «africanistas» frente a los «abandonistas» y la sombra de las responsabilidades se cernía sobre los gobiernos y el sistema, la reanudación de las operaciones militares en Marruecos y el envalentonamiento de la patronal en el interior, especialmente en Cataluña, serán las preocupaciones apremiantes del Poder.

Confiada la dirección de los asuntos africanos al general Burguete, este negociará un acuerdo con El Raisuni, logrando rescatar a los prisioneros de Annual; a comienzos de 1923 Burguete sería sustituido, a su vez, por Luis Silvela en el momento en que Abd-el-Krim se afianzaba en el este y reanudaba sus ataques contra las posiciones avanzadas de Melilla, poniendo de nuevo en peligro la plaza de soberanía. Pero la experiencia de Annual condicionó la reacción conservadora del gobierno en lo concerniente a los planes de ocupación obligando a que los gabinetes se abstuvieran de acometer nuevas operaciones; el eje de la atención retornaba de nuevo a los problemas de política interior.

Desbordados los gobiernos de Maura y Sánchez Guerra por los debates originados al hilo de los acontecimientos africanos, el gabinete formado por García Prieto a fines de 1922 presidirá las últimas elecciones a diputados de la Monarquía, en las que, probablemente, las novedades de mayor fuste fueron el crecido número de escaños asignados por la aplicación del artículo 29 de la ley electoral, la elección del líder minero Manuel Llaneza por la circunscripción de Oviedo, y los dos millares de votos comunistas repartidos entre Vizcaya, Asturias y Madrid.

Pero el gabinete García Prieto presenciará, sobre todo, el renacimiento de la ofensiva patronal y del terrorismo. Fuera de Cataluña la resistencia patronal se instrumentalizará a partir del sindicalismo católico, inspirado en la Acción Católica y débilmente implantado desde su aparición a principios del siglo. Sin embargo, a partir de 1917 el antisocialismo doctrinal y el paternalismo laboral registraron cambios importantes; el auge del movimiento obrero clásico alertará a un sector de la patronal católica, que se mostrará especialmente activo en contener la marea socialista y anarquista. Fue precisamente entonces cuando apareció la primera democracia cristiana española, constituida como grupo en 1918 y como partido —Partido Social Popular— en 1922, inspirándose en el modelo del sacerdote italiano Don Sturzo, siendo impulsada por el conde de Vallellano, entre otros, y apoyándose en *El Debate*.

Pero si el grupo demócrata-cristiano no creció en la proporción previsible, ello se debió a que los representantes de la Confederación Nacional Católica Agraria, sin desvincularse de esta última organización política, optaron por el fortalecimiento de la sindicación agraria movilizando a párrocos y maestros rurales en favor de esta. Entre 1917 y 1919 el número de federaciones agrícolas se triplicó, extendiéndose principalmente por Castilla la Vieja, Aragón y Levante. Así, pues, en el momento en que se precipitaba la descomposición política de la oligarquía, el auge del sindicalismo católico venía a compensar aquella deficiencia y hacía innecesaria la puesta en marcha de una nueva formación política confesional que amparara la propiedad pero que, eventualmente, podría plantear problemas sobre las dimensiones y la función social de la misma.

El carácter defensivo y conciliador de clases del movimiento campesino de inspiración católica se tornará más agresivo en el sindicalismo industrial del mismo signo. Rebasada en este período la línea del canónigo Maximiliano Arboleya experimentada en Asturias —indudablemente la versión sindical más avanzada del catolicismo social, la única que sin dejar de ser abiertamente antimarxista no vaciló en criticar el paternalismo—, se impondrá la orientación más integrista ideológicamente y socialmente más reaccionaria, auspiciada por los jesuitas y el marqués de Comillas.

La práctica social seguida por este conglomerado en determinados sectores laborales, como en el sindicato ferroviario y en regiones de indiscutible hegemonía socialista como Asturias, no deja lugar a dudas sobre la voluntad de neutralizar y eventualmente aniquilar las organizaciones de clase utilizando todo tipo de medios a su alcance, incluida, naturalmente, la financiación patronal. Cuando la táctica «rompehuelgas» aplicada por los sindicatos católicos en Valladolid, León y Asturias antes de 1917 se torne un remedio insuficiente para contener después la «subversión bolchevique», la patronal católica no dudará en utilizar otros métodos; la puesta en circulación de ideas como la de que «los buenos ciudadanos deben actuar en momentos dados como policías» del marqués de Comillas, y expresiones tales como «aquí en Asturias en las cuencas mineras se necesitan hombres de *cojones*, dispuestos a lo que venga...», debida a la pluma de uno de los propagandistas del sindicalismo amarillo en 1915, ilustran sobre el nivel de confrontación alcanzado y contribuyen a explicar la tensión que ocasionalmente desembocará en violentas refriegas entre socialistas y católicos, como la que se registró en 1921 en la cuenca del Aller —feudo minero del marqués de Comillas en Asturias— y en la que resultaron once muertos [8].

En Cataluña la violencia no había cesado con la incorporación de Cambó al gobierno de Maura constituido a consecuencia del desastre de Annual, participación en el gabinete que, por otro lado, aprovecharía el dirigente de la Lliga para reforzar el arancel proteccionista, ni tampoco cederá con su caída poco tiempo después. Únicamente cabría subrayar cómo al terrorismo de Estado practicado por Martínez Anido sucedió el terrorismo amarillo y que esta última modalidad generaría, a su vez, el terrorismo anarquista; proceso que, en definitiva, se saldó con la debilitación orgánica y la escisión ideológica de la CNT, cuyas secuelas en las vísperas de la Dictadura llevaron hasta la eliminación física de dirigentes como Seguí y Boal, según vimos anteriormente.

Pero si el nombramiento en el otoño de 1922 de Miguel Primo de Rivera como capitán general hizo concebir esperanzas de pacificación en amplios sectores catalanes, en Madrid cundía, en cambio, la desorientación en el gobierno y el nerviosismo en el ejército.

A lo largo del año 1923 pudo observarse cómo la iniciativa de los parlamentarios de exigir responsabilidades por lo acontecido en Annual tendía a ser desplazada por la presión creciente de determinados cuadros militares contra el gobierno. La insuficiencia en los análisis de los partidos obreros con relación al problema colonial —el PSOE no había superado aún el planteamiento moralista de la cuestión, el PCE no diferenciará hasta 1925 el colaboracionismo de El Raisuni del independentismo de Abd-el-Krim—, explica en parte la reacción del nacionalismo pequeño-burgués de Acció y Estat Catalá solidarizándose con la República del Rif y la correspondiente exacerbación de los militares africanistas.

Cuando, a fines de julio de 1923, se suspendían las sesiones de las Cortes y se aplazaba para octubre la discusión sobre el dictamen de la Comisión de Responsabilidades, era el propio general Primo de Rivera, inclinado hasta entonces al abandonismo de la aventura colonial, quien se pasaba con armas y bagages al campo de los intervencionistas pronunciándose por la urgencia de restaurar el honor y la dignidad del estamento militar. Cuando el último gobierno de la Monarquía se negaba a financiar la operación que preveía un desembarco en Alhucemas con la finalidad de alejar el peligro que se cernía sobre Melilla, se ponía en marcha la conspiración que culminó en el levantamiento de Primo de Rivera el 13 de septiembre, justamente tres semanas antes de la fecha prevista para la apertura de Cortes y la presentación del anunciado informe elaborado por la Comisión de Responsabilidades.

Al ser rechazada por el propio monarca la alternativa que el jefe del gobierno García Prieto planteaba frente al pronunciamiento: destitución inmediata de los generales que apoyaron la iniciativa de Primo de Rivera y convocatoria de Cortes para el día 17, Alfonso XIII se inclinaba de hecho por el golpe militar. Primo de Rivera dio entonces publicidad a un manifiesto en el que justificaba su decisión en razón de los males que aquejaban al país y que en el texto inventariaba: terrorismo, indisciplina social, propaganda comunista y separatista, impiedad e incultura, corrupción financiera, etc.; se imponía, pues, el «apartamiento» de los partidos y la entrega del poder a un directorio militar.

Aunque se desconocía que, en el momento decisivo, al capitán general de Cataluña no le faltó el respaldo personal del marqués de Comillas, el *Patrono ejemplar*, según la biografía que en 1936 publicará el jesuita Sisinio Nevares, propagandista notorio del sindicalismo católico, solamente los comunistas y cenetistas de Madrid reaccionaron contra el golpe publicando un manifiesto en el que denunciaba «la cobardía general y el abandono del poder civil». Sin sobresaltos, en el momento en que se confirmaba la tendencia favorable en la situación económica y había remitido incluso la espiral terrorista, se instalaba, pues, la primera dictadura militar en la España del siglo xx.

BIBLIOGRAFÍA

1. ARTOLA, MIGUEL, *Partidos y programas políticos, 1808-1936,* 2 vols., Madrid, 1974.

2. BALCELLS, ALBERT, *El sindicalismo en Barcelona, 1916-1923,* Barcelona, 1968.

3. BALCELLS, ALBERT, *Teoría y práctica del movimiento obrero en España, 1900-1936* (Colectivo), Valencia, 1977.

3 bis. BENAVIDES, DOMINGO, *Democracia y cristianismo en la España de la Restauración (1875-1923),* Madrid, 1978.

4. BOZAL, VALERIANO, *La construcción de la vanguardia, 1850-1939.* Madrid, 1978.

5. CALERO, ANTONIO M.ª, *El movimiento obrero en Granada, 1909-1923,* Madrid, 1973.

6. CARR, RAYMOND, *España, 1808-1939,* Barcelona, 1969.

7. CASTILLO, JUAN JOSÉ, *Propietarios muy pobres. Sobre la subordinación política del pequeño campesino en España (La Confederación Nacional Católico-agraria, 1917-1942),* Servicio de Publicaciones Agrarias del Ministerio de Agricultura, Madrid, 1979.

8. CASTILLO, JUAN JOSÉ, *El sindicalismo amarillo en España. Aportación al catolicismo social español, 1912-1923,* Madrid, 1977.

9. CUADRAT, XAVIER, *Socialismo y anarquismo en Cataluña. Los orígenes de la CNT,* Madrid, 1976.

10. CUCÓ, ALFONSO, *El valencianismo político, 1874-1939.* Barcelona, 1977.

11. CUESTA, JOSEFINA, *Sindicalismo católico-agrario, 1917-1918,* Madrid, 1978.

12. DESVOIS, JEAN-MICHEL, *La prensa en España, 1900-1931,* Madrid, 1977.

13. ELORZA, ANTONIO, *Ideologías y nacionalismo vasco, 1836-1937. De los euskaros a Jagi-Jagi,* San Sebastián, 1978.

13 bis. ERICE, FRANCISCO, *La burguesía industrial asturiana, 1885-1923,* Gijón, 1980.

14. FORCADELL, CARLOS, *Parlamentarismo y bolchevización. El movimiento obrero español, 1914-1918,* Barcelona, 1978.

15. FUSI, JUAN PABLO, *Política obrera en el País Vasco, 1880-1923,* Madrid, 1975.

16. GERBOD, PAUL, *L'Europe culturelle et religieuse de 1815, a nos jours,* París, 1977.

17. JULIEN, CHARLES A., *Abd-el-Krim et la République du Rif,* París, 1976.

18. KAPLAN, TEMMA, *Orígenes sociales del anarquismo en Andalucía. Ca-*

pitalismo agrario y lucha de clases en la provincia de Cádiz, 1868-1903, Barcelona, 1973.

19. LAMO DE ESPINOSA, EMILIO, *Filosofía y política en Julián Besteiro*, Madrid, 1970.

20. LASA, EUGENIO, «Apuntes para el estudio de las luchas sociales en Vizcaya durante los años 1917-1920», en *Movimiento obrero, política y literatura en la España Contemporánea*, Madrid, 1974.

21. LINZ, JUAN JOSÉ, *El sistema de partidos en España*, Madrid, 1974.

22. MAINER, JOSÉ CARLOS, *La Edad de Plata, 1902-1931. Ensayo de interpretación de un proceso cultural*, Barcelona, 1975.

23. MARTÍNEZ CUADRADO, MIGUEL, *La burguesía conservadora, 1874-1931*, Madrid, 1973.

24. MARTÍNEZ CUADRADO, MIGUEL, *Elecciones y partidos políticos*, Madrid, 1969.

25. MAURICE, JACQUES, y CARLOS SERRANO, *Joaquín Costa: Crisis de la Restauración y populismo, 1875-1911*, Madrid, 1977.

26. MEAKER, GERALD, *La izquierda revolucionaria en España, 1914-1923*, Barcelona, 1978.

26 bis. MIEGE, JEAN-LOUIS, *Expansión europea y descolonización de 1870 a nuestros días*, Barcelona, 1975.

27. MOLAS, ISIDRO, *Lliga Catalana. Un estudi d'estadiologia electoral*, Barcelona, 1977.

28. MORALES LEZCANO VÍCTOR, *El colonialismo hispano-francés en Marruecos, 1898-1927*, Madrid, 1976.

28 bis. NADAL, JORDI, *La población española (siglos XVI a XX)*, Barcelona, 1973.

29. PAYNE, STANLEY G. (edit.), *Política y sociedad en la España del siglo XX*, Madrid, 1978.

30. PAYNE, STANLEY G., *Los militares y la política en la España contemporánea*, París, 1968.

31. PÉREZ LEDESMA, MANUEL, *Pensamiento socialista español a comienzos del siglo. Introducción a Antonio García Quejido y La Nueva Era*, Madrid, 1974.

32. RIQUER, BORJA DE, *Lliga Regionalista: la burgesia i el nacionalisme, 1898-1904*, Barcelona, 1977.

33. ROMERO MAURA, JOAQUÍN, *La Rosa de Fuego. El obrerismo barcelonés de 1899 a 1909*, Barcelona, 1975.

34. RUIZ, DAVID, *El movimiento obrero en Asturias. De la industrialización a la Segunda República*, Oviedo, 1968.

35. SECO SERRANO, CARLOS, *Alfonso XIII y la crisis de la Restauración*, Barcelona, 1969.

36. TORRENTE BALLESTER, GONZALO, *Panorama de la literatura contemporánea española*, Madrid, 1965.

37. TUÑÓN DE LARA, MANUEL, *La España del siglo XIX*, París, 1961 (Barcelona, 1978).

38. TUÑÓN DE LARA, MANUEL, *La España del siglo XX*, París, 1966 (Barcelona, 1977).

39. TUÑÓN DE LARA, MANUEL, *El movimiento obrero en la historia de España*, Madrid, 1972 (Barcelona, 1977).

40. TUÑÓN DE LARA, MANUEL, *Luchas obreras y campesinas en la Andalucía del siglo XX. Jaén 1917-1920. Sevilla 1930-1932*, Madrid, 1978.

41. Tuñón de Lara, Manuel, *Medio siglo de cultura española, 1875-1936*, Madrid, 1973.
42. Tusell, Xavier, *Oligarquía y caciquismo en Andalucía, 1890-1923*, Barcelona, 1976.
43. Ullman, Joan Connelly, *La Semana Trágica. Estudio sobre las causas socio-económicas del anticlericalismo en España, 1898-1912*, Barcelona, 1972.
44. Vicens Vives, Jaime, *Historia Social y Económica de España, vol. V: Burguesía, Industrialización, Obrerismo*, Barcelona, 1959.

CRONOLOGÍA

AÑOS	ECONOMÍA	HECHOS POLÍTICOS
1829-1833	Fundación del Banco Español de San Fernando. Código de Comercio.	Gobierno Cea Bermúdez. Muerte de Fernando VII. Primera guerra carlista.
1834	Sociedad «El Vapor». Altos Hornos en Marbella.	Primeras medidas de exclaustración contra nos conventos desafectos al régimen (26 marzo). Promulgación del Estatuto Real (10 abril). División de las provincias (creadas el 30.12. en partidos judiciales (21 abril). Entrada del pretendiente Carlos María Isi España (7 julio). En Madrid, matanza de frailes, acusados de nenar las aguas (17-18 julio).
1835		Mendizábal es nombrado ministro de Ha del gabinete Toreno (15 junio). Muerte de Zumalacárregui en Begoña (24 Bullanga en Barcelona, y quema de con (25 julio). Creación, en Barcelona, de la Junta Auxilia sultiva. Inicio del movimiento juntista en (10 agosto). Mendizábal, nombrado jefe del gobierno (1 tiembre). Disolución de las órdenes religiosas, excep hospitalarias (11 octubre).
1836	Decreto ordenando la venta de los bienes de las órdenes religiosas extinguidas (19 febrero). Supresión de la Mesta. Se suprimen los diezmos, primicias y demás prestaciones de este tipo (julio). Restablecimiento de la libertad de industria (6 diciembre).	Decreto ampliando la supresión de conve otras casas religiosas (8 marzo). Mendizábal dimite como jefe del gob (15 mayo). Pronunciamiento de los sargentos en La G Se restablece la Constitución de 1812 (12 ag Victoria de Espartero en Luchana, y levanta del sitio de Bilbao (24 diciembre).
1837	Se inicia la desamortización de los bienes del clero (29 julio).	Promulgación de la nueva Constitución (18 Ley recapituladora de las exclaustra (29 julio). Pronunciamiento moderado de los oficia Pozuelo y Aravaca (12 agosto). El pretendiente llega a las puertas de (12 septiembre).
1838	Contrato entre el Estado y el Banco de San Fernando por el que se centralizan en este sus operaciones de crédito.	Cabrera toma Morella (enero). En el norte, el general carlista Muñagorri una paz «moderada».
1839	Ley minera para reactivar la producción.	El Convenio de Vergara pone fin a la guerra ta en el norte (29 agosto).

MOVIMIENTO OBRERO	CULTURA E IDEOLOGÍA
	Censura de imprenta en España (enero).
En Barcelona, quema de la fábrica Bonaplata (5 agosto).	Estreno de *Don Álvaro,* del Duque de Rivas. Fundación del Ateneo de Madrid (octubre).
	Mesonero Romanos funda el *Semanario Pintoresco Español.*
	Suicidio de Mariano José de Larra (13 febrero). Espronceda escribe *El estudiante de Salamanca* y *El Ministerio Mendizábal.*
	Estébanez Calderón escribe *Cristianos y moriscos.*
Real Orden estableciendo las condiciones para la creación de sociedades de socorros mutuos (28 febrero).	Piferrer inicia la publicación de *Recuerdos y bellezas de España.* Flores Estrada publica *La cuestión social.* Nace Giner de los Ríos.

AÑOS	ECONOMÍA	HECHOS POLÍTICOS
1840		Caída de Morella: fin de la guerra carlista vante (30 mayo). Ley de Ayuntamientos, contraria a las aspira progresistas (15 julio). Abdica María Cristina de Borbón, y ma destierro (12 octubre).
1841	Mendizábal, ministro de Hacienda, extiende definitivamente al clero secular las medidas desamortizadoras (2 septiembre).	Espartero, nombrado por las Cortes rege Reino (10 mayo). Levantamiento de O'Donnell en Pamplona, Espartero, para restablecer a la regente Cristina de Borbón (27 septiembre). Fusilamiento del general Diego de León e drid, por su complicación en el levantamie Pamplona (15 octubre.)
1842		Gregorio XVI pide rogativas por el estado Iglesia en España (22 febrero) Sublevación de Barcelona contra Espar bombardeo de la ciudad (11 noviembre ciembre).
1843	Santa Ana, S.A., de Bolueta construye tres altos hornos. Se inician las obras del ferrocarril Madrid-Aranjuez.	Levantamiento antiesparterista de M (24 mayo). Barcelona se suma al levantamiento (6 ju La Junta de Barcelona decreta el derribo murallas de la ciudad (27 junio). Victoria de Narváez contra las tropas espar en Torrejón de Ardoz (22-23 julio). Fin de la regencia de Espartero (30 julio). Insurrección de la Junta de Barcelona en f la formación de una «Junta Central» en Ma nuevo bombardeo de la ciudad (13 agosto-viembre). Isabel II es proclamada mayor de edad viembre). Olózaga forma el primer ministerio de la reina (11 noviembre). Ministerio de González Bravo (1 diciembre
1844	Suspensión de las medidas desamortizadoras (26 julio). Suspensión de la venta de los bienes eclesiásticos (13 agosto). Se crean los bancos de Barcelona y de Isabel II. Auge bolsístico que persiste hasta 1846; promoción de empresas.	Decretos sobre creación de la Guardi (13 marzo y 11 abril).
1845	Reforma de la Hacienda (Mon y Santillán).	Abdicación de Carlos María Isidro en favo hijo Carlos Luis (18 mayo). Promulgación de la cuarta ley constituciona ñola (24 mayo).
1846		Matrimonio de Isabel II con Francisco d (10 octubre).

MOVIMIENTO OBRERO	CULTURA E IDEOLOGÍA
Se crea en Barcelona la primera sociedad obrera de resistencia.	
	Muere José de Espronceda (23 mayo).
	Nace en Las Palmas (Gran Canaria) Benito Pérez Galdós (10 mayo). Sanz del Río estudia la filosofía de Krause. Mesonero Romanos escribe *Tipos y caracteres*.
	Zorrilla escribe *Don Juan Tenorio*. Se inicia la publicación de *La Época*, diario conservador, en Madrid.
	El criterio, de Balmes.
	Aribau y Rivadeneyra comienzan la colección de «La Biblioteca de Autores Españoles».

AÑOS	ECONOMÍA	HECHOS POLÍTICOS
1847	Crisis de la Bolsa, depresión económica. Nuevo Banco Español de San Fernando.	Brotes carlistas en diversos puntos del p
1848	Fundación de La España Industrial en Barcelona. Ley de Sociedades por Acciones. Inauguración del ferrocarril Barcelona a Mataró. Ley de Reforma Monetaria (unidad: *real*).	Dictadura de Narváez (marzo-diciembre).
1849	Ley de la Deuda y Contabilidad. Arancel moderadamente proteccionista.	Fundación del Partido Democrático, en (6 abril).
1850	Se inaugura el Canal de Isabel II.	Donoso Cortés pronuncia en las Cortes su discurso sobre la situación de España ciembre).
1851	Inauguración del ferrocarril Madrid-Aranjuez (9 febrero). Bravo Murillo «arregla» la Deuda (octubre).	Firma del concordato entre el gobierno e la Santa Sede (11 marzo). Entra en vigor el concordato (17 octubre
1852		
1853	Fundación de la Real Compañía Asturiana de Minas con capital belga.	Luis José Sartorius, jefe del gobierno (tiembre). Voto adverso del Senado a la Ley de ferro
1854	Alza de precios y exportaciones agrícolas por la guerra de Crimea.	Pronunciamiento de O'Donnell, Dulce, Olano y Messina (28 junio). Manifiesto de Manzanares (7 julio). Levantamiento progresista en Barcelona (1 Formación del gobierno de coalición Es O'Donnell (31 julio). Constitución de la «Unión Liberal», coalic derada y progresista en vista a las eleccio Cortes Constituyentes (17 septiembre).
1855	Ley Madoz de desamortización eclesiástica y civil (1 mayo). Ley de Ferrocarriles. Fundación de La Maquinista Terrestre y Marítima en Barcelona.	Huelga general en toda Cataluña, la prime rada por las asociaciones obreras (2-10

MOVIMIENTO OBRERO	CULTURA E IDEOLOGÍA
	Muere Jaime Balmes (9 julio).
	Zorrilla escribe *Traidor, inconfeso y mártir.*
	Finalizan las obras del Congreso y del Teatro Real. Modesto Lafuente edita por primera vez su *Historia de España.*
	Barbieri: *Jugar con fuego.*
	Nacen Leopoldo Alas, Gaudí, Emilia Pardo Bazán, Torres Quevedo y Ramón y Cajal.
Huelga general en Barcelona contra las «selfactinas» (julio).	
Constitución en Barcelona de la Junta Central de Directores de la Clase Obrera (24 enero). En Barcelona, ejecución del líder obrero José Barceló (6 junio). Aparece en Madrid el semanario *El Eco de la Clase Obrera*, primer periódico obrero español (5 agosto). Se presenta a las Cortes el primer Proyecto de Ley regulador de las relaciones laborales en la industria (8 octubre).	Muere en París Juan Donoso Cortés (3 marzo).

AÑOS	ECONOMÍA	HECHOS POLÍTICOS
1856	Se crea el Banco de España (28 enero). Los hermanos Percire obtienen la subasta del ferrocarril Madrid-Irún. Leyes de Bancos de Emisión y Sociedades de Crédito. Real Orden suspendiendo la venta de bienes del clero secular (23 septiembre).	Algaradas en Valladolid y otras poblaciones llanas contra el encarecimiento de las subs cias (22 junio). Consejo de ministros, en el que el enfrentan entre O'Donnell y Patricio de la Escosura pr la dimisión de Espartero (11-14 julio). Resistencia armada en Madrid contra la caí Espartero (18-22 julio). Decreto restableciendo la Constitución de (15 septiembre). Narváez forma nuevo gobierno (12 octubre)
1857	Fundación del Banco de Bilbao.	Ley de Instrucción Pública, llamada de C Moyano (9 septiembre).
1857-1859	Depresión económica.	
1858	Se constituye la Compañía de los Caminos de Hierro del Norte de España (29 diciembre).	O'Donnell forma el ministerio llamado de Liberal (30 junio).
1859	Ley de Minas.	Declaración de la guerra a Marruecos (2 tubre).
1860		Toma de Tetuán (2 febrero). Fracasa el golpe carlista de San Carlos de la ta (16-23 abril).
1861	Comunicación ferroviaria entre Barcelona y Zaragoza. La naviera A. López y Cía. obtiene la adjudicación del servicio de correspondencia con Las Antillas.	Tratado de paz con Marruecos en Madrid (3 tubre).
1861-1864	El «hambre del algodón».	
1863		Caída del ministerio de Unión Liberal pres por O'Donnell (1 marzo). Circular del Ministerio de la Gobernación q mita a solo los electores la asistencia a las re nes de la campaña electoral. Retraimiento progresista como protesta cont ta medida (12 agosto).
1864	Ley de Reforma Monetaria (unidad: *escudo*).	Cuarto gobierno de Narváez. María Cristina v del destierro (16 septiembre).
1864-1868	Depresión económica.	
1865		Expediente académico contra Emilio Castela su artículo «El Rasgo» en *La Democracia,* la reina (20 marzo). Insurrección de los estudiantes, y represión noche de San Daniel en Madrid (10 abril). Sube O'Donnell al poder por tercera y últim (21 junio).

MOVIMIENTO OBRERO	CULTURA E IDEOLOGÍA
	Se inician las Exposiciones nacionales de Bellas Artes.
	Primeros juegos florales en Barcelona.
	Nacen Albéniz y Maragall.
Sublevación campesina de Loja (28 junio).	
Aparece en Barcelona el semanario *El Obrero,* dirigido por Antonio Gusart y Vila, tejedor (4 septiembre). Congreso obrero catalán en Barcelona, con asistencia de unos 300 delegados de 22 asociaciones obreras (24-26 diciembre).	

AÑOS	ECONOMÍA	HECHOS POLÍTICOS
1866	Fundación de Tharsis.	El gobierno cierra las cátedras del A (2 enero). Sublevación de los sargentos del cuartel d Gil, Madrid (22 junio). Pacto de Ostende, que sella la unión entre pr sistas y demócratas contra la dinastía borb (16 agosto).
1867		Ratificación en Bruselas del Pacto de Os (30 junio).
1868	Decreto de Reforma Monetaria que establece la *peseta* como unidad monetaria (19 octubre).	Fallecimiento de Narváez (23 abril). Pronunciamiento de la escuadra en Cádiz (17 tiembre). Batalla de Alcolea (28 septiembre). Caída de Isabel II (30 septiembre). Formación del gobierno provisional de la re ción de septiembre (8 octubre). Por primera vez en España, se establece el gio universal para varones mayores de 25 Comieza la primera guerra de Cuba por su pendencia (10 octubre).
1869	Arancel Figuerola. Ley de Sociedades Mercantiles.	Reunión de las Cortes Constituyentes (11 feb Magna manifestación proteccionista en Barc (21 marzo). Las Cortes adoptan el texto definitivo de la Co tución (1 junio). Serrano es elegido regente, y Prim, jefe de go no (18 junio).
1870		Isabel II abdica en favor de su hijo Alf (25 junio). Amadeo de Saboya, elegido rey por las Corte pañolas (16 noviembre). Asesinato de Prim (27 diciembre).
1871		Amadeo de Saboya entra en Madrid y ju Constitución (2 enero).
1872		Elecciones legislativas en las que desaparece nitivamente de la escena política el Partido gresista (3-6 abril). Comienza la segunda guerra carlista (2 may
1873	Fundación de Riotinto. Comienza el auge minero.	Promulgación de la Primera República (1 brero). Se reúnen las Cortes Constituyentes de la R blica. Figueras, presidente (1 junio). Proclamación de la República federal. Pi y gall, presidente (11 junio). Insurrección cantonal en Cartagena (12 julio Salmerón, presidente (18 julio). Castelar, presidente (7 septiembre).

MOVIMIENTO OBRERO	CULTURA E IDEOLOGÍA
Aparece en Barcelona el semanario *La Asociación*, dirigido por el obrero José Roca y Galés (1 abril).	
	Sale a la luz *El Imparcial*, diario liberal, en Madrid, dirigido por Eduardo Gasset y Artime.
Aparece *La Federación*, semanario obrero de Barcelona (1 agosto).	*Rimas*, de Bécquer.
Aparece el primer número de *La Solidaridad*, semanario internacionalista de Madrid (15 enero). Primer Congreso Obrero Español, en Barcelona (18-25 junio).	Creación del cuerpo de Archivos, Bibliotecas y Museos.
Conferencia en Valencia de la Internacional.	
Decreto de Sagasta, disolviendo las secciones de la Internacional (17 enero). Congreso de la Internacional en Zaragoza (4-9 abril). Congreso de la Internacional en Córdoba (25 diciembre-3 enero 1873).	
	Galdós empieza a escribir los *Episodios nacionales*

AÑOS	ECONOMÍA	HECHOS POLÍTICOS
1874	Concesión del monopolio de emisión al Banco de España.	Golpe de Estado del general Pavía (3 ene Los carlistas se ven obligados a levantar de Bilbao (2 mayo). Pronunciamiento del general Martínez Car favor de Alfonso XII (29 diciembre). Cánovas del Castillo forma el primer gab la Restauración (31 diciembre).
1875	Suspensión de la Base Quinta del Arancel.	Entrada de Alfonso XII en Madrid (14 ene
1876		Termina la tercera guerra carlista. Constitución canovista (2 julio).
1878		Se restringe el sufragio. Matrimonio de Alfonso XII y María de las des. Atentado anarquista contra el rey.
1879		Paz de Zanjón en Cuba. Matrimonio de Alfonso XII con María Cri
1880		Se funda el Partido Fusionista de Sagasta Conferencia de Madrid sobre Marruecos. Primer Congreso Catalanista.
1881		Redacción del Código Civil. Decretos que autorizan las asociaciones o
1882	Camacho reforma la Deuda. Ley de Relaciones Comerciales con las Antillas. Tratado comercial con Francia. Fundación de Altos Hornos y Fábricas de Hierro y Acero en Bilbao.	Se constituye el Centre Català en Barcelo
1882-1884	Depresión internacional.	
1883		Sucesos y proceso de la Mano Negra. Pronunciamientos republicanos. Segundo Congreso Catalanista. Se crea la Comisión de Reformas Sociales
1884		Motín universitario «La Santa Isabel».
1885	El Banco de España suspende la convertibilidad en oro. La filoxera hace estragos. Comienza la lenta depreciación de la peseta. Primer horno Bessemer.	Epidemia de cólera en Madrid. Muere Alfonso XII (25 diciembre). Primer gobierno de la regencia, presidido p gasta.

MOVIMIENTO OBRERO	CULTURA E IDEOLOGÍA
	Santuola descubre la cueva de Altamira. Nace A. Machado. Se inicia la publicación del diario integrista de Madrid, *El Siglo Futuro.*
	Se crea la Institución Libre de Enseñanza (29 octubre). Pi i Margall publica *Las Nacionalidades*, y Verdaguer, *La Atlántida.*
	Menéndez Pelayo, catedrático.
Fundación del Partido Socialista Obrero Español (2 mayo).	Aparece el *Diari Català* en Barcelona y *El Liberal* en Madrid.
Reorganización de la Federación de Trabajadores de la Región Española, anarquista.	
Tercer Congreso anarquista en Barcelona.	*El gran galeoto,* de Echegaray.
Congreso de la FTRE en Sevilla.	Primera piedra de la Sagrada Familia, de Gaudí, en Barcelona.
	Nuevos locales del Ateneo de Madrid.
Informe de la Agrupación Socialista Madrileña a la Comisión de Reformas Sociales.	Ferrán descubre la vacuna anticolérica. *La Regenta*, de Leopoldo Alas (Clarín). *Sotileza*, de J.M. Pereda.

AÑOS	ECONOMÍA	HECHOS POLÍTICOS
1886	Tratado comercial con Inglaterra.	Nace Alfonso XIII (17 mayo). Pronunciamientos republicanos en Carta Madrid (19 septiembre). Se funda en Barcelona el Centre Escolar nista. Las Cortes rechazan una propuesta auton de los diputados cubanos.
1887	Se crea en Valladolid la Liga Agraria de los trigueros castellanos (6 diciembre).	Constitución de la «Lliga de Catalunya». Sagasta restablece el derecho de asociació
1888	Fundación de Astilleros del Nervión, en Bilbao.	«Ley Gamazo», suprimiendo el Patron Cuba. Oposición a las reformas militares de Cas Se crea el Tribunal de lo Contencioso Admi tivo.
1889	Se funda el Fomento del Trabajo Nacional en Barcelona.	Finaliza la elaboración del Código Civil.
1890	Fundación de la compañía naviera Sota y Aznar.	Se restablece el sufragio universal. Primer Congreso Católico en España.
1891	Arancel proteccionista. Comienza la rápida depreciación de la peseta.	Romero Robledo acata la jefatura de Cáno
1892		Asamblea de Manresa en la que se proclar bases de la Unió Catalanista. Dimisión de Cánovas. Sagasta forma gobierno (diciembre).
1893		Fracaso del proyecto Maura sobre la auto de Cuba. Incidentes militares en Melilla. Castelar acaba con el Partido Posibilista. Crisis social en Barcelona.
1894		Paz hispano-marroquí (marzo).
1895	Inflación debida a la guerra de Cuba.	Gabinete Cánovas. Comienza la segunda guerra de Cuba (24 feb Fundación del Partido Nacionalista Vasco.
1896		La guerra se extiende a Filipinas (21 agost
1897		Asesinato de Cánovas (8 agosto). Gabinete Azcárraga y gabinete Sagasta. Se aprueba el estatuto de la Unió Catalanis
1898		Guerra con los Estados Unidos (18 abril). Desastre de Cavite (1 mayo). Desastre de Santiago de Cuba (3 julio). Tratado de París y fin de la guerra his americana (10 diciembre).

MOVIMIENTO OBRERO	CULTURA E IDEOLOGÍA
Aparece *El Socialista*, órgano del PSOE, dirigido por Pablo Iglesias.	*Fortunata y Jacinta*, de B. Pérez Galdós. Descubrimientos histológicos de Ramón y Cajal.
Se aprueba el reglamento de los Círculos Católicos Obreros.	
Fundación de la Unión General de Trabajadores en Barcelona (agosto). Primer Congreso del PSOE.	Exposición Internacional de Barcelona (15 mayo).
Huelga general en Vizcaya. Primera manifestación, en Madrid y Barcelona, del 1 de mayo.	
Agitación anarquista en Andalucía.	
Levantamiento campesino en Jerez (8 enero).	
	Se funda el Orfeó Català en Barcelona.
	Miguel de Unamuno: *En torno al casticismo.*
Proceso de Montjuich y fusilamiento de los condenados.	*Idearium* español de Ganivet. *Paz en la guerra*, de M. de Unamuno. Hallazgo de la Dama de Elche.
	Joaquín Costa: *Colectivismo agrario.* J. Maragall: *Oda a Espanya.* V. Blanco Ibáñez: *La Barraca.* Se inicia la publicación de *La Revista Blanca.*

AÑOS	ECONOMÍA	HECHOS POLÍTICOS
1899	Estabilización de Villaverde. Se funda la Liga Nacional de Productores en Zaragoza.	Primer gabinete Silvela con Polavieja y Bas (3 marzo).
1900	Se constituye la Unión de Cámaras de Comercio	Se crea la Unión Nacional con Basilio Joaquín Costa y Santiago Alba (1 marzo Gabinete Azcárraga. Ley sobre el trabajo de los niños. Ley de accidentes de trabajo.
1901	Fundación del Banco Hispanoamericano y el de Vizcaya. Se crea La Papelera Española por fusión de once fábricas.	Gabinete Sagasta. Se funda la Lliga Regionalista. Muere Pi i Margall.
1902	Plan Gasset sobre recursos hidráulicos. Fundación del Banco Español de Crédito. Se funda Altos Hornos de Vizcaya.	Alfonso XIII es declarado mayor de edad Acuerdo hispano-francés sobre la part Marruecos en dos zonas (10 noviembre)
1903		Silvela se retira de la política. Maura, jefe del Partido Conservador. Primer gobierno de Maura. Se crea el Instituto de Reformas Sociales
1904	Arancel proteccionista de Amós Salvador.	Viaje de Alfonso XIII a Barcelona (4-11 a Dimisión de Maura. Azcárate forma gobie
1905		Incidentes del *Cu-Cut* y *La Veu de Catal* Barcelona (25 noviembre).
1906	Nuevo arancel proteccionista (23 marzo).	Formación de la coalición «Solidaritat Ca (febrero). Conferencia de Algeciras. Ley de Jurisdicciones (20 marzo). Bomba de Morral en la boda de Alfonso Victoria Eugenia de Battenberg. Disidencias en el Partido Liberal.
1907	Fundación de la compañía Hidroeléctrica Española. Se forma la central siderúrgica de Ventas.	Triunfo electoral de «Solidaritat Catalana» Gobierno «largo» de Maura. Ley de Emigración.

MOVIMIENTO OBRERO	CULTURA E IDEOLOGÍA
	Sale a la luz *La Veu de Catalunya* (diario inscrito en la Unió; 1.° de enero). La Universidad de Oviedo empieza la obra de extensión universitaria.
Congreso de Sociedades Obreras de la Región Española, en Madrid.	Pío Baroja: *Vidas sombrías.* Joaquín Costa: *Reconstitución y europeización de España.*
	Oligarquía y caciquismo, de Joaquín Costa.
Huelga general revolucionaria en Barcelona.	La *Memoria* de Giner de los Ríos gana el concurso de la Universidad de Valencia sobre misión y función de la Universidad. Se celebra en la Universidad de Valencia la Asamblea de Universidades cuyos ponentes principales son Azcárate, Unamuno y B. Lázaro. Unamuno: *Amor y Pedagogía.* Azorín: *La voluntad.* Valle-Inclán: empieza las *Sonatas.* Baroja: *Camino de perfección.*
Huelgas en Bilbao y en Andalucía, que se prolongan hasta 1905.	A. Machado: *Soledades.* Aparece, pero todavía no como diario, el periódico monárquico *ABC.*
	Manuel B. Cossío es nombrado catedrático de Pedagogía de la Universidad Central. Echegaray recibe el premio Nobel de Literatura. Pío Baroja publica la trilogía *La lucha por la vida.*
Se constituyen en Bilbao los primeros Sindicatos Católicos.	Unamuno: *Vida de don Quijote y Sancho.* Azorín: *La ruta de don Quijote.* Rubén Darío: *Cantos de vida y esperanza.* *ABC* se publica como diario a partir del 1.° de junio.
Primer Congreso de las Juventudes Socialistas.	Ramón y Cajal, premio Nobel de Medicina. Primeras *Glosas* de D'Ors. Aparece el periódico radical *El Progreso.*
Constitución de Solidaridad Obrera en Barcelona (19 octubre).	Se crea la Junta para Ampliación de Estudios. Se funda el Institut d'Estudis Catalans.

AÑOS	ECONOMÍA	HECHOS POLÍTICOS
1908	Se funda la Constructora Naval con participación de la Wickers.	Derrota electoral de «Solidaritat Catalana». fo de Lerroux. Se crea formalmente el Partido Radical. Creación del Instituto Nacional de Pr (7 marzo).
1909		Ley de Huelgas (27 abril). Desastre del Barranco del Lobo en Marru Semana Trágica en Barcelona (26 julio). Ferrer Guardia es fusilado. Maura dimite. Ministerio Moret. Conjunción republicano-socialista (noviem
1910		Canalejas, presidente del gobierno (marzo) Ley del Candado (23 diciembre).
1911	Se funda la Canadiense en Barcelona.	Congreso Eucarístico.
1912	Se crean la Unión Eléctrica Madrileña y la Catalana de Gas y Electricidad.	Asesinato de Canalejas (12 noviembre). Romanones, presidente del gobierno. Tratado hispano-francés instituyendo el pr rado de Marruecos.
1913		Primer gobierno de Dato (27 octubre). Surge el «maurismo». Fundación de la Liga para la Educación P
1914		Constitución de la Mancomunidad de C (6 abril). Neutralidad de España ante el inicio de la p guerra mundial (julio).
1915		Romanones, presidente del gobierno. Escisión de la sociedad española a favor o tra de los contendientes en la primera guerr dial.
1916	Real Orden suprimiendo provisionalmente las exportaciones de artículos alimenticios (24 noviembre). Movilización patronal contra el proyecto Alba de imponer los beneficios extraordinarios.	Se forma la Confederación Nacional C Agraria a nivel del Estado.

MOVIMIENTO OBRERO	CULTURA E IDEOLOGÍA
Congresos del PSOE y de la UGT en Madrid. Se constituye la Confederación Regional del Trabajo en Cataluña, que agrupa al obrero industrial y al rural. Inauguración de la Casa del Pueblo en Madrid (28 noviembre).	Valle-Inclán: *Romance de lobos*. Blasco Ibáñez: *Sangre y arena*.
	Benavente estrena *Los intereses creados*. Baroja: *Zalacaín el aventurero*. Fallece Isaac Albéniz. Se crea el Centro de Estudios Históricos.
Constitución de la Confederación Nacional del Trabajo (octubre). Pablo Iglesias, primer diputado del PSOE. Tras la huelga general de Vizcaya se consigue la rebaja de la jornada de trabajo en las minas en todo el país.	Ramón Gómez de la Serna publica sus primeras *Greguerías*. Se publica *A.M.D.G.*, de Ramón Pérez de Ayala. Marquina: *En Flandes se ha puesto el sol*. Creación de la Residencia de Estudiantes, dirigida por Alberto Jiménez Frau.
Primer Congreso nacional de la CNT en Barcelona (septiembre). Huelga general que acarrea la ilegalización de la CNT. Fundación de la Escuela Nueva en Madrid. Se crea Solidaridad de Trabajadores Vascos, en Bilbao.	Muere Joan Maragall. Juan Ramón Jiménez publica *Estío* y *Laberinto*. Ángel Herrera se hace cargo de la dirección de *El Debate*, que había sido creado el año precedente.
Huelga general ferroviaria. Militarización de los ferrocarriles.	Pérez Galdós publica *Cánovas*, último tomo de los *Episodios nacionales*. Antonio Machado: *Campos de Castilla*.
	Unamuno: *Del sentimiento trágico de la vida*. Benavente: *La malquerida*. *El Socialista* empieza a publicarse como diario.
La CNT sale de la clandestinidad. Muere Anselmo Lorenzo.	Se estrena en París *La vida breve*, de Falla. Azaña es elegido secretario del Ateneo de Madrid. Ortega y Gasset: *Vieja y nueva política* y *Meditaciones del Quijote*. *Renovación*, publicación periódica de las Juventudes Socialistas. Juan Ramón Jiménez: *Platero y yo*.
	El amor brujo, de Falla. Granados: *Goyescas*. Fundación de la revista *España*. Muere Giner de los Ríos.
Pacto UGT-CNT y primera huelga general estatal de veinticuatro horas (18 diciembre).	Manuel Núñez de Arenas: *Algunas notas sobre historia del movimiento obrero* y tesis sobre *La Sagra*. Arniches: *La señorita de Trévelez*.

AÑOS	ECONOMÍA	HECHOS POLÍTICOS
1916-1918	Oleada de nuevas sociedades anónimas.	
1917		Manifiesto de las Juntas Militares de D (1 junio). Asamblea de Parlamentarios en Barc (19 julio). Primer gobierno de concentración presidi García Prieto (3 noviembre).
1918	Alza vertiginosa del coste de la vida. Se funda el Banco Urquijo.	Gobierno nacional de Maura-Cambó. Campaña catalana «pro autonomía integra Se constituye el grupo de Democracia Cri
1918-1920		
1919	Se funda el Banco Central.	Se agudiza el pistolerismo.
1920	Se funda la Compañía Hispanoamericana de Electricidad - CHADE (22 junio).	Dato, presidente del gobierno. Se recrudece la guerra de Marruecos y se f Tercio extranjero.
1921		Asesinato de Dato (8 marzo). Segundo gobierno Maura-Cambó. Desastre de Annual (21 julio).
1922		Destitución de Martínez Anido. Campaña pro-responsabilidades por el c de Annual. Se crea Acció Catalana. Se forma el Partido Social Popular.
1923		Gobierno de «concentración liberal» pr por García Prieto contando con los reforn Golpe de Estado de Primo de Rivera (1 tiembre).

MOVIMIENTO OBRERO	CULTURA E IDEOLOGÍA
Huelga general (agosto). Condena del Comité de huelga, liberado el año siguiente.	Jacinto Grau: *El conde Alarcos.* Empieza a publicarse el diario *El Sol* (1.º diciembre).
Congreso de la CNT en Sants (junio-julio).	Se funda el Instituto Escuela.
Agitaciones campesinas en Andalucía. Jornada de ocho horas. Huelga de la Canadiense en Barcelona (marzo). Congreso nacional de la CNT en Madrid. Congreso del PSOE (diciembre). Se constituye la Confederación Nacional de Sindicatos Obreros Católicos.	Juan Ramón Jiménez: *Piedra y cielo.* *La Internacional*, semanario dirigido por F. Ribas y por Núñez de Arenas. Gómez Moreno: *Iglesias mozárabes.* Manuel Azaña: *Estudios de política militar francesa.*
Congreso del PSOE. Las Juventudes Socialistas, en abril, deciden entrar en la III Internacional y fundan el Partido Comunista Español.	Valle-Inclán: *Divinas palabras, Luces de bohemia* (publicada en «España») y *Farsa y licencia de la reina castiza* (publicada en «La Pluma», que dirige Azaña). Ortega y Gasset empieza a publicar en artículos de *El Sol*, lo que será su obra *España invertebrada.* Se publica *El Comunista*, órgano del primer PCE.
Congreso extraordinario del PSOE: se separan los «terceristas», que constituyen el Partido Comunista Obrero Español (11-14 abril).	Se publica en «La Pluma», *Los cuernos de don Friolera*, nuevo esperpento de Valle-Inclán. También empieza a publicarse en la misma revista *El jardín de los frailes*, de Manuel Azaña. Se publica *La guerra social* (órgano del PCOE, formado por los terceristas) y luego *La Antorcha*, que será el órgano del PCE ya unificado.
Primer Congreso del Partido Comunista de España, resultado de la fusión de los dos partidos (marzo). Surgen diversas tendencias en el seno de la CNT.	Benavente, premio Nobel de Literatura.
Asesinato del líder sindical Salvador Seguí (10 marzo).	Ortega y Gasset funda la *Revista de Occidente.* Su hermano Eduardo, el semanario *¡Justicia!*, que sucumbirá en 1924, bajo la Dictadura.

Índice onomástico

Índice toponímico

ÍNDICE DE MAPAS Y GRÁFICOS

ÍNDICE GENERAL

PRIMERA PARTE

LA ECONOMÍA ESPAÑOLA, 1830-1900

SEGUNDA PARTE

AFIANZAMIENTO Y DESPLIEGUE DEL SISTEMA LIBERAL

TERCERA PARTE

LA ÉPOCA DE LA RESTAURACIÓN: PANORAMA POLÍTICO-SOCIAL, 1875-1902

CUARTA PARTE

LA ECONOMÍA ESPAÑOLA ENTRE 1900 Y 1923

QUINTA PARTE

ESPAÑA 1902-1923: VIDA POLÍTICA, SOCIAL Y CULTURAL